D0774106

12, AVENUE D'ITALIE. PARIS XIIIe

Sur l'auteur

Richard Price est né en 1950 dans une cité ouvrière du Bronx, où il a passé toute son enfance. En 1974, il publie son premier roman, *Les Seigneurs* (Presses de la Cité, 2005), salué par de nombreux écrivains comme William Burroughs ou Hubert Selby, et devient du jour au lendemain un phénomène littéraire aux États-Unis. Six autres romans suivront, dont *Clockers*, *Ville noire ville blanche* et *Le Samaritain*.

Richard Price est également un scénariste à succès : *La Couleur de l'argent* (Oscar du meilleur scénario en 1988), *New York Stories*, tous deux de Martin Scorcese, *Mélodie pour un meurtre* avec Al Pacino, *Mad Dog and Glory* avec Robert de Niro ou encore *Clockers*, de Spike Lee.

Richard Price vit aujourd'hui à Manhattan.

RICHARD PRICE

VILLE NOIRE
VILLE BLANCHE

Traduit de l'américain
par Jacques MARTINACHE

« Domaine étranger »

dirigé par Jean-Claude Zylberstein

PRESSES DE LA CITÉ

Du même auteur
aux Éditions 10/18

► VILLE NOIRE VILLE BLANCHE, nº 3435
LE SAMARITAIN, nº 3774

Titre original :
Freedomland

ISBN 2-264-04104-8

Je tiens à remercier Calvin Hart, Jose Lambiet, Larry Mullane, Mark Smith et Donna Cutugno pour l'aide qu'ils m'ont apportée lors de l'écriture de ce livre.

A Judy, Annie et Gen,
avec tout mon amour

Un cœur brisé et contrit,
O Dieu, tu ne le méprises pas.
Psaumes, 51,17

PROLOGUE

Les frères Convoy, qui traînaient dans l'air étouffant du passage couvert du Bâtiment 1, furent probablement les premiers à la repérer, et la vue de cette silhouette spectrale les figea dans une posture de curiosité méfiante : Caprice, vautré dans un fauteuil rouillé, la tête émergeant d'un peignoir de coiffeur fait avec un vieux rideau de douche ; Eric, derrière lui, quatre doigts enfoncés jusqu'aux jointures dans un pot d'huile à nattes.

C'était une Blanche maigrelette, montant de la partie Hurley Street de la cité, la tête apparaissant la première, tel le mât d'un voilier doublant la courbure de la Terre, la femme révélant un peu plus d'elle-même à chacun de ses pas rapides et raides dans l'ovale d'asphalte fissuré constituant le centre de la cité Henry Armstrong. Cette arène brisée, familièrement surnommée la Cuvette, était généralement nue, mais on y avait déposé ce soir-là plusieurs dizaines de réfrigérateurs neufs attendant d'être installés, allongés sur le dos dans des caisses ouvertes comme une mer de cercueils sidérés.

— Où c'est qu'elle va, celle-là ? dit Eric à mi-voix.

La femme portait une de ses mains au creux de l'autre, la dorlotant comme un bébé.

Caprice se pencha en avant dans son fauteuil.

— Encore une salope en mission, ricana-t-il.

Eric répondit par un grognement hésitant. A neuf heures et quart, les lieux étaient déserts à cause de la réunion organisée ce lundi soir au Centre communautaire pour résoudre le double meurtre de Mère Barrett et de son frère. Mais bien qu'elle ne fût pas à sa place dans ce quartier à cette heure, la Blanche n'avait pas l'air d'une toxico : elle ne les regardait pas, elle ne les cherchait pas du regard. En fait, elle ne leur accordait aucune attention. Ni en manque ni effrayée, elle avançait à petits pas vifs, fixant le sol devant elle avec une expression à mi-chemin entre colère et hébétude.

Tariq Wilkins, l'air renfrogné dans cette canicule de fin juin, sortit du Bâtiment 1, les bras croisés, les mains dans les manches de son maillot des Devils.

— Elle est finie, la réunion ? demanda-t-il d'une voix traînante.

Voyant les fenêtres du centre encore éclairées, il eut un claquement de langue agacé. Tariq, comme Eric, Caprice, et à peu près tout le monde, savait qui avait tué les deux vieux un an plus tôt, jour pour jour. Mais comme tout le monde aussi, il le gardait pour lui, parce que quand on parle, ça finit toujours par vous retomber dessus.

— On dirait un cimetière, ici, ajouta-t-il, désignant le champ silencieux de réfrigérateurs.

Il découvrit la femme traversant la Cuvette, recula ; sa bouche s'ouvrit, ses mains se portèrent aux poches arrière de son jean.

Elle était vêtue d'une salopette tachée de boue fraîche aux genoux et d'un T-shirt noir barré de l'inscription « Seul le faible manque de respect à la femme qui l'a élevé ». Ses cheveux raides et ternes tombaient sur ses épaules, encadrant un visage mince, pâle. Pas de lèvres, quasiment, mais ses yeux... Les projecteurs anticriminalité montés sur le bâtiment leur donnaient un gris électrique étonnant d'yeux de chien de traîneau, si clairs et si grands qu'ils suggéraient la transe ou la cécité.

Quand elle fut assez proche pour qu'il puisse lui parler, Tariq s'avança selon une ligne parallèle à la sienne, la jaugea du regard.

— Qu'esse tu cherches ?

Au moment où Eric le saisissait par la manche pour le tirer en arrière, il vit quelque chose de sanglant luire dans la paume de la femme.

Sans même ralentir, elle passa devant eux et disparut, sortant de la cité Henry Armstrong, cœur de cette partie de Dempsy surnommée Darktown, D-Town, la ville obscure, pour retrouver le monde.

— Pourquoi tu me tires, toi ? protesta mollement Tariq, relevant le coude pour se libérer d'Eric.

Eric ne répondit pas, se remit à tresser les cheveux de son frère. Le silence s'abattit sur les trois adolescents. Chacun d'eux avait remarqué le reflet de sang au creux de la paume, chacun d'eux se referma sur lui-même, comme pour être seul avec cette gêne soudaine qui les laissait perplexes.

La femme marchait dans Dempsy selon une diagonale résolue, du même pas raide et cependant rapide avec lequel elle avait traversé la cité Henry Armstrong. Une main au creux de l'autre, elle marchait, indifférente aux feux rouges ou verts, à la circulation clairsemée à cette heure, un jour de semaine. Elle traversa le parking d'un Kansas Fried Chicken puis un terrain de basket désert portant le nom d'un gosse de la cité devenu pro, les lampes au sodium projetant son ombre fluette et tordue sur un bâtiment de la Powell, derrière le panneau. Elle traversa le losange d'un terrain de base-ball de la Petite Ligue posé sur une décharge de chrome vieille de cinquante ans, le visage renfrogné et craintif, fixant le sol de ses yeux clairs.

La mode qui avait déferlé sur Darktown cet été-là consistait à se coller de grosses bandes de ruban adhésif métallique réfléchissant sur le jean, les baskets et le maillot. Comme elle approchait du grondement lugubre du boulevard JFK — rien que des « églises » installées dans des débits de tabac et autres commerces abandonnés —, l'agitation morne des équipes de dealers donnait vie aux coins des rues par d'incessants traits de lumière.

Une voiture de ronde ralentit pour l'examiner quand elle passa sous un tag grossier représentant un fœtus avec un crucifix lui sortant du nombril. Elle leva les yeux, ouvrit la bouche, fit un pas en direction de la voiture. « Faudrait lui faire un prélèvement de salive, à celle-là », murmura le chauffeur à son collègue. Changeant apparemment d'avis, elle tourna le dos aux flics et disparut dans une rue latérale.

Quelques minutes plus tard, elle traversait un autre terrain de sports, situé lui aussi sur une ancienne décharge de chrome, puis se retrouva devant le Centre médical de Dempsy, vaste édifice de style gothique à moitié fermé. L'entrée des Urgences dispensait la seule lumière à hauteur des yeux. La femme s'arrêta enfin dans un cône lumineux semblable à celui d'un projecteur sur une scène nue.

Elle hésita au bord du cercle de clarté, un pied dedans, un pied dehors, un éclair de panique parcourant son visage quand elle avisa les bancs tous occupés de la salle d'attente à travers le verre gluant de crasse des portes automatiques. Elle demeura un moment prostrée puis parut se ressaisir, partit vers la gauche d'un pas décidé, tourna au coin du bâtiment et descendit vers une entrée plus obscure, au bas d'une rampe. Passant sous une grille à demi relevée, elle s'avança dans une salle vide crûment éclairée, où le silence était tel qu'on entendait à vingt pas le grésillement d'une lampe de bureau fluorescente.

D'abord, comme désorientée par le sentiment d'enfreindre les règles, elle ne vit pas le jeune Noir obèse allongé sur un chariot à l'autre bout de la salle. Mais une fois qu'elle l'eut remarqué, elle parut incapable d'en détourner son regard. Il était pieds nus, quoique complètement habillé par ailleurs, et mort. Le tissu graisseux qui sortait comme en bouillonnant de l'entaille faite au cutter sous son menton ressemblait à une barbe jaune adipeuse. Elle fixa les plantes pâles des pieds, comme hypnotisée par cette blancheur cachée, resta sans bouger jusqu'à ce que la porte métallique d'une chambre froide s'ouvre devant elle. Un homme d'âge moyen aux yeux jaunâtres vêtu d'une parka à capuche entra dans la salle, fit aussitôt un pas en arrière en constatant sa présence.

— Z'êtes une parente ? demanda-t-il en ôtant sa parka.

Il regarda quelque chose au-dessus de la tête de la femme. Elle leva les yeux, vit un cadran indiquer un 55 clignotant puis constata, en baissant la tête, qu'elle se trouvait sur une bascule de la taille d'un chariot sertie dans le sol. Quand elle porta de nouveau son regard sur l'employé de la morgue, il était en train d'observer sa main blessée.

— Vous vous êtes trompée d'aile.

Devant le poste des infirmières qui faisait face aux Urgences du Centre médical, le garde, un jeunot à barbiche au nez percé d'un anneau, paré d'un uniforme digne d'un colonel, écoutait un inspecteur tiré à quatre épingles faire son rapport au téléphone sur un incident ayant donné lieu à plusieurs coups de feu : un rottweiler mort, l'auteur des coups de feu se faisant recoudre le visage dans la salle de traumatologie. « Un beau carton. J'ai pensé qu'il valait mieux vous tenir au courant. » Six mètres plus loin, dans le couloir, un Pakistanais à la mine triste s'appuyait patiemment au mur, une serviette de toilette ensanglantée autour de la tête, l'oreille dans un sac en plastique rempli de glaçons.

Entendant frapper aux portes en verre de l'accès réservé aux ambulances, le garde se retourna et vit la femme, dehors, qui essayait d'entrer. Tordant la bouche, il lui fit signe de faire le tour jusqu'à l'entrée principale puis se remit à contempler le spectacle gratuit des couloirs, s'intéressa à un ivrogne étendu tout habillé sur un chariot. Couché sur le flanc, l'homme s'appuyait sur un coude, la tête au creux de la main comme un sénateur romain. Plus tôt dans la soirée, il avait mordu dans un verre — prétendait-il — et ajouté cinq centimètres à l'un des côtés de son sourire.

— J'suis alcoolo, dit-il, ayant remarqué l'attention du garde. Ça me pose un gros problème. Pas un petit, un gros. Gros comme une baraque, je vais pas mentir là-dessus.

Le garde eut un grognement dédaigneux, tourna les yeux vers un gardien de prison venu accompagner un détenu. Il faisait des pompes sans conviction contre le mur en attendant que son taulard se fasse enlever le reste de l'ongle du pouce.

Une aide-soignante, Noire boulotte à lunettes plutôt vieille dont la bouche gardait un pli étonné, s'approcha du pochard.

— Il me faut quèque chose contre la douleur, réclama-t-il. Je vous l'ai dit, non ?

— Exact.

— Il me faut des Percocets ou quèque chose parce que je supporte pas la douleur et que je dois prendre mon boulot à six heures, demain matin.

— Ah bon ? Et qu'est-ce que vous faites ? demanda l'aide-soignante d'un ton narquois.

— T'as pas besoin de le savoir.

— J'espère que vous ne conduisez pas un car scolaire...

— Mamie, j'ai une tire à vingt patates, payée cash. Je te le dis, t'as pas besoin de savoir.

— « T'as pas besoin de savoir », « Je supporte pas la douleur », geignit-elle en l'imitant. Si vous voulez savoir ce que c'est que la douleur, faites donc un bébé et revenez m'en parler.

— Hé, j'en ai eu six.

— Pas vous !

— Bon, j'étais dans le coin.

Le garde, hilare, les mains derrière le dos, fit un tour complet sur un talon puis prit conscience avec agacement que la femme, devant l'accès des ambulances, avait recommencé à frapper à la porte. De nouveau, il lui fit signe de faire le tour mais vit alors du sang sur le verre, et ce qui ressemblait à une paume pleine de bijoux pressée contre le panneau.

Les portes s'ouvrirent pour laisser sortir un flic en uniforme, et soudain la femme fut dans la place. Les yeux égarés, les dents s'entrechoquant, elle descendit le hall sans prêter attention aux appels irrités, « Mademoiselle ! Mademoiselle ! S'il vous plaît ! », lancés du poste des infirmières.

Elle s'engagea dans le couloir, passa devant les salles — chirurgie, traumatologie, rayons X — puis, comme si elle se rappelait quelque chose, fit brusquement demi-tour et se jeta par inadvertance dans les bras du garde barbichu ahuri.

— Vous devez passer par l'accueil comme tout le monde, la sermonna-t-il d'un ton embarrassé.

Grimaçant à la vue des paumes de la femme, des choses qui y poussaient, il la fit repasser devant le poste des infirmières en direction des doubles portes à la peinture écaillée menant à la salle d'attente. Elle le suivit d'abord docilement mais s'arracha soudain à son étreinte avec une expression de dégoût. Le bras maintenu à l'horizontale tomba de son support, la main pendant au poignet comme une oie morte.

Un médecin indien, menu, mince et comme guindé dans sa maîtrise de soi, descendait le couloir en mangeant un sandwich. Une expression d'intérêt réticent passa sur son visage quand il remarqua la flaccidité de la main.

— Qu'est-ce qui vous est arrivé ? demanda-t-il entre deux bouchées.

Il prit note machinalement de l'affolement vitreux des yeux, de la respiration laborieuse. Son badge l'identifiait comme « Anil Chatterjee ».

— Il m'a jetée par terre. Je n'étais même pas capable de sortir un mot, s'indigna-t-elle, la voix rauque et profonde, vibrant d'une sorte de panique rétrospective.

Il souleva la main pendante, tâta avec précaution les os du poignet.

— Par terre, où ?

Sans répondre, elle agita la tête comme un oiseau.

— Qu'est-ce qui vous est arrivé ?

Toujours pas de réponse.

Il confia son sandwich au garde, prit les deux mains de la femme. Elle avait les paumes incrustées d'éclats de verre, transparents ou vert bouteille, de gravillons, de morceaux de fer rouillé, de fragments pointus en plastique de diverses couleurs. Dans l'une des mains, un petit tortillon de métal, le ressort d'un stylo à bille bon marché, s'était logé dans la chair à vif rouge et bleu.

— Je veux que vous me répondiez, lui enjoignit-il d'un ton ferme. Que vous est-il arrivé ?

— Il m'a jetée hors de la voiture... (Elle frappa soudain du pied comme un enfant.) Je ne pouvais même pas sortir un mot ! Il ne m'a pas laissé une chance ! J'ai essayé, je le jure devant Dieu !

— Il vous a jetée dehors. La voiture roulait ?

Chatterjee la tint au-dessus des poignets pour l'empêcher d'agiter les bras et d'aggraver ses blessures. Elle détourna la tête, son visage se plissa, des larmes apparurent comme des perles de verre.

Passant outre aux formalités de l'accueil, il la fit entrer directement dans la salle de chirurgie, trottina gauchement à côté d'elle en continuant à la tenir par les deux bras. Le garde suivait d'un pas hésitant avec le sandwich.

La salle était bondée, le sol collant, jonché d'emballages de pansements. Assis sur des bancs le long des murs, les blessés attendaient en silence. Un médecin éreinté, plaquant contre sa poitrine un bouquet de radios, appelait des noms avec un accent russe.

— Salazar ?

Pas de réponse.

— Vega ?

Deux hommes au maillot taché de sang levèrent prudemment la main et, se remarquant l'un l'autre, la baissèrent en même temps.

Chatterjee la fit asseoir sur un tabouret et prit son pouls, qui battait comme celui d'un oiseau-mouche.

— J'ai besoin de savoir ce qui vous est arrivé. Je ne peux pas vous soigner si je l'ignore, dit-il en fixant le gris éblouissant de ses yeux de loup.

Elle détourna de nouveau la tête, la respiration hachée par des frissons.

— Je m'étais perdue, commença-t-elle de son vibrato de fumeuse. Il a dit... il a dit qu'il pouvait m'aider à traverser le parc. Je suis descendue de voiture. Il n'a même pas... (Sa voix s'étrangla.) Il ne m'a même pas laissée dire un mot. Il m'a jetée par terre.

Les dents serrées, elle baissa les yeux.

— Vous avez été violée ?

Du sang gicla quand elle ferma ses paumes blessées en deux boules blanches. Chatterjee recula vivement pour sauver son pantalon puis se pencha en restant à distance pour la forcer à rouvrir les doigts. Le garde posa le sandwich sur une pile de radios et sortit.

— Ecoutez-moi, reprit le médecin. Je connais six langues. Répondez-moi simplement dans une de celles que parlent les humains. Vous avez été violée ?

L'infirmière de l'accueil, une rousse d'une cinquantaine d'années aux cheveux laqués, un badge « Nana n° 1 » épinglé sous le col, se glissa derrière Chatterjee, un formulaire d'admission à la main. Le docteur attendit une réponse tandis que la jeune femme leur adressait un regard de supplique muette. Du genou, il fit rouler le tabouret vers un évier, enfila une paire de gants en latex, prit une des mains blessées et entreprit de la nettoyer avec douceur.

— Ecoutez-moi, répéta-t-il. Je vais vous raconter quelque chose pour vous calmer, vous faire penser à autre chose, OK ? Ensuite, nous parlerons. (Il s'éclaircit la voix.) Les Américains mis à part, savez-vous qui sont les gens les plus dangereux sur terre ?

Lorsqu'il ôta de la chair un aileron de requin en verre coloré, la femme ne broncha pas et continua à parcourir la pièce des yeux.

— Ce sont les gens instruits des couches moyennes du tiers-monde, poursuivit-il. Vous savez pourquoi ?

Le front plissé de concentration, il parvint à extirper un morceau de fer rouillé. L'infirmière demeurée derrière lui leva les yeux au plafond.

— Ils s'échinent au travail en pensant que leurs diplômes leur permettront d'accéder à la classe supérieure de leur pays d'origine, OK ? Mais le système est trop rigide. Vous me suivez ?

La femme cacha ses yeux derrière son bras libre.

— Alors, ils vont en Amérique en croyant que, là-bas, n'importe qui peut se hisser au sommet, et se jettent dans la combine comme on va droit dans le mur. Au mieux, ils accèdent aux professions libérales, touchent en plus les loyers de quelques logements bon marché. Alors qu'est-ce qu'ils font ? Vous savez ce qu'ils font ?

Il extirpa le petit tortillon de métal tandis que la femme agitait les jambes comme des marteaux-piqueurs.

— Ils retournent dans le pays d'où ils viennent et lancent une révolution paysanne pour renverser les classes dirigeantes au nom du peuple. Et de cette façon, ils arrivent finalement en haut de la chaîne. Nouvelle élite. Qu'est-ce que vous en dites, hein ?

— Ce n'est pas de ma faute, répondit la femme, distraitement.

— Qu'est-ce qui n'est pas de votre faute ? demanda-t-il, réellement dérouté.

N'obtenant pas de réponse, il haussa les épaules, tendit la main vers une solution antiseptique.

— Voilà, c'était mon histoire. Racontez-moi la vôtre. Qu'est-ce qui vous est arrivé ce soir ?

Elle ouvrit la bouche mais sa gorge se bloqua. Sa colonne vertébrale fut agitée de soubresauts qui lui firent courber le dos.

Le regard du médecin s'égara sur une plaque de mèches collées, légèrement sur le côté de la tête. Tenant encore une des mains blessées, il montra du doigt la crête croûteuse d'une lacération du cuir chevelu.

— C'est aussi ce soir, ça ?

— Non, murmura-t-elle.

Il la considéra pendant une longue minute comme si sa propre réticence défiait celle de la jeune femme. Lâchant finalement un soupir ostentatoire, il posa délicatement la main de la femme sur le bord de l'évier, lui recommanda de ne pas bouger et quitta la salle.

Une Noire hébétée, échevelée, entra, un œil fermé et tuméfié, la blouse boutonnée de travers. Elle tenait un billet d'un dollar d'une main, un rectangle de carton de l'autre.

— Vous avez de la monnaie ? demanda-t-elle à la cantonade. Ils disent qu'il faut que j'appelle cet inspecteur.

Avant que qui que ce soit puisse lui répondre, elle ressortit dans le couloir.

— C'est quoi, votre nom ? dit l'infirmière de l'accueil avec aisance.

Derrière elle, le docteur russe interrogeait un homme étendu sur un chariot :

— Tension artérielle élevée. Quoi d'autre ?

— Ben, j'entends des voix...

— Votre nom, répéta l'infirmière.

— Brenda Martin, répondit distraitement la femme en regardant un autre médecin indien, une femme, extraire un cafard de l'oreille d'un enfant avec une longue pince coudée.

— Brenda ? Vous connaissez votre numéro de Sécurité sociale ?

Chatterjee réapparut, avec dans son sillage un policier en uniforme qui protestait :

— Allez, doc, je suis déjà débordé, merde !...

— Alors, appelez une autre unité.

Chatterjee lança un regard chargé de rancœur à la femme et dit, indiquant le flic du pouce par-dessus son épaule :

— C'est à lui que vous parlerez.

Brenda Martin se leva, parut sur le point de faire une déclaration. Elle ouvrit la bouche et les deux hommes, interprétant son regard de la même manière, en vinrent à la même conclusion et se précipitèrent vers elle ensemble. Une fraction de seconde trop tard. Echappant à leurs mains tendues, Brenda Martin heurta durement le sol.

PREMIÈRE PARTIE

On n'arrête pas le spectacle pour un seul singe

1

— Vous savez, la vie, la vie et la mort, écoutez les jeunes, la vie et la mort, c'est simple, pour eux. La mort n'est pas grand-chose. La mort, c'est la vie.

Allant et venant sur l'estrade décorée des portraits de Mère Barrett et de son frère jumeau, Theo — deux agrandissements encadrés de papier noir bordé d'une frise de napperons blancs —, le religieux musulman, un Noir du quartier en *kufi* et *dashiki*, bouclait son intervention devant un auditoire qui lui accordait une attention à demi coupable. Une centaine de locataires de la cité avaient pris place sur des chaises pliantes dans la salle aux allures de hangar du Centre communautaire, mais peu d'entre eux, hormis les enfants, avaient moins de cinquante ans. Six îlotiers en uniforme, visage impassible, bras croisés sur la poitrine, se tenaient au fond de la salle à cause de rumeurs annonçant du grabuge.

L'inspecteur Lorenzo Council, jean noir froissé et T-shirt à message positif, attendait son tour de parler, assis sur un appui de fenêtre, à droite de l'estrade. Où qu'il tournât la tête, il trouvait une raison d'être en rogne. De l'autre côté de la fenêtre, il y avait ce champ de réfrigérateurs dans des caisses que personne à l'Office n'avait songé à munir d'un cadenas. Lorenzo savait que demain, voire ce soir, des gosses essaieraient de trouver un moyen d'entrer dans ces pièges mortels pour s'en faire une petite maison. L'Office avait couché les frigos sur le sol, de peur que les gamins ne s'amusent à les renverser, mais personne n'était allé un peu plus loin dans la voie du bon sens en les posant porte contre terre. Ce qui rendait la chose plus inquiétante encore, c'était qu'on avait inscrit à la craie sur le côté la destination de chaque réfrigérateur, « Appt 12G, 14, Hurley Street », par exemple. Comme une invite : « Ce cercueil est pour toi. »

La bile de Lorenzo s'échauffait aussi à la vue des frères Convoy et de cet abruti de Tariq Wilkins en train de glander dans le passage couvert du Bâtiment 1. Si la plupart des jeunes de leur âge évitaient la réunion, évitaient la petite tape sur l'épaule, les autres avaient au moins la décence de ne pas traîner dehors ce soir-là, par respect pour ceux qui y assistaient. Mais ces trois-là...

Et le public, dans la salle... Exactement ce à quoi il s'attendait : des vieux pour la plupart, comme les victimes, poussés à venir par un réflexe enraciné de toujours répondre à l'appel. Ils avaient peur, pourtant. On le voyait à leur manque de réaction verbale, à leur façon de détourner ou de baisser les yeux, de regarder tout sauf les photos encadrées de noir ou l'orateur.

— Le... le lâche, non, la *créature*, parce que celui qui a fait ça n'est même pas humain, alors, je le traite de créature, de créature envoyousée...

Les personnes présentes branlèrent sobrement du chef, une larme ici ou là, un bébé vagissant, un relent de liqueur douceâtre. Une année s'était écoulée. Bien que l'idée de cette cérémonie à la mémoire des deux victimes revînt à Lorenzo, il doutait qu'il pût en sortir quoi que ce soit de tangible. Et l'imam était en passe de le faire mourir d'ennui.

Neuf heures et demie. Il s'était arrangé pour partager son service avec son collègue, Bump Rosen, qui assurerait tout le boulot de quatre heures à neuf heures quarante-cinq. Lorenzo renverrait l'ascenseur jusqu'à minuit, afin que Bump puisse se précipiter chez lui à temps pour voir les débuts d'acteur de son fils de douze ans dans le feuilleton télévisé *Law and Order*.

Neuf heures et demie. Plus qu'un quart d'heure, et il n'avait pas encore pris la parole.

Un des objectifs de la « commémoration » de ce soir était de remettre le double meurtre dans l'actualité, de le garder chaud, ou au moins tiède, mais deux journalistes seulement s'étaient montrés — le reporter aux faits divers du *Dempsy Register* et un stagiaire quelconque du *Jersey Journal.* Ni la police ni la presse ne pouvaient déployer beaucoup d'énergie pour deux meurtres commis dans un comté qui en avait enregistré cinquante-neuf autres depuis.

Lorenzo lorgna le reporter du *Register,* Jesse Haus. Il la connaissait depuis huit ans, cette jeune femme petite, à l'ossature délicate, montrant un goût immodéré pour la toile de jean et le mascara, assise au bord de l'allée et contemplant ses ongles d'un air morose. Elle lui fit penser, comme toujours, à une voiture de course coincée dans un embouteillage : jambes croisées, bloc-notes oublié sur le giron, œil clignant nerveusement comme si un peu de son mascara avait glissé sous la paupière.

Quelques mois plus tôt, elle avait écrit pour le *Register* un portrait de lui qui l'avait propulsé dans l'émission de Rolonda Watts. Remarquant son regard curieusement vague et attentif à la fois, Lorenzo s'aperçut que l'impatience de la jeune femme augmentait la sienne, lui faisait prendre plus nettement conscience que tout ce bazar était en train de lui échapper. Par télépathie, il lui envoya ce message : Attends.

Caressant nerveusement son crâne rasé, l'inspecteur étudia les portraits des jumeaux Barrett, visages asexués en forme de cœur, surmontés de cheveux gris fer coupés court, yeux minuscules et désapprobateurs de la vieille dame, petits également mais malicieux chez son frère. A soixante-dix ans, l'oncle Theo portait encore des pantalons moulants et, même les mois les plus chauds, des sous-pulls à col roulé. Il avait pris sa retraite de comptable à l'Apollo mais était resté ce beau parleur efféminé qui donnait du « baby » à tout le monde, exception faite pour les vedettes du spectacle qui lui avaient été présentées au fil des années : « Mister » Billy Eckstine, « Miss » Dinah Washington, « Mister » Sam Cooke et « Miss » Sarah Vaughan, comme il les appelait. L'oncle Theo était un « personnage » qui, à coups de pizzas et de crèmes glacées, avait amené des générations de gosses de la cité à apprécier Lionel Hampton swinguant « Hey Ba Ba Re Bop », Joe Liggins exécutant « The Honeydripper », ou Billy Ward et les Dominoes parlant d'un « Sixty Minute Man ». Il demandait toujours aux garçons s'ils savaient ce que cela voulait dire, « Sixty Minute Man[1] », mais ça n'allait jamais plus loin avec l'oncle Theo. Des centaines de gosses d'Armstrong, Lorenzo compris, assis sur le canapé protégé par une housse en plastique, se retenant de rire. Un personnage, pensa Lorenzo, un individu singulier qui n'est plus. Le sentiment de perte qu'il éprouvait justifiait l'effort supplémentaire de ce soir.

Quant à Mère Barrett, Lorenzo ne l'avait jamais vraiment beaucoup aimée, mais étant donné la sexualité flamboyante de son frère, il valait mieux évoquer sa mémoire à elle dans une réunion de ce genre. Le plus rageant, c'était que Lorenzo, comme tous les autres dans la salle, connaissait l'auteur des deux meurtres, mais personne, ni religieux ni flic, ne pouvait prononcer publiquement son nom parce qu'il n'avait même pas été inculpé.

C'était le petit-fils, Mookie, un fumeur de crack invétéré, énorme, explosif, à demi taré. Lorenzo était sûr que c'était lui parce que Mookie couchait dehors sauf quand sa grand-mère et son grand-oncle le laissaient dormir par terre dans l'appartement et piller le réfrigérateur. Or l'auteur de cet acte monstrueux avait ensuite glissé des couvertures soigneusement pliées sous la tête des victimes, en geste de remords. L'appartement n'avait pas été saccagé. Seul un tiroir contenant encore quelques coupons alimentaires et de la monnaie était resté ouvert dans la chambre : celui qui les avait tués savait où l'argent était caché. Mais les flics de la Criminelle avaient salopé le travail, ils n'avaient pas enregistré les déclarations de Mookie l'année précédente, et on ne disposait d'aucun moyen pour lui mettre le nez dans ses contradictions. Après quelques séances agitées, le gosse avait tout bonnement décidé de ne plus dire un mot, puis il avait quitté la ville pour Brooklyn où, aussi incroyable que cela puisse paraître, il s'était trouvé « de la famille » pour l'accueillir. Sans arme du crime, sans témoin, sans quelqu'un pour déclarer : « Ouais, je l'ai vu entrer, je l'ai vu sortir, je l'ai entendu piquer une crise », il n'y avait quasiment rien que Lorenzo ou quiconque d'autre pût faire. Et même si personne ne parlait — peur des représailles, peur

1. Expression à connotation sexuelle : un « bon coup », par opposition au « Two Minute Man ». *(N.d.T.)*

d'être impliqué —, toute la cité avait les nerfs à vif ce soir-là et passait avec cette commémoration l'une de ses heures les plus honteuses.

— Vous savez, dit l'imam, souriant et remontant ses lunettes à monture d'écaille, je pourrais rassembler cent hommes avec un seul coup de fil. Lever une armée, la lancer dans les rues ce soir, et ce serait rien pour moi, exécuter cette créature-là, tout de suite. Rien.

Il sourit aux flics au fond de la salle, et quelques-uns lui rendirent son sourire en faisant rebondir leur échine contre le mur carrelé.

— Mais nous avons dans ce pays, aussi, aussi défectueux soit-il, un système, un système judiciaire...

Tout aujourd'hui prenait Lorenzo à rebrousse-poil, comme l'arrestation ce matin de Supreme Griffin, le roi de la dope du moment. Les keufs l'avaient serré à la sortie du pont George Washington, avaient trouvé un sac d'amphets juste au-dessus du tableau de bord. Le bruit courait que Supreme était simplement descendu de voiture et que, sans être sollicité, il leur avait parlé du demi-kilo de dope caché derrière un enjoliveur, des cinquante sachets d'héroïne dissimulés dans une fausse boîte de Benzi. Tombant sur lui au début de son service avant de se rendre à la réunion, Lorenzo lui avait demandé pourquoi il s'était balancé lui-même avec une telle aisance. La réponse de Supreme avait attristé un inspecteur qui aimait à se décrire comme « un vieux des Stups » : « Je suis fatigué de tout ça, tu comprends ? Fatigué, putain. » Ces derniers temps, les gens se plaisaient à répéter : « Le crack, c'est fini, l'héro, c'est reparti. » Ouais, bon, les chiffres étaient peut-être à la baisse, pensait Lorenzo, les pertes humaines en voie de réduction, mais il y avait dans tout ça une tristesse tangible, une résignation et une capitulation qui étaient comme la mort elle-même.

— Nous sommes parfois, parfois un peuple effrayé, disait l'imam, pardonnant d'un sourire à ses auditeurs maussades. Et à juste titre, à juste titre. Un jeune Noir qui grandit ici, dans le cloaque qu'est cette ville, risque davantage de connaître une mort violente avant sa majorité que le GI moyen pendant la Seconde Guerre mondiale. Et ça, selon le *New York Times*, le *New York Times* ! Mais je suis ici pour vous dire qu'il n'y a rien ni personne à craindre dans ce monde si ce n'est Dieu Lui-même. Car nous mourrons tous, et alors viendra le Jugement dernier, le Jugement dernier. *Salaam alaicum*, conclut-il en s'inclinant devant son auditoire.

Comme il descendait de l'estrade, il obtint en réponse un maigre concert d'« *Alaicum salaam* », la plupart des personnes présentes étant trop âgées pour avoir jeté Jésus aux orties en faveur de Mahomet.

Lorenzo se frotta le visage tandis que le public se tournait poliment vers lui, attendant, docile, le savon suivant. Il regarda une dernière fois par la fenêtre pour que la vue des frères Convoy ranime sa colère, contempla l'étrange jardin géométrique de réfrigérateurs et se mit debout.

— Nous nous donnons le nom de communauté, de famille, attaqua-t-il dans un beuglement éraillé, le ton qu'il prenait généralement quand il s'adressait à un public nombreux. Mais comme nous ne voulons pas être traités de balances, nous réservons notre loyauté à ceux qui ne la méritent pas !

Il parcourut l'estrade d'un pas lourd, tel un fauve en cage, promenant des yeux aux paupières lourdes sur les locataires qui se tortillaient, sur les îlotiers impassibles. C'était un vrai costaud — deux mètres cinq, cent vingt kilos —, avec une panse royale, de grosses lunettes, une lèvre inférieure pendante et chroniquement fendue. Dans ce genre de situation, parler haut sur un ton furibard faisait généralement l'affaire.

— J'ai entendu, j'ai entendu quelqu'un dire que si nous étions dans un quartier *blanc*, la police aurait déjà pincé le type. Non ! Non ! On ne l'aurait pincé que si les habitants du quartier, qu'ils soient blancs, bleus, ou à pois rouges, étaient venus déclarer : « Oui, j'ai vu celui qui a fait le coup ! Oui, j'ai entendu les coups de feu ! Oui ! Oui ! Oui !... » Il est temps de vous regarder en face !

Lorenzo les toisa du regard, d'autant plus furieux qu'il avait conscience de se tromper de cible en sermonnant ceux qui avaient pris la peine de se déplacer.

— Mais dans cette cité, c'est : « Non, non, non, ne mentionnez pas mon nom, non, surtout pas, parce que ça finit toujours par vous retomber dessus ! » Alors ! (Il se redressa.) Un an s'est écoulé. Les victimes ont reçu huit balles au total. Huit détonations à neuf heures du matin !...

Arpentant l'estrade, il repéra dans la foule Miss Bankhead, la vieille qui occupait l'appartement voisin de celui des Barrett.

— Mais personne n'a rien entendu, rien du tout. Comment est-ce possible alors que, si je mets ma radio trop fort au quatrième étage, un locataire du *premier* se plaindra du raffut ? Comment est-ce possible, alors que si je laisse tomber un verre au deuxième étage, quelqu'un du premier ira se plaindre à l'Office que je fais la nouba chez moi ? Nous avons perdu deux êtres chers... (Lorenzo remonta ses lunettes, tendit le bras vers les photos.) Regardez-les ! *Mère* Barrett. C'est nous qui lui avions donné ce nom, parce qu'elle était notre mère. *Oncle* Theo. (Il hésita, sachant que le mot « oncle » n'exerçait pas la même attraction viscérale.) C'est nous qui l'appelions comme ça. Combien d'entre vous, ici présents, ont reçu un coup de fil de sa part pour vous prévenir : « Votre gamin ou votre gamine est chez moi, il écoute des disques. Je peux l'inviter à dîner, lui donner un bouquin, lui payer un, un cornet de glace ? »

Il y eut des hochements de tête solennels dans les rangées, où les pleurs reprirent de plus belle.

— C'étaient des gens de la vieille école !

— C'est vrai, ça, approuva une voix par-dessus un murmure grandissant.

— La vieille école ! Les meilleurs gens du monde ! Ils vivaient ici, dans le temps ! A l'époque où tout le monde, dans cette cité, pensait aux autres !

Les spectateurs opinèrent du chef plus vigoureusement en l'encourageant de la voix :

— Vas-y, raconte, Big Daddy !

Il fixa des yeux Miss Bankhead, qui souffrait sur sa chaise. Depuis un an, elle l'évitait. Au fond de la salle, une voix nasillarde crachota dans la radio d'un des flics.

— Quand j'étais gosse, reprit Lorenzo, si je faisais une bêtise à un bout de la cité, je me faisais botter le cul dix fois en rentrant chez moi. C'était cinquante paires de z-yeux qu'elle avait, ma mère, à l'époque !

Le public rit un peu, méfiant, attendant la suite ; un des policiers bâilla bruyamment.

— Si je séchais l'école, ou si je fumais une clope, j'avais cinquante mères pour me tirer l'oreille. La vieille école ! La vieille école ! Mère Barrett... (Il s'arrêta de marcher, eut un rire comme pour indiquer qu'il abandonnait la litanie des reproches.) Mère Barrett, un jour, quand j'étais môme, j'avais chapardé une poignée d'éclats de chocolat à la camionnette de Chilly Willy. Vous vous rappelez le marchand de glaces qui faisait sa tournée, l'été ?

— Oh ouais !

— Oui !

Jesse Haus, du *Register*, rassembla ses affaires, se leva et remonta l'allée en direction de la sortie. Lorenzo fut un peu vexé : il commençait à peine.

— La camionnette de Chilly Willy, répéta-t-il, ayant perdu le fil. Elle avait sur le côté une sorte de plateau de service avec des éclats de toutes les couleurs — bleus, verts, chocolat, arc-en-ciel — dans lesquels on trempait son cornet de glace...

Il roula des yeux, se lécha les lèvres. Les rires vinrent plus facilement, cette fois, et même deux ou trois îlotiers sourirent, la tête tournée vers les fenêtres.

— Un jour de ce que j'appelle ma période « pré-policière », j'ai pas pu résister, j'ai piqué une, non, deux poignées d'éclats !

Lorenzo Council mima le vol et les spectateurs renversèrent la tête pour s'esclaffer. Miss Bankhead continuait à se balancer sur sa chaise, une main sur la bouche, le fardeau de ses secrets la rendant insensible au spectacle.

— J'ai filé derrière le Bâtiment 1, poursuivit l'inspecteur, songeant aux crétins qui traînaient dehors. Le gars de la camionnette s'est rendu compte de rien. Je tourne au coin, prêt à me goinfrer...

Lorenzo imitait Bill Cosby[1] maintenant, tournant, se figeant, levant des yeux exorbités de peur vers un adulte gigantesque invisible du public.

1. Acteur, réalisateur et producteur d'une des séries télé comiques les plus suivies aux Etats-Unis, le *Cosby Show*, qui met en scène le quotidien d'une famille noire de la bonne bourgeoisie.

— Je me retourne, et la vieille Mère Barrett me balance son regard. Vous vous rappelez ce regard qu'elle avait ? Il vous clouait sur place.

— Raconte !

— Elle me demande même pas ma version de l'histoire, elle me laisse même pas préparer un mensonge. Elle me file une de ces taloches sur le postérieur ! Je le jure, les gens assis sur les bancs ont retrouvé des éclats de chocolat dans leurs cheveux pendant une bonne semaine ! Ça, elle m'a propulsé chez moi, ce jour-là !

Les spectateurs se balançaient d'avant en arrière sur leurs chaises, échangeaient de grandes tapes sur les bras. Lorenzo riait avec eux et l'un des flics le regardait avec un grand sourire, comme pour dire : « C'est gagné. »

— La vieille école !... beugla-t-il, avant de marquer une pause pour laisser les rires retomber. Ouais, cette bonne vieille Mère Barrett. Quand j'ai été appelé à son appartement, l'année dernière, il y avait tellement de sang par terre que j'ai glissé et que je suis tombé sur les fesses. Ouais.

Lorenzo sourit à ses baskets, poursuivit :

— Elle avait reçu tellement de balles, et tirées de si près...

Il s'interrompit, pensant : Ça suffit, ils ont compris.

— Et venez pas me dire que la police fait pas son boulot, reprit-il. C'est nous, la police, dans notre quartier. Eux, dit-il, montrant les flics, ils sont pas ici vingt-quatre heures sur vingt-quatre. Nous, si. Alors, nous devons réagir. Si quelqu'un fait quelque chose de mal, c'est mal, et nous devons réagir. Chez nous, dans nos familles, dans les couloirs, dans les bâtiments, dans les cours, dans les cités, c'est nous, la police.

Chœur du public :

— Oui !

— Nous avons perdu deux des nôtres en un jour. Deux vieux formidables qui avaient veillé sur nous tous pendant des années.

La radio d'un policier grésilla de nouveau au fond de la salle. Lorenzo changea la position de son Glock sous sa bedaine.

— Il y a des gens dans cette cité qui vivent quasiment à leur fenêtre, dit-il, baissant le ton. La plus grande télé du monde, comme on dit. Je citerai pas de noms. (Il fit de nouveau glisser son arme, remonta son jean, sourit à la foule.) Je suis peut-être à un poil d'alpaguer quelqu'un, et ce petit quelque chose que vous pouvez me donner, ça me suffirait peut-être. Vous me connaissez. Je suis ici vingt-quatre heures sur vingt-quatre, sept jours sur sept. Suffit de me passer un coup de fil.

Il promena son regard sur les visages baissés, essayant d'établir le contact avec le club des appuis de fenêtre : tous les anciens habitants aux deux premiers étages du Bâtiment 3, la zone réservée par l'Office aux personnes âgées et que les casseurs appelaient « le Parc aux Agneaux. »

— Juste un coup de fil, répéta Lorenzo en évitant de regarder Miss Bankhead, l'ancienne voisine des Barrett. Je vous remercie d'avoir eu le courage de venir ici ce soir. Allah, Jésus, Jéhovah ou Mahomet, que Dieu vous bénisse.

Tandis que le public commençait à sortir, Lorenzo Council s'attarda dans la salle pour bavarder, guetter un regard furtif qui lui signifierait « J'ai quelque chose pour toi mais pas ici », puis remonta lentement vers la porte en écoutant les gens lui dire « J'espère que vous le coincerez » et autres conneries inutiles. Il suivit la masse arthritique de Miss Bankhead qui faisait tanguer ses cent cinquante kilos en direction de la sortie, se fraya un chemin dans une mer d'accolades larmoyantes pour la rattraper dehors, mine de rien, mais un des îlotiers lui saisit le bras.

— Hé, Big Daddy, t'es au courant pour ton gars, là, Supreme ?

Lorenzo s'arrêta, sourit à demi. « Ton gars... »

— Ouais, il s'est encore fait choper.

— Pour un bout de temps, ce coup-ci, dit le policier, Iovakas la Poisse, qui se hissa sur la pointe des pieds pour laisser une autre grosse bonne femme passer entre eux.

« 202 Est », annonça le dispatcher dans la radio de la Poisse, d'un ton aussi plat que l'électrocardiogramme d'un mort. « Deux-zéro-deux, allez-y », répondit l'unité concernée.

Lorenzo et la Poisse écoutaient distraitement.

« On signale une boule de bowling tombée du toit du 15 Weehawken, cité Roosevelt. Répondez. »

La Poisse réduisit le volume.

— Paraît que Supreme a lâché le morceau comme ça, d'un coup : « Hé, les gars, elle est là, la dope. »

— Paraît, oui, confirma Lorenzo, en continuant à chercher un regard dans la foule.

Les murs de la salle étaient recouverts d'autoportraits d'enfants réalisés à la garderie, de grands visages aux traits grossiers portant tous cette légende : « Je suis quelqu'un. »

— Et pour eux, ça avance ? demanda la Poisse, désignant du menton les deux agrandissements qu'un employé de la maintenance emportait maintenant sous son bras.

— Les gens ont la frousse, répondit l'inspecteur avec un haussement d'épaules. Tu sais ce que c'est.

Il commençait à s'éloigner pour recoller aux basques de Miss Bankhead quand la radio de l'îlotier se remit à crépiter :

« 111 Sud. »

« 111, j'écoute. »

« 111, nous avons un appel des Urgences du Centre médical. Une femme aurait été victime d'un vol de voiture occupée dans ce quartier. »

Les deux hommes tendirent l'oreille : le district sud faisait partie de leur territoire. Lorenzo jeta un coup d'œil à sa montre : dix heures et demie, Bump Rosen devait être chez lui devant sa télé, à regarder son gosse jouer un skinhead meurtrier. Son bipeur se manifesta, comme pour confirmer l'échange de services. Le « vol de voiture occupée » serait pour lui une fois que les flics en uniforme auraient établi le rapport préliminaire.

— Bon, chef... dit l'inspecteur, inclinant la tête vers la sortie.

Mais la Poisse le retint de nouveau par le bras.

— Lorenzo, tu devrais dire à Abdoul Ben Maboul, là (geste en direction de l'imam, qui discutait avec le directeur adjoint de l'Office), qu'il y aille mollo avec ses « Je me lève une armée les doigts dans le nez ». Quelqu'un pourrait le croire.

— Dis-le-lui toi-même, répondit Council avec un mince sourire.

Il s'éloigna en cherchant des yeux Miss Bankhead, mais bien sûr elle ne l'avait pas attendu.

Quand il déboîta, les phares de sa Crown Victoria prirent dans leurs phares une femme de haute taille portant une brassée de vêtements nettoyés à sec. Elle se tenait en travers de sa route, oscillant légèrement d'un pied sur l'autre. Il fit un écart pour l'éviter, lui lança dans un rire :

— Baby, qu'est-ce que tu fous au milieu de la rue ? Si je t'écrase, t'auras pas un rond de moi. Je suis assuré.

— Alors, j'ferai un procès à la ville, repartit-elle en s'approchant de la portière.

Ruth Raymond habitait Armstrong depuis toujours, elle y était née trente-cinq ans plus tôt. Par ce temps lourd, la housse en plastique protégeant les vêtements collait à son bras nu comme du sparadrap. Il se demanda où elle avait bien pu récupérer des fringues nettoyées à sec après dix heures du soir.

— Ça m'a bien plu, ce que t'as dit à la réunion, Daddy. (Ruth avait le visage boursouflé. Elle picolait dur depuis la mort de son fils, abattu six mois plus tôt pour sa parka fourrée.) Tu sais à qui tu devrais parler ? A Miss Bankhead. Elle sait quelque chose, cette femme.

— Je le crois aussi.

— Elle a bien dû descendre neuf ou dix fois en Caroline du Nord, l'année dernière. Tous ces allers et retours en autocar, grosse et vieille comme elle est... Y a quelque chose qui la ronge, c'est sûr. Elle arrive plus à rester chez elle, à regarder la télé comme avant.

— Je te suis.

« Toutes les unités demandées pour vol de voiture occupée dans le district sud. Toyota Camry 1991, quatre portes, beige, immatriculée 665 GD dans le New Jersey. Terminé. »

Il baissa le son de sa radio.

— A ce qu'il paraît, c'est elle qui a découvert les corps, dit Ruth, qui s'écarta légèrement, peut-être pour échapper aux bouffées de noix de coco dégagées par le désodorisant suspendu au rétroviseur.

— C'est elle, confirma-t-il, hochant gravement la tête.

— Ça a dû lui inspirer la crainte de Dieu, de voir ça, ajouta Ruth, les larmes aux yeux maintenant.

— Sûrement.

— Elle sait quelque chose, Daddy. Je t'en prie, fais-la parler.

— J'essaie.

Lorenzo était allé jusqu'à boucler le petit-fils de Miss Bankhead pour une vieille histoire dans l'intention de troquer la liberté du gosse contre des informations de la grand-mère, mais le môme lui-même avait déclaré : « Elle emportera ça dans sa tombe », obligeant l'inspecteur à aller jusqu'à l'inculpation.

« A toutes les unités, informations complémentaires sur le vol de voiture occupée du district sud. Véhicule conduit par un Noir, 1,80 m-1,90 m, crâne rasé. Aperçu pour la dernière fois roulant dans Hurley en direction de l'ouest. »

— Et toi, baby, t'as quelque chose qui pourrait m'aider ?

Ruth regarda à droite, à gauche, pressa le paquet de vêtements contre la portière.

— Donne-moi ta carte, murmura-t-elle.

Il en tira une de sa poche, la tint à hauteur de son giron. Ruth passa le bras par la fenêtre ouverte, froissa la carte dans son poing comme un mouchoir en papier, la glissa sous les vêtements. Lorenzo se fit la réflexion que ce devait être la quinzième qu'il donnait à cette femme depuis la mort de son fils.

— Je t'appelle, d'accord ? dit-elle du coin de la bouche en surveillant les bâtiments.

— D'accord, acquiesça-t-il de la tête, sans être transporté de joie par la promesse de Ruth. Tu devrais dormir un peu, lui conseilla-t-il en démarrant lentement. T'as l'air fatiguée...

— Je fais que ça, dormir ! cria-t-elle derrière lui. Et demande à l'Office d'enlever les frigos de la Cuvette ! Ils me flanquent la chair de poule.

Sur le chemin du Centre médical, Lorenzo réfléchit : un vol de voiture occupée, une victime féminine, Hurley Street. Le délit ne collait pas avec le lieu, un cul-de-sac creusé d'ornières au pied de la butte Armstrong, une large bande d'asphalte encaissée entre des tours, à l'est, et un mur de soutènement de voie ferrée, à l'ouest, et se terminant par un mini-parc malpropre à cheval sur la limite avec la ville voisine, Gannon. Hurley était plus un parking foireux pour les habitants de la cité qu'une vraie rue. Son isolement, son obscurité et son statut de frontière spongieuse en faisaient en effet un bon coin à dope. Par voie de conséquence, ce n'était pas l'endroit pour un crime violent, qui ne ferait qu'attirer la police et contraindre les dealers à fermer boutique.

Lorenzo pénétra dans le Centre médical par l'accès des ambulances, fit signe au garde, et les effusions commencèrent aussitôt. Dans cette ville, tout le monde connaissait Lorenzo « Big Daddy » Council, et réciproquement. Il pointa le doigt en riant vers le personnel du poste des infirmières, saluant six personnes en même temps tout en cherchant des yeux Penny Zito, la responsable de l'accueil, serra la main du garde barbichu, un jeune qu'il avait arrêté quelques mois plus tôt pour détention de drogue destinée au trafic. Il lui avait aussi trouvé ce boulot à sa sortie de taule.

Etant donné la présence infatigable de Lorenzo sur le terrain, sa capacité à se placer des deux côtés de la barrière sociale, il y avait fatalement des rumeurs, des bruits en l'air, des conversations de dîner d'après quatre heures du matin, selon lesquels, si son copain Michael Hooks, directeur de l'Urban Corps, était élu maire, Big Daddy Council deviendrait le nouveau patron de la police.

— Ça alors... dit Lorenzo, souriant au garde, notant la narine percée, l'embryon de queue de cheval. Comment va ?

— Vous voyez. Un jour à la fois, hein ? répondit le jeune homme, rougissant de plaisir.

— Exactement, dit l'inspecteur, psalmodiant comme pour un amen.

Penny Zito sortit de la salle d'attente, qu'elle avait traversée après s'être sans doute accordé une pause-cigarette dehors. Par-dessus la tête du garde, Lorenzo chercha les yeux de l'infirmière, ce bref mouvement oculaire qui le renseignerait sur la victime du vol de voiture occupée : sincère ou bidon.

Penny toussa dans sa main, répondit au menton levé du policier par un haussement d'épaules : difficile à dire.

— Comment tu vas, Pen ? s'enquit-il. Toujours Nana n° 1 ? Où elle est ?

— Au 23, avec l'homme le plus dangereux du monde.

Lorenzo éclata de rire, avança en titubant comme si la plaisanterie l'avait sonné.

— Che Guevara, hein ?

— Quoi ?

La question avait jailli derrière lui, claquant comme un défi. Il se retourna.

— J'ai dit : « Eteignez cette clope », lança sèchement le garde, sur la pointe des pieds, au visage d'un Noir au crâne rasé.

A travers la fumée montant de la cigarette fichée au coin de ses lèvres, l'homme toisa le jeunot d'un œil à demi fermé. Il l'aurait sans doute castagné s'il n'avait eu un bébé dans les bras.

— Fous-moi la paix. T'as un problème, ou quoi ?

— Eteignez cette clope, répéta le garde.

Il se rapprocha encore, exécutant la danse du matador de D-Town.

Lorenzo se glissa entre eux en chantonnant « Army, Army », cueillit délicatement la cigarette de l'homme tout en bloquant le garde avec son corps. Army recula, prêt à la baston, bébé ou pas... jusqu'à ce qu'il reconnaisse celui qui s'était interposé.

— Lorenzo ! Fais dégager l'Amiral de la Marine suisse avant qu'il se retrouve dans un des lits du centre...

Le garde ouvrit la bouche mais l'inspecteur lui fit signe : « Je m'en occupe. » Il passa un bras autour des épaules d'Army, l'entraîna vers le poste des infirmières.

— Elle va bien, la petite ? demanda-t-il en montrant l'enfant enveloppée dans une serviette de bain.

— Non, elle va pas bien. Qu'est-ce que tu crois que je fous ici ? Ils lui ont fait un scanner ce matin, ils lui ont filé des médicaments, ça l'a assommée, elle a dormi toute la journée. Ils ont dû forcer la dose ou je sais pas quoi.

Une infirmière s'approcha, prit le bébé : on attendait son arrivée. Army se pencha, signa un formulaire, se redressa au moment où Lorenzo faisait un signe de tête au garde.

— Elle est née avec un problème, expliqua Army. D'après le docteur, elle a reçu un coup dans le ventre.

— La petite ?

— Non, sa mère. Quand elle la portait. Ce matin, le docteur a demandé à ma femme : « Vous vous droguiez pendant votre grossesse ? — Je suis sa grand-mère », elle a répondu, ma femme. Mais enfin, ouais, c'est vrai. Ma fille, quand elle a eu la gamine... (Il soupira.) Elle vient juste d'arrêter, je l'ai pas revue depuis, mais comme elle peut pas s'occuper du bébé...

Army secoua la tête, prit une inspiration du coin de la bouche. Ça finit toujours par vous retomber dessus, pensa Lorenzo. Au centuple.

— Alors, j'ai aussi hérité de celle-là, marmonna Army. Retour à la case départ.

Lorenzo garda le silence, estimant que tout ce qu'il pourrait dire ne ferait que remuer le couteau dans la plaie : Army était, entre autres, dealer intermittent, de moyenne envergure, depuis les années 1970.

— Vas-y, dis-le, grommela Army avant d'allumer une autre cigarette.

— J'ai rien dit, répliqua Lorenzo.

— Non ? Tu pourrais, pourtant, parce que t'as raison.

— Allez, éteins ta sèche.

— Non, j'veux que ce soit l'Amiral, là-bas, qui me le demande...

Army jeta un regard mauvais au jeune garde qui, ayant eu le temps de réfléchir, ne releva pas le défi. Lorenzo haussa les épaules.

— J'espère qu'elle a rien de grave, dit-il en s'éloignant.

— Ouais, moi aussi, répondit Army entre ses dents, sans quitter le garde des yeux. Putain d'enfoiré d'Amiral...

En descendant le couloir vers la salle 23, Lorenzo salua un autre garde, un radiologue portant une douzaine de transparents en salle de chirurgie, un alcoolo amené par les flics après avoir pris une avoine à la gare routière. Le visage couvert de bosses, l'homme regarda l'inspecteur et dit d'un ton presque suave :

— Ça va, ça va. Merci.

— Papi, tu vas arrêter de pinter, maintenant ? dit Lorenzo, histoire de dire quelque chose.

Le pochetron, avec un sourire penaud :

— Y a des chances que non.

— Jeune homme, fit la voix monocorde et raffinée de

Chatterjee s'avançant vers Lorenzo, sa tenue impeccable d'élève de collège anglais éclaboussée et souillée, de ses mocassins sang-de-bœuf à sa chemise bleue en drap fin et à sa cravate en soie or de grenadier.

L'inspecteur savait que le médecin se retrouvait dans cet état toutes les nuits à la moitié de son service, aussi bas que tombe sa blouse, aussi haut qu'elle soit boutonnée.

Chatterjee tendit une main menue qui disparut dans la patte du policier.

— Quoi de neuf, Papa Doc ? Elle a été admise ?

Le médecin eut un haussement d'épaules.

— Elle n'a même pas consenti à ce qu'on lui fasse une radio.

— Elle est prête à parler ?

— Je pense, je pense... qu'elle ment, au moins par omission. Elle est un peu sous le choc, il faut dire, reconnut Chatterjee. (Il tendit les mains, les paumes tournées vers le bas.) Son agresseur l'a jetée par terre, elle a arrêté sa chute comme ça. Elle s'est peut-être fracturé le poignet, je ne sais pas, elle refuse la radio... Et elle a ramassé la moitié des saletés du parking, ou de je ne sais où. J'ai dû la forcer à accepter une piqûre antitétanique. En plus, elle a une jolie petite contusion ici, ajouta-t-il en tapotant le crâne du policier. On ne s'entaille pas le dessus de la tête en tombant sur les mains, exact ?

— Je vous suis.

— Alors, je ne sais pas. Mon sentiment ? Elle a peut-être été violée mais elle ne veut pas aller là-haut. (Nouveau haussement d'épaules.) Ou alors, elle connaît son agresseur. Vous voyez ce que je veux dire : une scène de ménage dans la rue.

— Elle ne tient peut-être pas à ce qu'on sache qu'elle se baladait le soir dans un coin à dope, dit Lorenzo, exprimant à voix haute la raison pour laquelle il avait pris la peine de passer au centre.

Chatterjee le prit par le coude, le poussa doucement vers la salle d'examen.

— Allez donc lui parler. La jeunesse veut toujours tout savoir.

La salle 23 était plus petite, plus intime que la salle de chirurgie générale : trois chariots fixes munis de rideaux en plastique, avec vue sur l'Hudson. Brenda Martin, un œuf de cane luisant sur le front — résultat de sa chute aux Urgences —, était assise au bord d'un des chariots, le dos voûté, les cheveux en désordre. Ses jambes pendaient, inertes. Une traînée acajou de solution de Bétadine courait telle une queue de comète de son jean à son menton, comme si elle avait résisté à la personne qui avait essayé de désinfecter ses plaies. Elle avait les deux paumes entourées de gros pansements, un poignet maintenu par une attelle Curlex.

Lorenzo entra, s'abstint d'intervenir avant que les deux uniformes accroupis devant le chariot aient trouvé une issue naturelle à leur interrogatoire. Les mains jointes devant sa boucle de ceinture, il s'appuya au mur, tel un soliste attendant son tour, et tenta de se faire une idée de la femme. Maigre et terne, elle lui fit l'impression d'une de ces personnes dont le désir fervent de ne pas se faire remarquer, d'être invisibles, les fait disparaître à votre vue.

Le seul autre malade de la pièce, un gros Blanc débraillé, lisait *Moby Dick* dans un coin, un pied nu, gonflé par le diabète, posé sur une chaise. Le tuyau d'une perfusion par intraveineuse était enfoncé dans son bras gauche ; sous le droit, trois sacs en plastique semi-transparent, bourrés de vêtements et de livres, occupaient une chaise.

Les deux autres chariots étaient vacants, l'un couvert d'un tas de draps chiffonnés, l'autre montrant sa surface caoutchouteuse dénudée.

— Noir, vous dites, dit l'un des flics, faisant passer son poids d'une jambe sur l'autre. La peau plus sombre, plus claire que moi ?

Brenda tenait dans ses mains bandées un Coca light qu'elle porta maladroitement à sa bouche, comme un ours essayant de faire couler du miel d'une jarre.

— Je vous le répète, je n'en sais rien. Il faisait noir.

Elle parlait d'une petite voix, le regard évitant tout contact direct. Lorenzo se demanda si c'était pour les tromper ou parce qu'elle avait honte.

— Bon, d'accord, reprit le flic. Et vous dites qu'il mesurait un mètre quatre-vingts, un mètre quatre-vingt-dix, à peu près ?

— A peu près.

— Quatre-vingt-dix, cent kilos ? Vous restez là-dessus ?

— Je crois, oui.

Elle découvrit Lorenzo, l'examina brièvement des pieds à la tête. Il ébaucha un sourire mais les yeux de la femme se posaient déjà sur ses mains bandées puis sur le diabétique malpropre.

— *Moby Dick*, lâcha-t-elle, regardant de nouveau son giron. Un bon bouquin.

Le diabétique lui jeta un coup d'œil, reprit sa lecture.

— Vous avez quelque chose à ajouter ? demanda l'autre flic, visiblement mal à l'aise dans sa position accroupie.

Lorenzo présumait qu'ils s'étaient placés sous elle parce qu'ils étaient tous les deux noirs, comme son agresseur, et qu'ils cherchaient à la mettre à l'aise, mais pourquoi, bon Dieu, ne s'étaient-ils pas tout simplement assis sur une chaise ?

L'un des policiers tapota l'épaule de son collègue ; tous deux se tournèrent vers Lorenzo et se levèrent. Une rotule craqua.

— Hé, chefs, dit-il, s'adressant aux deux hommes en même temps avec un sourire professionnel. Je peux... ?

Il laissa la phrase en suspens, indiqua Brenda Martin de la tête.

— Vous rédigerez le rapport ? demanda l'un des agents d'un ton plein d'espoir.

Lorenzo haussa les épaules : pas de problème.

— Brenda, poursuivit le même flic, c'est l'inspecteur Lorenzo Council.

Il lui sourit de nouveau, fit un demi-pas en avant.

Le regard de Brenda remonta jusqu'au menton de Lorenzo, qu'elle étonna en lui tendant une de ses mains bandées.

— Salut, dit-elle, d'une voix presque inaudible.

Elle avait les doigts glacés.

— Comment ça va, Brenda ? demanda-t-il tandis que les autres policiers quittaient la salle.

— Pas très bien.

Il tira une chaise à lui en pensant : Un Black de deux mètres et de cent kilos la vire de sa voiture, je me pointe, au lieu de sauter par la fenêtre, elle me serre la main...

— Je peux faire quelque chose pour vous, Brenda ? demanda-t-il, cherchant à nouveau son regard.

Elle montra sa boîte de Coca.

— Ils m'ont donné ça, dit-elle, indiquant de la tête la porte par laquelle les agents étaient sortis.

— Vous êtes installée à votre aise ?

— Non.

— Bon, écoutez, je sais que vous êtes drôlement secouée, et sûrement épuisée. (Il attendit une réaction mais elle continua à fixer son Coca en silence.) Plus vite on finira...

Son visage se plissa et elle parut sur le point de pleurer, mais seul un soupir sortit de sa bouche.

— Brenda ? Vous voulez que je fasse venir une inspectrice ? Vous seriez plus à l'aise ?

Elle pressa ses lèvres l'une contre l'autre avant de répondre :

— Je n'ai pas été violée, si c'est à ça que vous pensez.

— Bon, tant mieux. Mes collègues ont le numéro de votre voiture et le signalement de l'agresseur. Tout le monde est déjà à sa recherche, mais si vous pouviez me répéter votre histoire pour que je...

— J'essayais de rejoindre Gannon par Hurley Street, le coupa-t-elle. J'habite là-bas.

Lorenzo l'avait deviné : Gannon, jouxtant la partie Darktown de Dempsy, abritait essentiellement des ouvriers blancs. La limite de la ville passait juste à droite de la cité Armstrong, ou Strongarm, « Gros-bras », comme préféraient dire certains. L'une des principales tâches de la police de Gannon consistait à surveiller les tours pour empêcher des camés de leur juridiction d'aller se ravitailler là-bas et de repasser la barrière dans l'autre sens avec leur dope. Ça et tenir à l'œil les jeunes d'Armstrong, repérer par exemple quatre ados sur deux mobs pénétrant dans Gannon et se métamorphosant une demi-heure plus tard en quatre ados sur quatre mobs. Les gars d'Armstrong avaient la trouille de se faire coincer là-bas parce que les flics de Gannon aimaient leur laisser une impression durable : « On tient à garder notre ville propre. »

— J'étais dans Hurley, d'accord ? Et j'avais entendu dire qu'au bout de la rue on peut continuer quand même, traverser le parc... comment déjà ?

— Martyrs Park ?

— Oui, c'est ça, Martyrs.

Vous parlez d'un parc : une vingtaine d'ares de saletés, d'arbres et de bancs dédiés à la mémoire de Martin Luther King, de Malcolm X et de Medgar Evers, la frontière Gannon-Dempsy passant juste au milieu. Gannon maintenait un poste de police ouvert vingt-quatre heures sur vingt-quatre et surnommé familièrement le Guet, une présence permanente de voitures de ronde de son côté de la frontière, juste en face du parc, dans le parking d'un petit centre commercial qui avait fait faillite.

— Martyrs Park, continua-t-elle. J'avais... j'avais entendu dire qu'on peut le traverser pour ressortir dans Gannon, par Jessup Street.

— Ouais, on peut, confirma Lorenzo.

Un bloc-notes dans une main, un émetteur-récepteur radio de l'autre, il n'écrivait pas encore. Il remarqua les cheveux plats de la femme, ses épaules frêles, son T-shirt à message, et se surprit à la trouver antipathique. Les emmerdes étaient toujours pour Armstrong, mais la moitié des consommateurs venaient de Gannon. Garder notre ville propre...

— J'avais déjà parcouru la moitié du parc... Y a pas de route, juste des arbres. C'est comme une forêt. Alors, je repartais en arrière pour reprendre le chemin normal quand ce type est apparu dans mes feux arrière. Il a surgi de derrière un arbre et je n'avais pas envie de lui parler, mais je ne voyais pas trop où j'allais, en marche arrière, et il s'est approché de ma fenêtre, il m'a dit : « Vous essayez de prendre le raccourci ? Vous avez perdu l'allée. Elle est là-bas. » (Elle avait pris un accent noir, pas trop marqué.) Il indique une direction entre les arbres, et je vois rien, alors il dit : « Là-bas », et il se met à rire, mais pas méchamment, il essaie juste de m'aider. Il ouvre la portière, « Regardez le bout de mon doigt », il dit, comme s'il fallait que je descende. Moi, je savais qu'il valait mieux pas, mais j'ai rien vu venir et, d'un seul coup, il m'a tirée dehors et je suis tombée. (Elle tendit les mains devant elle.) Il a tiré si fort que j'ai heurté le sol, comme si je tombais d'un immeuble.

Lorenzo hocha la tête, regarda les genoux de la femme pour voir s'il y avait des taches corroborant le plongeon qu'elle décrivait. Elles y étaient.

— Je me suis relevée, il est monté à ma place et j'ai crié,

je lui ai saisi le bras. Il est ressorti et, cette fois, il m'a poussée. Paf ! Par terre. J'arrivais plus à respirer. Je me suis remise debout et j'ai essayé de... Impossible de sortir un mot. Il a démarré, j'ai...

Elle s'interrompit, haussa les épaules en signe de capitulation. Lorenzo l'écoutait à demi en réfléchissant : une femme de Gannon agressée à Armstrong, cité des Gros-bras, Darktown. Il espérait qu'il n'aurait pas trop affaire aux gens de là-bas, à leur police, qu'il divisait en teigneux et raisonnables, négociateurs et vachards.

Brenda porta une main bandée à ses yeux et le mouvement le ramena dans la salle.

— Ça va ?

Elle ne répondit pas.

— Brenda ?

— Quoi ?

— Il a pris votre voiture, il est ressorti du parc en marche arrière, jusqu'au bout ?

— Oui.

— Et il a descendu Hurley ?

— Oui.

— Vous avez peut-être vu dans quelle direction il a tourné ? demanda Lorenzo. (Vers Newark, bien sûr, pensait-il, la capitale de la voiture volée du monde libre.) Brenda ? Vous avez vu dans quelle direction il a tourné, au bout de Hurley ?

Avant qu'elle puisse répondre, il approcha sa radio de ses lèvres.

— Inspecteur Sud 15 à Central.

— Central. Allez-y.

— Oui, pour ce vol de voiture occupée, assurez-vous que la police de Newark est prévenue. Et appelez Bump Rosen, demandez-lui de commencer à chercher des témoins dans Armstrong.

Il regarda sa montre : onze heures moins le quart. Le feuilleton n'était pas encore fini ; le fils de Rosen ne devait en être qu'à la moitié de sa scène au tribunal. Lorenzo s'en voulait de faire ça. Il espérait que Bump traînerait devant la porte, attendrait au moins que son gosse soit condamné.

— Excusez-moi, dit-il à Brenda.

— J'ai essayé. J'ai couru derrière lui. J'ai essayé de lui dire.

— De lui dire quoi ?

Elle posa soigneusement la boîte de Coca à côté d'elle, sur la table.

— Je veux pas que ma mère le sache.

Il hocha la tête en pensant : Que j'achète de la dope.

— Brenda, je suis obligé de vous poser la question, mais sachez que, quelle que soit la réponse, tout ce qui m'intéresse, c'est d'épingler le gars qui vous a agressée, OK ?

— Est-ce que j'étais là-bas pour me fournir, c'est ça ?

— Ça ne m'intéresse pas, mais si c'est le cas, ça pourrait m'aider à savoir où chercher. Vous, vous ne risquez rien. Vous êtes la victime, un point, c'est tout. Ni votre mère ni personne n'a besoin d'en savoir plus, vous me comprenez ?

— J'ai arrêté depuis près de cinq ans. J'y pense même plus.

— Bien, dit-il, pas vraiment convaincu.

— Et mon frère est de la police.

— Ah ! ouais ? Où ça ?

— A Gannon. Il est inspecteur.

— Merde, alors. Comment il...

— Martin. Danny Martin.

— Ah ! oui. Un bon flic, assura Lorenzo, hochant la tête comme s'il était ravi. (Martin était en effet plutôt bon, mais il faisait partie des teigneux. Ça s'annonçait mal.) Vous voulez que je le prévienne ?

— Pas vraiment, répondit-elle d'un ton détaché, comme si elle partageait son opinion sur la suite des événements.

— D'accord, pas de problème, affirma-t-il. (Il songea qu'il devrait quand même mettre le type au courant : courtoisie entre collègues.) Donc, Brenda...

— Qu'est-ce que je faisais dans la cité si c'était pas pour acheter de la drogue ?

— Je suis obligé de vous poser la question, répéta-t-il.

— Je travaille là-bas.

— Où ?

— Dans la cité. Au Club d'Etudes.

— Le club est dans la cité Jefferson, non ?

— On vient d'en ouvrir un deuxième au sous-sol du Bâtiment 5.

Lorenzo hésita ; ça allait un peu plus vite, maintenant.

— Ouais, j'en ai entendu parler.

Le Club d'Etudes était un programme de soutien scolaire destiné à maintenir les préadolescents hors des rues après l'école et, dans certains cas, hors d'un foyer à problèmes.

Il relut l'inscription du T-shirt — « Seul le faible manque de respect à la femme qui l'a élevé » —, réfléchit. Elle était peut-être dans le camp des bons, après tout. Peut-être.

Devant la mine peu convaincue de l'inspecteur, Brenda Martin se pencha en avant et son débit s'accéléra, comme si elle disposait d'un temps limité pour le persuader :

— On venait de déménager certaines choses de Jefferson hier, et une fois rentrée chez moi, je ne trouvais plus mes lunettes, alors je me suis dit que je les avais peut-être emballées avec le reste par erreur, je suis donc allée au Bâtiment 5 pour regarder dans les caisses. Mais comme j'avais pas la bonne clef, je n'ai pas pu entrer, j'ai voulu retourner en vitesse à Gannon et... Le reste, je vous l'ai raconté.

Elle en faisait trop et continuait à éviter son regard, à cacher son visage, cacher quelque chose. Un mec ? Un mec noir ? Un viol ? Une histoire de drogue ?

Le diabétique renifla, tourna une page, bâilla.

— Vous vous sentez assez bien pour venir jeter un coup d'œil à notre album de famille ? demanda Lorenzo.

Elle haussa légèrement les épaules, sans répondre, sans faire mine de se lever pour mettre fin à l'entretien. Tricotant des doigts, elle attendait. Il inclina la tête pour essayer de lui faire lever les yeux de son giron.

— Brenda ?

Elle lui lança avec réticence un regard nerveux.

Il se pencha en avant, tordit le cou pour placer son visage dans la ligne de mire de la jeune femme.

— Brenda, qu'est-ce que vous me cachez ?

Elle haussa de nouveau les épaules, essaya de regarder ailleurs, porta une main bandée à sa bouche.

— Brenda, je ne peux pas m'empêcher... (Il s'interrompit, soudain effrayé à l'idée de découvrir quelque chose qu'il valait mieux ignorer.) Je peux pas m'empêcher de penser qu'il y a autre chose qui vous tracasse, vous voyez ce que je veux dire ?

Elle hocha vigoureusement la tête pour confirmer.

— Je vous repose la question : vous voulez que je fasse venir une inspectrice ?

Elle fit signe que non, sa poitrine s'élevant et s'abaissant à chaque respiration.

Un mouvement attira l'attention du policier : le tas de draps s'animait sur l'un des chariots qu'il avait crus vides, quelqu'un y reprenait conscience avec un gémissement.

— Nom de Dieu, soupira le diabétique.

— Brenda, vous connaissiez le type ?

Elle se frappa lentement le front avec son attelle, recommença, plus vite, serra les dents et se mit à gémir. Lorenzo reconnut la mélopée de la frustration et de la peur.

Il se rapprocha, la touchant presque.

— C'est qui, Brenda ?

Elle fixait le mur, les yeux irisés de larmes, le geignement montant d'un cran.

— Brenda, c'est votre jour de chance. Armstrong, c'est chez moi, je connais tout le monde. Qui c'est, ce type ? Qui vous a fait ça ?

— Mon fils... répondit-elle, sans quitter le mur des yeux.

— Quoi ? dit-il, sidéré. (Il lui donnait une trentaine d'années.) Attendez un peu.

Elle se mit à frissonner, comme si elle avait froid, sembla s'éteindre. Il tendit la main pour la faire revenir, arrêta son geste.

— Votre fils ?

En levant l'avant-bras pour masquer ses yeux, elle fit tomber le Coca. Le claquement creux de la boîte sur le sol arracha un grognement au diabétique.

— Il est dans la voiture.

Les mots étaient sortis d'elle en une plainte apeurée. Elle le regarda enfin, les yeux emplis de terreur comme si elle s'attendait à ce qu'il se lève pour la battre à mort.

2

A dix heures passées, les taches qui parsemaient les marches en ciment du perron étaient encore vives, non coagulées, et Jesse Haus pensa tout d'abord qu'elle avait mal calculé son coup, qu'elle était arrivée trop tôt sur les lieux. D'un autre côté, bien qu'une voiture de ronde de la police de Dempsy fût encore garée près de la Chrysler de son frère, la foule des curieux s'était dispersée, et le ruban de plastique servant à délimiter le lieu du crime gisait en tas au pied d'un arbuste qui perdait ses feuilles.

Elle avait appris la fusillade une heure plus tôt, mais si elle était accourue dès la diffusion de l'appel, les flics auraient été trop speedés pour parler, les voisins n'auraient encore rien su, ou, s'ils savaient quelque chose, ils seraient en train de parler aux flics. En plus, elle aurait dû jouer aux autos tamponneuses avec la poignée d'autres reporters qui avaient probablement capté l'appel-radio en même temps qu'elle. De toute façon, rien ne pressait. L'heure du bouclage — six heures — était passée depuis longtemps et, à moins d'un suicide collectif ou d'un assassinat en masse, tout papier devrait attendre l'édition du soir du lendemain.

A la réunion dans la cité Armstrong, elle avait à peine écouté Lorenzo Council et le religieux musulman ; elle n'y était passée que pour tuer le temps en attendant que retombe l'agitation causée par la fusillade, comme quelqu'un qui entre dans une boutique pour échapper à une averse soudaine.

Tout ce qu'elle se rappelait en fait de ce vain exercice de civisme, c'était que l'imam avait qualifié le meurtrier de « créature envoyousée », étiquette qui aurait parfaitement convenu à la fille avec qui elle partageait son appartement. Jesse venait de découvrir que cette avocate, ou agent de change, lui faisait payer soixante-quinze pour cent du loyer. Elle déboursait plus de neuf cents dollars par mois pour une chambre (pas un mot au propriétaire) obtenue en partageant la salle de séjour en deux par une cloison d'aggloméré.

Depuis qu'elle avait emménagé, huit mois plus tôt, suite à une annonce publiée dans son propre canard, Jesse avait toujours remis sa partie du loyer à la fille, titulaire du bail, sans jamais voir l'avis d'échéance. Ce matin, elle était tombée dessus par hasard en se préparant un petit déjeuner à midi dans la kitchenette, les arômes mêlés de la collection de cafés solubles International Blend de cette Jean, ou Jane, lui levant le cœur tandis qu'elle fixait le montant du terme : mille deux cents, et non mille huit cents, comme elle l'avait toujours supposé. Soixante-quinze pour cent, et, en plus, cette garce se gardait la vraie chambre.

Même à six cents dollars par mois, l'appartement était minable. L'immeuble, construit à la hâte au bord de l'Hudson était censé mettre le pied à l'étrier de jeunes cadres, mais les couloirs empestaient l'air en conserve, la construction était si hasardeuse que le VTT jamais utilisé de Jane, suspendu au plafond par des crochets dans ce qui restait de la salle de séjour originelle, se balançait chaque fois que le métro ébranlait le club de gym installé au sous-sol. Les murs intérieurs étaient si poreux que lorsque Jesse était allée se plaindre un jour au voisin parce qu'elle entendait l'intégrale des Eagles, elle avait découvert que la musique provenait en fait de l'appartement d'après, au bout du couloir. Sa propre cloison d'agglo ne valait évidemment pas mieux : chaque matin, elle était réveillée par des claquements de lèvres et des bruits humides de manducation en provenance de la kitchenette, Jane pratiquant le neuf heures / dix-sept heures en matière d'horaire.

Le seul aspect de l'arrangement qu'elle appréciait, c'était la vue qu'elle avait de sa chambre : un large morceau d'Hudson et, sur la berge la plus éloignée, le profil du West Side, à Manhattan, paysage qu'elle trouvait à la fois si puissant et si serein qu'elle avait épinglé une affiche touristique montrant à peu près la même chose à côté de la vue réelle. Cette étrange redondance constituait le seul effort qu'elle eût déployé en huit mois pour décorer, personnaliser ou rendre simplement moins austère la cellule de trois mètres sur cinq qu'elle considérait pour le moment comme son foyer.

En quittant le Centre communautaire, Jesse n'avait pas manqué de remarquer le regard consterné que Lorenzo Council lui avait lancé quand elle avait remonté l'allée. C'était un type bien, qui menait le bon combat, comme aurait dit son père, mais vaniteux et susceptible dès qu'il s'agissait de sa réputation et de sa popularité dans la communauté.

En gravissant l'escalier étroit de l'immeuble vers le lieu du crime, situé au troisième étage, elle se prit à regretter une fois de plus d'avoir fait ce portrait de Council pour le journal, quelques mois plus tôt. Il émanait encore de lui un tel besoin d'être reconnu qu'elle se sentait plus dans la peau d'un publicitaire que d'une journaliste. Les couloirs puants dont le plâtre s'effritait avaient été repeints en marron et jaune moutarde, et ces couleurs engendraient une impression de claustrophobie qui, combinée à une odeur forte de chou-fleur et de graillon, transformait la montée en expérience oppressante.

Un jeune flic se tenait les jambes écartées devant la porte ouverte de l'appartement. Juste avant d'arriver sur le palier, Jesse découvrit derrière lui, comme encadrées dans le triangle joignant ses chevilles et son entrejambe, une chaise haute renversée et une large traînée de purée de maïs sur un tapis.

— Salut, comment ça va ? demanda-t-elle, en se donnant un air épuisé.

— Désolé, vous ne pouvez pas entrer, répondit le flic d'un ton poli, chargé d'ennui.

— Mais on m'a envoyée ! argua-t-elle, sans plus de détails.

Elle haletait, poussant la comédie à fond pour décrocher l'oscar.

— Désolé, répéta-t-il, croisant les bras comme un génie inflexible.

Elle aperçut alors l'autre flic à l'intérieur de l'appartement et s'écria : « Willy ! », ignorant désormais l'agent planté devant la porte.

— Hé, Jess, quoi de neuf ?

Willy Hernandez avait grandi avec Jesse Haus dans la cité Powell de Dempsy ; les parents de Jesse avaient été l'une des dernières familles blanches, le clan Hernandez constituant l'avant-garde de la vague portoricaine.

— Qu'est-ce qui s'est passé ici ? demanda Jesse.

Hernandez haussa les épaules.

— Un mec entre, pan, pan, la vieille, le môme, et il repart dans la nuit.

— Ils vont s'en tirer ?

— Je crois. J'espère.

— On les a emmenés où ?

— A Saint John The Divine.

— Qui prend la suite ?

— Cippolino et Fox.

Jesse connaissait Cippolino ; elle savait que ce qu'elle n'arriverait pas à savoir maintenant, elle l'obtiendrait plus tard de l'inspecteur au téléphone.

— Vous connaissez le coupable ?

— On cherche.

— Qui est-ce ?

— Alors, comment vont les vieux ? demanda Hernandez, afin d'éluder la question. Ils habitent toujours la cité ?

Les Hernandez avaient quitté Powell depuis longtemps, quand la famille Haus y vivait encore. Jesse avait cherché désespérément à convaincre ses parents de partir, mais son père voyait dans le déménagement un acte de capitulation raciste.

— Camarade Haus ! s'exclama le policier, donnant au père de Jesse son surnom. Il était vraiment pas marrant, ton vieux.

— Ouais, acquiesça-t-elle rapidement. Tu me laisses entrer ?

— Je peux pas, Jess. Tu le sais bien.

— Willy, j'ai rien décroché de la journée. Allez, fais-le pour le camarade.

Elle se força à sourire, comme si le souvenir des quelques amis qu'elle avait eus à Powell — une bande de jeunes Dominicaines au collège, un petit ami jamaïquain au lycée, un curieux mélange de Philippins et de Guyanais pendant les quelques mois qui avaient suivi, tous se voyant infliger une conférence sur le racisme par son coco de père chaque fois qu'ils avaient le malheur de mettre les pieds dans l'appartement — était rose et cher à son cœur. Le camarade Haus n'avait jamais compris, ou il avait refusé d'accepter, que la plupart des immigrés — blancs, noirs, basanés — venaient en Amérique pour embrasser non la lutte mais le dépliant touristique, mener la bonne vie. Ce qui signifiait avant tout gagner de l'argent. Mais on ne pouvait dire ça au dernier homme sur terre à qualifier la Russie de « paradis des travailleurs ».

— Willy, je t'en prie, je vais rentrer bredouille...

Hernandez se suçotait les dents, prêt à céder, quand un photographe d'un autre journal du comté, asthmatique et replet, acheva de monter poussivement les marches et les rejoignit devant la porte.

— On peut prendre des photos, chef ?

— Non, non, répondit Hernandez, qui l'écarta de la main et coula à Jesse un regard de regret.

Elle attendit dans l'obscurité du troisième que le gros abruti ait quitté l'immeuble puis descendit d'un étage et frappa à la porte de l'appartement situé sous le lieu du crime.

Répondant à ses coups secs, une Noire d'une cinquantaine d'années portant une robe-tablier à carreaux et une perruque de cheveux courts cuivrés vint ouvrir. L'odeur moite d'un ragoût s'échappa dans le couloir. Après avoir jeté un coup d'œil à Jesse à travers des verres de lunettes épais comme des culs de bouteille, la femme déclara : « Non, je parle pas », et tenta de refermer sa porte. Sans lui laisser le temps de battre en retraite, la journaliste débita hâtivement : « Mais ils ont dit que je devais m'adresser à vous », indiquant de la main l'étage du dessus, les flics.

— Non, s'obstina la femme, entortillant un torchon autour de ses mains, je parle pas.

Jesse passa outre :
— Vous connaissez le gosse ?
— Non, je sais rien.
— Vos enfants jouaient avec lui ?
— Mes enfants ? dit la femme, qui sourit, se toucha la poitrine du bout des doigts. Mes enfants sont adultes. Lui, c'est un mioche.
— De quel âge ?
— Je sais pas, dit-elle, tentant à nouveau de fermer la porte.
— Comment se fait-il que vous ayez de grands enfants ? feignit de s'étonner Jesse en glissant un pied à l'intérieur. Vous avez l'air si jeune...
— Non, ils sont adultes, maintenant.
— Vous étiez amie avec la dame du dessus ?
— Non, c'est une vieille.
— Alors, le gosse, c'est son petit-fils ?
— Je sais pas. Je m'occupe pas des affaires des autres.
— Vous n'avez rien vu ?
— Non.
— Rien du tout ?
— J'ai simplement entendu...
— Quoi ?
Le téléphone sonna dans l'appartement.
— Excusez-moi.
Elle recula, voulut fermer la porte, mais le pied de Jesse la bloqua. La femme lui lança un long regard appuyé, et Jesse dut retirer son pied.
— J'attends dans le couloir, eut-elle le temps de lancer, sachant pourtant que la femme ne reviendrait pas.
Elle lui accorda deux minutes avant de frapper de nouveau à la porte, de frapper une troisième fois, plus fort, puis elle finit par descendre d'un pas lent. En arrivant à la porte de l'immeuble, elle repéra son frère assis dans sa voiture. Il relisait le journal, un gobelet de café à la main. Ben ouvrit aussitôt la portière mais elle lui fit signe de la laisser tranquille.
Aujourd'hui, personne ne faisait apparemment plus attention à ce genre de chose, mais au début des années 1960, quand Jesse et Ben étaient deux gosses de rouge grandissant à Dempsy, on les surnommait les « Petits Khrouchtchev »,

et leurs camarades les traitaient comme des punching-balls ambulants ornés de la faucille et du marteau. Avec en plus, cerise sur le gâteau, le mince contour d'une kippa ceignant leur tête comme un halo.

Jesse, de quatre ans l'aînée de Ben, lui avait servi de protectrice autodésignée pendant les dix premières années de sa vie. Elle l'avait à moitié porté, à moitié traîné à l'hôpital le jour où un patriote en herbe lui avait lancé une boîte de haricots à la figure, lui ouvrant l'arcade sourcilière droite comme un porte-monnaie à fermeture Eclair. A l'adolescence, ils avaient changé de rôle : Ben, récemment promu au mètre quatre-vingts, s'institua bouclier de sa sœur. Ce serment d'allégeance, il le tenait aussi à l'âge adulte puisque les horaires souples de ses activités mal définies lui permettaient de servir de chauffeur à Jesse jour et nuit, dans les rues mal famées où l'appelait son métier. Répugnant à couper le cordon, Jesse exprimait l'ambivalence de ses sentiments en se montrant désagréable avec lui. Elle n'en acceptait pas moins qu'il lui serve d'escorte, que cela soit nécessaire ou non.

Aux pieds de la journaliste, un Noir jeune et corpulent, assis sur le perron ensanglanté, regardait la rue tranquille en tirant sur un joint.

— Vous savez ce qui s'est passé ? lui demanda-t-elle.

Il se pencha en arrière, se tourna à demi pour la voir.

— Non.

— Deux personnes se sont fait canarder.

— Ça, je le sais.

— Vous les connaissez ?

— Euh, ouais, on peut dire.

Il lui tendit le pétard, qu'elle refusa d'un geste. Son frère l'agaçait, à lui lancer des coups d'œil insistants par-dessus son journal.

— La vieille et le gosse... reprit-il, secouant la tête. Quel connard !

— Qui ?

— Eh ben, le... vous savez bien.

— Le gars qui a tiré ?

Il répondit à la question par un claquement de langue languissant exprimant à la fois le reproche et le dégoût.

— Je le savais, que ça arriverait...

Jesse prit le joint, aspira une courte bouffée, la rejeta avant qu'elle puisse faire effet.

— Comment il s'appelle ?

— Putain, je sors, je vois cette vieille bonne femme assise là, sur cette marche, du sang plein la poitrine. Assise là, sans bouger. Je m'approche, elle me dit : « Va chercher le bébé, le bébé est blessé aussi, va le chercher. » Et elle bascule en avant. Je fonce en haut. (Nouveau claquement de langue.) Le bébé est par terre, avec du sang partout.

— Il pleure ?

— Ça, oui. Alors je vais téléphoner, l'*ambalance* arrive, les flics se pointent.

— Qui a fait ça ?

— Le mec, tiens.

— De... ?

— De, vous savez, Chantal.

— Chantal...

— La mère.

— La mère du bébé ?

— Putain, elle était même pas là, alors il entre et...

Il claqua à nouveau la langue.

— Il tire sur la grand-mère et le bébé ?

Cette fois, il émit un chuintement de vapeur.

— Comment il s'appelle ? demanda Jesse. (Utilisant sa cuisse comme bureau, elle écrivait sans regarder son bloc-notes.) C'est quoi, son nom ?

Il hésita, aspira une longue taffe.

— Comment vous savez si c'est pas moi ?

— C'était vous ? dit Jesse d'un ton plein d'espoir.

Si oui, elle tenait un scoop.

L'homme se tourna vers la rue et laissa tomber :

— Tiger.

— C'était Tiger ?

Il ne répondit pas.

— Tiger comment ?

— Tiger tout court.

— Les flics le savent ?

— Ils sont en train de le chercher.

— Tiger, le mec de Chantal ?

— Ex.

— Le père du bébé ?

— Ça se pourrait.
— C'est le fils de la vieille dame ?
— Tiger, c'est tout ce que je sais.
— Où elle est, Chantal, en ce moment ?
— Je sais pas.
— Au travail ?
Pas de réponse.
— Pourquoi il a fait ça, Tiger ?
— Elle l'a largué.
— Chantal ?
— Ouais.
— Les flics le savent ?
— Ceux qui m'ont parlé le savent. Mais vous pouvez demander à n'importe qui, Tiger est un sale con. J'espère que Miss Delano s'en tirera. Et le bébé aussi.
— Où il habite, Tiger ?
— Il vivait là-haut. Putain, j'y crois pas. Je reviens de donner une leçon de conduite à mon père, je vois Miss Delano assise là par terre, pleine de sang...
— Une leçon de conduite ? répéta la journaliste, distraite par ce détail, touchée, se disant qu'elle aimait peut-être les gens, finalement.

Elle remonta à l'appartement d'un pas traînant, trouva la porte fermée et dut sonner près d'une minute avant que le policier qu'elle ne connaissait pas vienne ouvrir.
— Salut, dit-elle en souriant, sa fatigue à demi feinte seulement, cette fois.
— Vous pouvez pas entrer, je vous l'ai dit.
— Qui c'est, Tiger ? demanda-t-elle, comme s'il lui devait au moins ça.
— Quoi ?
— J'ai entendu dire que c'est Tiger qui a tiré.
— Un tigre ? répondit-il, se foutant d'elle. Hé, moi, je suis là uniquement pour garder le lieu du crime.
— Vous n'avez pas entendu parler de Tiger ?
Il la fixa sans rien dire.
En redescendant les marches, Jesse tomba sur Cippolino, l'inspecteur qui suivrait l'affaire. Deux ou trois ans plus tôt, dans un bar, il lui avait tenu une serviette mouillée sur le

front après qu'elle eut bu et vomi quelques verres de trop, le jour de la Saint-Patrick. Tommy Cippolino, présentement son plus vieil ami au monde.

— Jose ? demanda Jesse.

Assise sur le siège avant droit de la Chrysler, téléphone portable collé à la mâchoire, elle déchiffrait ses gribouillis. Dix mètres plus bas dans la rue, Ben donnait quelques coups de fil professionnels.

— Yo.

— J'ai deux blessés par balle.

— OK.

— Un bébé.

— OK... Où ?

— Dans la poitrine.

— Non, où ?

— D-Town, 440 Firpo.

— OK.

— Et une grand-mère.

— OK.

— D-E-A. Non, D-E-L-A-N-O. Esther.

— OK.

— Le bébé s'appelle Damien Foy. F-O-Y.

— Damien ?

— Ouais, comme dans *La Malédiction*.

— OK. Quel âge ?

— Je me rencarde. Le tireur est peut-être le père.

— Tu m'en diras tant.

— Mais apparemment ils vont s'en tirer, tous les deux.

— OK.

— La grand-mère sort, blessée.

— OK.

— Elle s'assied sur le perron. En état de choc, je suppose.

— OK.

— Arrive un voisin...

— OK.

— Aaron P-A-R-L-A-M-E-E.

— OK.

Les réponses de Jose avaient un rythme apaisant. Il prenait note des informations communiquées par Jesse et les mettait rapidement en forme, dans un jeu familier de questions et de réponses qu'ils pratiquaient tous deux depuis des années.

— Parlamee se pointe, la vieille lui dit, je cite : « Le bébé est en haut, va chercher le bébé. »

A peu près, pensa Jesse.

— OK.

— Il monte, il voit le bébé par terre, plein de sang.

— OK.

— Parlamee appelle une *ambalance*, dit Jesse, reproduisant la déformation du mot.

— OK.

— Il m'a dit, je cite : « Je m'y attendais. »

— Bon.

— D'après lui, le tireur est un nommé Tiger.

— C'est son nom ?

— Ouais. Parlamee dit que Tiger s'est fait jeter par la mère du bébé, Chantal. Je n'ai pas encore de nom de famille.

— OK.

— Côté flics, j'ai eu droit à : « Tiger ? Qui c'est, Tiger ? »

— OK.

— Mais elle l'a foutu dehors.

— Qui dit ça ? Les voisins ?

— Les voisins.

— OK.

— Les voisins disent... qu'ils se disputaient souvent.

— OK. La police refuse de confirmer ?

— Oui... Je maintiens le dialogue avec l'inspecteur chargé de l'affaire mais, non, pas de confirmation pour le moment.

— Le gosse s'en tirera ?

— Il pleurait, alors, je pense que oui.

— Grand-mère aussi ?

— Je sais pas encore. Bon, quoi d'autre ?

— Au 44 Forest, à Gannon, des coups de feu. Un gars qui a flingué son pote.

— Des truands ?

— Sais pas, c'est encore frais. Attends... Voilà : quinze et treize ans.

— Lequel a tiré sur l'autre ?

— Sais pas.

— Ils jouaient avec l'arme du père, pour frimer, c'est ça ?

— Attends... Celui de quinze a tiré sur celui de treize et... Simple écorchure. Merde. De toute façon, ils ont moins de seize, on pourrait pas publier de noms.

— Quoi d'autre ?

C'était l'antienne de Jesse. Elle appartenait à cette catégorie de reporters appelée *runners*, artistes toujours en mouvement couvrant les six villes du comté, trouvant leur pâture sur la fréquence radio de la police, fonçant sur les lieux recueillir des noms, quelques témoignages de première main, un peu de couleur locale, et déversant le tout dans un téléphone cellulaire pour que Jose ou quelqu'un d'autre rédige l'article, puis demandant « Quoi d'autre ? », perpétuellement « Quoi d'autre ? ».

Elle pouvait avoir jusqu'à deux ou trois signatures par jour, mais il y avait un prix à payer : les articles demeuraient la plupart du temps aussi superficiels qu'un instantané.

— Quoi d'autre, Jose ?

— Peut-être un vol de voiture occupée à Strongarm.

— J'en viens.

— Une femme, soignée en ce moment au C.M. de Dempsy.

— Noire ou blanche ?

— Je sais pas. Bon, laisse tomber.

— Quoi d'autre ?

— Quoi d'autre... (Jose marqua une pause pour ménager son effet.) Quelqu'un a percuté le Hollandais.

— Ah ! voilà.

Impatiente de partir, Jesse appuya sur le klaxon. Ben, toujours au téléphone, réclama par geste cinq minutes de plus, et elle ne put qu'attendre. Elle le regarda aller et venir sous le réverbère sans avoir la moindre idée de l'identité de son correspondant, de la nature du travail, du montant de la rémunération. Elle était à peu près sûre en tout cas que son frère serait payé en liquide ou en nature puisqu'il n'avait ni carte de crédit, ni compte en banque ni, probablement, de numéro de Sécurité sociale.

Le Hollandais était en bronze et haut de cinq mètres. Depuis 1904, il se tenait devant l'hôtel de ville, barbichu, ventripotent et sévère, mousquet et acte de propriété à la main. Sa tunique à gros boutons et ses hauts-de-chausses dix-septième siècle le faisaient vaguement ressembler à Oliver Hardy dans *Fra Diavolo*.

Il s'appelait Jan De Groot et avait été le premier colon dont l'histoire eût gardé la trace à s'installer dans ce qui deviendrait le comté de Dempsy. Pendant quatre-vingt-dix et quelques années, De Groot avait dirigé son regard droit dans l'axe de Division Street mais, cette nuit, il semblait fixer le 711, situé au milieu du pâté de maisons. Les Egyptiens coptes qui y travaillaient se tenaient sur le seuil et soutenaient son regard.

La Buick qui avait déglingué le Hollandais était encore là, la calandre en accordéon sous le gros cul de bronze. Son chauffeur, un quadragénaire émacié à banane et lunettes, était adossé à la portière avant droite, bras croisés, l'air misérable et solitaire.

Pendant le trajet, Jose avait rappelé pour préciser que la voiture était conduite par un ponte de la mairie, probablement ivre, mais Jesse pouvait affirmer, sans même s'approcher à moins de cinq mètres, que l'homme était parfaitement à jeun. Il avait plutôt l'air tourmenté et abattu d'un type faisant la queue au guichet d'un cinéma multisalles que celui d'un personnage politique. Apparemment, la police était venue et repartie, et le pauvre attendait simplement une dépanneuse. Un coup complètement merdique, pensa Jesse, furieuse.

— Qu'est-ce qui s'est passé ?

Elle fit sursauter son frère en claquant la portière de la Chrysler, s'approcha avec cet air et ce ton stupéfaits qu'elle prenait toujours en préambule.

Pensant qu'elle venait à son secours, le type se redressa puis remarqua le bloc-notes et se laissa retomber contre la portière, l'air deux fois plus abattu qu'avant, si possible.

— Qu'est-ce que vous avez fait à ce pauvre Hollandais ? poursuivit-elle, sur le mode badin.

— Et voilà, vous me mettez sur la sellette, geignit-il, secouant la tête.

— Qu'est-ce que vous voulez dire ?

Elle examina le piédestal : la statue avait pivoté d'une dizaine de centimètres vers la gauche. Rien de grave.

— Si je vous mettais sur la sellette, moi ? riposta le type avec nervosité.

— Quelqu'un a vu des boîtes de bière rouler là-dedans, affirma-t-elle, indiquant la Buick.

Ben sortit de la Chrysler, s'avança d'un pas pesant. Le chauffeur le regarda avec appréhension, et Jesse eut l'impression que, si son frère annonçait qu'il était là pour l'emmener en prison, le type le suivrait sans protester.

— Vous n'étiez pas un peu bourré ?

— L'accélérateur s'est coincé, répondit l'homme, qui s'écarta de la voiture. Regardez vous-même. Je ne bois même pas de café, je le jure.

Refusant de le croire sur parole, Jesse ouvrit la portière arrière, ne vit à l'intérieur que des feuilles à en-tête du Conseil de l'Education. Nulle, cette affaire. Elle avait envie de partir, de passer à autre chose.

En se redressant, elle vit son frère accroupi devant le Hollandais, comme s'il allait jouer les hercules et remettre la statue en place de ses mains nues.

— Comment vous vous appelez ? demanda-t-elle.

— Je ne peux vraiment pas vous le dire.

— Vous ne connaissez pas votre nom ? dit-elle, ballottée par une vague de fatigue.

— Voilà que vous me remettez sur la sellette.

— Allez, je vous rendrai célèbre.

— Je ne veux pas devenir célèbre.

— Tout le monde en a envie.

— Non.

— Les filles seront folles de vous.

— Non. Je suis trop vieux.

— Allons donc. Comment vous appelez-vous ?

— Non, non.

— Vous travaillez pour le Conseil de l'Education ?

Avec un soupir, l'homme remonta en voiture, verrouilla la portière, tendit la main vers le bouton de la climatisation, se rendit compte que le moteur était arrêté, tourna la clef de contact. Le moteur refusant de démarrer, il resta à cuire dans son jus, regardant droit devant lui.

Ben entreprit de remettre vraiment la statue en place et Jesse, qui l'observait, s'émerveilla de sa constante disposition à se coller au boulot, où qu'il soit.

— Qu'est-ce que tu fabriques ? lui lança-t-elle sèchement. Tu déjantes ou quoi ?

Exaspérée, elle retourna à la Chrysler, au téléphone cellulaire. Son frère, incapable de redresser le Hollandais, soulevait maintenant le capot de la Buick pour essayer de dépanner le pauvre type. Momentanément rassérénée par le confort et l'odeur de cuir de la grosse voiture, Jesse ferma les yeux, tapa en aveugle le numéro du journal.

— Yo.

— Jose, ça vaut rien.

— Ouais ?

— Un simple accident.

— Etat d'ivresse ?

— Non.

— Qui c'est ?

— Il veut pas dire son nom. Un zéro.

— Attends quand même le photographe.

— Qu'est-ce que tu veux qu'il prenne en photo ? Le pied gauche de la statue ?

— C'est le Hollandais.

— Il est encore debout. Qu'est-ce que t'as d'autre ?

— Toujours le vol de voiture, à Strongarm.

— Quoi d'autre ?

— Attends... 125 Division Street. Là-bas, à Tunnely. Un cadavre.

Le cadavre, ballon gonflé de gaz puant, ne révélait ni le sexe ni la race du mort. La peau marbrée, tendue, avait la couleur de la fumée. Aucun problème, cette fois, pour pénétrer dans l'appartement car les deux uniformes chargés de préserver le lieu ne furent que trop heureux d'avoir de la compagnie, et Jesse connaissait l'un d'eux depuis l'enfance.

Les deux flics, Jerry Bohannon et Tony... Siragusa, croyait-elle, avaient allumé de l'encens qu'ils avaient trouvé sur le plateau du bureau, à côté d'une cuillère noire de fumée — une dizaine de bâtonnets fichés dans l'encadrement de la porte et autour du lit —, mais c'était un appartement en sous-sol, dont l'unique fenêtre disparaissait à moitié sous le niveau de la rue, et la fumée parfumée ne faisait qu'ajouter un élément douceâtre à la puanteur générale.

— Qui a vécu par l'aiguille périra par l'aiguille, paraphrasa Jerry Bohannon, Irlandais blanc comme lait avec une moustache blond pâle, presque transparente.

Il indiquait la seringue encore plantée dans l'avant-bras gauche.

— Vous ne l'avez pas encore identifié ? demanda Jesse, respirant par la bouche. Bon Dieu...

— La vieille qui habite au-dessus, je crois que c'est la proprio, mais elle est pas chez elle. Aux chaussures, je dirais qu'on a affaire à un mec.

— A la moustache aussi, dit Siragusa, se pinçant le nez pour se pencher vers le cadavre. Les poils sont plutôt droits : y a des chances pour que ce soit un Blanc, un Latino peut-être...

— On s'emmerde pas avec ça, on attend les techniciens du labo, décida Bohannon.

Jesse examina la chambre, plutôt propre pour un type mort d'overdose : des reliques de culture pop un peu partout, des maquettes d'avion, un pantin Howdy-Dowdy[1] pendu à un nœud coulant, des magazines *Mad* des années 1960, le mort devait être un mordu du rétro. Elle passa dans la salle de bains : un rideau de douche piqueté, une pile de livres de cul d'un côté de la cuvette, une litière pour chat — souillée — de l'autre. Prestement et sans bruit, elle ouvrit l'armoire à pharmacie, chercha un nom sur une étiquette de pharmacien. Une fiole de Fiorinal portait celui de Michael Jackson.

Il y avait une autre pièce, une kitchenette dans laquelle on pouvait manger, avec des étagères et des éléments, plus agréable que celle de Jesse. Un des avantages du métier de *runner*, c'était de savoir avant tout le monde qu'un appartement venait de se libérer.

— Vous avez vu un chat ? demanda-t-elle en retournant dans la chambre.

Les policiers se partageaient un cigare pour masquer davantage l'odeur, Bohannon recueillant les cendres au creux de sa paume.

— Un chat ? répéta Siragusa.

— Combien il payait de loyer, à votre avis ? enchaîna Jesse, sans transition.

---

1. Marionnette de la télévision américaine. *(N.d.T.)*

— Trois, quatre cents ? suggéra Bohannon.
— Plutôt quatre, cinq cents, rectifia son collègue.
— Tu crois ? dit Jesse, parcourant de nouveau la pièce des yeux.
La vue du fleuve lui manquerait, mais au moins elle serait seule.
Bohannon lui tendit le cigare, qu'elle déclina.
— Jess, si tu veux cet appart', faut t'en occuper tout de suite. Avec cette odeur, tu l'auras quasiment pour rien.
— J'ai pas peur des fantômes, dit Siragusa, imitant Ray Parker.
— C'est les vivants, le problème, déclara Bohannon.
— Il me faut un nom, dit la journaliste. Je peux jeter un coup d'œil dans les tiroirs ?
— J'aime autant pas. Ils sont chiants, côté préservation des indices.
— Ça fait rien, dit Jesse avec un haussement d'épaules.
Du doigt, Siragusa poussa le pantin, le fit osciller au bout de son nœud coulant.
— C'est quoi, ce truc ? Une rareté, non ?
— Michael Jackson ! s'écria la journaliste, faisant sursauter les deux flics. Je le connais. Bon Dieu ! Jerry, tu sais qui c'est ? demanda-t-elle à Bohannon, un autre de ses copains d'enfance, comme Willy Hernandez. Tu te souviens de Mrs Jackson ? La prof d'anglais ? Elle avait un fils... Michael...
— Attends... dit-il, le visage contracté par l'effort de concentration.
— Il était en enseignement spécialisé. Tout le monde se foutait de lui à cause de son nom.
Bohannon la regarda, l'air dérouté.
— Mais si, rappelle-toi : Michael Jackson, Mrs Jackson.
— Mrs Jackson, elle, je m'en souviens, dit-il, prudemment.
— Tu te souviens pas de la fois où elle s'est bagarrée avec Markowitz dans le couloir ? Elle gueulait que c'était inadmissible la façon dont l'école traitait son fils, qu'il n'avait rien à faire en section spécialisée, que les autres gosses le torturaient, qu'elle allait donner sa démission, faire un procès à la ville, à Markowitz...
Jesse vit la mémoire revenir à Jerry Bohannon.

— Putain ! dit-il entre ses dents. Elle est encore dans le secteur, Mrs Jackson ? demanda-t-il, comme s'il espérait qu'elle était morte.

— Je crois qu'elle a pris sa retraite.

— Ah ! merde, murmura Bohannon, qui regarda longuement son coéquipier.

Siragusa, qui avait grandi à Gannon, n'était pas au fait des malheurs de la famille Jackson. Il répondit au regard appuyé de Bohannon par une expression d'incompréhension que Jesse trouva artificielle. Mais Bohannon insista, continuant à fixer son collègue jusqu'à ce que celui-ci hoche la tête en signe de capitulation. Jesse avait l'impression d'être témoin d'une conversation télépathique.

Bohannon tira un mouchoir de sa poche revolver, s'en servit pour ouvrir un des tiroirs du bureau. Puis Siragusa et lui y vidèrent leurs poches, jetant deux paquets de cartes de base-ball écornées, un briquet Zippo plaqué nickel, un gros stylo aux formes arrondies et un couteau suisse. Joli butin.

Un bruit dans la salle à manger les fit se retourner, Bohannon tenant son arme devant lui, Siragusa glissant vers le mur, le Glock contre la jambe, Jesse priant : Faites que ça marche, ce coup-ci...

Le chat entra, jeta un coup d'œil, déguerpit. Ils relâchèrent leur respiration, tous les trois. Siragusa avança lentement vers la salle à manger, l'arme toujours à la main.

— Va plutôt refermer le tiroir, marmonna Bohannon.

Le téléphone portable de Jesse sonna. C'était Jose.

— Jess, tu te souviens de ce vol de voiture occupée ?

Sa voix était chargée d'une tension que la journaliste n'y avait pas décelée depuis des semaines : un bon signe.

— Un vol de voiture ? J'en ai rien à secouer.

— Hé, répliqua-t-il, me fais pas chier !

Jose perdant son calme : meilleur signe encore.

3

Lorenzo se retrouva dans le couloir sans se souvenir d'avoir quitté la salle d'examen. « Mon fils, lui avait dit Brenda Martin, il est dans la voiture. »

Peut-être avait-il mal entendu. Il ferma les yeux, revit le visage de la jeune femme, son regard affolé, et songea avec frayeur à la question suivante : quel âge...

Quand il retourna enfin dans la salle 23, elle était toujours perchée au bord du chariot, tremblant comme l'eau d'une fontaine. Il se dirigea vers le diabétique dans l'intention de le faire sortir, mais avant qu'il ait ouvert la bouche, la présence invisible sous le tas de draps se manifesta de nouveau par un gémissement. Finalement, Lorenzo prit Brenda par les coudes, la conduisit au vestiaire des médecins, de l'autre côté du couloir.

Après l'avoir installée sur une chaise pliante, devant une table jonchée de miettes, il ferma la porte, plaça une autre chaise en face d'elle, pour lui. Les mains devant la figure, elle battait des genoux, les agitait comme des ailes de chauve-souris. Lorenzo prit un instant pour respirer à fond, tenter de refouler la clameur qui s'enflait dans sa poitrine.

— Brenda...

Il fit tomber de la table un sachet de Doritos à moitié plein, y posa sa radio.

— Un garçon, c'est ça ? dit-il ouvrant son calepin.

Dans ses doigts, le stylo frémissait comme l'aiguille d'un détecteur de mensonges.

— Quel âge... ?

— Quatre ans, répondit-elle derrière ses mains bandées.

Il releva ses lunettes sur son front, pressa ses paumes contre ses yeux puis, sans ménagement mais sans brutalité non plus, il rabattit les mains de la jeune femme sur son giron.

— Quatre ans. Quel âge... ?

— Je viens de vous le dire.

— Doucement, doucement, se dit-il à voix haute. Comment il s'appelle ?

— Cody.

— Il était dans un siège pour bébé ?

— Non.

— Maintenu par une ceinture ?

— Non.

— A l'avant ou à l'arrière ?

— De... ?

— De la voiture, s'impatienta-t-il.

— A l'arrière.

— Attendez, dit-il, tendant la main vers sa radio. Inspecteur Sud 15 à Central. En attente pour transmission urgente.

— Central, allez-y.

— A toutes les unités, pour le vol de voiture occupée du district sud, il y a un enfant dans le véhicule, quatre ans, blanc... (Il s'interrompit, regarda Brenda pour demander confirmation.) Blanc, installé à l'arrière.

— Il dormait, dit-elle, penchée en avant, les mains sur les cuisses. Il était malade. J'ai essayé d'expliquer...

Lorenzo leva une main pour l'arrêter.

— L'enfant dort ou dormait sur la banquette arrière, il n'est peut-être pas visible de l'extérieur...

Il craignait que les cow-boys du service ne se lancent dans un rodéo avec coups de feu ou collision par le travers, faisant valser le gosse à l'intérieur de la voiture comme une balle dans un tambour.

— Restez à l'écoute pour un signalement plus détaillé.

— Je n'ai pas réussi à sortir un mot, disait-elle, toujours pliée en deux.

— Brenda, qu'est-ce qu'il portait ? (Il la regarda enfouir

de nouveau son visage dans ses mains.) Brenda ! Votre fils, qu'est-ce qu'il portait ?

— Un T-shirt bleu.

— Foncé, clair ?

— Clair. Avec l'inscription « Brigade des stupéfiants de Gannon ».

Merde, son frère, pensa Lorenzo, griffonnant sur son bloc.

— Cheveux ?

— Bruns, courts devant et longs derrière, comme un catcheur qu'il regarde à la télé, je sais pas qui.

— Pantalon ? Jean ?

— Jean.

— Bleu ? Noir ?

— Non. Non. Un bas de pyjama. Il était malade. Avec Ren et Stimpy dessus.

Lorenzo ne savait pas qui étaient Ren et Stimpy.

— Chaussures ?

— Des pantoufles, de gros trucs avec des têtes de dinosaure. Il y a des piles dans les talons, ça grogne quand on fait un pas.

Il prit rapidement note en grommelant « Attendez, attendez », répéta les détails dans sa radio et ajouta :

— Prévenez la police de la gare routière, au cas où le type se dirigerait vers les tunnels...

Il respirait avec difficulté, sentait venir la crise d'asthme.

— Brenda, votre gosse dort à l'arrière, d'accord ?

— Il dort, répéta-t-elle, le fixant avidement de ses yeux de loup, comme si elle ne pouvait se repaître de son visage.

Il se massa la poitrine pour soulager ses poumons.

— Bon, le type, tout ce qu'il veut, c'est votre voiture. Pour la revendre. S'il avait voulu faire du mal à quelqu'un, il s'en serait pris à vous, d'accord ?

— Mais il m'a fait mal !

Merde, pensa Lorenzo.

— D'accord, mais écoutez. Quand il verra le petit, il s'arrêtera à un carrefour et il le laissera sur le trottoir.

Elle se recula, croisa les bras sur la poitrine, comme pour se dérober de nouveau à ses questions.

— Qu'est-ce que vous faisiez là-bas ?

— Je vous l'ai dit.

Il tâta ses poches à la recherche de son inhalateur.

— Redites-le-moi.

— J'étais allée chercher mes lunettes.

— Et vous emmenez votre fils malade, à neuf heures du soir...

— J'ai pas de baby-sitter ! rétorqua-t-elle, criant presque. J'ai pas les moyens ! Qu'est-ce que vous essayez de faire ? De me punir ? Croyez-moi, c'est pas la peine.

— Central à Inspecteur Sud 15, annonça la radio, donnant à Lorenzo un coup d'aiguillon dans les fesses.

— IS 15, j'écoute.

— Vous pouvez nous donner un signalement plus détaillé du suspect ? On manque de précisions, ici.

— Attendez.

Il se sentit pris en faute : le dispatcher devait lui expliquer son boulot, maintenant.

— Brenda, revenons au type. Il vous a menacée d'une arme ?

— Pas eu besoin.

— Il est noir...

— Noir, chauve, un mètre quatre-vingts environ, cent kilos, débita-t-elle en une litanie exaspérée, tandis que l'inspecteur notait.

— Barbe ?

— Je sais pas.

— Pas de moustache ?

— Peut-être, je sais pas.

— Bijoux ? Cicatrices ?

— Je sais pas.

— Comment il était habillé ? Chemise, sweater...

— Un sweater.

— Quelle couleur ?

— Gris ?

— Avec une inscription ?

— Non. Si, peut-être. Attendez. Michigan ? Michigan...

— Michigan seulement ? Ou Etat du Michigan ? Université du Michigan ? Pas de nom d'équipe ? Pas de mascotte ?

— Je crois pas. Juste Michigan.

— Attendez...

Il communiquait ce détail au Central quand le docteur Chatterjee entra. Il se dirigea vers son casier en lançant à

Brenda Martin un regard dur. Lorenzo claqua des doigts pour attirer son attention, mima une crise d'asthme en ouvrant grand la bouche comme un poisson hors de l'eau.

Brenda pivota brusquement sur son siège pour faire face au médecin.

— Et si mon fils se réveille ?

— C'est à lui qu'il faut parler, répondit Chatterjee, boudeur, avec un mouvement de tête pour désigner Lorenzo.

— Et si mon fils se réveille ? répéta-t-elle plus fort, couvrant la voix de Lorenzo qui s'adressait au Central.

— Restez à l'écoute, dit-il dans la radio. (Il se pencha vers Brenda.) Plus tôt il se réveillera, plus tôt il sortira de cette voiture.

— Il aura peur, affirma-t-elle, sa voix prenant son envol. Jamais je ne le laisse seul. Jamais.

Il la sentit s'enfoncer dans un endroit plus froid, plus effrayant, et se força à se calmer pour elle.

— On le retrouvera, je vous le promets. Tout est arrivé par hasard. Personne ne veut être accusé d'enlèvement. Personne.

Il parvint même à sourire. Chatterjee lui fit un signe en sortant et Lorenzo, sûr que le médecin s'occuperait bien de lui, était déjà moins oppressé.

— Ecoutez-moi, c'est important. Est-ce que quelqu'un vous a vue ? Est-ce qu'il y avait quelqu'un à proximité quand c'est arrivé ?

— Jamais je ne le laisse seul. Quand il se réveillera, il verra que je ne suis pas là.

Elle parlait d'une voix calme, assurée, presque prophétique. Lorenzo eut l'impression qu'elle se préparait à une longue période, peut-être à toute une vie d'autoflagellation, et qu'elle perdrait bientôt tout intérêt pour lui comme source d'informations. Il la pressura afin de recueillir les dernières gouttes :

— Brenda, réfléchissez. Vous avez retraversé tout Armstrong à pied. La butte, la Cuvette. Vous vous rappelez les frigos ? Quelqu'un vous a sûrement dit quelque chose, demandé ce que vous vouliez, ce que vous faisiez là...

— J'aurais dû résister.

— Hé, regardez-vous, dit-il, montrant les pansements. Vous avez fait ce que vous pouviez.

— Non, trancha-t-elle, se condamnant avec la même froideur. Je l'ai laissé tomber. Il est mon univers et je l'ai laissé tomber. Il vaut dix fois plus que n'importe qui. Dix fois plus que moi, ajouta-t-elle, le visage déformé par la haine de soi.

C'est le moment de faire appel à la famille, pensa-t-il. Il espéra qu'elle avait des parents bien.

— IS 15 à Central, j'ai besoin de joindre l'inspecteur Daniel Martin, police de Gannon. Demandez-lui de m'appeler au CM.

Se rappelant qu'elle ne souhaitait pas mettre son frère au courant, il guetta sa réaction. Brenda était partie trop loin pour l'entendre, alors il mit simplement fin à la communication.

Avant que Lorenzo puisse revenir à la charge au sujet d'éventuels témoins, Chatterjee réapparut avec une seringue.

— Brenda, je peux vous assurer une chose, dit l'inspecteur, remontant sa manche sans quitter la jeune femme des yeux. Quelqu'un a vu ce qui s'est passé. Y a forcément eu des témoins, et vous les avez vus.

Il regarda l'aiguille s'enfoncer dans un tatouage du visage de sa femme, juste en dessous de l'épaule.

— Qu'est-ce que c'est ?

— Adrénaline, murmura le médecin. Pure, sans soda ni glaçons.

— Quelqu'un à sa fenêtre, peut-être, poursuivit Lorenzo. (Il pensait au Parc aux Agneaux, même si la plupart d'entre eux assistaient à la réunion.) Attendez...

Il réclamait un temps mort pendant que l'adrénaline l'emportait dans un tourbillon de quelques secondes. Il manqua la moitié de ce que Brenda était en train de dire, quelque chose sur sa propre enfance, autant qu'il pût comprendre.

— ... alors, elle m'a laissée au bord de la chaussée et elle a démarré. Bien sûr, elle a simplement fait le tour du pâté de maisons pour me donner une leçon, mais... Vous vous rendez compte ? Faire ça à un enfant ? On dit tous qu'on fera jamais à son gosse ce qu'on a subi soi-même, on le dit tous, non ? Eh ben, si vous voulez faire rigoler Dieu, parlez-Lui de vos plans. J'aurais dû me jeter devant la voiture : pas besoin de mots, pour ça.

Lorenzo essayait de la cerner, cette femme qui avait mis

si longtemps à parler du gosse. Mais ces blessures : aucun doute, elle souffrait. Si elle joue la comédie, elle s'est trompée de métier, pensa-t-il. Mais aussi : Fais un tour chez elle, cherche des taches de sang, des traces de lutte...

— Il est ma vie, cet enfant. Mon cœur et mon âme, disait-elle.

Elle mangeait la moitié de chaque mot, battait de nouveau des genoux.

On frappa à la porte ; un flic passa dans la pièce un visage poupin.

— Inspecteur Council ? Quelqu'un pour vous au téléphone, il dit que vous l'avez appelé.

Lorenzo se leva, jaugea rapidement le jeunot.

— Tu peux rester avec elle ?

— Bien sûr.

Le flic entra, souriant, la casquette à la main. Lorenzo aperçut la photo couleur d'une fillette en robe de communiante fixée au fond, sur la doublure.

— C'est votre fille ? demanda Brenda d'une voix étranglée avant même que l'agent se soit assis à la place de Lorenzo. Elle est belle.

Il prit la communication dans le poste des infirmières après s'être faufilé dans un groupe composé de flics et même de quelques reporters de journaux du comté. A tous, il adressa le même sourire sans les regarder : pas de commentaires.

— Allô, c'est Danny Martin ?

— Big Daddy, comment tu vas, qu'est-ce qu'y a pour ton service ?

Le gars parlait la bouche pleine et on entendait des gosses piauler en fond sonore : il n'était pas de service.

— Ouais, je... je suis avec ta sœur, Brenda, au Centre médical.

Un long silence puis « Qu'est-ce qui s'est passé ? », d'une voix presque furieuse qui étonna Lorenzo, et enfin :

— Elle a rien ?

— Ben, elle s'est fait agresser et voler sa voiture dans la cité Armstrong. Elle est plutôt secouée mais ça va. Le problème, c'est son fils, Cody. On pense qu'il est toujours dans la voiture.

— Dans la voiture... Le gars est encore dans le coin ?

— Ouais.

— Il est d'Armstrong ?

— On a donné l'alerte. Il ira pas loin.

— Ça s'est passé où, à Armstrong ?

Lorenzo entendit dans le ton du frère quelque chose qui lui fit regretter d'avoir appelé.

— Elle a besoin de quelqu'un auprès d'elle, maintenant. Tu penses que tu pourrais venir ?

— Où, à Armstrong ?

Lorenzo se massa le visage. L'adrénaline lui mettait les nerfs à vif.

— Sous la Cuvette.

— Dans Hurley ?

— Ouais.

— Quel côté ? Bâtiment 3 ou 5 ?

— Danny, je te vois venir, mais on s'en occupe. Brenda a plutôt besoin de toi ici. On t'attend, d'accord ?

— 3 ou 5 ?

— Tu connais Chuck Rosen ? Bump ? Il est sur le coup. Je préfère que tu...

Danny Martin avait déjà raccroché.

Lorenzo se tenait devant le poste des infirmières, le téléphone encore à la main, conscient qu'il venait de se planter, qu'il devait absolument arriver à Armstrong avant que les gars de Gannon ravagent la cité, mais il était coincé avec la mère. Il pouvait peut-être s'en débarrasser en la laissant avec le dessinateur de la police ou en la ramenant chez elle. Non, ça lui donnerait le temps de tout nettoyer. Alors, la confier à un autre membre de sa famille ou...

Il chercha à joindre Bobby McDonald, son patron, qui participait à un dîner organisé à Hoboken pour lancer un tournoi de golf de charité. Puis il téléphona chez Bump Rosen pour le prévenir de l'offensive imminente de Gannon sur Armstrong. Malgré sa panique, une petite partie de lui-même, restée lucide, répugnait à torpiller le jour de gloire du fils, mais il était à présent plus de onze heures — le feuilleton devait être en sécurité sur une cassette — et il fallait que Bump aille là-bas. Lorenzo aussi, qui, enchaîné à la victime, s'agitait sans aller nulle part.

— Salut, Jeanie...

Il sourit au téléphone, comme si la femme de Bump pouvait le voir.

— Il est déjà parti, annonça-t-elle, avec une pointe de reproche.

— Pour Armstrong ? Alors, c'était comment, le feuilleton ?

Il raccrocha quelques secondes plus tard sans avoir saisi la réponse.

Lorenzo tenait pour certain qu'on lui retirerait l'affaire si on ne retrouvait pas Cody Martin dans les vingt-quatre heures. On la confierait à un inspecteur plus élevé en grade, ou aux services du procureur, voire au FBI, et il avait vaguement honte de s'avouer que cela ne lui poserait aucun problème.

En attendant, tout Dempsy était là-bas à bosser. Il avait soutiré à Brenda Martin toutes les informations qu'elle voulait bien donner, et s'il parvenait seulement à empêcher Gannon de saccager Armstrong, il obtiendrait plus en une nuit de cette cité que n'importe qui d'autre en une semaine.

Regardant derrière lui dans le couloir, il vit un petit groupe de flics qui parlaient au jeune censé garder Brenda. Il réagit en couvrant d'une demi-douzaine de grandes enjambées la distance séparant le téléphone du poste des infirmières de la porte.

— Où elle...

Lorenzo se faufila entre les agents, passa la tête dans la pièce vide.

— Elle est allée aux toilettes, expliqua le jeune flic.

— Quoi ? lui éructa Lorenzo au visage.

— Fallait qu'elle y aille, se justifia le jeunot. Qu'est-ce que je pouvais faire ?

Il ne la trouva pas dans les toilettes pour femmes de cette partie de l'hôpital. Lorenzo avait recruté deux infirmières pour mener les recherches puis les avait poursuivies seul dans les couloirs moins animés partant des Urgences.

Après quelques minutes passées à ouvrir une succession de portes, il finit par la trouver dans une salle de six lits, immobile, la main sur la poignée des toilettes. Elle n'essayait pas d'entrer mais observait, captivée, le fond de la salle où deux hommes, en partie masqués par un rideau de plastique, et ne soupçonnant apparemment pas sa présence, discutaient d'un ton vif. Lorenzo s'avança, mais battit aussitôt en retraite quand il eut saisi la nature de la conversation qui la fascinait.

— Thomas, écoutez-moi... (L'homme qui venait de parler était un inspecteur rougeaud en veste et cravate, dont Lorenzo s'efforçait de se rappeler le nom : Mallon, Mallory.) Le docteur me dit : « L'enfant présente des lésions dans la zone génitale, des tissus ont été déchirés. » Vous, de votre côté, vous avez fait ce qu'il fallait, vous l'avez amenée ici. Mais ensuite, vous me racontez que votre femme travaille de nuit, et que vous couchez avec la gamine, parce qu'elle a peur. C'est bien ce que vous venez de me dire ? Qu'est-ce que vous voulez que je pense ?

— Non, non, non, non, protesta l'autre, les yeux exorbités. Je *dors* avec elle. Dans le lit.

— Thomas, reprit le flic en riant, comme si le type n'était qu'un fripon. Vous dites qu'elle s'est réveillée en pleurant, mais y avait que vous deux dans la maison.

— Et je l'ai tout de suite amenée ici. Je n'aurais pas dû ?

Thomas leva le menton vers le plafond, gratta furieusement sa gorge tendue.

— Vous avez bien fait, je vous l'ai dit. Ce que je vous demande, c'est si vous auriez pas fait quelque chose dans votre sommeil : vous dormiez, vous vous en êtes pas rendu compte. Vous croyez que c'est possible ?

— Non, non, non, je vais vous dire pourquoi. Ce n'est pas possible parce que je fais très attention. Je mets quatre caleçons avant de me coucher, au cas où, vous comprenez ?

— Quatre, dit l'inspecteur, hochant la tête.

Thomas déboutonna son pantalon, le baissa pour montrer les ceintures de quatre caleçons s'étageant du bas de sa cage thoracique à ses hanches.

— Voyez ?

Le flic finit par remarquer la présence de Brenda devant la porte des toilettes.

— Qu'est-ce que vous foutez ici ? lui lança-t-il, laissant

exploser prématurément une colère soigneusement contenue.

Indifférente à sa rage, Brenda fixait le père, ses caleçons superposés, son ventre tendu et glabre.

— Vous devriez brûler en enfer, lui assena-t-elle.

Elle se retourna, découvrit Lorenzo qui lui faisait signe de le rejoindre.

— Ne me touchez pas, siffla-t-elle quand elle passa devant lui pour retourner aux Urgences.

Pas de problème, pensa l'inspecteur, qui s'imaginait déjà débarrassé d'elle, qui se plongeait si profondément dans ce souhait que lorsqu'elle s'effondra, au ralenti, les bras écartés, elle était déjà si loin de lui qu'il dut se frayer un chemin dans le couloir pour parvenir à elle.

Brenda était assise par terre, entourée de personnes qui auraient dû au contraire s'écarter. Penny Zito, l'infirmière, accroupie devant elle, émettait un murmure réconfortant en serrant une des mains de la jeune femme dans les siennes.

La bouche grande ouverte, Brenda sanglotait, « Je veu-eux être avec lui, je veu-eux être avec lui », lamentation nasillarde et hachée, puérile. Lorenzo la comprenait. Il savait que si son gosse était réveillé, s'il était vivant et réveillé, c'était exactement ce qu'il devait ressentir. Dans son désespoir, elle était devenue son propre fils disparu.

Avec l'aide de Penny et de Chatterjee, il la releva, le médecin lui glissant à l'oreille :

— Ou nous la mettons en service psychiatrique, ou vous partez avec elle tout de suite. Ça ne va faire qu'empirer.

Lorenzo la guida dans le couloir, la main posée entre ses omoplates.

— Je vous emmène, d'accord ?

— OK.

Chatterjee remit au policier une boîte de tablettes de codéine puis s'éloigna en recommandant :

— Ramenez-la pour qu'on fasse une radio de ce poignet.

Tandis que Lorenzo la dirigeait vers les portes de l'accès des ambulances, le garde barbichu marchait à reculons devant eux, au cas où on aurait besoin de lui. Un chariot arriva de la rue, poussé comme un bobsleigh par trois ambulanciers qui faillirent renverser le garde. Lorenzo saisit au passage le regard vitreux, mourant, de Miss Bankhead, l'ex-voisine des Barrett, les deux vieux assassinés, le dessous rouge de ses paupières inférieures révélé par la traction du masque à oxygène.

Par habitude, il se tourna vers le poste des infirmières, mais il n'avait pas vraiment besoin que Penny Zito se frappe le cœur du poing pour savoir ce qui était arrivé. Le double meurtre de la cité Armstrong ne serait pas résolu de sitôt. Brenda le ramena à la réalité en balbutiant :

— J'ai rêvé que mon fils était mort.

En sortant, Lorenzo constata que la nuit d'été s'était craquelée. Sous le surplomb, des gens massés devant les portes lorgnaient d'un air malheureux le parking situé à une cinquantaine de mètres détrempés. Le lieu du méfait devait être un bourbier, maintenant. L'inspecteur rougeaud, Mallon ou Mallory, lança à Brenda un rapide coup d'œil — acerbe, impitoyable —, puis déplia brusquement une blouse d'hôpital empruntée, la tint au-dessus de sa tête et courut vers le parking ; la fureur de l'averse inonda ses chaussures et cribla son dais improvisé, bientôt transformé en châle ruisselant.

— Comment ça, vous avez rêvé... ?

Lorenzo interrompit sa question murmurée. Ce n'était pas l'endroit, mais, impatient de savoir ce qu'elle avait voulu dire, il la poussa sous la pluie, la fit courir vers le parking et lui lâcha le bras devant la portière de sa Crown Victoria. Elle leva les yeux vers lui.

— Quand j'étais par terre, dans le couloir. Je l'ai vu. J'ai vu mon fils...

— Attendez, attendez.

Les gouttes ricochaient sur le dôme rasé de l'inspecteur. Il fit le tour de la voiture, ouvrit sa portière, monta, les mains agitées d'un tremblement résiduel dû à l'adrénaline.

— Vous avez rêvé ou vous l'avez vu ?

Le moteur refusait de démarrer sous la flotte. Saloperie de caisse municipale, pensa Lorenzo.

— Quand j'étais assise par terre. Je l'ai vu dans le couloir. Il était là, à quelques mètres. Mais à l'envers.

Il essaya à nouveau de démarrer : pas moyen. Il se

demanda s'il avait noyé le moteur puis laissa ses pensées dériver vers Miss Bankhead. Elle qui pouvait à peine quitter son fauteuil devant la télé, elle élevait — culture de rapport — des gosses placés chez elle, cinq la dernière fois qu'il avait compté, dont aucun au-dessus de six ans. Ces gosses seraient renvoyés au centre de recyclage, maintenant.

— A l'envers, comme une carte à jouer, un valet ou un roi. On aurait dit qu'il était mort.

Le moteur finit par démarrer, ce qui procura à Lorenzo un sentiment exagéré de triomphe.

— Brenda, qu'est-ce que vous essayez de me dire ?

— Ce que j'ai vu.

Il tâcha de se concentrer.

— Vous savez où votre fils se trouve en ce moment ?

Elle le regarda, les yeux brillants de larmes.

— Si je le savais, je serais avec lui en ce moment même, énonça-t-elle lentement, détachant chaque mot.

— OK, dit-il, trop tendu pour jauger sa sincérité. OK.

Il embraya avec précaution, la regarda tenter maladroitement de mettre sa ceinture malgré ses mains bandées.

— Pourquoi avoir attendu si longtemps pour me dire que votre fils était dans la voiture ?

Il se pencha vers elle, l'attacha en pensant : Un peu tard, pour la ceinture.

— Parce que... commença Brenda. (Elle regardait droit devant elle, frissonnant comme si elle avait froid.) Parce que je ne voulais pas, je ne veux pas, que ce soit vrai.

Avant que Lorenzo démarre, une voiture pénétra en trombe dans le parking, s'arrêta pile sur un emplacement. Le chauffeur descendit, glissa à son poignet un bracelet en plastique de patient et partit au trot vers les Urgences. Un vieux truc de journaliste pour se balader tranquillement dans les couloirs d'un hôpital.

Son bipeur se manifesta : un appel du patron, Bobby McDonald. Lorenzo tendit la main vers la radio, arrêta son geste en songeant que Bobby lui demanderait sûrement de conduire Brenda à l'Identité judiciaire pour étaler devant elle des photos du fichier.

— Je vous ramène à Armstrong maintenant, déclara-t-il en sortant enfin du parking. Je veux que vous me montriez comment ça s'est passé.

— Non, je ne veux pas. Il n'est pas là-bas.

— Probablement pas, mais...

Lorsqu'ils tournèrent dans le boulevard JFK, les bandes réfléchissantes collées aux fringues des équipes de dealers et autres jeunes balisaient la route pour lui aussi loin que portait son regard.

— Qu'est-ce que vous pensez de mon rêve ? lâcha Brenda en se retournant brusquement, comme si quelqu'un se cachait à l'arrière.

— Ce que j'en pense ?

Lorenzo hésitait à répondre, lui qui associait plus les rêves aux histoires de la Bible qu'à la psychanalyse.

— Vous pensez qu'il est vrai ? dit Brenda, regardant de nouveau derrière elle.

Il avait déjà vu ce genre de langage corporel : sentiment d'impuissance, relevé à l'adrénaline, de gens enchaînés à une horloge sans aiguilles.

— Brenda, essayez d'avoir une attitude positive.

— Je veux chercher cette voiture, annonça-t-elle.

— Non, pas maintenant. Vous imaginez ce qui se passerait si on tombait dessus ? Je peux pas me lancer dans une arrestation avec vous assise à côté de moi. Mais regardez là-haut... (Il se pencha au-dessus du volant, indiqua un hélicoptère se dirigeant vers les marais.) A moins de planquer la bagnole dans sa poche, votre gars n'ira pas loin.

Lorenzo ne faisait que supposer que l'appareil était à la recherche de l'enfant. Sans même s'y intéresser, Brenda reprit :

— Je veux pas que mon rêve soit vrai. Ce n'est qu'un rêve.

Elle tapota ses lèvres de la boîte de tablettes de codéine qu'il ne se rappelait pas lui avoir donnée. Quoi d'autre ? Quoi d'autre ?

— Vous voulez que je mette le père au courant ?

— Le père ? murmura-t-elle, alarmée.

Le père, la mère, le frère : les personnes à prévenir. Brenda s'étreignit le ventre.

— Comment il s'appelle ?

— Ulysses.

Il griffonna le prénom sur une vieille enveloppe de paie posée sur le volant.

— Ulysses comment ?

Arrêté à un croisement, il vit l'un de ses indics se détacher d'un coin de rue et se diriger vers la voiture, probablement pour le taper d'un peu d'argent. Lorenzo grilla tranquillement le feu rouge pour échapper à une discussion.

— Ulysses comment ?

— Je ne sais même pas... Maldonado.

— Vous savez où il est ?

— A Porto Rico, en Floride. Je sais pas.

Ils faillirent être heurtés par une camionnette blanche immatriculée à New York qui déborda sur la partie gauche de la chaussée pour les doubler.

— Perdez pas votre temps, lui conseilla Brenda, c'est pas lui.

Les plaques du véhicule et sa rapidité insouciante donnèrent à Lorenzo un mauvais pressentiment.

— Je veux que vous me montriez des photos, décida-t-elle tout à trac. Maintenant.

— D'abord on fait un tour en vitesse sur les lieux. Ensuite, je vous montrerai l'album de famille.

Les voleurs de voitures d'Armstrong, pensa-t-il, consultant son fichier dans sa tête. Hootie Charles[1] ? Mais Hootie était petit, le cheveu ras. En plus, depuis l'année dernière, il piquait plutôt du mobilier de jardin, passait la frontière côté Gannon, sautait par-dessus les clôtures et embarquait les tondeuses, les chaises longues, les barbecues ; il redescendait la rue en direction de la cité et vendait son butin vingt ou quarante dollars à la première personne qu'il trouvait assise sur sa véranda.

— Vous m'avez bien dit que le type avait le crâne rasé ?

— Le crâne rasé.

Il n'aurait su dire si elle répétait la question ou si elle y répondait. Ça ne ressemblait pas aux voyous d'Armstrong, ce coup-là.

— Brenda, cette entaille au cuir chevelu, vous vous l'êtes faite comment ?

Machinalement, elle porta la main à la blessure.

— Je me suis cognée.

— Ça fait partie de ce qui vous est arrivé ce soir ?

---

1. « Charles le Rigolo ».

Il passa quatre rues avant d'insister :

— Hein, Brenda ?

— Non, répondit-elle d'une voix frêle, vaincue et lointaine.

Garé dans le lit de gravier de la voie ferrée surélevée faisant face à la cité Armstrong, Lorenzo plongeait directement le regard dans Hurley Street, le cul-de-sac défoncé s'étendant juste sous la Cuvette hérissée de réfrigérateurs.

Cette bande d'asphalte semée de nids-de-poule qui servait de voie d'accès aux bâtiments du fond — 3, 4 et 5 — était encombrée de véhicules municipaux : voitures de ronde bleu et blanc de Gannon, rouge et crème de Dempsy, série bigarrée de Crown Victoria banalisées et de voitures de dealers confisquées. Il y avait même une ambulance, dont l'équipe, assise sur le capot, fumait en observant l'évolution de la situation. Quelqu'un du Central l'avait envoyée par erreur, mais Lorenzo avait l'impression qu'elle finirait par servir à quelque chose.

Les locataires d'Armstrong, refoulés par les flics, étaient remontés jusqu'à la Cuvette, où les frigos faisaient maintenant office de gradins. Elle avait l'aspect édenté d'un amphithéâtre antique.

Il avait cessé de pleuvoir mais, de temps à autre, le faisceau de phares balayant les ornières jusqu'au Martyrs Park, au bout de la rue, éclairait les gouttes encore accrochées au feuillage poussiéreux et ornait brièvement ce qui restait du lieu du méfait d'un voile de diamants.

Le phare droit de la voiture de Lorenzo fouinait dans la clôture surmontée de barbelés destinée à empêcher les habitants d'Armstrong d'accéder à la voie ferrée. Les crachotements et les grésillements des radios, les beuglements et les aboiements de flics et de résidents nerveux montaient vers eux. Brenda absorbait cette bande-son avec un air horrifié que Lorenzo jugea sincère. Elle tendit le bras, chercha à tâtons le bouton de verrouillage de sa portière, l'enfonça.

— Il est pas ici, répéta-t-elle avec insistance.

Lorenzo leva une main, démarra, roula le long de la voie, parallèlement à Hurley, puis descendit un remblai s'incurvant vers la cité. A l'entrée du cul-de-sac, ils se retrouvèrent derrière la camionnette blanche kamikaze qui leur avait fait une queue de poisson un peu plus tôt. Elle tourna à droite pour se ranger, deux roues sur le trottoir, révélant une Camaro — véhicule de dealer confisqué — garée en travers, bloquant Hurley Street. Un inspecteur de Gannon, Leo Sullivan, posté près du barrage, discutait avec le conducteur d'un break attelé à une vieille caravane bleu ciel qui tentait de sortir.

Gannon isolait Armstrong : personne n'entrait, personne ne sortait. Brenda émit un grognement. Lorenzo, qui connaissait Sullivan, marmonna un « Attendez ici » et descendit de voiture avec un sourire forcé.

— Vous partez pour la Caroline du Sud maintenant ? fit Leo au chauffeur apoplectique. Il est bientôt minuit.

Un cameraman, avec sur l'épaule une Betacam surmontée d'une torche d'éclairage, jaillit côté passager de la camionnette et disparut dans l'ombre d'un pont de chemin de fer sur chevalets. Lorenzo supposa qu'il essayait de contourner la patrouille des « gardes-frontière » en montant le remblai par lequel Brenda et lui venaient de descendre. Il passerait ensuite de l'autre côté de la clôture, redescendrait par le mur de soutènement pour se retrouver dans Hurley Street, plus près de la scène du délit et assez loin du barrage.

— Mr Leo, claironna Lorenzo, cachant sa rage derrière un grand sourire. Vous prenez possession de la cité, les gars ?

— C'est cette putain de limite, dit Leo, en faisant serpenter sa main. Elle passe au milieu du parc, tu sais bien.

La frontière, notoirement tortueuse, traversait même un bowling : trois pistes à Dempsy, quatre à Gannon.

— On pense que le délit a peut-être été commis de notre côté du parc, tu vois ce que je veux dire ?

— Hum, laissa échapper Lorenzo, la poitrine de nouveau oppressée.

Chaque fois qu'il y avait un incident sur la frontière, les flics de Gannon la déplaçaient un peu afin de pouvoir punir eux-mêmes le coupable résidant à D-Town.

Le chauffeur du break passa par la fenêtre une tête aux cheveux blancs.

— Lorenzo ! Dis à ce... (Mouvement du pouce en direction de Sullivan.) Faut que je parte !

Le type avait sa femme assise à côté de lui, deux de ses petites-filles, adolescentes bougonnes, sur la banquette arrière. Ça commence, pensa Lorenzo, sachant qu'il allait se faire assaillir par des habitants mécontents dès qu'il mettrait le pied sur le terrain.

— Pourquoi vous partez pas demain matin ? suggéra Leo, s'efforçant de prendre un ton cordial. Si vous roulez toute la nuit et que vous vous arrêtez pour dormir dans votre boîte à sardines au moment où le soleil se lève dans le Sud, vous allez frire comme un œuf.

— Je pars quand je veux, répliqua le chauffeur.

Lorenzo savait qu'il descendait déposer ses petites-filles pour l'été, qu'il achèterait quelques centaines de dollars de pétards et rentrerait à Armstrong avant le 4 Juillet, pour se faire un peu d'argent.

— Hé, dit Leo, dont les lèvres disparurent. Je vous parle avec respect.

— Alors, respectez ma décision de partir.

Lorenzo se retourna pour jeter un rapide coup d'œil à Brenda, toujours assise dans la Crown Victoria, le visage dans les mains.

— Leo, plaida-t-il, se forçant de nouveau à sourire.

Par-dessus l'épaule de l'inspecteur, il découvrit les frères Convoy juchés sur des caisses de frigos, là-haut dans la Cuvette. Il se rappela les avoir repérés par la fenêtre du Centre communautaire pendant la réunion : ils avaient sûrement vu Brenda traverser la cité mais pas question pour Lorenzo de partager cette information avec les flics de Gannon. Ils risqueraient de fermer les lignes de communication en commençant la distribution de torgnoles.

— Allez, quoi, insista-t-il, exaspéré par la mesquinerie de Sullivan.

— Pourquoi il part maintenant ? grommela le flic de Gannon.

— Il bosse la nuit à l'hôpital. A cette heure-ci, il est debout.

Leo haussa les épaules d'un air renfrogné, aperçut Brenda dans la voiture, la reconnut. Mais avant qu'il puisse se diriger vers elle, son attention fut détournée par le chauffeur de la camionnette blanche, qui approchait, une carte à la main et une autre Betacam sous le bras, comme un ballon de rugby.

— Salut, je travaille pour National...

— Je sais qui vous êtes, le coupa Sullivan. (Plissant de nouveau les lèvres, il se tourna vers la caravane.) Allez, fichez-moi le camp, marmonna-t-il, comme si on lui arrachait une côte. (Il revint au type à la Betacam :) Ici, c'est le lieu d'un crime. Si je vous coince à l'intérieur, vous ou votre collègue, vous irez en taule tous les deux, et je collerai tellement de sabots de Denver à votre camionnette qu'elle coulera, vous m'avez compris ?

Lorenzo les situait : des charognards free-lance qui rôdaient sur les deux rives de l'Hudson, branchés sur la fréquence radio de la police. Dès qu'on signalait un crime ou un incendie, ils appelaient les chaînes locales — dont les propres équipes raccrochaient à onze heures — et essayaient d'obtenir un engagement préalable tout en fonçant sur les lieux.

Le chasseur-vidéo remonta dans sa camionnette et déguerpit ; la caravane franchit le barrage en crachant une odeur de cheveux brûlés. Sullivan et Council se tournèrent en même temps vers la Crown Victoria : Brenda avait disparu.

Lorenzo se démancha le cou avant de la repérer assise sur le trottoir, penchée en avant. Leo posa un genou par terre et lui demanda avec douceur :

— Ça va ?

Lorenzo crut déceler dans le ton une dureté cachée... et Brenda aussi, apparemment, puisqu'elle enfouit son menton au creux de son épaule.

— On va le retrouver. Hein, Big Daddy ?

— Mais oui, répondit Lorenzo, un peu sèchement.

Il n'aimait pas entendre son surnom dans la bouche d'un Blanc ; il soupçonnait toujours une pointe de moquerie sous-jacente.

Leo se releva, monta dans la voiture de dealer confisquée, la déplaça pour les laisser passer. Une fois garé dans Hurley, sous le mur de soutènement, Lorenzo dut convaincre Brenda de descendre. Mais dès qu'il sortit lui-même de la voiture, il repéra au moins trois choses qui clochaient.

Danny Martin, le frère de Brenda, discutait avec Bump

Rosen au milieu de la rue, l'un et l'autre s'efforçant de ne pas se bouffer le nez devant la clientèle. Les yeux hagards, les joues grises de barbe, Danny portait un short et des tongs, ce qui signifiait qu'il était parti précipitamment de chez lui. Bump était identique à lui-même : trapu, chauve et barbu, bâti en catcheur, mais l'effort qu'il s'imposait pour rester diplomate le faisait paraître plus compact encore que d'habitude.

Lorenzo vit ensuite Teddy Moon, inspecteur de Gannon prêté aux services du shérif du comté de Dempsy, distribuer des feuilles de papier aux policiers des deux villes, qui se dispersèrent vers les bâtiments. Probablement de vieux mandats d'arrêt pour des délits mineurs concernant certains habitants d'Armstrong : infraction au code de la route, possession de drogue, peut-être un ou deux vols.

Enfin, il avisa deux voitures de ronde, l'une de Gannon, l'autre de Dempsy, bloquant les issues de la cité au-dessus de la Cuvette : Gannon, avec la collaboration des collègues de Dempsy, faisait le blocus d'Armstrong.

Brenda découvrit son frère, tendu, les yeux fous, et réagit en se réfugiant dans l'ombre, contre le mur. Lorenzo recula avec elle, s'accordant un moment pour évaluer la situation.

Par-dessus Hurley, il scruta la rangée de fenêtres la plus basse du Bâtiment 3, le Parc aux Agneaux. Il savait qui vivait derrière chacune d'elles : qui était aveugle, qui avait du mal à entendre, qui connaissait plus de choses que la CIA à force de passer son temps à la fenêtre de ce service de gériatrie. Lorenzo n'avait pas l'intention de partager ces informations avec les inspecteurs de Gannon.

Au-dessus de lui, en haut du mur, un faisceau de lumière tressauta de manière désordonnée puis glissa latéralement. Lorenzo retourna au milieu de la rue, leva les yeux, aperçut le passager de la camionnette blanche, la Betacam entre les jambes. Il se servait de sa torche pour chercher un creux, un endroit où il pourrait ramper sous la clôture, puis tirer sa caméra derrière lui et commencer à gagner de l'argent.

Les reporters indépendants disposaient encore d'un peu de temps avant que la grosse artillerie franchisse le fleuve. Les camions transmettant par satellite, les présentateurs, les journaux à sensation : cette perspective incita Council à s'avancer vers le court central.

— Lorenzo.

Il se retourna pour découvrir Bobby McDonald, élégant dans une tenue aux couleurs assorties, mais légèrement chancelant, arraché à son dîner de golfeurs à Hoboken.

— Vous avez quoi ?

Frêle, grisonnant, le visage chiffonné, Bobby présentait une incapacité à paniquer qui contamina aussitôt Lorenzo.

— Je sais pas, soupira l'inspecteur, qui fit un pas de côté pour tenter de cacher Brenda à la vue de Bobby. Je vois personne de la cité pour un truc pareil. (Il inclina la tête vers Danny Martin.) Il a rien à faire ici.

— Je peux pas l'empêcher, il n'est pas de service.

— Allons, Bobby, il est de la famille de la victime. Va y avoir un sacré merdier.

— Je te comprends mais...

— Et ces papelards avec lesquels ils cavaient partout ? J'espère que c'est des mandats établis à Gannon.

— Nous essayons de régler ça ici, dit McDonald, qui finit par repérer Brenda contre le mur. Qu'est-ce que ça a donné, les photos ? demanda-t-il d'un ton appuyé, comme s'il savait que Lorenzo n'était pas encore passé à l'IJ.

— Il n'est pas ici, dit-elle à Bobby, à tout le monde. Je le sais.

Lorenzo s'éloigna pour éviter le sujet, s'approcha de Bump et du frère, Danny. Rosen avait à la main un gros trousseau — les clefs de tous les appartements inoccupés d'Armstrong — dont il se frappait la jambe comme d'un tambourin. Sa poitrine lui montait quasiment aux dents dans son effort pour contenir sa colère.

— Non, non, non, Danny, je comprends, mais ce que tu dois comprendre, toi, c'est que c'est chez nous, ici. On doit vivre avec ces gens, tu vois ce que je veux dire ?

Une autre voiture-radio de Gannon passa, amenant une nouvelle fournée de flics. Ses phares se reflétèrent dans les lunettes démesurées, à la Buddy Holly, de Rosen.

— Pas de problème, pas de problème, assura Danny Martin, qui n'écoutait même pas et promenait ses yeux gris clair, comme ceux de sa sœur, sur les bâtiments.

Il portait un T-shirt froissé de l'équipe olympique américaine de football, dont le gardien de but habitait Gannon. Il avait la même coupe de cheveux de catcheur professionnel que Brenda avait décrite pour son fils : court devant, assez long derrière et sur les côtés pour faire croire à un postiche. Lorenzo se demanda si le flic et son neveu étaient proches. Il espérait que non.

Bump toucha le bras de Martin, reprit avec une urgence contenue :

— Si tu fonces sans savoir qui choper, et comment le choper, il va tomber de la merde, tu peux me croire. Alors, on fait équipe, un gars de chez toi, un gars de chez moi, et on réfléchit ensemble.

— Pas de problème, répéta Danny.

Il n'écoutait toujours pas et regardait Teddy Moon, qui continuait à distribuer des mandats à des policiers des deux villes faisant la queue. Lorenzo vit des flics de Dempsy qui n'avaient pas mis les pieds dans la cité depuis des années : tout le monde voulait être de la fête.

Quelqu'un ou quelque chose avait chassé Brenda de l'obscurité. Comme elle regardait par-dessus son épaule en s'éloignant du mur, elle heurta Lorenzo ; la collision attira l'attention de Danny et de Bump, qui tournèrent la tête. Danny feignit de ne pas voir sa sœur.

— T'as trouvé quoi ? demanda-t-il à Lorenzo.

— Je travaille dessus, répondit Council.

Il remarqua que Martin avait une éraflure au mollet ; du sang coulait sur sa tong.

— Qu'est-ce qu'elle fout ici ? demanda Martin, comme si Brenda n'était pas là.

Avant que Lorenzo pût répondre, il se tourna brusquement vers sa sœur.

— T'es complètement givrée ou quoi ? Qu'est-ce que tu faisais ici ?

— Danny, je travaille dans cette cité, répondit Brenda.

Elle tentait de faire front mais s'était inconsciemment penchée en une posture suppliante.

Lorenzo s'interposa avec un sourire.

— Doucement, Danny, elle vient de passer un sale moment.

La main sur la poitrine, Martin rétorqua :

— Hé ! Je vois pas de hache plantée dans sa tête.

Il contourna Council, courba un peu le dos pour se mettre

au niveau de Brenda, pointa un doigt vers son propre visage, faillit se l'enfoncer dans l'œil.

— Qu'est-ce que tu foutais ici ?

Ils furent soudain inondés de lumière, tous les cinq : le gars à la Betacam avait réussi à descendre du mur. Brenda se pencha plus encore en avant, les mains tendues.

— Danny, murmura-t-elle, des larmes coulant de ses yeux clos. Danny, je te le jure...

Il leva un bras pour protéger ses yeux.

— Arrêtez ce mec...

L'homme éteignit sa torche, détala dans le noir avant que quiconque puisse le saisir.

— T'as appelé M'man ?

— Non.

— L'appelle pas.

Lorenzo se glissa de nouveau entre eux.

— Danny, tu devrais même pas être ici.

— Alors, pourquoi tu m'as téléphoné ?

— Certains de tes collègues, je comprends, mais...

— Hé ! Renverse les rôles : tu serais pas à Gannon, toi, en train de secouer notre arbre ?

— Non, non, je comprends, répondit Lorenzo, entamant la danse de Bump. Mais pas de casse, d'accord ?

— Je bouge pas d'ici. Bon, t'es affranchi, pour cette histoire ? Elle t'a tout dit ? (Il se tourna vers sa sœur et lui lança, du même ton cinglant :) Tu lui as tout dit ?

— Seigneur ! beugla-t-elle comme une écorchée. C'est mon fils, espèce de salaud !

Nullement impressionné, Danny lui tourna le dos.

— Alors, qui c'est ? demanda-t-il à Lorenzo.

— Je te l'ai dit, je travaille dessus.

— Quoi, tu sais pas qui fauche, dans le coin ?

— Pas comme ça.

— Pas comme ça, répéta Martin, inspectant la Cuvette, les interminables rangées de fenêtres.

— On a trouvé l'endroit, oui ou non ? demanda Lorenzo à Bump.

Il indiqua Martyrs Park du menton en tendant le bras à l'aveuglette derrière lui pour saisir le poignet de Brenda, l'empêcher de repartir en vadrouille.

Bump remonta ses lunettes, rectifia la position de sa casquette des Knicks.

— Tu rigoles ? On dirait qu'on y a fait passer un tracteur.

Un inspecteur de Gannon amena devant Danny un jeune agent à l'air effrayé : prisonnier de guerre.

— T'étais en poste ? attaqua Martin, essuyant distraitement le sang coulant de sa jambe.

— Ouais.

— Ouais. Et où t'étais passé ?

Lorenzo écouta, laissant la colère et le statut particulier de Danny faire le travail pour lui.

— J'étais là-bas, se défendit le jeune flic, montrant Gannon à travers les arbres du parc.

— Non, t'étais au Mickey D's.

Sous ses cheveux courts, les yeux du jeunot semblaient aussi grands que des jetons de poker.

— J'étais là-bas, je le jure.

— Et t'as rien vu, rien entendu ?

— Rien. Je le jure.

— Tu faisais les mots croisés, c'est ça ?

— Non... Quels mots croisés ?

— T'étais devant le centre commercial ou derrière ?

— Devant. Hé, y a un mois que je fais ce boulot. Je suis pas encore assez bon pour glander, argua-t-il, sincère.

Bump se détourna en retenant un sourire.

— Pourquoi t'es pas allée le trouver ? demanda Danny à sa sœur.

— Brenda !

Une jeune Noire lourdement charpentée se frayait un chemin parmi des policiers résistant mollement. La situation devenait trop chaotique pour qu'on puisse la maîtriser. Elle criait le nom de Brenda, les bras tendus bien qu'elle fût encore à dix mètres d'elle. Brenda dégagea son poignet de la main de Lorenzo, courut vers l'étreinte promise, s'arrêta quelques pas avant, comme si, à la réflexion, elle ne voulait pas qu'on la touche.

Council échangea un regard avec la Noire, Felicia Mitchell, autre enfant de la cité, née à Armstrong, et responsable de tous les programmes de l'Urban Corps en direction des préadolescents. Elle devait être le patron de Brenda si, comme celle-ci le prétendait, elle travaillait au Club d'Etudes.

— Alors, tu verrais qui, toi ? demanda Bump à Lorenzo, sans conviction. Hootie ?

— Si ça se trouve, il est encore en taule.

Il regarda les jeunes descendre des réfrigérateurs pour s'approcher du spectacle. La moitié des ados se glissant dans Hurley portaient des casquettes distribuées gratuitement quand l'émission *Top Cop* avait suivi une équipe des Stups travaillant dans le Grand D-Town — Armstrong et le boulevard JFK — la semaine précédente.

— Salim.

Il fit signe à l'un des gosses qui parlaient à quelqu'un resté dans l'ombre. Le jeune garçon s'approcha.

— Hootie, il est sorti ?

En parlant, il ramena son regard sur Brenda et vit derrière elle Jesse Haus, la *runner* de Dempsy, qui tentait d'éviter de se retrouver en pleine lumière. Irrité, il lui fit signe de filer. Elle répondit par un geste de capitulation mais ne recula que de quelques pas. Il était trop occupé pour insister et se retourna en entendant la voix de Salim :

— Hootie ? Il est au trou. Non, non, il vient de sortir !

— Si ce bébé était noir, personne serait venu ! tonitrua une femme en tablier aux yeux flamboyants. Ce serait le désert, ici !

Elle suscita chez ceux qui l'entouraient un concert d'approbations.

— Je vous en prie, dit Bump, tombant presque à genoux. Pas maintenant.

Ecoutant distraitement le chahut, Lorenzo se tourna de nouveau vers Jesse Haus, qui continuait à serrer Brenda et Felicia de près. Cette fois, quand elle sentit son regard, elle joignit les mains en une supplique muette puis disparut. Lorenzo décida de laisser faire : une partie de lui-même estimait encore avoir une dette envers elle pour cet article. Ce qu'on vous donne pour rien finit toujours par vous coûter cher, pensa-t-il.

La Cuvette s'illumina brusquement — encore la torche —, forçant ceux qui étaient perchés sur les caisses à mettre une main en visière. Lorenzo repéra au moins un journaliste de plus, là-haut, partageant un réfrigérateur avec

Herbert Cartwright, griffonnant sur son bloc. L'inspecteur se demanda s'il savait que Herbert était un handicapé mental. Il se tracassait moins pour la première vague de reporters, ceux qui déboulaient sur le lieu du délit comme si c'était le jour du débarquement, que pour ceux qui venaient plus tard, les journalistes qui savaient être patients et attendaient que les flics s'en aillent. Ceux qui savaient à quel moment entrer en scène et pénétrer en profondeur.

Brenda et Felicia avaient mis fin à leur embrassade sans s'être réellement touchées. Brenda reculait, à présent, et Council tenta de la récupérer.

— Lorenzo !

Une autre femme lourde, aux yeux globuleux, battait des bras pour écarter la foule.

— Ma mère a une angine de poitrine et ils laissent personne sortir de la cité ! mugit-elle, les clavicules luisantes de sueur. Moi, je la conduis à l'hôpital, même s'il faut que j'écrase des gens pour ça !

— Attends, répondit-il.

Il pivota sur lui-même, repéra Leo Sullivan, se dirigea vers lui pour l'affronter, pour affronter n'importe qui. Danny Martin l'intercepta :

— Qui c'est, Hootie ? On me parle de Hootie, maintenant.

— Je crois pas que c'est lui.

— Pourquoi ?

— Il fait dans le mobilier de jardin.

— Le mobilier de jardin. Tu veux parler de Buster ? dit Martin. (Hootie avait un surnom différent à Gannon.) Il pique aussi des caisses ?

— Je crois p...

— Vous l'avez trouvé, au moins ?

Sans attendre de réponse, Danny s'éloigna pour chercher Hootie, ou Buster.

Lorenzo posa la main sur le bras de la femme aux yeux saillants.

— Carmen, tu peux amener ta mère aux infirmières, là-bas ?

Suivant des yeux la direction de son propre doigt, il découvrit qu'une queue s'était formée à l'arrière de l'ambulance, comme si c'était la camionnette d'un marchand de glaces. Les habitants qu'elle attirait souffraient probablement de maux divers allant des troubles cardiaques à la dépression nerveuse.

Brenda se remit à errer et Council la guida avec douceur de ses bras tendus. Elle marchait à petits pas mal assurés, trébuchant de temps à autre. Il se demanda combien de tablettes de codéine elle avait avalées dans la voiture en venant, tout nombre supérieur à un étant excessif.

Il était maintenant minuit et quart : plus que temps de justifier, si possible, cette désastreuse visite. Dirigeant Brenda vers le ruban orange tendu en travers du fond du cul-de-sac, il se prépara à une exploration du parc.

4

Entre le deuxième et le troisième étage d'un des escaliers du Bâtiment 4, deux flics des Stups en veste Kevlar — un barbu et un chauve — avaient coincé contre le mur un jeune au visage desséché. Le barbu fouillait les poches du client, le chauve appuyait contre le parpaing, au-dessus de la tête du pauvre gars, un poing tenant une feuille de papier. Jesse Haus, qui observait la scène du palier du troisième, supposa qu'il s'agissait d'un mandat d'arrêt pour une peccadille : détention de drogue ou vol à l'étalage. Tâchant de ne faire aucun bruit et de rester hors de vue, elle se bouchait le nez. Pisse de Lion : l'odeur semblait plus forte que lorsqu'elle grandissait dans la cité Powell, vers les années 1960.

— Oh merde ! s'exclama le policier barbu en extirpant deux fioles ambrées, une de chaque poche du pantalon. Oh merde !

Le chauve secoua la tête avec une expression de déception théâtrale.

— Putain, ce Rudy Kazootie...

Le mandat au-dessus de la tête, le parpaing contre le dos, les fioles sous son nez, Rudy se mit à battre des paupières.

— Non, attendez, attendez, c'est de la fausse, dit-il, montrant les fioles.

— C'est la taule, oui.

— Non, non, c'est du sel. Si, si vous y tenez, bouclez-moi pour m'être fait passer pour un tox', parce que là...

Le barbu tint une photo anthropométrique sur papier fax à quinze centimètres du visage de Rudy.

— Qui c'est ? Vite.

Le camé cligna des yeux, la photo était trop proche.

— Le frère de Luther, non ?

— En plein dedans. Comment il s'appelle ?

— Qu'est-ce que... Hootie, ouais, Hootie.

— Encore gagné, chantonna l'autre flic.

Hootie. Jesse aimait ce genre de moment : on débarque sans informations, l'histoire est accrochée là, suffit de la cueillir.

— Tu réponds comme si ta vie en dépendait, là, tout de suite : où on peut le trouver ?

— Maintenant ? Pff ! OK, OK. Vous le trouverez peut-être chez Sly.

— Sly ?

— Ouais, son associé, genre.

— Sly, du Bâtiment 2 ?

— Ouais, ouais, dit Rudy, qui essayait de maîtriser le tremblotement de ses paupières.

— Rudy, s'il est pas là-bas, tu viens de te fourrer dans la merde.

— Ecoutez, s'il est pas là-bas, vous revenez me le dire. Si, si, vous revenez me le dire, parce que je vous le trouverai. La tête de ma mère, vous aurez des résultats ce soir.

Les policiers le fixèrent longuement avant de reculer. Le barbu laissa les fioles tomber sur le sol en ciment et les écrasa sous le talon de sa botte.

— Merci, les mecs, vous me sauvez de moi-même.

Les flics descendirent, Rudy monta en marmonnant. Sur le palier, il faillit heurter Jesse, battit en retraite vers le mur en s'étreignant la poitrine. Elle tendit le bras vers lui.

— Doucement, doucement.

Il se calma, l'examina.

— T'es flic ?

— Qu'est-ce que t'en penses ?

Il recommença à monter, la frôlant au passage.

— Non, non, j'ai fini de penser pour aujourd'hui.

— C'est Hootie ? lui cria-t-elle.

— Hootie ? Qui c'est, Hootie ?

Les mots tombèrent derrière lui, désincarnés, alors qu'il avait déjà disparu dans l'escalier.

En sortant du Bâtiment 4, situé au centre des tours qui faisaient face à Hurley Street, Jesse balaya la scène du regard, une vraie sauterie d'arrière-cour : les flics, les locataires agités, des embryons de présence médiatique, le tout sous les feux croisés des projecteurs, quelque part entre discothèque et tir de barrage nocturne.

Elle repéra au moins quatre autres reporters qui fouinaient dans le coin, notamment un qui se glissait à cet instant même dans la cité, un grand type efflanqué au crâne rasé qu'elle avait vu à d'autres occasions. Le gars riva ses yeux sur Bobby McDonald au moment où il franchissait le barrage, resta à son niveau en marchant à reculons, mimant une conversation à l'intention des « gardes-frontière » jusqu'à ce qu'il se soit introduit dans le club. McDonald, un peu chancelant, ne semblait pas se rendre compte qu'il venait d'offrir un ticket d'entrée à quelqu'un.

Jesse était passée un peu plus tôt. Ni bloc-notes, ni téléphone cellulaire, vêtue d'un sweat à capuchon malgré la chaleur, arborant son expression détachée, elle était entrée nonchalamment, comme si elle habitait là, ce qui était presque vrai : la cité Powell se trouvait cinq rues plus bas.

Pisse de Lion. Elle se demanda si ses parents la sentaient encore. Ils étaient plus ou moins en sécurité, maintenant : tout le monde se foutait qu'ils soient communistes, ou trotskistes ou quoi que ce soit. Ils avaient survécu au chaos provoqué par le crack, ces dernières années, mais ils étaient quand même vieux, quand même blancs, alors, on ne sait jamais. Son père parlait toujours d'un ton geignard à qui voulait l'entendre — ou à qui, manque de pot, se retrouvait coincé avec lui dans l'ascenseur ou à la laverie — de l'impérialisme, du racisme, du capitalisme, de la CIA. Aujourd'hui, la plupart des gens hochaient simplement la tête, louchant d'ennui, marmonnant de vagues réponses comme « Ouais, ouais, c'est vrai ça, c'est vrai, ouais, ouais », s'efforçant d'éviter de regarder ses lèvres minces, desséchées, ses yeux embués. Rien à secouer.

Du passage couvert, Jesse continua à observer calmement les joueurs jusqu'à ce qu'elle trouve le filon, la victime du vol de voiture, la mère de l'enfant, Brenda Martin en personne. Elle avait une sorte de conversation angoissée avec une Noire corpulente d'à peu près son âge. Tout en s'interrogeant sur les raisons pour lesquelles Lorenzo Council, ou un autre inspecteur pas complètement abruti, avait ramené une victime plutôt traumatisée dans un cirque pareil, Jesse s'avança assez près des deux femmes pour les entendre, se posta dans l'ombre de la Noire costaud... et flanqua tout par terre en croisant accidentellement les yeux de l'inspecteur.

Du regard, Council lui enjoignit de s'évacuer toute seule puisqu'il se trouvait à une bonne quinzaine de mètres et était occupé avec le frère de la victime. Jesse répondit par un vague geste de capitulation, recula de quelques pas.

— Jamais, sanglotait Brenda. Tu me connais. Jamais, je te ferais une chose pareille. A toi.

— A moi ? dit la Noire, penchant le buste en arrière sous l'effet des mots de Brenda.

Jesse se surprit à mimer sa réaction. De l'endroit où elle se trouvait, elle avait l'impression que les dents de Brenda Martin claquaient comme des castagnettes.

— Je me doutais pas...

— Mais oui, la réconforta la Noire.

A la fois chaleureuse et désespérée, elle tournait la tête en tous sens pour chercher de l'aide.

— Je l'aime tellement.

— Je sais.

— Je me doutais pas.

— Personne te fait de reproches.

— J'ai envie de mourir.

— Dis pas ça.

Un train passa le long d'Armstrong dans un vacarme qui fit se tourner toutes les têtes sauf celles des habitants de la cité. Jesse accueillit le bruit comme un camouflage supplémentaire et continua à écouter sans disperser son attention. Pendant un court moment, elle ne perçut que les gestes et les expressions des deux femmes, jusqu'à ce que Brenda Martin crie, assez fort pour être entendue par-dessus la queue du grondement :

— Je voudrais renaître ! Je voudrais, je voudrais... continuer à travailler ici. (Elle leva des yeux égarés vers la Noire.) Je veux travailler plus *dur*.

Fascinée, Jesse avança de quelques pas encore.

— Brenda... gémit la grande Noire.

— J'ai tant d'amour en moi, dit Brenda, la voix rauque et fervente. Tu ne sais pas, tu ne sais pas...

— Si, je sais.

Deux jeunes garçons traversèrent en courant, pressant contre leurs ventres des douilles de cartouches remplies de terre. Jesse leur barra la route, s'accroupit.

— Qui c'est, la dame, là-bas ?

— La Blanche ? demanda l'un des gosses.

— L'autre.

— C'est Felicia.

— Felicia qui ?

— Felicia, répondit l'autre gamin, avec un haussement d'épaules.

— Tu connais aussi la Blanche ?

— Salim !

Entendant Council l'appeler, le gosse laissa tomber les douilles et courut vers le policier.

— Brenda, reste avec Lorenzo, conseillait ladite Felicia. Il le trouvera.

— Tu en es sûre ?

— Et je vais te dire une chose. Personne ici protégera ce mec. On le balancera.

— Qui ?

— Celui qui a pris ton fils.

Jesse vit l'inspecteur blanc trapu, celui que les jeunes surnommaient Bump[1], éjecter deux reporters de Hurley Street. Tant mieux, pensa-t-elle, mais Lorenzo croisa de nouveau son regard, lui signifiant un autre avis d'expulsion. Cette fois, elle joignit les mains en signe de supplication : Laisse-moi travailler.

Felicia fit une nouvelle tentative pour s'extirper de la détresse de Brenda :

— Ecoute-moi bien, tu vas le trouver. Tu vas trouver Lorenzo tout de suite, il t'aidera.

Abasourdie et malléable, droguée peut-être, Brenda s'éloigna à reculons en titubant, hochant docilement la tête. Jesse vit l'inspecteur se diriger vers elle, mais avant qu'il puisse la rejoindre, il fut intercepté par une grosse femme

1. « La Panse ».

hystérique hurlant quelque chose à propos de sa mère malade.

Pendant qu'il perdait momentanément les pédales, Brenda se mit à errer dans Hurley Street, à portée de Jesse. Le premier mouvement de la journaliste fut de sauter sur l'occasion mais elle se retint, consciente qu'elle ne pouvait espérer au mieux qu'une rencontre d'une ou deux minutes, et que si elle prenait véritablement contact avec la reine de la soirée, elle se ferait jeter des lieux. Elle laissa donc le morceau de choix et se rabattit sur Felicia, la suivit quand elle se faufila entre les tas de ferraille des habitants de la cité et les voitures de police, en direction du Bâtiment 3.

— Felicia ! appela Jesse. Brenda, ça va ? demanda-t-elle comme si elles faisaient toutes partie du même groupe de femmes.

Felicia se retourna, cligna des yeux, incapable de discerner le visage qui allait avec la voix : Jesse s'était placée de façon que les projecteurs montés sur le passage couvert du Bâtiment 3 l'éclairent par-derrière, la réduisant à une silhouette aux yeux de Felicia.

— J'arrive pas à y croire. Qu'est-ce qui s'est passé ?

— Vous êtes journaliste ?

— Ouais, mais j'étais chez moi et j'ai entendu... Elle travaille ici ?

— Je sais pas, répondit Felicia, plus embarrassée qu'hostile.

— Vous ne savez pas ?

— Vous devriez peut-être parler aux policiers.

— Ils m'ont dit de m'adresser à vous.

— A moi ? Non, répliqua Felicia, ébauchant un sourire. Qui vous a dit ça ?

— Vous connaissez Lorenzo Council ?

Felicia attendit.

— Vous vous souvenez de cet article sur lui publié dans le *Register* il y a quelques mois ?

— Ouais.

— C'est moi qui l'ai écrit.

Jesse se sentait idiote de dire ça, mais, faute de temps, il fallait y aller carrément.

— Ah ! ouais ? dit Felicia, souriant de nouveau.

— C'était moi.

— Alors, il acceptera probablement de vous parler.

— Non, il est trop occupé. Ecoutez, je cherche simplement à être utile. Je... Elle travaille ici, Brenda ?

Felicia hésita, regarda à gauche, à droite, à gauche.

— Elle travaille ici, non ? insista la journaliste.

Felicia haussa les épaules, capitula.

— Ouais. Au Club d'Etudes.

— Le Club d'E... C'est quoi, du soutien scolaire ?

— Ouais.

— Elle est prof ?

— Assistante.

— Elle travaille avec vous ? Sous vos ordres ?

Felicia se gratta le nez, dansant d'un pied sur l'autre.

— Les deux.

— Vous connaissez son fils ?

— Cody ? Ouais, il venait au cours, mais genre mascotte, parce qu'il n'a que quatre ans. Les autres gosses... (Felicia s'interrompit, reprit d'une voix tremblante :) Les autres ont six, sept, huit ans. J'espère qu'on va le coincer, cet enculé.

Délicatement, elle cueillit une larme sous un de ses yeux avec un ongle artificiel de deux centimètres de long et Jesse, scrutant le visage de cette femme qui tentait de se ressaisir, entrevit involontairement une histoire de malheur collant à la peau, et qui n'avait sans doute aucun rapport avec Cody ni avec sa mère.

— Excusez mon langage, murmura Felicia, détournant les yeux.

— Hé, pas de problème.

En lui donnant l'absolution, Jesse s'aperçut que Felicia ne l'écoutait plus : quelque chose dans Hurley Street avait attiré son attention. Elle suivit le regard de Felicia jusqu'au frère de Brenda Martin, l'inspecteur de Gannon, qui gonflait le poitrail devant un des locataires.

— C'est son frère, non ?

— Danny, laissa tomber Felicia, comme si le nom pesait une tonne.

— Vous ne l'aimez pas beaucoup.

— Non, enfin, si. Vous savez, il doit faire son boulot. Comme je dis toujours aux gosses, n'allez pas à Gannon, parce que les flics, là-bas, ils jouent pas. Si vous faites les cons là-bas, ils viendront vous chercher ici. Mais on peut rien leur dire, à ces jeunes, c'est comme s'ils étaient nés sourds...

— Il avait l'air en colère contre Brenda, tout à l'heure. Pourquoi ?

— Il est peut-être énervé.

Jesse hocha la tête comme si tout s'éclairait pour elle : la citation du mois.

— Elle... elle travaillait, ce soir ?

— Non.

— Alors, qu'est-ce qu'elle...

— On vient d'installer un nouveau club dans le Bâtiment 5, et Brenda, elle avait oublié quelque chose là-bas, genre, alors, elle est retournée le chercher, et elle a essayé de couper par le parc pour retourner à Gannon, et elle s'est fait agresser. Mais je...

Felicia s'interrompit, referma la bouche.

— Quoi ? l'aiguillonna Jesse, qui pensait dope, mec, mac, en vrac.

— Rien.

Jesse insista, mais en souriant : deux copines en train de papoter.

— Elle sort avec quelqu'un d'ici ?

Felicia la fixa dans les yeux.

— Ça me regarde pas.

— Elle a l'air un peu hébétée, fit remarquer Jesse.

Elle voulait dire « défoncée », et cligna des yeux comme pour s'excuser à l'avance.

— « Hébétée » ? répéta Felicia avec un sourire. Vous avez des gosses ?

— Non, répondit la journaliste, piquée.

— « Hébétée », murmura Felicia, secouant la tête.

Jesse vit Lorenzo prendre Brenda par le bras et l'entraîner vers le parc, le lieu du crime. Elle chercha un moyen de clore rapidement l'entretien pour les suivre.

— Qu'est-ce qui s'est passé, d'après vous ?

— D'après moi ? C'est comme si vous me disiez qu'elle ment, se rebiffa Felicia.

— Non, certainement pas. Je veux simplement...

— Brenda est quelqu'un de bien.

Jesse hocha la tête en songeant que Jose changerait « bien » en « très aimée » : toutes les victimes appartenant au voisinage ou travaillant à moins d'un kilomètre des gosses avaient automatiquement droit à l'appellation « très aimée ».

— Faut que j'aille voir ma mère, annonça Felicia en se tournant vers le Bâtiment 3.

Jesse lui tendit sa carte.

— Qu'est-ce que vous pensez de Hootie, pour un coup pareil ?

— Hootie ?

Felicia se pencha en arrière, la bouche tordue de dérision, puis partit à pas lents vers le Bâtiment 3.

Jesse la regarda s'éloigner, attendit qu'elle jette ostensiblement la carte dans l'herbe avant d'arriver au passage couvert. Elle fut légèrement désarçonnée quand la femme disparut dans le hall, la carte toujours au creux de la main.

Lorenzo souleva le ruban de plastique orange pour laisser Brenda pénétrer dans Martyrs Park. A une vingtaine de mètres, Jesse les observait avec les yeux envieux d'une arriviste : le ruban était une cordelette de velours, le parc un salon réservé aux VIP, et les agents étaient des videurs armés.

Le ruban s'étirait en travers du côté Hurley Street du parc, d'une poubelle poussée contre le mur de soutènement à l'un des poteaux en béton du passage couvert du Bâtiment 3. De là, il filait à angle droit vers le muret de pierre rustique qui ornait la frontière avec Gannon.

Pas moyen pour la journaliste d'entrer par Hurley. Elle essaya de voir à travers les arbres si le côté Gannon était gardé lui aussi. Il devait l'être mais elle n'en aurait pas juré : de l'endroit où elle se tenait, elle ne distinguait aucun uniforme. Alors, peut-être que si elle sortait d'Armstrong pour faire le tour par l'extérieur jusqu'à Jessup Avenue, elle pourrait entrer par la porte de service. Si elle ne pouvait pas, elle se serait fait avoir complètement parce qu'il était peu probable qu'elle puisse pénétrer de nouveau dans Armstrong comme elle l'avait fait la première fois, mais, mais, mais... Elle arpentait le gravier, partagée entre désir et indécision.

— Hé ! appela une voix masculine.

Jesse se retourna pour découvrir un jeune flic, moustache à la Fu Manchu, chemise hawaïenne et baskets, se dirigeant nonchalamment vers elle avec quelque chose de pensif, presque, dans son allure décontractée. Il inclina la tête pour lui faire signe d'approcher, et elle pensa : Baisée.

— Vous êtes journaliste, c'est ça ? demanda-t-il, les mains dans ses poches arrière.

— Ouais, mais Lorenzo Council a dit que...

— Journal local, hein ? Le *Register* ?

— Ouais.

Elle essaya de le situer tandis qu'il chassait la fatigue de ses yeux en les pressant de ses deux paumes.

— On dirait l'invasion des profanateurs de sépulture, plaisanta-t-il, agitant mollement la main pour désigner les environs. Vous avez la moitié des flics de Gannon, la presse new-yorkaise... Un vrai cirque.

Jesse se détendit. Ce type n'allait pas la jeter : il voulait quelque chose.

— On aurait mieux fait de coller un bouchon à la sortie du Holland Tunnel, vous voyez ce que je veux dire ?

— Je vous suis, répondit-elle, apercevant Lorenzo et Brenda à travers les arbres. Alors, vous êtes de Dempsy ? s'enquit-elle d'un ton léger, comme s'ils se trouvaient dans un bar.

— Comme vous.

Il sourit, plissa ses yeux bleus. Il me drague, pensa Jesse, cherchant le meilleur moyen de jouer le coup.

Il désigna le parc d'un mouvement de la tête :

— Vous voulez jeter un coup d'œil ?

— Putain, oui, répondit-elle avec un grand sourire.

— Voyons les choses en face, vous pouvez pas.

— Vous êtes sûr ? minauda-t-elle, prête à tout simuler.

Les phares d'une voiture de ronde de Dempsy les aveuglèrent brusquement de leur lumière blanche puis les abandonnèrent, clignant des yeux dans l'obscurité revenue.

— C'est qu'une étendue de boue, de toute façon, dit-il, haussant les épaules. Y a rien à voir. Pas de cadavre, pas de sang, pas de douilles, rien que de la boue et des saletés.

— OK, répondit Jesse, en lui rendant son haussement d'épaules. Vous avez une suggestion ?

Il la regarda d'un air songeur.

— Une suggestion ? Vous êtes Jesse Haus, non ?

— Ouais.

Elle recula d'un pas, refoulant un accès de paranoïa.

— Mark Goldberg, se présenta-t-il en tendant la main.

Comme elle s'y attendait, la poignée de main fut ferme, et un peu trop longue.

— Alors ? demanda-t-elle, d'un ton presque exigeant.

Il pencha la tête de côté, comme s'il savait qu'il devait assurer, maintenant.

— Venez.

Il tendit le bras pour le passer autour des épaules de Jesse, mais partit en direction du Bâtiment 3 sans la toucher. Elle suivit, puis le rattrapa.

— Je viens de me taper deux services d'affilée. Je suis si crevé que j'arriverais pas à gonfler un ballon, soupira-t-il.

— J'imagine.

Comme ils se glissaient dans le passage couvert du Bâtiment 3, Jesse vit Felicia seule dans le hall, appuyée au carrelage crasseux, l'air perdue et refermée sur elle-même, la tête et les épaules entourées de graffitis. Parvenu au bord de la Cuvette, Goldberg s'effaça pour laisser la journaliste passer devant lui, comme à la porte d'un restaurant.

— Jesse, reprit-il, prononçant le nom avec une délicatesse prudente, il faut que je vous dise que vous avez écrit il y a six mois environ un article que j'ai trouvé puissant.

— Vraiment ?

Elle commençait à le trouver sympa, à apprécier son irrésolution flirteuse. Mais, d'une manière générale, les flics étaient de vrais dingues.

— Le papier que vous avez écrit sur la famille d'Efran Ortega, après l'enterrement. Très puissant.

— Vraiment ? répéta Jesse, accueillant à présent le compliment avec méfiance.

Ortega était un dealer obèse qui avait peut-être succombé à une crise cardiaque provoquée par la cocaïne lors de son arrestation. L'un des flics qui l'avaient serré avait été dans un premier temps accusé d'usage excessif de la force, puis blanchi. Toute la communauté latino était descendue dans la rue pendant une semaine après le verdict de non-lieu rendu par le grand jury.

Jesse n'avait pas vraiment écrit l'article, elle avait simplement déversé les attitudes, les mots et les visages affligés dans le téléphone pour Jose. Comme d'habitude, elle avait été plus caméra cachée que plume.

Goldberg la guidait parmi les gens et les réfrigérateurs comme s'ils se promenaient dans une prairie semée de rochers.

— Franchement, vous lui avez donné un visage humain.

— Merci, répondit-elle en se demandant où il la conduisait.

— Parce que c'était un trafiquant de coke, un fumier aux antécédents violents, mais, quoi qu'il soit devenu, il n'était pas comme ça à sa naissance, exact ?

— Exact.

— Comment ça s'appelle ? La nature contre la culture ? L'hérédité contre le milieu ?

Goldberg s'arrêta, arqua le dos en grimaçant. Du bord supérieur de la Cuvette, Jesse contempla Martyrs Park et la fête dans Hurley, réduite à des mouvements d'ombres, à des éclairs de lumière. Elle sentit une odeur envahissante de poulet frit : sous elle, deux jeunes femmes partageaient un réfrigérateur et une boîte de nuggets, la plus proche se servant d'un carré d'herbe morte comme d'une serviette.

— Attendez, j'ai le dos...

Il effleura de ses doigts le bras de Jesse, qui sursauta, abruptement ramenée à ce trouble que peut faire naître le simple contact d'une peau contre une peau.

— Ortega, à sa naissance, c'était un bébé, comme tout le monde. Né dans une famille, dans une certaine situation, quand il arrive au carrefour de la vie, il choisit la route que son parcours l'a préparé à prendre. Exact ?

— On va où ? demanda Jesse avec douceur.

— On peut pas être ce qu'on connaît pas. On peut pas se représenter ce qu'on a jamais vu, exact ?

— Exact.

Jesse regardait des enfants qui, délivrés du lit par le vol de voiture, plongeaient en rouleau au-dessus des réfrigérateurs, se relevaient étourdis, l'œil allumé.

— Mais, quoi qu'il ait fait de sa vie, avec les cartes qu'on lui avait distribuées, il a laissé derrière lui des gens qui pleuraient sincèrement sa mort. Ça, vous l'avez bien fait comprendre : la mère, la femme, les trois gosses... Indépendamment de ce qu'il avait fait d'autre, il avait aimé et été aimé en retour, exact ?

— Exact.

Jesse se sentait nerveuse à présent, vaguement étonnée que la réaction émotionnelle qu'elle venait de connaître commence déjà à s'estomper.

— Qu'est-ce qui est pire ? Mourir et laisser toute une famille dans l'affliction ? Ou mourir, et tout le monde s'en fout ?

En haut de la Cuvette, ils étaient au niveau de la voie ferrée. Un camion de transmission par satellite roulait sur le lit de gravier de l'autre côté de la clôture, l'antenne tranchant le ciel comme une épée. Soudain prise de panique, Jesse se tourna vers Goldberg en se demandant si elle pouvait lui balancer simplement : « Ou tu pêches, ou tu arrêtes d'amorcer », et exiger de voir ce qu'il avait à troquer, là, tout de suite. Avec le camion de la télé sous les yeux, elle avait du mal à continuer à flirter.

Quand il lui fit un clin d'œil, elle pensa : C'est pas vrai, y a plus personne qui fait ça, maintenant. Comme s'il lisait dans ses pensées, il tendit la main d'un air prometteur et elle continua à le suivre, vers la limite Gompers Street de la cité.

— La seule chose que je regrette... reprit-il. Vous savez, le flic, celui qu'on a essayé d'inculper pour avoir fait un étranglement à Ortega ?

— Incavaglia ?

— Ouais, Jimmy Incavaglia. Il a jamais été officiellement inculpé. Les médias l'ont accusé, ça oui, mais le Service, l'Inspection générale, le grand jury l'ont totalement disculpé. Seulement, dans les journaux, qu'est-ce qu'on a lu ? Recours à une prise illégale, l'étranglement. On a lu qu'il avait déjà fait l'objet de six plaintes pour usage abusif de la force.

Jesse hocha la tête en pensant : Six.

— Pourtant, si vous lisiez la suite, en page 13, disons, vous appreniez qu'aucune de ces plaintes n'était étayée par des preuves. Vous appreniez qu'Ortega pesait cent vingt kilos, qu'il avait de l'asthme et des troubles cardiaques. Mais, quand on ouvrait la télé ou le journal, c'était : Incavaglia, étranglement. Etranglement, Incavaglia. On publiait sa photo de l'école de police comme un cliché anthropométrique...

— Mais il a été blanchi, fit observer Jesse, se laissant guider vers le Bâtiment 1. Vous savez, on prend les informations comme elles viennent.

— Non, non, non. S'il vous plaît, dit Goldberg, tendant la main comme pour écarter la remarque. Vous, moi, on est de simples rouages de la machine, d'accord ?

— D'accord. On va où, Mark ?

— Non, tout ce que je veux dire — et c'est pour ça que je suis heureux de vous rencontrer enfin —, c'est que vous avez fait un boulot superbe sur le... la famille d'Ortega, et que pour, comment dire, équilibrer, vous auriez pu faire la même chose, ni plus ni moins, sur celle d'Incavaglia. Vous avez suivi l'affaire, côté Incavaglia ? L'aspect familial, je veux dire...

— J'aurais aimé le faire, répondit Jesse, sur ses gardes.

— Bon, c'est trop tard, maintenant, mais pour le principe, laissez-moi vous mettre au courant...

— OK, dit Jesse.

Elle regardait le barrage établi dans Gompers Street, la sortie la plus proche de Gannon, les gens qui, de part et d'autre de la voiture de ronde garée en travers, essayaient d'entrer ou de sortir.

— Au moment de l'arrestation d'Ortega, Jimmy Incavaglia était aux AA depuis cinq ans. Deux jours après le... le drame — avec les articles dans les médias, les manifs, les menaces de mort —, il s'est remis à picoler comme pour rattraper le temps perdu. Et aujourd'hui, c'est un alcoolo, en gros. Le Service lui confie de petits boulots, établir les récépissés pour les indices, des conneries comme ça. A propos, il a trente-deux ans, on parle pas d'un vieux gus qui traîne dans le Service un pif enluminé au gin... Trente-deux ans...

Parvenus au bout de la Cuvette, ils s'engagèrent dans le passage couvert du Bâtiment 1, généralement plus animé que ceux d'en bas, mais ce jour-là quasiment désert si l'on exceptait les flics cavalant, mandats en main. Jesse mourait d'envie de s'éclipser.

— Bon, reprit Goldberg, sa femme, Jeanette, elle... Je

vous raconterai pas d'histoires, ils avaient toujours eu une vie de couple agitée, mais maintenant, ils en ont plus du tout, ils sont séparés. Elle a pas pu supporter. Jimmy et Jeanette, comme vous et moi, ils sont nés et ils ont grandi à Dempsy, ils y habitent encore, alors ils ont absolument pas été protégés. Peut-être que s'ils avaient vécu plus bas, sur la rive, comme la moitié du Service, vous voyez, mais là, ils étaient dedans vingt-quatre heures sur vingt-quatre, sept jours sur sept.

Jesse tira une carte de la poche de son jean.

— Vous voulez qu'on en reparle demain ou plus tard ?

— Allons, laissez-moi finir, répondit Goldberg. (Il prit la carte, entraîna la journaliste dans Gompers.) En plus, Jeanette enseignait à l'école 31. Vous connaissez l'école 31. Dure, hein ?

— Oui.

— Une moitié de gosses dominicains, portoricains ; l'autre moitié de Noirs. Ces gosses, ils regardent la télé, leurs parents lisent le journal : c'est le mari de Mrs Incavaglia qui a fait ça. Alors, en classe, ils la regardent d'un drôle d'air, et elle est obligée de demander sa mutation, ce qui est dommage parce qu'elle se plaisait dans cette école et que c'était une bonne instit'. Par-dessus le marché, quand elle rentre chez elle, elle retrouve un ivrogne, elle dort avec un ivrogne, elle se réveille à côté d'un ivrogne. Et pour l'enfant, leur enfant, c'est encore pire. Il a huit, neuf ans, il va, il *allait* à l'école 44, il rentrait tous les jours en sang. Le pauvre gamin se battait avec la moitié de sa classe et Jimmy, qu'est-ce qu'il pouvait faire ? Descendre dans la cour remettre de l'ordre ? Incavaglia est un tueur de Latino, c'est dans le journal. Il peut rien faire. Alors, ils ont retiré le gosse de l'école, ils l'ont mis à Saint Mary, là-bas sur les Heights. Même merdier : le gamin avait l'air d'un punching-ball. Maintenant, il fréquente une école catholique du comté de Bergen, il passe deux heures par jour dans le bus, son père ne vit plus à la maison, sa mère est accablée. Voilà ce que sont devenus les Incavaglia...

Ils approchaient du barrage installé à l'autre bout de Gompers, près du Bâtiment 2, une autre voiture de ronde garée en travers.

— Je suis désolée d'apprendre tout ça, murmura Jesse.

Elle demeurait sur ses gardes mais ses regrets étaient sincères, en particulier au sujet du gosse. Sa propre enfance avait été marquée par l'ostracisme.

Goldberg s'arrêta, arqua de nouveau le dos.

— C'est bien aimable à vous de dire ça. Vous savez, en toute franchise, même avant ses emmerdes, Jimmy était au mieux un flic pas fameux. Tous ces malheurs qui se sont abattus sur lui et sur sa famille après cette histoire, ils auraient été plus supportables si seulement il avait été inculpé, ou si l'Inspection générale des services avait trouvé quelque chose, mais... C'est les médias. Quelle merde. (Il s'assit sur le capot de la voiture-radio de Dempsy.) Enfin, vous entendez probablement ces conneries tous les jours...

— Mark ?

— Ouais ?

— Où on va ?

Goldberg haussa les épaules.

— Où ? On est arrivés.

Il se tourna vers l'agent en faction près de la voiture.

— C'est un « lieu de crime circonscrit », ici, non ?

Le policier le regarda un moment d'un air ébahi puis acquiesça de la tête.

— Tu vois ça ? dit Goldberg, indiquant Jesse comme si elle était un objet. C'est une saloperie de journaliste. Alors, fais ton boulot, vire-la à coups de pied dans le cul.

Il la laissa plantée là et s'éloigna en se massant les reins. Jesse, blême de rage, repoussa la main hésitante du jeune agent et lança au dos de Goldberg :

— Six plaintes, hein ? Et combien d'autres qui n'ont même pas été déposées ?

Sans se retourner, Goldberg lui fit un bras d'honneur et, à la différence de Felicia, jeta sa carte dans l'herbe roussie qui, à Armstrong, tenait lieu de gazon.

5

Le ruban tendu en travers de la partie Hurley Street du parc créait une zone de paix relative d'une bonne quinzaine de mètres, isolant le lieu du délit du chaos. Toutefois, les alentours immédiats, quelques mètres d'allée pavée, semblaient avoir été allègrement piétinés avant que le ruban soit mis en place. Lorenzo repéra au moins trois séries de traces de pneus différentes dans la terre amollie par la pluie, et assez d'empreintes de pieds pour représenter une danse aux figures complexes.

Le parc lui-même n'était guère plus qu'un demi-arpent de jeux et de broussailles, l'allée séparant un groupe de balançoires, toboggans et cages à poules d'un bosquet d'ormes aux branches entourées de plantes grimpantes et décorées de godasses.

Pour ceux qui voulaient prendre le raccourci à pied, l'allée pavée conduisait à une brèche dans le muret de pierre. Pour ceux qui venaient en voiture, le passage était trop étroit et ils devaient quitter l'allée à un tiers du chemin pour se faufiler lentement entre les arbres jusqu'à une autre ouverture, juste assez large pour qu'une conduite intérieure puisse s'y glisser avec précaution. La plupart des flics de Gannon et de Dempsy connaissaient si bien ce raccourci qu'ils l'empruntaient sans lever le pied de l'accélérateur.

Au point de convergence de l'allée et de la route, Lorenzo

inspecta les arbres, les bancs, les silhouettes squelettiques de l'aire de jeux.

— Bon, vous êtes dans la voiture, vous venez du Bâtiment 5, d'accord ? dit-il, tendant le bras derrière lui. Montrez-moi où vous avez quitté l'allée.

Brenda cligna des yeux.

— Je peux pas vous dire.

Il regarda la voiture de ronde garée sous un réverbère dans le centre commercial abandonné. Le flic qui s'y trouvait était assez proche pour que Lorenzo puisse voir qu'il buvait une canette de Mountain Dew : une scène de violence dans le parc n'aurait pu lui échapper.

— Bon, vous pouvez m'indiquer d'où le type est venu ?

Tandis que Brenda étudiait la configuration du terrain, Lorenzo promena le regard sur les fenêtres du Parc aux Agneaux du Bâtiment 3, si proches de Martyrs Park, pour certaines, que les locataires pouvaient, en tendant le bras, arracher les feuilles des arbres. Deux d'entre elles étaient occupées : par Miss Dotson, qui fumait une cigarette, les coudes sur son appui de fenêtre rembourré, et qui soutint calmement son regard ; par Mère Carver, dont la silhouette se détachait en bleu argent dans la lumière du poste de télévision allumé derrière elle dans la pièce obscure et qui, à travers ses lunettes, fixait au-dessus des arbres la ligne des toits de Gannon.

— Lorenzo, viens me voir plus tard, j'ai quelque chose à te dire, annonça Miss Dotson d'une voix égale.

Elle laissa tomber sa cigarette, ferma la fenêtre. De ce côté du bâtiment, il y avait sous la moitié des fenêtres de petits tas de mégots semblables à des pyramides à demi écroulées.

— De là-bas, déclara Brenda, la voix rauque d'excitation. Il est venu de là-bas.

Lorenzo alla examiner le pied de l'arbre qu'elle avait désigné. Rien.

— Bon, et vous avez arrêté votre voiture...

— Euh... (Brenda fit un pas vers la gauche, deux pas vers la droite.) Je sais pas, je peux pas v...

Elle s'élança brusquement, le bras tendu, et dans un geste réflexe Lorenzo la retint par son T-shirt.

— Mon sac...

— Laissez-le là.

Des voitures avaient roulé dessus, l'incrustant dans le sol sous une couche de boue à demi sèche.

— Ouais, j'y suis, maintenant, réalisa Brenda, la voix tremblante d'énergie. Je me suis arrêtée ici.

Lorenzo réfléchit à la façon de formuler ce qu'il voulait dire sans la mettre sur la défensive.

— Brenda, écoutez... (Il attendit qu'elle le regarde.) Si je vous pose une question, ne cherchez pas à me répondre ce que vous croyez que je veux entendre, d'accord ? Si vous vous souvenez pas, dites « Je me souviens pas », d'accord ? N'ayez pas peur de ne pas savoir ou de me dire autre chose que ce que vous pensez que j'ai envie d'entendre. Suffit de dire : « Je sais pas, je me rappelle pas. » (Elle le fixa en silence.) Bon, vous dites que le gars vous a fait tomber, qu'il vous a arrachée de votre siège avant que vous ayez pu prononcer un mot, c'est ça ?...

Elle continua à le fixer sans rien dire.

— Bon, quand il vous a fait tomber, vous aviez votre sac ? reprit-il.

Elle hésita, tenta de déchiffrer son regard.

— Non.

— Non. D'accord. Vous le posez où, votre sac, quand vous conduisez ?

— Je sais pas. Près de moi.

— Sur le siège d'à côté ? Sur le plancher ?

— Sur le siège.

— Il fait chaud, ce soir. Vous aviez branché la clim' ?

— Je sais pas. Oui, je suppose.

— Alors, vos vitres étaient probablement relevées ?

Elle ne répondit pas.

— Donc, vous sortez de la voiture — enfin, le type vous tire dehors —, il vous fait tomber, il prend votre place et il se barre. C'est bien ce que vous m'avez dit ?

Elle inspira une goulée d'air, la retint, acquiesça prudemment de la tête.

— Alors, comment votre sac s'est retrouvé par terre ? Le gars ne l'aurait pas balancé comme ça. Il l'aurait plutôt fouillé pour voir s'il y avait de l'argent, des cartes de crédit, et il aurait fait ça dans le noir. Ensuite, il aurait dû baisser la vitre pour le jeter dehors. Tout ça, ça prend du temps, vous voyez où je veux en venir ?

— Où vous voulez en venir ? répéta-t-elle, effrayée. C'est mon sac.

— Attendez, je veux simplement dire que votre agresseur est peut-être resté plus longtemps que vous croyez. Vous êtes peut-être restée un moment par terre, à moitié assommée. Ou bien ça s'est vraiment passé comme vous le pensez : il a démarré tout de suite. C'est pour ça que vous devez me dire ce que vous vous rappelez *vraiment*, et si vous savez pas, vous répondez : « Je... sais... pas. »

Sentant une présence derrière lui, Lorenzo se retourna, découvrit le frère.

— Vitres baissées, vitres relevées, on s'en branle, grommela Danny Martin, envoyant au diable tous ces détails, d'un geste de la main. Et du sac aussi. Qu'est-ce que tu fous ici, Council ? Je croyais que tu devais cuisiner le quartier.

Lorenzo se força à se rappeler qu'il avait devant lui l'oncle du gosse.

— Danny, écoute-moi. Admettons que le gars démarre tout de suite. Il se retourne, il voit le gosse sur le siège arrière, il panique, il revient ici, il dépose le môme et il balance le sac. Tu comprends ? Le petit est peut-être encore dans le coin.

Martin le dévisagea puis, sans un mot, fit demi-tour et rejoignit Bobby McDonald, qui se tenait côté pavé du périmètre, les mains dans les poches, examinant les arbres comme s'il essayait de compter les paires de baskets qui y pendaient, tels des fruits caoutchoutés.

— Bobby, me faites pas un coup pareil, gémit-il d'un ton implorant, le bras tendu vers Lorenzo. C'est ma chair et mon sang, ce gosse. Je vous en prie, je mérite pas ça.

Lorenzo sentit la panique se répandre comme une coulée de crème de son front à sa nuque en passant par son cuir chevelu. Il leva les yeux vers Brenda qui geignait misérablement : « Je suis désolée, je suis désolée... »

— Je sais ce que tu ressens, Danny, répondit calmement McDonald. Mais t'as tout compris de travers, mon gars. Lorenzo, c'est le patron, dans cette cité. A mon avis, le mieux, c'est que tu retires tous tes hommes, et moi, je retire presque tous les miens. Laisse-le travailler, il va nous régler ça en un rien de temps. Réfléchis à ça.

Lorenzo avait tout entendu sans tourner la tête. Le mépris

flagrant de Danny suivi du boniment serein de Bobby lui donnèrent une vision parfaite : Ma cité, mon affaire, point final.

Il toussa, s'étrangla un peu.

— Brenda, vous voyez cette voiture de police, devant le centre commercial ? Vous êtes au courant, pour le Guet ?

— Ouais, bien sûr.

— Vous n'avez pas pensé à demander de l'aide au policier posté là-bas ?

— Ecoutez, je suis tombée par terre, je me suis relevée, je suis retombée, la voiture a démarré, je me suis retrouvée à l'hôpital.

Lorenzo entendit la voix de Martin s'élever de nouveau derrière lui :

— Le mec aurait déposé le gamin ? Alors, où il est ? Quelqu'un nous l'aurait déjà ramené, non ? Des conneries, tout ça. L'oiseau s'est envolé. Mais je vais te dire un truc : si ça s'est passé ici, la réponse est ici. Et on partira pas avant que quelqu'un crache le morceau. T'es peut-être le roi de la jungle, mais ce que je voudrais savoir, c'est si tu vas le cuisiner ou le protéger, ton quartier.

Quand Lorenzo finit par se retourner, ce qu'il découvrit au-dessus de l'épaule gauche de Danny le vida de toute colère. Sous la fenêtre du premier étage du Bâtiment 4, Tariq Wilkins pendait au bout d'un mince cordon blanc et tournoyait en poussant des cris aigus. Même du parc, Lorenzo pouvait voir que c'était Tariq parce que les projecteurs l'éclairaient comme un trapéziste faisant son numéro. En dessous, les gens braillaient, couraient pour l'attraper, mais lorsque le cordon se rompit, ils battirent en retraite. Tariq tomba sur l'asphalte avec un bruit mou et disparut aussitôt lorsque tout le monde se précipita vers lui. Une fois de plus, Brenda Martin se retrouva seule.

Quand Lorenzo parvint enfin à se frayer un chemin, il découvrit Tariq sous un enchevêtrement de rallonges aux prises bizarrement tordues, gigotant pour échapper aux infirmiers qui tentaient de l'allonger sur une civière. Autour de lui, la foule formait un cercle parfait.

— Il bouge sans problème, fit remarquer placidement un policier.

— Lorenzo, ils l'ont balancé par la fenêtre ? demanda l'un des garçons les plus jeunes.

Council chercha la réponse sur les visages qui l'entouraient. Un flic des Stups de Gannon s'avança :

— On avait un mandat, il a essayé de se débiner. On a même pas franchi la porte.

— Lorenzo, ils l'ont balancé par la fenêtre ? répéta le même gosse.

— T'as pas entendu ce qu'il vient de dire ? beugla Council. Il est tombé tout seul !

Quelques jeunes reculèrent en lui signifiant du regard : « On t'emmerde, nous aussi. » Furieux, il se rappela soudain Brenda : qu'est-ce qu'il en avait fait ? Il tourna la tête en tous sens, la repéra près d'une des voitures. La main devant la bouche, elle sanglotait : « Je suis désolée ! Je suis désolée ! » Bump Rosen lui tapotait le dos d'un air embarrassé en cherchant Lorenzo des yeux. Comme il fonçait les rejoindre, Council vit Bobby McDonald parler dans un téléphone portable et fit un détour.

— Bobby, si vous les faites pas sortir d'ici maintenant, va y avoir une émeute !...

McDonald plaqua une main sur le micro de l'appareil.

— Hé, j'ai le procureur en ligne. En attendant, toi, tu la conduis à l'IJ et tu lui montres des photos, sinon, je te le jure, je refile l'affaire à quelqu'un d'autre !

Douché par la colère de Bobby, phénomène rare, Lorenzo se retourna pour aller retrouver Brenda tandis qu'on portait Tariq à l'ambulance. Quelqu'un parla d'une jambe cassée.

Il n'y avait plus de périmètre interdit. Tout le monde allait et venait, jeunes agités, flics agités, Danny Martin faisant les cent pas dans ses tongs, Brenda psalmodiant « Je suis désolée, je suis désolée », cherchant du regard quelqu'un qui voudrait bien l'écouter. Lorenzo se passa un bras derrière le dos pour écraser du pouce le filet de sueur qui lui chatouillait l'échine. Oui, il était temps de partir.

Comme il se dirigeait vers Brenda, un des jeunes coiffés d'une casquette *Top Cop* — un gosse surnommé Teacher[1], qui, Lorenzo le savait, avait vu Danny Martin débarquer dans la cité semaine après semaine pendant des années, et

---

1. « Prof ». (N.d.T.)

qui avait probablement échangé des vannes des dizaines de fois avec le policier — lui lança une plaisanterie du même tonneau :

— Danny, pendant que tu cherches le mec ici avec ta troupe de négros de Gannon, il est sûrement là-bas, en train de niquer vos meufs.

Le jeune souriait, détendu, ses copains ricanaient ; les locataires plus âgés lui lançaient des regards mauvais mais personne, Lorenzo inclus, ne s'attendait à ce qui suivit. Martin pivota en souplesse, cueillit Teacher avec un uppercut qui fit jaillir une dent entre des lèvres fendues, en un arc gracieux comme un saut de dauphin. L'adolescent s'écroula, sonné, mais se redressa aussitôt et chercha à tâtons dans l'herbe sa casquette *Top Cop* qui, curieusement, était restée sur sa tête.

Le silence se fit. Martin, qui semblait aussi stupéfait que n'importe qui, ouvrit la bouche mais Lorenzo savait qu'il ne dirait rien, espéra qu'il ne dirait rien parce que les excuses ne font qu'aggraver les dégâts et autoriser les gens à exprimer leur rage. Martin pressa ses mains l'une contre l'autre, prit une longue inspiration et partit d'un pas vif : ce qu'il avait de mieux à faire. Lorenzo espéra que, lorsque ses liens avec l'enfant seraient connus, les gens de la cité lui trouveraient des raisons — il l'espérait non pour Martin mais pour les habitants d'Armstrong eux-mêmes. Il regarda le frère de Brenda passer de l'autre côté du barrage, monter dans une voiture banalisée et démarrer.

Leo Sullivan, vieil inspecteur de Gannon, capta l'attention de Council et, lèvres plissées, lui adressa un bref haussement d'épaules en guise d'excuses. Lorenzo n'accusa pas réception du message et alla récupérer Brenda. En la conduisant à sa voiture, il établit un duplex silencieux avec quelques-uns de ses informateurs : mentons inclinés, paupières rapidement baissées, main ballante près d'une poche. Il fixa ainsi trois, voire quatre rencards : dans un appart', sur un toit, derrière le supermarché 7-Eleven, dans un tripot. Il traça à gros traits l'emploi du temps du reste de sa nuit jusqu'au petit déjeuner, moment auquel il saurait plus ou moins comment tel ou tel prenait son café, quelle marque de clopes fumait un autre, avec qui jouer la carte nous-contre-eux, avec qui chanter les louanges de Jésus. De tous ces tuyaux Gannon n'aurait rien, marmonna-t-il en glissant sa clef dans la serrure de la Crown Victoria : des rigolos qui viennent ici pratiquer le jeu dur sans raison, réduire en miettes les bonnes volontés qu'il avait soigneusement entretenues, foutre le souk dans le centre d'informations réglé au petit poil qu'il avait établi dans cette cité.

— Je voudrais... je voudrais renaître, murmura Brenda avec ardeur, les lèvres blanches et l'œil naïf, affalée sur le siège avant droit, tandis que la voiture grimpait vers le péage du New Jersey.

— Vous voulez quoi ? demanda Lorenzo, tendant la main vers la radio. IS 15 à Central. Je quitte Hurley Street, Dempsy, avec la victime, direction l'Identité judiciaire. Km 32001 au compteur.

Appliquant le règlement à la lettre, il rendait compte de chaque seconde passée seul avec elle.

— Base à Sud 15. Il est zéro heure quarante-cinq.

— Vous voulez quoi ? répéta-t-il, au moment où la voiture croisait deux autres camions de télévision se dirigeant vers la cité.

— Je voudrais renaître.

— Au sens religieux ? Vous êtes croyante ?

— Non, non, simplement, j'ai l'impression d'avoir compris quelque chose, répondit Brenda, les yeux clos, la voix gardant une note de conviction fervente. Alors, je voudrais prendre un nouveau départ.

— Qu'est-ce que vous avez compris ?

Lorenzo tourna après la sortie, revit la dent jaillir des lèvres éclatées.

— Je sens que... Je veux... Je voudrais seulement qu'on me donne une nouvelle chance...

Lorenzo vit les yeux de la jeune femme remuer sous la fragile membrane des paupières. Il jeta trente-cinq cents dans le baquet à pièces du péage en songeant qu'il donnerait une semaine de paie pour voir le film projeté en ce moment derrière ces fins écrans roses.

— Parlez-moi encore du type. Vous vous rappellerez peut-être autre chose.

D'un doigt tremblant, elle essuya une coulée de larmes

glissant sur l'aile de son nez, tira la boîte de codéine de la poche arrière de son jean, la porta à sa bouche et tenta d'y faire tomber un comprimé.

Sans quitter la route des yeux, Lorenzo prit la boîte, qu'elle lui abandonna sans résistance. Il entendit un comprimé crisser entre ses dents.

— Parlez-moi du gars, répéta-t-il.

— Je suis si fatiguée, dit-elle dans un murmure vaincu.

Lorenzo se faisait du souci : s'il fallait la décrypter avec en plus l'effet des médicaments... Ses pensées revinrent à Danny Martin cognant Teacher. La mère du garçon, Frieda, était une grande gueule au comité des locataires, et le policier voyait se profiler à l'horizon toutes sortes de manifs et de poursuites.

— Brenda, vous avez pris combien de comprimés, ce soir ?

— Qu'est-ce que ça change ? répondit-elle, regardant par la fenêtre.

— Central à Sud 15.

— 15. J'écoute.

— Prenez 13 sur le canal 6.

Lorenzo passa sur le 6.

— Bump ?

— Le suspect aurait été aperçu.

Council se raidit. Il aurait préféré que Brenda n'entende pas, au cas où l'information ne déboucherait sur rien.

— Où ça ?

— Sea Girt.

— Ça fait loin.

— Pas si tu fonces.

— Et le dessinateur ?

— Il vous retrouve là-bas.

— C'est qui ?

— Pierre Farrel.

— Rappelle-moi à l'IJ.

— OK, patron.

En approchant de l'Identité judiciaire, installée sous le garage municipal, Lorenzo inspecta la rue pour y repérer d'éventuels journalistes. La rue latérale, tranquille, était noyée dans l'ombre d'un noir d'encre de vénérables chênes.

— IS 15 à Central.

— Central. Allez-y.

— Sud 15 arrive à l'IJ avec la victime. Km 32008.

— OK, Sud 15. Il est une heure.

— Mon frère m'a dit l'année dernière : « Si tu travailles assez longtemps dans cette cité, il arrivera quelque chose. Et ce sera de ta faute, parce que tu sais que j'ai raison. »

Lorenzo Council descendit, fit le tour de la voiture pour ouvrir la portière de Brenda. Elle resta là sans le voir, ruminant les propos de son frère, puis leva tout à coup les yeux vers l'inspecteur.

— Il pique de ces colères, Danny. Déjà, quand on était petits... se rappela-t-elle en sortant de la Crown Victoria.

— Hé, Brenda !

La voix cordiale, chargée de bonnes nouvelles, la fit se tourner vers le trottoir plongé dans l'obscurité, mais ce n'était qu'un piège à gogos et elle fut aussitôt mitraillée par les flashes d'un appareil photo. Elle leva instinctivement ses mains bandées pour cacher son visage, se recroquevilla en une posture protectrice comme un boxeur essuyant une attaque dans les cordes. Lorenzo marcha d'un pas lourd vers le reporter. Le type resta sur place et tint bon, éclairant l'approche bougonne du policier à coups de flashes, jusqu'à ce que Council se rende compte qu'il ne pouvait pas gagner et oblique à contrecœur.

Il guida Brenda à travers le garage, dédale silencieux de voitures de police, de camions de voirie et de camionnettes du service parcs et jardins, la dirigea vers l'escalier en bois usé menant à l'IJ. C'était un centre de mise en accusation, un fichier central si peu touché par le temps et le progrès qu'il avait servi de décor à un film sur les bootleggers des années 1920. Blague éculée qu'on répétait depuis : « Ouais, le metteur en scène a trouvé le cadre parfait. Il a simplement demandé à son décorateur de moderniser un peu le matériel de bureau avant le tournage... »

En bas des marches, ils pénétrèrent dans le hall, flanqué d'un côté par un lourd banc de bois, de l'autre par une cellule de détention. Devant eux courait une barrière de lambris montant jusqu'à hauteur de taille ; derrière s'étendait une vaste salle obscure meublée de vieux bureaux en bois et de classeurs métalliques. Une jeune femme noire sans expression, assise sur le banc, attendait quelque chose ou quelqu'un en faisant distraitement sauter un enfant sur ses genoux croisés. Brenda adressa un pauvre sourire au bébé. Perdue dans ses propres ennuis, la mère ne lui prêta pas attention.

De derrière les barreaux de la cellule, un homme d'une quarantaine d'années en veste de livreur de Pepsi-Cola tachée de sang lança à Lorenzo :

— Salut, Big Daddy. C'est la dame, hein ?

Souriant, le policier répondit sur un ton de reproche :

— Encore toi ?

— Hé, Miss, vous êtes en de bonnes mains avec lui, assura le détenu.

Lorenzo conduisit Brenda dans une pièce attenante, la fit asseoir à une table en Formica soutenant un classeur vert militaire cabossé en forme de cercueil. Outre une balance massive en cuivre jaune qui pesait les détenus depuis le dix-neuvième siècle, les seules choses présentant un intérêt dans la pièce au plafond bas étaient des titres et des photos de journaux encadrés relatant de hauts faits de la police. Les coupures allaient de la grève de la Standard Oil en 1913 à la découverte d'une cache d'armes des Panthères noires en 1969. Un bon tiers des policiers actuels de Dempsy descendaient des hommes qu'on apercevait sur les photos accrochées au mur.

— Brenda, dit Council, posant une main possessive sur le classeur. On a ici tous les méchants, tous ceux qui ont franchi la ligne ces vingt-cinq dernières années...

— Tous ceux qui se sont fait prendre, rectifia-t-elle dans un murmure.

— Il y a une bonne chance pour que votre agresseur se trouve dans un de ces fichiers...

— J'ai envie de m'allonger, geignit-elle, le corps penchant vers la gauche.

— Je vous comprends.

Discrètement, il jeta les médicaments confisqués dans une corbeille à papier, près de la balance.

— Je me sens mal.

— Je sais.

— Je crois pas qu'il est là-dedans.

— Je parie que si. Vous voulez du café ?

Elle secoua la tête, appuya son front contre la bordure métallique de la table.

— Il mesurait combien ?

Il se rappelait la taille qu'elle avait donnée mais voulait voir si elle s'en tenait à son estimation première.

— Je sais pas. Un mètre quatre-vingt-dix ? Je sais pas.

Lorenzo tira du classeur un tiroir long et étroit, le fichier « 1,80 m, Noirs », la taille étant avec la race le seul critère retenu pour classer les criminels. Quand il le plaça devant elle, elle ne leva même pas la tête. Au bout d'une trentaine de secondes, il remit le fichier dans le classeur.

— Brenda, dit-il à la nuque de la jeune femme, certains prétendent que mon défaut, c'est la flemme, que je me décarcasse seulement quand un truc me titille l'imagination ou m'atteint là où ça me fait réagir. Je crois pas que c'est vrai, mais y a chez moi quelque chose qu'on pourrait prendre pour de la paresse. Je suis seulement aussi bon que les gens pour qui je bosse. Les... les gens lésés, les victimes, les survivants, vous voyez ce que je veux dire ? S'ils commencent à ne plus y croire, pour ainsi dire...

— A ne plus y croire ? répéta Brenda, levant la tête comme Lorenzo l'avait escompté.

Il se pencha vers elle, déploya une main massive contre sa poitrine et dit avec douceur :

— C'est pas mon gosse, Brenda. Vous voulez que je me donne à fond là-dessus ? (Il tira de nouveau le fichier, le laissa tomber devant elle avec un claquement.) *Poussez*-moi à me donner à fond.

Les photos étaient maintenues à leur base par une tige de la longueur de la boîte métallique. Elles se présentaient de verso, légèrement inclinées comme les cartes d'un jeu étiré en longueur. Brenda entreprit de les regarder une par une. Assis derrière elle à un bureau vide, Lorenzo étudiait son rythme pour savoir si elle examinait réellement les visages ou si elle faisait semblant.

Il guettait aussi sa réaction : la vérité viendrait du corps. D'après son expérience, quand une femme reconnaissait son agresseur, elle avait un hoquet, elle sautait en arrière sur sa chaise. Un homme, en revanche, bondissait généralement sur ses pieds, frappait le bureau du poing et montrait le type qui le narguait du fichier. Cette distinction entre sexes n'avait aucun caractère scientifique ; elle valait ce qu'elle valait.

Brenda allait trop lentement, examinant chaque visage comme si elle étudiait une carte. Lorsqu'elle eut enfin terminé, il posa devant elle quatre autres fichiers, des Noirs toujours, de un mètre quatre-vingt-cinq à deux mètres. Le téléphone mural proche de la porte émit un trille assourdi.

— Ouais, quoi de neuf ?

— Sea Girt, tuyau crevé, annonça Bump.

— Oui, je me disais bien que c'était trop beau pour être vrai. Qu'est-ce qui se passe ?

— C'est toujours agité mais ça se calme un peu. On a quelque chose comme six camions de télé là-haut le long de la voie ferrée. Le procureur va donner une conférence de presse. Et elle, elle tient le coup ?

— Il est mort ! s'exclama soudain Brenda.

Lorenzo plaqua le téléphone contre sa poitrine, la regarda. Elle désignait une photo anthropométrique.

— Cornell McCarthy. Il est mort la semaine dernière. Son fils est au Club d'Etudes de Jefferson.

Lorenzo rapprocha lentement l'appareil de son oreille.

— Quoi d'autre ?

— Quoi d'autre ? J'ai eu un coup de fil de mon beau-frère, à New York. Il dirige l'agence Avis, qui se trouve en face du *Daily News*. Il dit qu'ils ont loué tout ce qu'il avait à l'écurie...

— Rien que ça.

— Ouais, comme tu dis. Je crois qu'on ferait mieux de s'en tenir au téléphone et de laisser tomber la radio, parce que Dieu sait qui pourrait nous écouter.

— Compris. Et Bobby ?

— Il devient un peu cinglé, mais il garde la situation en main.

— Il m'a pas appelé une seule fois.

— Je viens de lui parler. En gros, ce qu'il veut savoir, c'est si tu t'entends bien avec elle.

Lorenzo réfléchit à ce que cela voulait dire, conclut que Bobby n'était pas persuadé lui non plus que l'agresseur était de la cité.

— Ouais, ça se passe bien.
— Il dit que t'as qu'à l'appeler si t'as besoin de lui.
— D'accord.

On frappa deux coups légers à la porte que Council, s'attendant à voir un journaliste, entrebâilla.

— Bump, faut que je raccroche, dit-il au téléphone tout en ouvrant juste assez pour laisser entrer Pierre Farrel, le dessinateur.

C'était un Noir quadragénaire, barbu et svelte, inspecteur en retraite de la police de New York. Tenant sa boîte à dessin dans une main gantée de noir, il semblait à mi-chemin entre le péquenot et le bohème : un short kaki, des bottes d'ouvrier du bâtiment, un grand anneau d'or à l'oreille gauche, une chemise de flanelle à manches longues sur un T-shirt traversé du logo d'United Way. Lorenzo apprécia ce dernier détail, touche plaisante pour détendre la victime, lui faire comprendre que le Noir chargé des portraits-robots était un être humain à part entière.

— Ça boume, chef ?

— Ça va, murmura Pierre, regardant le dos courbé de Brenda. Je suis inscrit dans une école artistique de New York, je commence à prendre des cours du soir le mois prochain.

— A la bonne heure, approuva Council, souriant machinalement comme il le faisait chaque fois qu'on parlait d'enseignement. C'est comment, là-bas ?

— Reste ici. Voilà comment c'est, là-bas.

Brenda faisait défiler les photos plus rapidement maintenant et commençait à montrer des signes de fatigue. Elle avait regardé une centaine de trombines, alors qu'on fixait généralement la limite à soixante-quinze pour un examen attentif. Les deux hommes attendirent dans un silence patient qu'elle ait rabattu la dernière photo du dernier fichier. Elle baissa soudain la tête en signe de capitulation.

— Brenda, appela le policier avec douceur. (Elle se redressa lentement, se tourna vers eux, fixa son attention sur le gant de cuir noir posé sur la boîte à dessin.) Brenda, je vous présente Pierre Farrel.

— Salut, Brenda, dit le dessinateur, dont le regard suivit inconsciemment celui de la jeune femme jusqu'au gant.

— Pierre va nous faire un portrait-robot, d'accord ? Comment vous vous sentez ? Ça va ?

Elle baissa de nouveau la tête, passa un bras derrière elle pour se masser la nuque, n'y parvint pas à cause de ses bandages. Lorenzo dut résister à l'envie de le faire pour elle. Farrel approcha sa chaise à un mètre de Brenda.

— Avant de commencer, je tiens à vous assurer que je ferai mon boulot du mieux possible, dit-il d'une voix confiante, apaisante. J'ai moi-même trois enfants et je pense quelquefois que n'importe quel gosse croisé dans la rue pourrait être le mien, vous comprenez ?

Brenda détourna les yeux, plissa tout le visage. Lorenzo la sentit plonger de nouveau. Farrel ouvrit la boîte à dessin de sa main non gantée, y prit un autre fichier de photos, catalogue de traits faciaux parmi lesquels elle devrait choisir.

— Ça va prendre quelques heures, prévint-il. Nous allons faire ça ensemble et nous allons le faire bien...

Elle fixait de nouveau le gant noir.

— Quand on commencera, quand je me mettrai à dessiner, je veux que vous vous teniez au-dessus de mon épaule, et que vous me guidiez à chaque pas, d'accord ? Je veux que vous soyez la plus féroce des critiques d'art. Ce que je dessine ne vous plaît pas, vous pensez que je traduis mal votre description ? Vous me le dites. Vous me l'envoyez en pleine figure.

Brenda commença à se balancer au bord de sa chaise. Farrel se retourna, échangea un bref regard avec Lorenzo, resté assis derrière elle. Nous y voilà, pensa l'inspecteur.

— Vous êtes le cerveau, Brenda, reprit le dessinateur, tout sourire. Moi, je ne suis que la main.

De son gant de cuir noir, il tapota le côté de la table, et Brenda se redressa, étonnée, entendant un *toc-toc* creux.

— Et quelle main ! enchaîna-t-il, levant triomphalement sa prothèse. Le plus drôle, c'est qu'avec ma vraie main je ne savais absolument pas dessiner.

Brenda montra ses propres mains bandées avec un pâle sourire, et Farrel éclata de rire comme si c'était un gag visuel irrésistible. Ils communiaient maintenant ; Lorenzo l'adorait, ce type.

— Parlez-moi de votre agresseur, dites-moi quelque

chose sur lui, demanda Farrel, qui entreprit de disposer son matériel sur le bureau, y compris sa propre lampe fluorescente.

— Il... il avait l'air sympa, pas bête, répondit Brenda, la voix enrouée comme si elle ne s'en était pas servie pendant longtemps.

— Bien. Quoi d'autre ?

— Il donnait l'impression d'être cultivé. Non... plutôt... intelligent. D'une certaine façon.

— Bien. Combien de temps a duré la rencontre ?

— Une vie entière.

— Je vous comprends. Vous l'avez vu sous quel éclairage ?

— Il faisait sombre.

— Bon. Si je vous demande de me le décrire, comme ça, maintenant, qu'est-ce qui vous vient en prem...

— Ses yeux, le coupa-t-elle.

Cela plut à Lorenzo qu'elle donne d'abord un détail plutôt qu'un signalement général. Au fil des ans, il avait constaté que les victimes ressentent la violence qui leur est infligée comme un événement visuellement fragmenté. Dans des interrogatoires de cette nature, les yeux de l'agresseur émergent généralement en premier du brouillard cauchemardesque de la mémoire.

— Ses yeux. Bien. Comment étaient-ils ?

Elle remua les lèvres en silence avant de répondre :

— Effrayés.

Et voilà. Lorenzo aimait ça aussi, cette description en droite ligne du royaume de l'émotion, par opposition aux adjectifs de forme et de couleur plus détachés, plus objectifs. Il se leva avec précaution, tel un parent tentant de sortir furtivement de la chambre d'un enfant à demi endormi, s'accroupit devant elle, comme l'avaient fait les deux policiers à l'hôpital.

— Vous pensez que je peux vous laisser ici avec Pierre ? Je crois que je serais plus utile à Armstrong, en ce moment...

— D'accord ? dit Farrel, avec un hochement de tête pour encourager Brenda.

Elle porta une main bandée à son visage mais ne répondit pas.

— On va très bien se débrouiller tous les deux, affirma le dessinateur.

Il fit signe à Lorenzo de partir puis glissa un crayon entre le pouce et l'index de sa main gantée.

6

Au moment où son frère obliquait pour prendre la sortie Armstrong, Jesse put voir les feux du camp des médias à cinq cents mètres de distance, et cette vue l'emplit d'un sentiment de désespoir. Depuis qu'elle s'était fait virer de la cité, il y avait eu un incendie à Gannon, une descente de police chez les dealers de Rydell et une arrestation pour les deux personnes blessées par balles à D-Town. L'inspecteur chargé de l'affaire, Cippolino, avait dû la biper deux fois avant de pouvoir lui narrer l'histoire au téléphone : Tiger s'appelait de son vrai nom Reginald Williams. Il n'était ni le père du bébé ni le fils de la vieille femme. Les deux blessés survivraient.

Jesse voulait Armstrong. Elle voulait Brenda Martin.

Les journalistes, maintenus à l'extérieur du cul-de-sac de Hurley Street par les barrages, avaient établi leur camp de base dans le lit de gravier séparant la voie ferrée de la clôture surmontée de barbelés. De là, ils découvraient le lieu du crime et avaient la misère urbaine en toile de fond panoramique pour leurs commentaires sur place.

Ben s'approcha suffisamment du village médiatique pour que Jesse constate que la conférence de presse avait commencé. Peter Capra, le procureur du comté de Dempsy, s'adressait à un parterre de journalistes et de cameramen sous un éclairage aveuglant.

Ne s'intéressant aucunement à ce spectacle, Jesse se fit

déposer deux rues plus loin, mais comme elle se dirigeait de nouveau vers le barrage de Hurley Street, un inspecteur de Gannon, appuyé contre le coffre d'une tire confisquée à un dealer, et apparemment occupé à grignoter des graines de tournesol, murmura : « C'est même pas la peine d'y penser », sans lever les yeux de son sachet. Le poil hérissé, Jesse retourna à pied à la conférence de presse. Le procureur, flanqué de représentants de la police, creusait des trous dans le gravier avec la pointe de ses chaussures en affrontant les questions mi-hostiles, mi-timides que lui lançaient les journalistes.

— Avez-vous un commentaire à faire sur l'information selon laquelle un suspect aurait été jeté du troisième étage...

— Absolument faux, dit Capra, coupant la journaliste qui tendait son micro vers lui et le fixait avec intensité. Je crois savoir qu'en réalité un individu s'est blessé en sautant par la fenêtre d'un appartement pour une raison quelconque, mais il n'y avait aucun policier dans l'appartement à ce moment-là, et cet individu n'avait eu aucun contact avec la police à aucun moment de la soirée. J'aimerais que vous tous qui êtes rassemblés ici preniez conscience de la nature incendiaire de rumeurs de ce genre. Question suivante...

Jesse cessa d'écouter. En regardant vers la cité, elle remarqua que les journalistes avaient accroché à la clôture des raccords de câbles, des sacs de caméras, des boîtes de batteries. Les cameramen gardaient un œil sur Capra, un autre sur les enfants qui commençaient à escalader le mur de soutènement pour mieux voir le spectacle.

Quand la première vague de gamins atteignit la clôture, quelques reporters, énervés par les réponses officielles et le ronron de leurs propres questions, se mirent à lancer leurs cartes à travers le grillage. Jesse reconnut sur leurs visages l'expression à la fois anxieuse et concentrée de ceux qui s'efforcent de distinguer les petits joueurs des stars dans cette production spontanée, qui pouvait aussi bien tenir l'affiche quelques heures que plusieurs semaines.

Les jeunes d'Armstrong, étourdis de voir la nuit éclairée comme le jour, de voir des célébrités de la télé débarquer dans leur cour, beuglaient dans toutes les directions, certains à travers la clôture pour interpeller les journalistes, d'autres vers la cité pour appeler les copains restés aux fenêtres ou continuant à sauter par-dessus les réfrigérateurs dans la Cuvette. Les plus agités montaient et descendaient infatigablement le mur en pente pour aider de nouveaux venus à grimper. Les gosses agitaient les bras, faisaient des signes de paix, des signes de bande probablement appris en regardant des clips musicaux, et d'une manière générale un tel boucan que plusieurs représentants de la presse assemblée leur crièrent de foutre le camp, nom de Dieu.

Jesse remarqua que les gamins les plus calmes passaient furtivement les doigts et les mains à travers le grillage pour toucher le matériel qui y était accroché, non pour le piquer, devinait-elle, mais pour établir un contact physique avec le Pouvoir.

Un des reporters énervés, le grand mince au visage mangé de barbe qu'elle avait vu passer le barrage en fraude quelques heures plus tôt, allait et venait le long de la clôture, jetant des cartes aux gosses comme un magicien.

— Qui c'est le chef, ici ? Qui veut me filer des tuyaux ? grommelait-il avec un accent vaguement européen.

— Hé ! Tu veux tout savoir ? lui lança un môme joufflu d'une douzaine d'années. J'ai des bouches à nourrir. Combien tu paies ?

— Qu'est-ce que tu sais ? répliqua le journaliste. Allez, qui veut devenir célèbre ? Qui veut se taper toutes les filles ?

Les garçons aboyèrent, les filles émirent des gloussements aigus derrière leurs mains.

Jesse avait déjà vu le phénomène, qui en était à la phase 1 : les gars du coin tout excités par la nouveauté et le spectacle. Mais elle connaissait aussi la phase 2, qui succédait à la première trente-six heures plus tard, quand les habitants commençaient à s'irriter des déformations et des représentations erronées que la télé balançait dans leur salle de séjour, quand ils devenaient jaloux du temps d'antenne accordé à leur grande gueule de voisin et qu'ils se sentaient trahis par les visiteurs devenus soudain indésirables. A moins, bien sûr, que quelqu'un ne rende l'affaire intéressante d'une manière plus privée et rémunératrice.

A la différence des reporters affamés d'informations, les cameramen n'appréciaient pas du tout de voir tous ces gosses accrochés à la clôture. L'un d'eux, après un panoramique de quelques secondes sur la troupe de nains, alla jusqu'à passer un doigt à travers le grillage pour désigner le plus costaud de la bande en menaçant :

— Si je te vois ne serait-ce que *penser* à toucher à ce sac, même ta mère te reconnaîtra pas...

Peu à peu, quelques flics de Dempsy se mirent à escalader le mur de soutènement depuis Hurley Street pour tenter de ramener les gosses dans la cité. Aucun ne voulait partir ; quelques-uns s'accrochèrent même au grillage jusqu'à ce qu'on leur ouvre délicatement les doigts. Les policiers s'efforçaient de garder la main légère afin de ne pas attirer les caméras. En assistant à la lutte des enfants pour rester regarder le spectacle, Jesse fut un instant prise de nausée et vit la clôture non plus comme un élément du système de sécurité de la Conrail mais comme le périmètre extérieur d'un zoo, d'un centre de réfugiés. Cette vision fit naître en elle le désir d'écrire quelque chose avec ses propres mots puis cette envie passa, remplacée par un sentiment de panique : il fallait qu'elle trouve un moyen de mettre quelque chose en route, de se séparer du troupeau.

Elle songea brièvement à interroger le jeune tombé de la fenêtre mais ça ressemblait un peu trop à un sujet de complément, et elle chercha des yeux autour d'elle quelque chose d'autre. Faisant face aux caméras au côté du procureur, il y avait Ernie Hohner, le directeur de la police de Dempsy — rien à espérer —, Bobby McDonald, encore un Indien de bureau de tabac[1], et le patron de la police de Gannon, John Mahler, qu'elle ne connaissait tout bonnement pas.

Le seul qui paraissait un tant soit peu accessible, c'était Chuck Rosen, Bump. Avec ses lunettes et sa carrure de catcheur, il était aux antipodes des juristes et des pontes. Jean trop grand et casquette des Knicks, il se dandinait sur place comme s'il mourait d'envie de redescendre dans les tranchées. Moi aussi, vieux, pensa Jesse en l'observant. Son pas de deux frustré cessa seulement quand Mahler, le patron de Gannon, lui murmura quelques mots à l'oreille et lui tendit la main. Les deux hommes échangèrent de grands sourires.

Jesse fut étonnée par la chaleur de l'échange, par ce climat incongru de congratulations, mais, dès que Mahler reporta

---

1. En bois, et donc d'une impassibilité à toute épreuve. *(N.d.T.)*

son attention sur les journalistes, Bump recommença à se tortiller. Ils ne s'étaient jamais rencontrés, elle et lui, mais elle présumait qu'il en savait autant sur elle qu'elle sur lui : leurs noms faisaient partie du fond sonore urbain, étoiles mineures dans la Voie lactée du crime et du châtiment. Et puis il y avait le célébrissime portrait qu'elle avait fait de son coéquipier. Jesse se demandait si elle pouvait appâter Rosen avec un portrait de lui-même pour faire pendant, ou peut-être un article sur les deux hommes : Mutt et Jeff[1], Ebène et Ivoire. Lorenzo l'avait qualifié de deuxième meilleur flic de cité de la ville, et Jesse connaissait un peu son histoire, sans distinguer avec certitude les paroles d'évangile de la légende.

On racontait que, huit ou neuf ans plus tôt, Bump, alors inspecteur de la ville détaché à la brigade des jeux du comté, avait abattu un adolescent d'Armstrong qui avait tiré sur lui dans un couloir sombre du Bâtiment 4 avec une vieille carabine à air comprimé Daisy. Bien que blanchi à la fois par son service et ceux du procureur, Rosen avait demandé six mois de congé exceptionnel puis avait repris le boulot, faisant jouer le piston pour être affecté à la police des cités, et plus particulièrement à Armstrong. Depuis, il trimait soixante heures par semaine, arrêtant les dealers, arrangeant les disputes conjugales, organisant des tournois de basket à minuit, des rencontres d'athlétisme, des ateliers pour redonner aux jeunes l'estime de soi, refusant d'une manière générale de quitter les lieux.

Cette fois, ce fut Hohner, le chef de Dempsy, qui prit Rosen par le biceps et l'attira vers lui pour lui murmurer à l'oreille quelques mots qui débouchèrent eux aussi sur des sourires radieux et une chaleureuse poignée de main. Jesse s'énervait : elle avait l'impression qu'elle savait, ou qu'elle aurait dû savoir de quoi il retournait, mais qu'elle était incapable pour le moment d'avoir la tranquillité d'esprit nécessaire pour tirer les informations du fichier.

— Est-ce que vous soupçonnez la mère ?

— Non, répondit Capra, irrité par la question.

— Vous voulez dire, pas pour le moment ?

— Je veux dire *non*.

---

1. Duo comique. *(N.d.T.)*

Troisième service : Bobby McDonald serra la main de Bump, lui tapota le dos, et l'inspecteur, radieux, hocha la tête en réponse. Jesse comprit enfin ce qui se passait et, reprenant espoir, abandonna les sommités et la meute pour mettre au point le coup qu'elle allait jouer.

— Félicitations, lança-t-elle à Bump vingt minutes plus tard alors qu'il quittait une brève réunion au sommet avec McDonald et Hohner après la conférence de presse.

— Merci, répondit-il d'un ton hésitant.

— Vous devez être fier.

— Ah, vous avez pas idée, dit-il, tendant le menton vers les étoiles.

Il était plus petit qu'elle mais sa poitrine semblait faire un bon mètre de profondeur et ses avant-bras avaient l'épaisseur de battes de base-ball.

— Vous savez qui je suis ? demanda Jesse.

— Ouais, vous êtes reporter, dit-il, s'éloignant avec un haussement d'épaules.

Le long de la voie ferrée, des journalistes relançaient le procureur et les pontes de la police, d'autres essayaient d'interviewer les quelques gosses restés près de la clôture.

— C'est moi qui ai écrit l'article sur Lorenzo Council pour le *Register*, ajouta-t-elle, dans l'espoir de le ralentir.

— Ouais, je sais qui vous êtes.

Rosen marchait d'un pas vif, et Jesse se maintenait à sa hauteur, de l'autre côté de la voie.

— Je voudrais faire un papier sur votre fils.

Cette fois, il ralentit. Jesse craignait qu'un reporter de la meute ne s'approche et transforme leur dialogue en truc de groupe, ne change le sujet ou fasse quelque chose qui ferait décamper Rosen.

— Vous êtes venue ici ce soir pour m'annoncer ça ?

— Bien sûr que non. Je profite simplement de l'occasion. Un jeune du coin qui passe sur une chaîne nationale... Dempsy n'est pas précisément un vivier de talents. C'est nouveau. Quelque chose de positif, pour changer, vous croyez pas ?

Jesse avait débité son boniment en sachant qu'un article sur le fils de Bump était déjà programmé : le titulaire de la rubrique « arts et spectacles », seigneur et maître d'une page entière, était même censé avoir déjà interviewé le jeune en question, mais Jesse soupçonnait ce feignant de ne pas même avoir remué son gros cul pour mettre les choses en route.

— Vous voulez vraiment écrire quelque chose sur lui ou vous cherchez à m'amadouer ?

Un reporter s'approcha d'eux mais, avant qu'il ait pu ouvrir la bouche, Bump, sans détacher son regard du visage de Jesse, leva une main et laissa tomber un « Pas de commentaires ».

Jesse avait les genoux qui tremblaient de joie.

— Les deux, avoua-t-elle.

Il hocha la tête, se gratta vigoureusement le cou.

— Parce que, faut que vous le sachiez... Terry, mon gamin, son histoire est dix fois plus incroyable que tout ce que pouvez imaginer.

— Ah ! ouais ?

Jesse se préparait à l'éventualité d'un long récit dévoreur de temps en se disant, en se répétant que ça valait le coup d'en passer par là.

— Vous avez vu *Law and Order*, ce soir ?

— Je travaillais, dit-elle sur un ton de regret.

— Je vous filerai la cassette. Parce que Terry... (Rosen détourna la tête, les yeux brillants.) Vous avez entendu parler de la maladie de La Tourette ?

— La... C'est quand on jure ? Quand on peut pas s'empêcher de jurer ?

— Ça, c'est seulement une forme possible. Le haut de l'échelle, en quelque sorte. Vous pouvez avoir d'autres manifestations verbales ; vous pouvez avoir des manifestations physiques, par exemple des mouvements de tête, des mouvements du corps, des tics faciaux. Pour Terry... (Rosen détourna de nouveau les yeux.) C'est les deux, verbal et physique. Il a douze ans, maintenant, et il a attrapé ça quand il était, quoi ? en petite section. Ça a commencé par un mouvement nerveux du cou, qui disparaissait, qui revenait, qui redisparaissait. Puis d'un seul coup il s'est mis à tirer la langue, trois ou quatre fois par minute. On l'a emmené chez un neurologue, qui a dit que c'était peut-être la maladie de La Tourette, qu'il pouvait pas en être sûr, mais, vous savez, beaucoup d'enfants s'en débarrassent en grandissant, alors, on espère que quand il aura seize, dix-sept ans, on prie pour ça mais...

Il s'interrompit, se ressaisit. Redoutant la suite de l'histoire, Jesse essayait de se convaincre qu'elle finissait bien. Le long de la voie ferrée, l'agitation retombait.

— Juste avant qu'il rentre au collège, les manifestations verbales ont commencé. Il jure pas, non, il fait des bruits, des jappements, de petits cris, et vous savez comment sont les gosses...

— Oui, répondit Jesse, laconique, en songeant que Bump aurait une sacrée dette envers elle après lui avoir infligé ça.

— Et le problème, c'est que ça se déplace. Ça passe du cou à la joue, à l'épaule. Mais le pire, c'est le tic qui... L'année dernière, il s'est mis à tomber à genoux, toutes les minutes environ. Quand il traversait une pièce, il s'agenouillait deux, trois fois, avant d'arriver de l'autre côté. Un moment, je lui ai fait porter des genouillères mais il nous a expliqué que ça empêchait le contact : il fallait qu'il sente le contact, alors... Enfin, Dieu merci, c'est passé. On a essayé divers médicaments, par exemple des pilules qui font baisser la tension artérielle, ça a fait de l'effet un moment, mais plus maintenant. On a essayé différentes choses. On est en contact avec d'autres familles...

Jesse laissa un soupir lui échapper et Bump hésita à poursuivre, comme s'il ne savait pas si c'était un signe d'impatience ou de commisération. D'un signe de tête, elle l'incita à continuer.

— Le plus dur, ça a été quand les manifestations verbales ont commencé. On nous a dit : « Il peut plus rester dans cette école, nous savons qu'il y peut rien mais ça perturbe trop la classe. » Ils ont dit...

Bump serra les dents de rage. Un reporter s'approcha, remarqua son expression, battit en retraite sans un mot.

— Ils ont dit : « C'est pas *juste* pour les autres élèves. »

Il grogna, se racla la gorge, substitut, Jesse le savait, à d'autres éructations plus embarrassantes.

— Mais laissez-moi vous dire une chose. Ce gosse, il est comme une voiture qui fume et qui pétarade sur une route de campagne avant d'arriver à la nationale ; là, vous montez à cent, cent dix, et d'un seul coup elle roule comme une

Rolls. C'est Terry, ça. Avec tous ses tics, il est ceinture marron de karaté, il est la vedette de son équipe de base-ball, il fait partie de la chorale... Et ce soir, la télé, une chaîne nationale. Il nous a rendus tellement fiers, ma femme et moi, qu'on en dormira pas de la semaine.

Jesse sourit en se disant : Brenda Martin.

— C'est le garçon le plus doux du monde, Terry, mais, dans le feuilleton, il joue un gosse mauvais, pervers. Je vous le jure, après l'avoir vu, on voulait plus le laisser rentrer à la maison. Il est très, très bon.

— Ouais, commenta distraitement la journaliste.

Bump croisa les bras sur sa poitrine.

— Je sais qu'il faut qu'on parle d'autre chose, mais laissez-moi vous raconter un truc, pour vous faire comprendre quel genre de gosse c'est, Terry. Cette année, il est en cinquième. On lui a trouvé un collège près de chez nous : les profs, les élèves sont plutôt bien. Bref, y a de ça quelques mois, *Dateline NBC* fait un reportage sur la maladie de La Tourette. Une bonne émission, pour dédramatiser la chose, expliquer ce que c'est, une défaillance du système de relais chimique entre le cerveau et le corps. Comme ça nous avait plu, on s'était procuré la cassette par le réseau de familles dont on est membres, et, en octobre, coup de téléphone d'une des profs de Terry. Merde, je me dis, ça recommence. Mais elle m'explique qu'elle téléphone juste pour savoir si on est d'accord pour que Terry leur montre la cassette. Et moi : « Quelle cassette ? » Le gosse avait décidé tout seul de l'apporter au collège pour la montrer à ses camarades et discuter avec eux de ces trucs qu'ils le voyaient faire toute l'année. « Ouais, d'accord », je fais. Je raccroche, je vais dans la chambre de Terry, je lui demande : « T'es sûr que tu veux faire ça ? » Il me répond : « Je dois le faire. » Et moi : « Tu veux que je sois là, moi ou ta mère ? — Je me débrouillerai », il me dit. « Mais si je viens, pas pour t'aider — je sais que tu peux te débrouiller seul — mais pour te regarder, je peux ? »

— Bien sûr, répondit Jesse, parlant pour le fils.

Elle s'en aperçut et rougit, gênée.

— Je vais donc au collège, Terry passe la cassette. Y a des moments assez durs, dedans, et les gosses sont un peu nerveux. Certains rient, mais rien de méchant, et quand la lumière se rallume, je vois mon fils... (Bump s'interrompit pour s'essuyer le dessous des yeux.) Il se lève et il leur dit : « Si vous m'entendez faire des bruits cette année en classe, crier, tomber à genoux, me tordre le cou ou je ne sais quoi, je veux que vous sachiez que ça ne veut rien dire du tout, je ne peux pas m'en empêcher, et l'explication, vous venez de la voir sur cette cassette. » Moi, je suis dans le fond de la salle, tellement, tellement... Je déborde, et il ajoute : « Quelquefois, quand je suis couché, la nuit, je me demande : Pourquoi moi ? Pourquoi Dieu m'a donné ce problème ? Et je ne connais pas la réponse. Il l'a fait, c'est tout, et je dois l'accepter. Merci de m'avoir écouté. »

Jesse ouvrit la bouche pour dire quelque chose — il fallait dire quelque chose — et éclata en sanglots. Son corps se replia sur lui-même comme s'il avait été assemblé au moyen d'une série de charnières, et elle s'abandonna à une lamentation incontrôlable.

D'abord sidéré, Bump lui tapota maladroitement l'épaule puis se détendit.

— Vous m'avez tuée, là, réussit-elle à bredouiller.

— L'histoire de Terry, c'est un peu comme la drogue, vous savez. Sur le moment, elle vous fait réagir d'une certaine façon, elle vous donne un sentiment d'engagement, mais le lendemain, vous pouvez aussi bien vous réveiller en vous demandant : Qu'est-ce qui m'a pris ?

Il se trompait complètement mais elle était incapable de le lui faire comprendre. Elle s'était glissée dans la peau de cet enfant, ou cet enfant s'était glissé en elle : quand ce genre de choses lui arrivait, elle ne savait jamais dans quel sens cela se passait mais elle était toujours reconnaissante, de manière douloureuse, du sentiment de communion que cela lui apportait. Et non, cela ne durerait pas jusqu'à demain, c'était aussi ce qu'exprimaient ses sanglots. D'un autre côté, elle avait toujours eu la larme traîtreusement anarchique : aucune image de l'Holocauste, ou du Moyen-Orient, ou de l'Afrique, ne la faisait jamais pleurer, et pourtant elle ne pouvait regarder le plus ringard des mélos sans être obligée de s'essuyer les yeux avant que la lumière se rallume.

— Bon, voilà le marché, murmura Bump. Je veux faire connaître l'histoire de Terry. Je veux que le monde entier sache qui est mon fils. En échange, j'essaierai de vous aider pour l'affaire qu'on a en ce moment. Mais si vous me promettez d'écrire sur Terry et que vous le faites pas...

— Je suis dans la merde, acheva Jesse, respirant par la bouche comme si elle avait un rhume, évitant les regards vaguement curieux de ses confrères.

— Non, vous êtes pas dans la merde. Je ferai rien, je dirai rien. Mais je saurai que vous vous êtes servie de mon fils pour m'avoir. Et vous, vous saurez que je le sais.

— Correct, estima Jesse dans un autre marmonnement de fond de gorge.

Ses yeux gonflés étaient presque clos.

— Bon, bon, dit Rosen, comme s'il en avait soudain assez de cette réaction excessive. De quoi vous avez besoin ?

Elle se moucha avant de demander :

— Qu'est-ce que j'ignore ?

— Vous savez à peu près tout.

— Elle est suspecte ?

L'un des gamins de la clôture lança sur les rails un ballon en baudruche rempli d'eau qui toucha le sol sans éclater.

— Disons les choses comme ça, ajouta Bump. (Il se pencha avec un grognement pour ramasser la bombe à eau, la fit rebondir dans sa main.) Soixante-cinq pour cent des enfants portés disparus sont enlevés, ou tués, par l'adulte qui signale leur disparition.

— Et alors ?

— Alors, soixante-cinq pour cent.

Jesse comprit que Bump ne savait vraiment rien de ce qui s'était passé ce soir dans la cité.

— Elle est où, maintenant ? A l'IJ ?

— Probablement.

— Avec Lorenzo ?

— Probablement.

— Où est-ce qu'ils vont, après ?

— J'en sais rien, dit le policier. (Il expédia le ballon contre la clôture, aspergeant le garçon qui l'avait jeté pardessus.) A la maison, en taule, chez sa grand-mère... Vous savez comment ça se passe.

Jesse jeta un coup d'œil à sa montre : une heure et demie.

— Vous allez bosser là-dessus toute la nuit ?

— Sûrement, répondit-il dans un bâillement.

— Vous serez en contact avec Lorenzo ?

— Bien sûr, c'est comme ça qu'on fait.

Il attrapa au vol une autre bombe à eau, la renvoya contre la clôture à la manière d'un lanceur de disque. Les enfants ne bougèrent pas, ils avaient envie d'être trempés.

Jesse lui remit une de ses cartes en disant :

— Je veux simplement... je veux simplement me trouver quelque part avant qu'elle y arrive.

— Marché conclu.

Bump glissa la carte dans sa poche, fit quelques pas le long de la voie, feignit brusquement de charger une partie de la clôture à laquelle s'accrochaient de nombreux doigts. Les gosses, de l'autre côté, l'interpellèrent en riant. Jesse se demanda comment c'était d'avoir un enfant. Et de le perdre.

7

Après avoir laissé Brenda avec Farrel à l'IJ, Lorenzo retourna à Armstrong, direction le Martyrs Park, dans l'espoir de retomber sur Miss Dotson à sa fenêtre. En arrivant, il aperçut Leo Sullivan en conversation avec Roosevelt Tyler dans le passage couvert du Bâtiment 3. Le jeune dealer gagnait « correctement » sa vie en dirigeant sa petite équipe, mais trouvait encore le temps de se livrer de temps à autre à un vol avec agression, essentiellement parce qu'il aimait ça, supposait Lorenzo.

Une main sur le mur au-dessus de l'épaule de Tyler, Leo se penchait vers l'adolescent qui tournait la tête d'un côté puis de l'autre, comme si le policier avait mauvaise haleine. Lorenzo s'approcha à pas lents pour regarder le spectacle.

— Celui-là, c'est notre chair et notre sang, t'entends, Tyler ? disait Leo. D'ici qu'on serre le type, personne gagnera une thune ici. On va faire des rondes dans les couloirs, les escaliers, dans toute la cité. T'as déjà joué au Monopoly ? Tu connais la carte « Vous êtes libéré de prison » ? Si quelqu'un me file le bon tuyau, il a cette carte en poche à vie.

Tyler cessa de gigoter.

— Sans déconner ?

— A vie, confirma Leo.

Council n'appréciait pas que Sullivan, à peine débarqué de Gannon, offre des arrangements de ce genre à Tyler ou à qui que ce soit d'autre de la cité, mais il pensa que ça pouvait en valoir la peine. D'ailleurs, un gars comme Tyler finirait par se mettre dans une telle merde que Leo ne parviendrait pas à le tirer d'affaire, quoi qu'il ait pu lui promettre ici et maintenant.

— T'as entendu ? demanda Tyler à Lorenzo.

— J'ai entendu. Ça me plaît pas, mais j'ai entendu.

Le dealer poussa un grognement, donna un coup de reins pour s'écarter du mur, fit aller son regard de Lorenzo à Leo, le ramena sur Lorenzo puis prit la direction du bâtiment.

— Alors, qu'est-ce qui se passe ? dit Council en se tournant vers la lueur du show médiatique, là-haut, le long de la voie.

Sullivan prit un peigne, ramena soigneusement en arrière ses cheveux clairsemés.

— Il se passe qu'on se comporte comme les plus beaux chieurs qu'ils aient jamais vus. Ça, ils vont drôlement avoir envie de nous voir partir...

— Tant que tu laisses pas dépasser ta tunique de membre du Klan...

Lorenzo plaisantait à moitié, ou aux trois quarts : Sullivan était un individu plutôt correct.

— Je la planque toujours sous mon fute, tu le sais bien.

— Vous savez aussi vous retenir de cogner ?

Leo fit un pas en arrière, leva les mains.

— Danny a déconné et il le sait. Il est parti, maintenant. Qu'est-ce que ça donne, avec elle ?

— Rien pour le moment. Et ici ?

— Zéro. Tu crois qu'on relèvera des empreintes sur le sac à main ?

Council siffla entre ses dents d'un air découragé.

— Le truc est écrasé, couvert de boue. Ecoute, faudrait m'ouvrir un corridor de sortie. J'ai besoin de parler à mes cousins, en dehors de la cité.

— Bien sûr. Qu'est-ce que tu dirais de Gompers, côté Bâtiment 2 ? Je préviens le gars. Tes indics auront qu'à dire qu'ils ont rencard avec toi.

— Bon, marmonna Lorenzo en s'éloignant.

— Hé, Council, le rappela Sullivan. Ça me plaît pas plus qu'à toi qu'on soit ici.

Dans Martyrs Park, Lorenzo parcourut le périmètre incriminé en décrivant des cercles précautionneux. Le sac à main de Brenda Martin avait disparu, ramassé, présumait-il — espérait-il — par ceux qui étaient chargés de le faire. Quelques mètres plus loin, son attention fut attirée par le reflet d'une plaque en bronze vissée à un épais tronc d'arbre, à hauteur d'œil, et représentant les profils solennels de Martin, Malcolm et Medgar. Martyrs était un parc merdique mais cette plaque, volée deux fois, rapportée deux fois, demeurait vierge de tout tag depuis 1969, et il y avait toujours un bouquet de fleurs au pied de l'arbre.

En se dirigeant vers le côté situé sous les fenêtres du Parc aux Agneaux, Lorenzo leva les yeux vers l'appartement de Miss Dotson, essayant d'estimer la nature de la lueur qu'il y voyait : était-elle encore éveillée ou l'écran de la télé lui servait-il de veilleuse ? La fatigue se faisait sentir et il oscillait dans le vent qui agitait l'arbre aux baskets, derrière lui. Il était perdu dans ses pensées quand un « Je suis là » désincarné couvrit le bruissement des feuilles. Effrayé l'espace d'une seconde par la voix de Miss Dotson, Lorenzo lâcha un rire.

Les ascenseurs du Bâtiment 3 fonctionnaient à peu près mais Lorenzo opta pour l'escalier, comme chaque fois qu'il n'allait pas plus haut que le quatrième étage. Au second, il passa devant un gosse qui murmurait des rimes dans un mini-magnétophone en remuant les épaules en cadence. Gêné, il sourit quand Lorenzo, déjà pantelant, l'enjamba.

On avait laissé la porte ouverte pour lui, et la première chose qu'il vit en entrant dans l'appartement, ce fut un corps allongé sur le sol de la cuisine : Curious George Howard. C'était l'un des petits-enfants adultes de Miss Dotson, probablement viré de chez sa mère, et hébergé ici jusqu'à ce qu'il rentre dans ses bonnes grâces. George avait vingt et un ans mais douze d'âge mental. Un coussin de canapé sous la tête, il dormait profondément dans la moiteur graisseuse de la cuisine. De l'obscurité de la chambre à un lit parvint à Lorenzo le ronflement de deux petits-fils plus jeunes, les enfants jumeaux d'une autre fille, qui partageaient manifestement le lit avec Miss Dotson jusqu'à ce que leur mère refasse surface.

Lorenzo s'avança dans le petit séjour, s'assit sur un canapé gainé de plastique sous un mur de photos de membres de la famille : filles, fils, petits-enfants, arrière-petits-enfants, dont un tiers déjà morts. Installée en face de lui dans un fauteuil inclinable, Miss Dotson regardait une pub en fumant.

Pressé d'en venir au fait mais connaissant le rythme obligé de ce genre d'exercice, Lorenzo s'enquit :

— Comment vous allez, ma belle ?

— Comment je vais ? dit-elle dans un murmure monotone, les yeux rivés sur le poste. Je les laisserai pas entrer dans ma cuisine. Ils disent qu'ils veulent enlever le frigo, les éléments. Ils disent qu'y a du plomb dans la peinture.

Elle balaya l'argument en agitant une main osseuse aux jointures polies, sculptées par l'arthrite.

— Ils disent que ça remonte à 1955. Moi je dis que si je suis pas morte de la peinture au plomb depuis tout ce temps, c'est pas ça qui me fera partir.

Elle tira une bouffée, chassa la fumée et poursuivit, toujours sans le regarder :

— Faut que tu leur dises que j'en veux pas, de leur nouveau frigo, des éléments et tout ça. Qu'on me laisse tranquille.

Les interrogatoires se déroulaient toujours de cette façon, chacun ayant un ordre du jour caché. Lorenzo avait appris à ses dépens à s'abstenir de toute promesse avant d'avoir obtenu ce qu'il était venu chercher.

— Miss Dotson, vous savez quelque chose sur ce qui s'est passé là en bas ? demanda-t-il avec douceur, comme s'il avait la nuit devant lui.

— Ouais, j'ai vu quèque chose, répondit-elle, s'adressant au poste.

— Vous avez vu ? (Lorenzo pointa les deux index vers le sol.) Ou vous avez vu ?

Là, il se toucha les tempes.

Miss Dotson était réputée pour ses visions, qui lui venaient, disait-on, depuis le Vendredi saint de 1933. Tenant ce jour-là la main de son père dans une boulangerie, elle avait vu dans la vitrine non des gâteaux mais une profusion de roses noires. Elle avait su à cet instant que son père mourrait dans l'année.

Souriant, Lorenzo attendait la réponse.

— Je me fie plus trop à mes yeux, alors, tu sais, vaut mieux que ça me vienne de l'intérieur...

Il remonta ses lunettes sur son nez, s'efforça d'avoir l'esprit ouvert.

— Bon, qu'est-ce que vous avez vu ?

— Et ma cuisine ? murmura-t-elle, toujours tournée vers le poste.

Les gens disaient que Miss Dotson ne regardait jamais personne dans les yeux parce qu'elle avait peur de ce qu'elle y verrait pour eux, pour leur avenir.

— Hé ! s'esclaffa-t-il. Vous savez que je suis toujours là pour vous aider.

Il y eut un bruit dans la cuisine, et soudain Curious George apparut, marchant comme un somnambule vers la salle de bains, les mains sous le bas de son T-shirt.

— Qu'est-ce que vous avez vu, ma belle ? redemanda Lorenzo quand la porte de la salle de bains se referma.

— Il est avec le père.

Miss Dotson écrasa sa cigarette, hocha la tête à sa propre intention.

Lorenzo s'avança brusquement jusqu'au bord du canapé. Pendant tout le temps qu'il avait passé avec Brenda, il n'avait rien obtenu de solide sur le type. Se traitant de tous les noms, il tendit le bras vers le téléphone de Miss Dotson.

— Vous savez où est le père ? demanda-t-il précipitamment, non parce qu'il croyait aux pouvoirs surnaturels mais parce que c'était une possibilité évidente.

Ne se fiant pas à la radio, il tapa les premiers chiffres du numéro du téléphone cellulaire de Bump. Miss Dotson partit d'un rire rocailleux puis dit d'un ton de reproche :

— T'as pas fait ton catéchisme, Lorenzo ? Où il est, le père ?

Avec un mélange de soulagement et d'irritation, il raccrocha avant d'avoir totalement composé le numéro.

— Vous voulez dire le Père ? réalisa-t-il, agitant un pouce vers le plafond.

Miss Dotson jeta un bref regard à son mur de tragédie.

— C'est comme ça que je le vois.

La chasse d'eau gronda, George revint dans le séjour en traînant les pieds, s'arrêta devant la télé de sa grand-mère, rajusta le cordon de son pantalon de survêtement.

— Big Daddy, je peux te taper de cinq balles ?

Lorenzo tourna vers lui un regard agacé. George était grand, avec la peau claire et des yeux de biche. Il avait régulièrement des ennuis depuis qu'il était tout môme et que Lorenzo avait commencé à travailler dans la cité.

— Et l'entretien d'embauche que tu devais avoir la semaine dernière ?

— J'y suis allé.

— Et ?

— Y avait deux cents types, genre. J'ai fait la queue pendant deux heures.

— Ouais ? Et Action Park ?

— Action Park ?

— Action Park. J'avais tout réglé pour toi, me raconte pas de salades.

— Ah ! c'est une longue histoire. Allez, Lorenzo, tu sais que je demande qu'à bosser.

Council avait un faible pour George parce qu'il pensait qu'il souffrait avant tout d'un manque de maturité.

— Lui donne rien, surtout, grommela Miss Dotson, qui tendit la main vers la télécommande et changea de chaîne.

En bas, Lorenzo se mit à la recherche des frères Convoy mais fut de nouveau dérouté sur une autre voie, cette fois par Millrose Carter, l'Homme qui ne Dort Jamais. Accroupi dans le passage couvert du Bâtiment 4, les coudes sur les genoux, Millrose semblait indifférent au chaos qui l'entourait. Croisant le regard de l'inspecteur, il dressa l'index vers le ciel.

Lorenzo prit l'ascenseur en sachant que Millrose attendrait quelques minutes avant de le suivre. Il n'était pas censé figurer sur son carnet de bal ce soir, mais Millrose, qui vivait d'une pension d'ancien combattant, passait ses journées et ses nuits dans la rue, et s'il vous faisait signe dans une situation pareille, il fallait répondre.

En montant les marches conduisant du dernier étage au toit, Lorenzo croisa Iovakas et un des flics de Gannon emmenant Roosevelt Tyler, les mains attachées par des menottes derrière le dos. La Poisse, qui serrait le mandat d'amener entre ses dents, et l'autre policier le tenaient par les coudes.

— Lorenzo ! cria Tyler. T'avais dit que j'aurais une carte « Vous êtes libéré de prison » !

— Ouais. Si t'assures.

— Comment tu veux que j'assure avec ces deux enculés qui me passent les menottes ?

La Poisse ôta le mandat de sa bouche.

— Si t'as quelque chose pour nous, c'est le moment, mon gars, dit-il.

Le dealer remua les lèvres mais n'émit qu'un bredouillis découragé.

— Ouais, ça va pas suffire, ça, Tyler.

Le trio reprit sa descente et Lorenzo, qui n'aimait pas assez Tyler pour être perturbé par ses problèmes, continua à monter. Du toit du Bâtiment 4, il vit un train passer en haletant devant le campement des médias. Le mécanicien agita le bras, fit entendre son sifflet, couvrant les voix d'une demi-douzaine de reporters qui, le dos à la cité, tentaient de présenter leurs commentaires aux caméras. L'un d'eux, exaspéré, lâcha son micro et jeta une poignée de gravier sur un wagon de marchandises.

La porte du toit s'ouvrit brusquement et Millrose, l'air agité, s'avança à grands pas sur le sol goudronné. Il s'appelait Edwin mais on le surnommait Millrose, comme les championnats d'athlétisme, parce qu'il émanait de lui les vibrations d'un homme perpétuellement prêt à jaillir des starting-blocks.

Autant qu'on pût le savoir, Millrose ne dormait jamais. Quelques années plus tôt, Lorenzo l'avait emmené au Centre médical un hiver où il souffrait d'une pleurésie, et il avait fait sensation en restant éveillé les quatre jours de son hospitalisation. Les médecins lui avaient demandé de se prêter à une étude sur le manque de sommeil, mais il avait refusé en apprenant qu'il ne serait pas payé. Le manque de sommeil n'avait apparemment aucun effet sur son énergie ou la clarté de son œil. Seul problème visible, bien qu'il n'eût que trente-sept ans, la plupart des gens le prenaient pour un sportif d'une soixantaine d'années.

— Bon, on y va, dit-il, décollant aussitôt, j'ai de l'extra pour toi. Du premier choix. Des mecs vulgaires, ignorants et bêtes, je te livre toute l'équipe dans l'appartement à côté de chez moi. Ils ouvrent boutique carrément dans la cité. De l'autre côté du mur de ma salle de séjour, nom de Dieu ! Ils frappent à ma porte et ils me demandent si je veux dealer pour eux. Moi !

Lorenzo regarda sa montre : trois heures moins vingt. Brenda et Farrel devaient en être à la fin du premier round.

— Moi, dealer, alors que ça fait six ans que j'y touche plus ! continua Millrose. Mauvaise question. Le meilleur moment pour les choper, c'est quand le bar ferme, le Camelot. Parce qu'ils vendent là-bas jusqu'à deux, trois heures du mat', puis ils rentrent et ils vendent carrément ici, jusqu'à pas d'heure.

— Je peux acheter ici ? demanda Lorenzo, l'ancien des Stups reprenant le dessus malgré tout.

— Oui ! Oui ! Oui ! dit Millrose sautillant presque. Je le ferais bien pour toi, mais j'ai peur. Pas de ces mecs. J'ai peur du produit.

Il chargea abruptement en direction du toit, s'arrêta juste au bord et repartit dans l'autre sens avant que l'inspecteur ait eu le temps de faire un geste pour le retenir.

— Je veux plus m'approcher de cette merde. J'essaie de me faire une nouvelle vie, tu comprends ? Alors, non, non, non, pas de cette saloperie, je te file ces mecs sur un plateau d'argent. Toute l'équipe.

Lorenzo décida de ne plus regarder Millrose jusqu'à ce qu'il commence à lui parler du vol de la voiture de Brenda Martin.

— Quelle quantité je peux acheter ?

— Un paquet.

— T'as des noms ?

Il tourna les yeux vers la cité où les équipes de télévision construisaient des échafaudages semblables à des théâtres de marionnettes. Certains enfants, malgré l'heure tardive, étaient encore près du grillage et continuaient à raconter des conneries à qui voulait les écouter.

— Merde, le nom de ce gars vient de me sortir de la tête. Je vois sa tronche, pourtant. Merde. Enfin, j'en connais un, Stanley Johnson. Il va tirer dix-huit mois, alors il s'en fout.

Un sale petit con tout maigre avec des tresses et la peau claire...

Assez.

— Millrose, j'ai besoin d'aide pour cette affaire, là en bas, dit Council en montrant le parc.

— Carl... Peters. C'est son nom. Il traverse le fleuve, il ramène au moins une centaine de sachets, environ un quart de kilo de dope à chaque fois. Je te donne toute l'équipe. Me demander à *moi* de dealer ? Il est pas idiot, le petit gars du Sud. Je veux pas de ça près de chez moi. C'est des squatters, en plus.

— T'as prévenu les services de santé ? demanda Lorenzo, aspiré malgré lui.

Il se rappelait combien il aimait ces opérations, aux Stups — on se déguise en acheteur, on embarque —, et il aurait bien voulu être sur un coup de ce genre en ce moment.

— Ça servirait à rien parce que Eric Peters, le frère de Carl, il bosse au service santé. D'un autre côté, je m'en branle, parce que je vais retourner vivre avec ma sœur en Caroline du Sud. En fait, le mois prochain, tu me verras plus, parce qu'on peut travailler ici, si on est pas allergique à l'idée, mais ces enfoirés de l'appart' d'à côté, faut qu'ils se retrouvent à l'ombre avant que j'aille au soleil, un point, c'est tout.

Millrose arrêta de s'agiter et passa sur le mode serein et distant, si abruptement que Lorenzo eut l'impression que quelqu'un l'avait débranché. Il le regarda, attendit.

— C'est tout ?

— Oui.

Millrose hocha la tête, plongea une main dans la poche de sa veste, en tira une cigarette, l'alluma. Lorenzo partit d'un rire incrédule et irrité.

— Tu m'as fait grimper sur le toit pour ça ?

Millrose jeta son allumette dans le vide, rejeta la fumée par les narines.

— Oui.

— T'as rien du tout sur cette affaire ? dit Lorenzo, braquant l'index vers le niveau zéro.

Millrose soupira, se tourna vers lui.

— Ecoute, je vais me mettre dessus parce que j'ai entendu dire que t'as le flingue dans les reins, pour ce truc.

Mais laisse-moi te poser une question : qu'est-ce qui est le plus important ? Ce truc dont je viens de te parler ? Ou le môme blanc, là en bas ? Tu vois ce que je veux dire ? Je suis pas sans cœur mais tu connais la chanson : « On n'arrête pas le spectacle pour un seul singe. » Tu devrais faire le compte des cadavres, mon frère. Enfin, je vais bosser dessus quand même parce que je t'aime bien et que je sais que tu dois avoir des résultats... *Peace.*

Lorenzo sortit en trombe du bâtiment, livide et agité. Presque trois heures, et toujours rien. Il détestait qu'on lui serve du « mon frère », qu'on lui dresse l'ordre de ses priorités. « On n'arrête pas le spectacle pour un seul singe. » Si Millrose était si malin, pourquoi il arrivait pas à se taper une bonne nuit de sommeil ?

Putain d'indics. Il détestait la façon dont ils essayaient toujours de se servir de lui, comme d'un Frankenstein à trente mains. Les heures qu'il passait à hocher la tête, à écouter leurs interminables conneries avant qu'ils se décident enfin à livrer la marchandise. Avant de vous donner l'information dont vous avez besoin, un mouchard vous fait toujours part de ses projets de voyage, il vous explique qu'il se fout des gars qu'il va balancer parce qu'il quitte la ville à la fin de la semaine, à la fin du mois, avant les vacances. Pour aller vivre chez son frère, sa sœur, son oncle, son cousin, dans le Sud, toujours dans le Sud[1].

En se dirigeant vers le corridor de sortie sur lequel Sullivan et lui s'étaient mis d'accord, Lorenzo passa devant un groupe de femmes et d'enfants attroupés autour d'un poste de télé portatif, leurs têtes serrées l'une contre l'autre comme une brassée de ballons. Il se tint derrière eux pour voir Rose Wilson, une de ses ex-copines de la cité Jefferson, parler dans un micro sur l'écran noir et blanc tremblotant.

« Elle était toujours là pour nos gosses, vous voyez ce que je veux dire ? Et elle amenait de temps en temps son petit garçon aussi pour travailler. Quel malheur. J'espère qu'on le prendra, ce type, je l'espère sincèrement. »

Lorenzo repartit en pensant que, d'ici demain, Brenda

1. Aller dans le Sud : disparaître, en argot américain. *(N.d.T.)*

serait bonne pour la canonisation, et aussi : « On n'arrête pas le spectacle pour un seul singe. » Ben, quelquefois, si. Tout dépend du singe, de la couleur de son poil.

La pression venait de partout : des chefs, des médias, des autres flics, et même, à ce stade, des habitants de la cité. Oui, il y avait bien deux poids, deux mesures en l'occurrence, et non, la vie d'un Blanc n'était pas plus précieuse que celle d'un Noir. Personne ne le prétendrait jamais, ne l'admettrait jamais, pas plus que personne n'avouait appeler Darktown cette partie de la ville, mais la pression était comme une tempête de sable, à la fois puissante et subtile, renversant les gens et s'insinuant dans les crevasses les plus étroites. Toute réaction renfrognée ou agressive de Lorenzo — tout acte ou geste qu'il pourrait envisager afin de protester contre le statut prioritaire accordé à l'enlèvement du petit Cody Martin — aurait été aussi inutile que tenter de renverser la direction de la tempête avec le seul souffle de ses poumons d'asthmatique.

Près de la sortie de Gompers Street, comme il tentait de se glisser le long du pare-chocs de la voiture de ronde garée en travers, un jeune agent qu'il n'avait jamais vu lui barra le chemin.

— Hé, où tu vas, toi ?

Le flic était un costaud, avec le menton plus large que le front.

— Je sors ! explosa Lorenzo.

— Tu sors ? Personne ne sort. Pour qui tu te prends ?

— Aux dernières nouvelles, pour l'inspecteur Lorenzo Council. Et toi ?

Le jeunot, écarlate, s'écarta aussitôt.

— Merde, excusez-moi.

Au lieu de passer, Lorenzo continua à le fixer.

— Tu me demandes même pas de montrer ma plaque ?

— Quoi ?

— Comment tu peux savoir que je suis vraiment inspecteur ? lui assena Council avant de passer en le bousculant.

Il était avec Eric Convoy au bout du parking du 7-Eleven, à deux rues d'Armstrong. L'adolescent finissait un soda à l'orange et se tamponnait le coin de la bouche du renflement de la paume.

— La Poisse, l'enculé, il me confisque ma caisse, il me dit que j'ai pour cinq cents dollars de PV, qu'il la garde jusqu'à ce que je lui trouve Hootie. Mais je l'emmerde parce que c'est qu'un tas de boue qui vaut pas deux cents dollars. L'enculé. Je dirai rien à ces pourris de Gannon, pourtant, je sais aussi qui a descendu JFK. Te dire si j'ai les abeilles, conclut-il, jetant son gobelet dans une poubelle pleine.

— Qu'est-ce que t'as vu, Eric ? J'ai pas la nuit devant moi.

Il était trois heures vingt, bientôt temps d'aller récupérer Brenda à l'IJ.

— Je l'ai vue se pointer du bas de la Cuvette, du sang et de la merde partout... Dis, je peux te demander un service ? Le révérend Longway, il essaie de virer ma mère parce que j'deale, à ce qu'il dit. Mais, un, quand c'est qu'on m'a piqué à dealer ? L'inculpation a été ramenée à « possession », et d'ailleurs, j'ai arrêté. Et deux, je vis pas avec ma mère, je vis chez ma grand-mère, alors tu devrais parler au révérend, lui expliquer le topo, parce que ma mère, elle en est malade.

— Qu'est-ce que t'as remarqué d'autre là-bas ?

— Là-bas où ?

Lorenzo ne répondit pas, laissant au cerveau d'Eric une chance de combler son retard.

— Remarqué quoi, par exemple ? demanda Eric.

— N'importe quoi. Un bruit. Une bagnole. Des voix.

— Non, je l'ai juste vue approcher.

— Et ton frère ? Il était où ?

— Avec moi. Ce que j'ai vu, il l'a vu, ce que j'ai pas vu, il l'a pas vu. Lorenzo, tu pourrais me poser au Centre médical ? Je voudrais savoir comment va Tariq.

— Tu crois qu'il a vu quelque chose, lui ?

— Tariq ? Ça m'étonnerait, mais si tu me conduis là-bas, on pourra vérifier.

Danny Martin pénétra dans le parking, se gara près d'eux mais resta dans sa voiture, le bras gauche pendant le long de la portière, les doigts tambourinant nerveusement sur le métal. Lorenzo eut l'impression qu'il roulait sans but dans D-Town depuis qu'il avait cogné Teacher.

— Du nouveau ? demanda Martin.

— Pas encore, répondit Lorenzo, envahi d'une surprenante vague de pitié pour le flic de Gannon.

Martin leva le menton, plissa les yeux.

— C'est qui l'autre, là ? Convoy ? (Eric tourna la tête, regarda ailleurs.) Convoy, si tu sais quelque chose et que tu le gardes pour toi, t'as pas intérêt à ce que je l'apprenne.

L'adolescent continua à lui montrer son dos et, après un silence tendu, Martin finit par repartir.

— Ce fumier a pété la mâchoire de Teacher, marmonna Eric.

— Non, sûrement pas.

— En tout cas, il aurait dû garder ses mains dans ses poches.

— Et Teacher aurait dû la fermer.

— Ouais, c'est pas faux, reconnut Convoy.

Il s'éloigna dans la direction opposée à Armstrong.

— Où tu vas ? lui lança Council.

— Chez ma copine, répondit Eric. (Il se retourna, continua à marcher à reculons.) Je retourne pas là-bas, déclara-t-il en montrant Armstrong. Ils nous ont parqués, si tu vois ce que je veux dire. J'ai l'impression qu'ils nous ont encerclés pour faire je sais pas quoi, et ça me plaît pas. Hé, t'oublies pas de parler au révérend pour ma mère, d'accord ?

En retournant à l'IJ, Council remarqua une femme dans l'ombre du passage sous la voie ferrée, juste à la sortie d'Armstrong, un endroit où il valait mieux ne pas traîner. Penchée en avant, elle avançait à petits pas en scrutant les pavés, cherchant quelque chose, aidée seulement par la lueur chétive d'un briquet jetable. A première vue, une camée au crack ou à l'héro voulant récupérer le sachet ou la fiole qu'elle venait de balancer parce qu'une voiture de ronde était passée près d'elle, se dit Lorenzo. Mais c'était une Blanche, une autre femme blanche qui se trouvait apparemment au mauvais endroit, au mauvais moment. Croyant ferme aux intuitions et aux coups de chance, il ralentit, s'arrêta.

— Vous avez perdu quelque chose ? demanda-t-il par la fenêtre avant droite.

— Mon cœur, répondit-elle, sans même se redresser.

Il prit une torche dans la boîte à gants, descendit de voiture, alla se placer devant elle et éclaira le sol. Elle suivit des yeux le faisceau de la lampe électrique tout en continuant cependant à tenir son briquet à bout de bras.

— Comment ça, vous avez perdu votre cœur ?

— Il était à mon cou, il est tombé.

Elle n'avait toujours pas levé les yeux vers lui. Trois heures et demie du matin.

— Vous venez de la cité ?

Lorenzo balaya le sol de sa torche, cherchant lui aussi, à présent, non pas un cœur mais de la dope, quelque chose pour la coincer.

La femme suivait le faisceau comme un chien de chasse.

— Ouais, je suis venue voir un ami.

— Votre ami Tyler ? hasarda Lorenzo.

— A votre avis ? répliqua-t-elle, nullement intimidée.

— Vous étiez là vers dix heures ?

— Quand cette femme s'est fait agresser ?

Il attendit. Après avoir continué à chercher une minute environ, elle ajouta :

— Si je l'avais vue se faire agresser, j'aurais couru droit voir Danny Martin, j'aurais été dans ses papiers pour un bout de temps.

— Vous connaissez Danny ?

— Et il me connaît.

— Vous connaissez sa sœur ?

— Non, je peux pas dire.

Lorenzo reculait pour partir quand elle s'élança soudain pour ramasser une petite breloque en or. Il braqua la torche sur elle, la lumière donnant au petit cœur qu'elle tenait entre ses doigts l'éclat du métal en fusion. Elle était jeune, mais son visage avait les traits marqués d'une vieille toxico.

— Vous pensiez que je cherchais de la dope, hein ?

A quatre heures du matin, une demi-douzaine de cameramen poireautaient devant l'IJ : manifestement, on les avait tuyautés sur l'endroit où ils pourraient trouver Brenda Martin. Lorenzo se glissa dans le garage avant que quiconque puisse l'identifier. Dans la petite pièce où Lorenzo les avait laissés deux heures et demie plus tôt, Pierre Farrel considérait un portrait au fusain de l'agresseur qu'il avait posé sur le devant du classeur.

Lorenzo entra, regarda autour de lui.

— Où elle est ?

Le dessinateur se renversa en arrière sur sa chaise, indiqua du menton d'anciennes toilettes pour hommes. Council frappa et, n'obtenant pas de réponse, ouvrit la porte. Brenda allait et venait des lavabos à la porcelaine craquelée aux urinoirs desséchés, le visage masqué par un rideau de cheveux.

— Brenda, appela-t-il doucement pour ne pas l'effrayer.

Elle fit volte-face avec une soudaineté presque violente, posa sur lui ses yeux gris affolés.

— Qu'est-ce que vous avez trouvé ? demanda-t-elle, apparemment terrifiée par sa propre question.

Comme il ne trouvait à répondre qu'un « Tout le monde cherche », elle se mit à agiter les mains en gémissant :

— Ça me brûle.

— Venez, murmura-t-il, on va voir Pierre.

Le portrait représentait un homme aux traits délicats, le front haut, les yeux en amande, les lèvres minces d'un Ethiopien. Le seul Noir chauve de moins de cinquante ans que Lorenzo ait vu sans moustache ni barbe. Cela mis à part, le visage lui semblait vaguement familier, quelqu'un qui lui échappait pour le moment.

Ils restèrent tous les trois contre le mur du fond, contemplant le dessin en silence comme s'ils attendaient qu'il se mette à chanter. Farrel finit par rompre le charme :

— Brenda, sur une échelle de un à dix, vous me...

— Sept, répondit-elle de sa voix rauque.

Lorenzo fut satisfait : les neuf et les dix ne rimaient à rien, bonnes notes accordées dans l'unique but d'en finir.

— Vous êtes sûre qu'il n'avait pas de moustache ? demanda Farrel, jouant avec la sienne.

— Je me souviens pas. Peut-être.

— Peut-être, répéta Farrel. (Il croisa les bras sur sa poitrine, et considéra son œuvre.) Qu'est-ce que nous pourrions ajouter pour le rendre plus ressemblant ?

Elle garda le silence.

— Pattes-d'oie, grains de beauté, fossettes, poches sous les yeux, défaut quelconque...

— Je vous en prie, implora-t-elle. Je suis en train de perdre la boule.

L'inspecteur et le dessinateur sortirent, laissant Brenda dans la pièce. Farrel tenait le portrait par les bords.

— Qu'est-ce que t'en penses ? demanda Lorenzo, sûr d'avoir déjà vu ce visage quelque part.

— Je pense qu'il s'est passé quelque chose de moche, là-bas, dit Farrel. Ce soir, c'était pire qu'arracher une dent. Je crois que je n'ai jamais réussi à la faire vraiment se concentrer.

— Mais le portrait vaut quelque chose ?

— Compare, murmura Farrel, approchant le dessin de son propre visage. Plutôt ressemblant, non ? C'est le huitième crime dont j'écope ce mois-ci, si tu vois ce que je veux dire...

Lorenzo quitta l'IJ avec Brenda dans une camionnette des Parcs et Jardins pour échapper aux journalistes, puis récupéra trois rues plus loin sa propre voiture, que Farrel avait sortie pour lui.

— Sud 15 à Central. Viens de quitter l'IJ avec victime demeurant 16 Van Loon Street, Gannon. Km 32009.

— Central à Sud 15, il est quatre heures trente.

— Ça va, Brenda ?

— J'aimerais pouvoir fermer les yeux et m'éveiller, dit-elle, pressant doucement ses paupières de ses mains bandées.

— Je vous ramène à la maison. Y a quelqu'un qui pourrait venir s'occuper de vous ?

— Je ne veux pas rentrer chez moi. Je ne peux pas.

— Où vous voulez aller ?

— Au diable, murmura-t-elle.

— Ulysses ? C'est le nom du père ?

— Ouais.

— Ulysses...

— Maldonado, ajouta-t-elle, baissant la tête.

— Donnez-moi son adresse.

— Aucune idée.

— Y a quelqu'un là-bas avec qui vous avez des problèmes ? (Elle ne répondit pas.) Personne à Armstrong ? Un des gosses ? Un des parents ?

— J'y ai pas travaillé assez longtemps pour me faire des ennemis. Je peux ravoir mes comprimés ?

— Vous n'en avez plus besoin pour le moment. Brenda, je ne pourrai pas rester avec vous une fois que vous serez là-haut. Vous voulez appeler quelqu'un ?

Elle appuya le côté de son visage contre la fraîcheur de la vitre.

— Non.

— Quelqu'un de la famille ? Une amie ?

— Je veux être seule.

— Felicia, par exemple. Vous êtes proches, toutes les deux ? Je parie qu'elle vient tout de suite, si vous l'appelez.

— Non.

— Sud 15 à Central.

— Central, j'écoute.

— Je franchis la limite de la ville. Km 32013.

— Il est quatre heures quarante.

Le téléphone cellulaire se mit à sonner.

— Salut, dit Bump.

— Quoi de neuf ?

— Je frappe aux portes. T'es où, toi ?

— Je sors de l'IJ.

— Direction ?

— Je la reconduis.

— Chez elle ?

Lorenzo sentit quelque chose de légèrement déplacé dans la question, dans le ton de Bump.

— Evidemment.

— Tu repasses ici, après ?

— Ouais.

Gannon était un doigt de cinq kilomètres de long pointé vers la mer depuis Gannon Bay. Chaque fois qu'il passait la frontière, Lorenzo était frappé par le changement abrupt de paysage, un simple feu rouge le transportant instantanément d'un monde de magasins abandonnés et de cités au bout du rouleau à un univers de façades en aluminium et de boutiques. Ce qui ne manquait jamais de l'énerver, à Gannon, c'était les agences de voyages : au moins deux par pâté de maisons, jamais très grandes, et offrant toutes les réductions habituelles pour la Floride, l'Italie et divers ports de plaisance des Caraïbes. Au contraire des rares agences d'Armstrong, ou de D-Town, qui proposaient des vols pour la république Dominicaine, Porto Rico, la Jamaïque et la Guyana. Lorenzo voyait dans ces destinations une différence fondamentale entre communautés : à Gannon, quand on prenait l'avion, c'était le plus souvent pour partir en vacances ; à D-Town, c'était pour rentrer au pays.

Gannon avait pour devise officielle « Semblable à ce qu'elle a toujours été », et ce n'était pas faux, la ville voisine de Dempsy abritant surtout des familles d'ouvriers catholiques blancs installées depuis la fin de la guerre de Sécession. Il n'y avait ni résidences luxueuses ni taudis, rien que des maisons et des commerces modestes. Les seuls édifices de plus de trois étages étaient ceux de la maison de retraite, du collège, et du bâtiment municipal, qui accueillait tous les services administratifs : police, bureaux du maire, services de l'éducation, des immatriculations, etc. La ville comptait huit clochers : deux églises luthériennes, trois catholiques, une baptiste noire, une baptiste blanche, une orthodoxe russe. S'y ajoutaient une synagogue conservatrice, une salle de lecture de la Christian Science, deux bibliothèques, trois écoles libres. Il y avait deux parcs, une plaque historique apposée sur le mur d'un grossiste en sodas pour rappeler qu'à cet endroit, dans une taverne de l'époque de la Révolution, George Washington avait dressé les plans de la bataille de Staten Island.

En descendant Jessup Avenue, colonne vertébrale de la ville, Lorenzo et Brenda furent enveloppés par un silence général, un calme profond qui donnait par contraste à tout ce qui bougeait — un chat, un ivrogne, un journal roulé en boule poussé par le vent — une netteté exagérée. Même les deux ou trois coins à dope étaient morts, ce qui voulait dire que Gannon, à la différence de D-Town, fermait pour dormir.

Brenda vivait dans un des quartiers en mutation, une bande encore habitée par certains de ses occupants originels, des Ukrainiens et des Polonais, coincés à présent par le blocage des salaires, et cernés de plus en plus par des Mexicains et des Equatoriens sans papiers qui s'étaient glissés dans la ville pour travailler dans les usines utilisant de la main-d'œuvre étrangère. Les petites entreprises établies dans les zones marécageuses de Gannon produisaient des édulcorants, des emballages à bulles et des pièges à fourmis.

Lorenzo tourna dans Van Loon, une rue de marchands de vin, de vendeurs de billets de loterie et de laveries automatiques, où le seul immeuble d'habitation était un bâtiment de deux étages qui faisait plutôt penser à un motel bon marché. Brenda habitait un appartement d'angle, au deuxième étage. En pénétrant prudemment dans le parking, Lorenzo inspecta les alentours pour repérer d'éventuels photographes. Quand il fut à peu près sûr qu'il n'y en avait pas, il sortit de la voiture, en fit le tour, aida Brenda à descendre.

— Lorenzo.

La voix qu'il entendit derrière lui expliqua finalement la question de trop dans sa conversation avec Bump : son coéquipier l'avait interrogé pour avoir de quoi négocier un troc personnel. Council se demanda ce que Jesse Haus avait bien pu offrir à Bump pour le convaincre de fricoter comme ça dans le dos d'un collègue.

— Lorenzo, qu'est-ce qui se passe ?

Il se retourna au moment où elle coulait un regard furtif vers Brenda.

— Plus tard, d'accord ? dit-il.

Il remarqua son rimmel qui semblait, comme d'habitude, avoir été appliqué par une femme soûle. Elle avait un téléphone cellulaire dans une main mais, cela le surprit, pas de cigarette dans l'autre. Par-dessus l'épaule de la journaliste, il chercha Ben des yeux, le repéra dans sa grosse Chrysler, collant aux basques de sa sœur, comme toujours, et sirotant son éternelle Thermos de café.

Brenda tapota les poches de son jean, tenta d'en extraire ses clefs malgré ses mains emmaillotées. Ne sachant comment l'aider, Lorenzo se tourna de nouveau vers Jesse.

— Pas maintenant. Appelez-moi plus tard, d'accord ?

Sans lui prêter attention, la journaliste demanda :

— Brenda ? Ça va ?

Entendant la voix, Brenda leva les yeux et, avant que Council pût l'en empêcher, Jesse fit quelque chose que personne n'avait fait de la nuit, que Lorenzo ne pouvait pas faire : elle la toucha. Elle s'avança, lui caressa la joue, releva une mèche de cheveux tombée devant ses yeux, et cela suffit pour que

Brenda s'effondre, comme si Jesse avait défait le nœud maintenant en place sa musculature. Lorenzo dut la rattraper par les coudes pour qu'elle ne heurte pas le trottoir.

— Vous êtes la sœur de Danny Martin ? Je suis allée à l'école avec lui.

Lorenzo lui jeta un regard irrité en pensant : Quel sale con, ce Bump.

— J'ai dit *plus tard*, d'accord ?

— Pas de problème, assura Jesse. (Elle haussa les épaules, recula.) Reposez-vous, Brenda, vous êtes en de bonnes mains.

Il accompagna Brenda jusqu'à la porte, se retourna et demanda à la journaliste d'un ton réticent, comme si chaque mot lui coûtait de l'argent :

— Vous pourriez pas sortir ses clefs de sa poche ?

Une faible odeur de choux de Bruxelles flottait dans la cage d'escalier aux murs sales. Dès que Lorenzo eut ouvert la porte de l'appartement, Brenda se précipita à l'intérieur, fonça vers la salle de bains. Craignant qu'elle n'ait l'intention d'y nettoyer quelque chose, il la précéda, tendit le bras en travers de l'encadrement de la porte pour lui barrer le passage, alluma la lumière. Les surfaces en porcelaine — baignoire, lavabo, cuvette des WC — étaient impeccables, et le désordre se limitait à quelques dessous féminins accrochés à la barre du rideau de douche. Brenda écarta le bras de Council, tomba à genoux devant la cuvette, souleva le couvercle et vomit des îlots bouillonnants orange et marron, probablement le Coca et les comprimés de codéine.

La salle de bains, exiguë, semblait plus petite encore à cause de la couleur bleu roi du rideau de douche, de la moquette, des serviettes et de l'habillage de la cuvette. Il y avait deux brosses à dents, dont une au manche décoré de la silhouette d'Indiana Jones. Une trace de dentifrice à rayures achevait de sécher au bord du lavabo ; des jouets en plastique jonchaient le fond de la baignoire. Pas de sang, pas de désordre.

— Je vous en prie, lui lança-t-elle, d'un ton irrité, en étreignant la cuvette.

Lorenzo referma la porte de la salle de bains, alluma la

lumière dans une salle de séjour lugubre à la moquette constellée de taches. Il s'accroupit, passa un doigt sur les taches : elles étaient sèches, vieilles, pas de la bonne couleur. Il parcourut la pièce des yeux : rien de renversé ou de travers, aucun signe de lutte, de sortie précipitée.

Au-dessus du poste de télévision, un T-shirt portant la photo imprimée par ordinateur de Brenda et de son fils était épinglé au mur comme un papillon. Il y avait d'autres photos dans la pièce : Brenda et Cody au Liberty Science Center, à Action Park, au Club d'Etudes de la cité Jefferson ; Cody seul ou avec d'autres adultes, serrant la main du clown au McDonald, assis avec une femme plus âgée qui devait être sa grand-mère, nourrissant un chevreau avec un biberon à tétine noire dans un zoo. Aucune photo de Brenda seule ou avec quelqu'un d'autre que son fils.

De vieilles protections en plastique couvraient les coins de la table basse, installée en face d'un sofa miteux. Dans la petite cuisine, séparée du séjour par un long passe-plat ménagé dans le mur, la vaisselle était sale mais nettement empilée dans l'évier. Pas de couteau taché de sang, pas de verre brisé. On avait disposé des pièges à fourmis et à cafards dans tous les coins de la pièce. Les éléments en imitation bois massif contenaient une série de céréales pour enfants, quelques boîtes de soupe. Dans le réfrigérateur, des steaks sous plastique, un hémisphère de riz blanc durci, déballé mais gardant encore la forme du récipient dans lequel on l'avait transporté, et une demi-douzaine de Hersey's Kisses enrobés de papier d'argent nichés dans le plateau à œufs. Jusqu'ici, l'appartement lui semblait plus triste que sinistre.

Lorenzo entendit un bruit d'eau dans la salle de bains : Brenda avait cessé de vomir. Il était partagé entre l'idée de garder un œil sur elle et son désir de continuer à explorer son monde sans être dérangé. Traversant de nouveau la salle de séjour en direction de l'unique chambre, il remarqua un cahier bon marché sur le poste de télévision, l'ouvrit, vit le même nom, CODY, couvrant sept pages entières, cinq ou six cents fois la même écriture ferme d'adulte, en une sorte d'incantation écrite. Dérouté, il fit courir ses doigts sur les lignes, comme si ce contact lui permettrait d'en déchiffrer le sens. Il n'y avait rien d'autre d'écrit à aucune autre page.

Brenda sortit enfin de la salle de bains, alla jusqu'au sofa en titubant, s'y laissa tomber. Il s'apprêtait à l'interroger sur le cahier quand son attention fut détournée : elle s'était tailladé les cheveux.

— Comment vous vous sentez ?

Elle ne répondit pas.

Il s'échappait de la salle de bains une odeur de fruit synthétique provenant de la bombe avec laquelle elle avait vaporisé la pièce. Lorsqu'il alla pousser la porte pour enfermer l'effluve en boîte, il découvrit que le lavabo était rempli de mèches de cheveux. Il regarda de nouveau Brenda. Elle avait cet air hébété, terrorisé, de la collabo que des résistants viennent de capturer.

— Mais qu'est-ce que vous avez fait ?

Avant qu'elle puisse répondre, son bipeur bourdonna. Bobby McDonald, sûrement, qui venait aux nouvelles. Lorenzo se rendit compte qu'il avait oublié d'appeler le central et de donner ses coordonnées, pour se couvrir. Il n'entendit pas la réponse de Brenda.

— Quoi ?

— Je dis que c'est parce que j'avais trop mal à la tête, répéta-t-elle, des sanglots dans la voix, en recommençant à se balancer.

Par l'unique fenêtre de la salle de séjour, il vit une camionnette bleu sombre immatriculée à New York descendre lentement la rue. Il vit aussi Big Ben, assis dans sa Chrysler, et Jesse, à côté de lui, parlant au téléphone. Elle ne renonçait pas.

— C'est celle du gosse ou la vôtre ? demanda-t-il en faisant un pas vers la chambre.

— La sienne.

— Vous pouvez me la montrer ?

— Allez-y, entrez, répondit-elle sans se lever.

La pièce était meublée de lits superposés, tous deux faits, d'une commode ornée de décalcomanies jaunissantes, d'un petit bureau au plateau de Formica. Les murs étaient couverts de posters de catcheurs gonflés aux stéroïdes.

— Vous avez un autre enfant ? demanda-t-il en retournant dans le séjour.

— Non. La couchette du dessus était gratuite, alors, on a deux lits.

— Je peux vous poser une question ? J'ai regardé dans le

cahier, là, sur le poste. Il était ouvert, mentit-il. C'est vous qui avez écrit le nom de votre...

— Ça m'aide à m'endormir, d'écrire toujours la même chose. C'est comme de compter des moutons.

— Vous avez écrit ça quand ?

— Je sais pas. Hier, avant-hier.

— Vous le faites souvent ?

— Quelquefois.

— Vous écrivez toujours son prénom ?

— Non.

Lorenzo essaya de donner à la question suivante le ton le plus léger possible :

— Je peux voir d'autres trucs que vous avez écrits ?

— Pourquoi ? (Le bipeur se fit de nouveau entendre.) Je les garde pas. Qu'est-ce que vous voulez savoir ?

— Simplement... (Il n'acheva pas, se dit que cela ferait l'affaire.) Bon, il faut que je fasse venir quelqu'un pour s'occuper de vous.

— Non. Je veux être seule.

— Laissez-moi appeler Felicia.

— Non.

Le téléphone sonna. Brenda regarda Lorenzo. Il tendit le bras vers l'appareil, arrêta son geste, lui fit signe de décrocher.

— Allô ? dit-elle d'une voix anxieuse.

Doucement, il écarta le combiné du visage de Brenda pour pouvoir écouter lui aussi.

— C'est qui ? C'est môman ? (Une voix d'adulte : un homme, un Blanc.) Môman, viens me chercher ! (L'homme s'esclaffa et Lorenzo entendit d'autres rires en arrière-plan.) Môman, je suis dehors ! T'es où, toi, salope ?

Nouveaux ricanements puis quelqu'un murmurant « Raccroche, tête de nœud ». « Parle-lui, toi », reprit le premier homme, qui finit par raccrocher.

Lorenzo prit l'appareil des mains de Brenda.

— Vous avez un système d'identification du correspondant ? lui demanda-t-il, sachant que la réponse serait non.

Son instinct lui soufflait qu'il s'agissait seulement de crétins défoncés ou bourrés qui cherchaient à rigoler après avoir regardé les infos à la télé. Brenda saisit le fil du téléphone, tira un coup sec pour débrancher la prise.

— Je crois qu'il vaut mieux que je reste pas seule, finalement.

— C'est bien, approuva-t-il, se penchant pour prendre la prise. J'appelle Felicia.

— Non.

— Une voisine, alors. Y en a une que vous connaissez bien ?

Brenda avait à peine bougé depuis qu'il lui avait pris le téléphone.

— Qui c'était, en bas ?

— En bas ?

— La femme...

— Une journaliste.

— Elle connaît mon frère ?

— C'est ce qu'elle prétend mais...

— Elle peut monter ?

— Brenda, c'est un reporter.

Elle haussa les épaules, passa nerveusement la main dans ses cheveux massacrés.

— Brenda... commença-t-il.

Puis il renonça.

— Quel sale con, ce Bump.

Council descendit, s'attarda dans le hall. Quand la camionnette bleu sombre fut une nouvelle fois passée devant l'immeuble, il ouvrit la porte, fit un signe en direction de la Chrysler. Jesse sortit de la voiture, s'approcha en jetant des regards furtifs sur le parking endormi, comme si elle s'apprêtait à commettre un crime.

— Je vous propose un marché, annonça Lorenzo, la dominant d'une bonne tête dans l'odeur de pourri du hall.

— Allez-y, répondit Jesse.

Elle tenait une cigarette non allumée entre deux doigts croisés de sa main gauche, comme une queue de billard.

— Je peux revenir dessus si je le décide, d'accord ?

— Revenir sur quoi ?

Elle alluma sa cigarette, regarda l'escalier derrière le dos de l'inspecteur.

— Elle a simplement besoin de compagnie, expliqua-t-il.

— OK, acquiesça-t-elle avec un haussement d'épaules.

Son manque de réaction inquiéta Lorenzo. Elle essayait trop de la jouer cool.

— Ecoutez, un gosse s'est fait enlever. Alors, quoi qu'elle vous raconte, vous me le répétez avant de vous en servir, c'est clair ? Je vous laisse monter là-haut, je vous mets aux premières loges, mais on a un contrat, tous les deux. Si je lis dans le canard une seule chose dont vous m'avez pas parlé avant... je vous scie les pattes au ras des genoux.

Elle tourna la tête pour rejeter un jet de fumée.

— Lorenzo, vous pouvez me citer une fois où j'ai pas joué le jeu ?

— Me piquez pas mes répliques. Le contrat est clair ?

— Vous avez mon numéro ? s'enquit Jesse, touchant le téléphone dépassant de sa poche.

Elle laissait le bas de son T-shirt flotter sur son jean, comme le font les flics en civil pour cacher leur arme.

— Non, je l'ai pas, marmonna-t-il, bougon. Qu'est-ce que vous avez promis à Bump, en échange ?

— A Bump ? Je vois pas de quoi vous parlez.

Lorenzo quitta l'immeuble en tâchant de se persuader qu'envoyer Jesse là-haut était une bonne idée, qu'elle parviendrait à obtenir de Brenda des confidences que lui-même était incapable de susciter. Il traversa le parking en direction de la Chrysler du frère. Ben était énorme et poli, les épaules massives, le visage franc. Il semblait avoir une trentaine d'années. Personne, à la connaissance du policier, ne connaissait au juste son parcours. Il avait tenu un bar, été découvreur de talents, il avait coupé le doigt de quelqu'un d'un coup de dents et collecté des fonds pour une œuvre charitable, il avait fait de la prison, avait été assigné à comparaître, avait récupéré des voitures non payées. Ben était un ancien agent de la CIA, un homme poursuivi, une balance, un génie, une ceinture noire, un dealer. Il avait fait des études de chirurgie dentaire. Seule chose certaine, il était presque toujours au côté de sa sœur, à qui il servait de garde du corps, de chauffeur, de coursier.

— Content de vous voir, déclara-t-il, serrant la main de l'inspecteur par la fenêtre et levant vers lui de grands yeux qui ne cillaient pas.

— Votre sœur va rester là-haut un moment, je pense.

Ben hocha la tête.

— Bon. Je peux faire quelque chose pour vous ?

Lorenzo trouvait cet implacable désir de se rendre utile plutôt perturbant.

— Ouais, vous voyez cette porte ? Je voudrais que la dame puisse dormir un peu.

— Je m'en occupe.

— Si quelqu'un se pointe — un journaliste, par exemple —, vous l'empêchez d'entrer.

— Pas de problème, assura Ben, tendant de nouveau la main par la fenêtre. Vous avez mon numéro ?

— Ça ira, merci, Ben, dit Lorenzo en reculant.

— Merci à vous, lui renvoya le frère de Jesse, qui démarra pour rapprocher la Chrysler de l'entrée de l'immeuble.

Lorenzo leva les yeux vers l'appartement, vit Brenda marcher d'une fenêtre à l'autre, les mains sur la tête comme un prisonnier de guerre. En sortant du parking, il dut donner un coup de volant et freiner brusquement pour éviter la camionnette bleue qui s'y engouffrait. Le chauffeur passa la tête par la fenêtre, « Pardon, pardon » ; un photographe descendit et s'approcha de la voiture de Council.

— Brenda Martin, c'est quel appartement ?

— Pas ici, répondit Lorenzo.

Dans son rétroviseur, il vit Ben trottiner vers eux pour leur barrer le passage. En quittant Van Loon, Lorenzo n'osa pas lever de nouveau les yeux vers la fenêtre, de peur que les journalistes ne suivent son regard. Silencieusement, il envoya un message à Jesse, renard officiellement introduit dans le poulailler : Au moins, baissez les stores, bon Dieu.

8

Une fois à peu près sûre que la camionnette bleue et Lorenzo étaient partis, Jesse téléphona à son frère du hall pour lui demander d'apporter en vitesse des cigarettes, des vitamines et son maquillage, puis se mit à grimper l'escalier dans un état de vivacité euphorique. Un peu avant le deuxième étage, elle s'arrêta dans l'intention d'appeler Jose mais le grincement d'une porte au-dessus d'elle lui fit remiser son portable. Levant les yeux, elle vit Brenda en haut des marches, les yeux cachés par l'obscurité mais les cheveux... Malgré la pénombre, Jesse distinguait la masse raide, hérissée, qui couronnait maintenant les méplats du visage étique comme un halo d'épines.

— Je suis désolée, tellement désolée, gémissait Brenda.

En arrivant sur le palier, Jesse tenta de la toucher comme elle l'avait fait sur le parking.

— Je sais ce que vous ressentez, dit-elle d'une voix apaisante.

Insensible cette fois à l'imposition des mains, Brenda demanda :

— Qu'est-ce que vous voulez dire ?

Jesse fut saisie par l'intensité de son regard : il n'y aurait pas beaucoup de temps pour bavarder de choses et d'autres.

— Vous savez bien, avoir un enfant, être...

La journaliste eut l'impression de s'avancer sur une planche pourrie, s'interrompit.

— Fille ou garçon ?

Le regard de Jesse obliqua vers la porte ouverte de l'appartement.

— Hein ?

— Le vôtre.

Elle ouvrit la bouche pour rectifier, mais, prise de panique à l'idée de se faire éjecter, elle s'entendit répondre :

— Garçon.

Cette femme la forçait à mentir dès le départ, Jesse n'ayant ni enfant, ni mari, ni amant ni amis de longue date, rien qu'un frère et un boulot.

— Il a quel âge ? voulut savoir Brenda.

Entrevoyant une dernière chance de dire la vérité, Jesse hésita mais plongea :

— Trois ans, il a trois ans. Mikey, précisa-t-elle de son propre chef. Michael.

— Michael, répéta Brenda.

Jesse éprouvait un curieux mélange de dégoût et de détermination, de sorte que lorsque, sans ajouter un mot, Brenda retourna dans l'appartement, elle resta un moment dans le couloir, laissant à la jeune femme la possibilité de lui claquer la porte au nez. Mais la porte demeura entrouverte, et toute tentation d'autocritique que Jesse aurait pu avoir disparut, balayée par un sentiment enivrant de triomphe, quand elle franchit le seuil.

Elle fut aussitôt frappée par l'impression de provisoire que dégageait le lieu, d'effort gauche et vain pour créer une certaine intimité : le mobilier de bric et de broc, les posters et les photos fixés avec des punaises, l'ordre tenant lieu de propreté. Même les murs, d'un gris clair tacheté, avaient quelque chose de temporaire.

Brenda se tenait près de la fenêtre, à l'autre bout de la pièce, le corps agité d'une promesse de mouvement bien qu'elle demeurât clouée sur place.

— Tellement désolée, répéta-t-elle.

— Je vous en prie, dit Jesse machinalement tandis que son regard cherchait des photos intéressantes.

Celle de la mère et du fils sur un T-shirt lui plaisait assez mais elle ne donnerait rien sur papier journal. Elle élimina de même celle de l'enfant au McDonald, ou avec Brenda à ce qui devait être le Liberty Science Center : trop d'ombre.

En revanche, la photo de groupe avec les enfants noirs — probablement prise au Club d'Etudes — convenait tout à fait après le débarquement en force de la police à Strongarm. Le propre frère de Brenda avait cassé la mâchoire d'un jeune, avait-elle entendu dire.

Ayant fait son choix, elle se concentra de nouveau sur la jeune femme, qui oscillait sur place. Jesse la prit par le coude et la guida vers le canapé, genou contre genou, sa main reposant légèrement sur le bras de Brenda, comme les flics de la Criminelle lui avaient appris à le faire.

— Je m'appelle Jesse Haus, déclara-t-elle aux yeux gris étoilés. Je travaille pour le *Register*. Vous le savez, non ?

Elle attendit une réaction et Brenda finit par hocher la tête en détournant les yeux.

— Je peux faire quelque chose pour vous ?

— Vous pouvez le ramener ?

Jesse réfléchit, demanda :

— Comment il s'appelle ?

Elle connaissait la réponse mais voulait l'entendre de la bouche de la mère.

— Cody.

— Cody. OK. Bon, voilà ce que je voudrais que vous fassiez. Vous me donnez une photo de lui, vous m'autorisez à la transmettre au journal. Quelque chose de bien, qui touche...

Brenda la surprit en se levant brusquement. Elle promena autour d'elle un regard un peu égaré jusqu'à ce qu'elle remarque des cassettes vidéo posées sur le poste de télévision. Tournant le dos à la journaliste, elle s'approcha et entreprit de les ranger, de les glisser dans les boîtiers en plastique aux couleurs criardes du club de location. Maladroitement, à cause de ses bandages.

Légèrement décontenancée, Jesse poursuivit :

— Donnez-moi une photo qui ait de la substance, et je vous promets que des milliers de gens se mettront à chercher votre enfant d'ici demain midi. C'est comme ça que ça fonctionne.

Brenda continuait à ranger : *Splash, Pocahontas, Rumble in the Bronx*. Jesse y voyait une façon de lui signifier « Foutez-moi le camp ». Consciente d'être en train de bousiller le coup, elle écrivit dans sa tête : « Prise dans un tourbillon de désespoir, la mère se jette dans les tâches ménagères », décidant dans l'instant que ranger des cassettes rentrait dans la catégorie des corvées domestiques.

Elle se leva du canapé, alla prendre la photo du Club d'Etudes.

— Celle-là, ce serait parfait. On peut la publier ? Et si vous en avez une avec vous et lui seulement...

Brenda empilait les cassettes comme si elle allait les rapporter au club sur-le-champ, pour ne pas payer un jour de location en plus. Jesse l'observa en surfant sur une autre vague de dégoût de soi, repéra une photo de Cody donnant à manger à une chèvre dans un zoo quelconque. Elle la prit aussi.

— Désolée si je vous donne l'impression de ne penser qu'à mon travail, mais je vous assure, la rapidité...

— Qu'est-ce qui va arriver, d'après vous ? la coupa de nouveau Brenda.

— Je crois que nous allons le retrouver. Je crois que si vous suivez mes conseils, tout le monde se mettra à sa recherche.

Profitant de ce que Brenda abandonnait les cassettes pour se rendre à la salle de bains, Jesse, qui considérait le silence de la jeune femme sur la question comme un assentiment, enleva les photos de leurs cadres. Par la porte de la salle de bains, elle vit Brenda ouvrir l'armoire à pharmacie, y prendre maladroitement un flacon, le faire tomber dans le lavabo. Jesse alla l'aider, récupéra la fiole brune nichée dans les cheveux coupés : Tylénol et codéine, prescrits près de deux ans plus tôt. Jesse espéra que les comprimés étaient trop vieux pour faire effet et que Brenda ne sombrerait pas dans la torpeur.

Comme Brenda ne parvenait pas à prendre une des pilules qu'elle avait fait tomber dans sa main bandée, Jesse dut la lui mettre sur la langue. Rapidement, la journaliste inspecta l'intérieur de l'armoire à pharmacie : pas de Prozac, pas de Valium, pas de diaphragme, rien d'intéressant. Il y avait une bouteille d'Amoxicillen pour l'enfant, et Jesse débattit avec elle-même pour savoir si elle devait dire à Brenda qu'il fallait la garder au réfrigérateur. L'absurdité de cette précaution, étant donné les circonstances, lui échappa sur le moment, son état de nervosité faisant obstacle à son sens de l'ironie.

— Vous venez de vous couper les cheveux ?

Elle ne savait quelle autre formulation donner à sa question. Comme Brenda ne répondait pas, Jesse enchaîna :

— Je peux voir sa chambre ?

Brenda l'escorta jusqu'à la porte puis obliqua et s'éloigna sans même jeter un coup d'œil à l'intérieur. Du seuil, Jesse regarda les lits superposés, les catcheurs sur les murs, eut une impression de désordre confortable. La pièce semblait plus réelle, moins provisoire que les autres.

Soudain, Brenda réapparut derrière elle. Sans dire un mot, sans vraiment pénétrer dans la chambre, elle passa un bras par-dessus l'épaule de la journaliste et retourna une photo posée sur la commode. Jesse attendit un moment avant de demander :

— Et vous, vous dormez où ?

— Sur le canapé.

— Je peux vous poser une question sur le père ? Il est où ?

— A l'étranger.

— Vraiment ? Qu'est-ce qu'il fait ?

Brenda ne répondit pas. Jesse entendit le *tic* et le *whouf* d'un brûleur qui s'allume. Elle entra enfin dans la chambre, souleva avec désinvolture la photo retournée. C'était un portrait de Brenda, le regard fixe, le sourire sans vie, la tête légèrement penchée sur le côté dans la posture typique, artificielle, des photos de fin d'année au lycée. Jesse la vit avec les yeux de l'enfant : Ma Jolie Maman. Puis elle devint Brenda, retournant la photo dans un geste d'autobannissement, et tenta d'imaginer le sentiment d'échec que la jeune femme devait éprouver.

Jesse alla à la fenêtre de la chambre. A cinq heures et quart, l'aube commençait à poindre, blancheur absolue, davantage absence d'obscurité que présence de lumière. Ben, déjà de retour, montait la garde en bas, un sac de supermarché Finast sous le bras, le genre de bagage pour lequel elle avait une prédilection. Elle vit aussi deux autres reporters qui marchaient à grands pas, l'air énervé, vers une Taurus de location. En ce moment précis, Jesse ressentait de l'amour pour son frère, son dévouement de bouledogue, mais aussi une certaine tristesse pour cet homme qui n'avait personne d'autre dans sa vie. Ce sentiment s'étendit à elle-même, impression glaçante de solitude liée à cette heure irréelle, à ce lieu d'affliction, à cette femme folle dans la cuisine. Jesse se ressaisit, ouvrit la fenêtre d'un ou deux centimètres, tapota le carreau du bout d'un ongle, bruit assez fort dans le silence ambiant pour faire lever la tête à Ben. Elle glissa les photos par la fente, les regarda voler vers le parking.

Benny savait quoi faire. Il souleva le sac et montra le hall avant de se lancer à la poursuite des photos.

Jesse rejoignit Brenda dans la cuisine, regarda avec elle l'eau en train de chauffer. Elle avait envie de lui demander si elle pouvait appeler son journal, mais elle craignait qu'elle lui réponde non, ou qu'elle réponde oui et se replie encore davantage sur elle-même. Elle ressortit de la cuisine, se dirigea vers la salle de bains.

Dans sa hâte à téléphoner, elle referma la porte avant d'allumer la lumière, se retrouva dans une obscurité ponctuée par des lettres fluorescentes apposées çà et là sur les murs, sur le miroir, le côté du lavabo. Les autocollants d'un alphabet enfantin émettaient une lueur vert pâle, œuvre du petit garçon dont la présence inopinée l'effraya un instant. Sans allumer, elle ouvrit son téléphone cellulaire, le vert des chiffres éclairés renvoyant au vert des lettres éparpillées.

— Passez-moi Jose.

Elle attendit, fit couler de l'eau dans le lavabo pour noyer le bruit de conversation à venir.

— Yo.

— Salut, je suis dans l'appart'.

— L'appart' de qui ?

— De la femme. Brenda Martin.

— Putain ! s'exclama-t-il. (S'adressant à quelqu'un se trouvant dans son bureau :) Jesse est chez la femme. (Il revint à elle.) Dégote-nous une photo.

— Mon frère vous l'apporte.

Elle trempa ses doigts dans l'eau. Le lavabo à moitié bouché se vidait lentement et le contact des cheveux coupés tournoyant autour de sa main lui leva le cœur.

— Bon, tu restes là-bas, OK, dit Jose. Laisse personne d'autre... Comment t'es entrée, toi ?

— Peu importe, je suis dans la place.

— Ne quitte pas.

Elle l'entendit s'adresser de nouveau à la personne qui se

trouvait dans son bureau. Après deux secondes de concertation, il reprit :

— Jesse, je veux que tu rappelles dans une heure pour commencer à livrer, d'accord ?

— Hé, hé, doucement, laisse-moi me retourner. Je livrerai quand je pourrai. Et m'appelle pas, toi, tu foutrais tout en l'air.

— Elle te parle ?

— Je te rappelle plus tard.

Jesse remit le téléphone dans la poche de son jean, ferma le robinet, tira la chasse pour donner le change, se rendit compte après coup qu'elle avait vraiment envie d'aller aux toilettes. Trop tard. Elle ouvrit la porte, sursauta en découvrant Brenda juste derrière, se demanda si elle avait écouté.

— Hé, dit-elle d'un ton incertain, se préparant au pire.

Brenda détourna les yeux, demanda d'un ton monocorde :

— Quel genre de musique vous aimez ?

Sortant d'une minichaîne posée sur la table de la salle à manger, « 96 Tears » faisait trembler les murs tandis que Brenda allait et venait devant le store baissé, impuissant à empêcher la lumière du matin de pénétrer dans la pièce. Elle titubait plus qu'elle ne marchait, jetant parfois un regard à la meute qui grossissait en bas : les camionnettes des médias, mais aussi les vieilles Ukrainiennes déjà debout et affairées, ainsi que deux ou trois alcoolos aux yeux rouges oscillant sur place et levant les yeux vers la fenêtre pour un peu de rigolade improvisée.

— Cette chanson... dit Brenda, s'arrêtant un instant pour se tourner vers Jesse, qui l'observait du canapé. Vous n'avez jamais eu de la nostalgie pour un air que vous aviez jamais entendu avant ? « 96 Tears », on dirait une chanson d'avant ma naissance.

Jesse répondit par une formule creuse :

— La bonne musique n'a pas d'âge.

Depuis qu'elle était sortie de la salle de bains, une heure plus tôt, c'était comme si Brenda et elle avaient inversé les rôles. Brenda faisait la conversation, déversant un bavardage anxieux entrecoupé de commentaires musicaux et des gestes incertains de celui qui doit affronter un lever de soleil à court de coke. Jesse, témoin muet, s'efforçait de capter, de retenir et de traduire en mots l'essence de cette veille sans l'aide d'un téléphone ou d'un bloc-notes.

La sonnette retentit ; Brenda sursauta, regarda Jesse.

— Si c'est les flics, ils monteront, la rassura la journaliste.

En bas, Ben continuait à faire le portier. Régulièrement, sa sœur allait à la fenêtre, le regardait bloquer la concurrence en se faisant probablement passer pour quelqu'un de la famille. De temps à autre, la sonnette bourdonnait quand même : un reporter qui s'était introduit dans l'immeuble par une fenêtre du sous-sol, ou peut-être par les toits, comme Spiderman.

— Maman ! Maman ! appela une voix dans la rue.

Brenda pressa ses mains bandées contre ses tempes tandis que le chanteur continuait à se lamenter par-dessus l'orgue : « Trop de larmes à porter pour un seul cœur. » Jesse se leva, passa un bras autour des épaules de Brenda.

— Essayez de vous reposer, maintenant, d'accord ?

A « 96 Tears » succéda « Tramp », dans lequel Carla et Otis se brisaient mutuellement les côtes. Brenda restait sur place, penchée vers Jesse, les deux femmes faisant face au canapé comme si elles posaient pour une photo.

— Cette chanson, c'est une autre de mes préférées. J'adore les disques où hommes et femmes se répondent. Otis et Carla, Rufus et Carla, Marvin et Tammi, Billy Vera et Judy Clay, Dick et Dee Dee — vous avez déjà entendu Dick et Dee Dee ? Ou même Ike et Tina. Vous connaissez « It's Gonna Work Out Fine » ?

— Je crois, dit Jesse, regardant sa montre à la dérobée.

Il était six heures et quart, Jose devait baver comme un malade devant le téléphone. Elle considéra la minichaîne de Brenda, ses piles de CD et de cassettes dont les boîtiers en plastique jonchaient le sol. Les cassettes semblaient de fabrication maison, le dos de chaque boîtier portant un sommaire soigneusement écrit à la main.

— Quand j'entends ces chansons, je me dis que ces gens s'aiment. Ils s'amusent en chantant, écoutez. C'est super. Je suis pas une tarée, mais je marche. Il faut marcher, quelquefois.

Jesse se surprit en attirant Brenda dans ses bras — pour

la réconforter, la faire taire —, et Brenda se laissa aller, son haleine chaude contre la clavicule de la journaliste. Jesse la guida vers le canapé, la fit s'asseoir et entreprit de lisser les nœuds de son dos gros comme des clous de girofle, entre les omoplates. Brenda s'abandonna, laissant la partie supérieure de son corps rouler sous la pression des pouces de Jesse.

— Votre frère est en bas ? Vous pensez qu'il pourrait m'acheter deux ou trois disques ? Je lui donnerai l'argent. J'ai laissé presque tous mes CD à Jefferson et j'ai drôlement besoin de musique, en ce moment.

— Bien sûr, répondit Jesse, en pensant : Cet article est en train de s'écrire tout seul.

Brenda se retourna.

— Je vous donne quelques noms ?

Jesse sauta sur l'occasion de sortir son bloc-notes :

— Allez-y.

— Solomon Burke, Don Covay, Arthur Alexander, O.V. Wright, Ruby Johnson, Clarence Carter, Mabel John — n'importe lequel, cassette ou CD.

Jesse notait sans reconnaître un seul nom. Elle griffonna aussi « 96 Tears, aube, cheveux dans le lavabo ».

— N'importe lequel, répéta Brenda. Ce serait top.

Jesse tapota le canapé.

— C'est un convertible ?

— Quoi ? Ouais.

— Laissez-moi l'ouvrir pour vous. Où est-ce que vous rangez les oreillers et le reste ?

Brenda regardait le mur en clignant des yeux.

— Le mois dernier, je parlais à mon fils et je lui disais : « Cody, tu m'aimes ? » Je sais pas pourquoi, c'était pathétique... Bref, vous savez ce qu'il a répondu ? Il a quatre ans, hein ? Il a dit : « Bien sûr que je t'aime, Maman. Pourquoi tu demandes ? »

Brenda avait donné aux mots de son fils un ton exagérément digne, procédé que la grand-mère de Jesse utilisait quand elle citait devant quelqu'un l'un de ses petits-enfants précoces.

— C'était un petit homme, murmura Brenda. Mon petit homme...

La sonnette retentit de nouveau mais, perdue dans ses pensées, Brenda ne sursauta pas, cette fois.

— Il s'était inventé d'autres parents, des parents imaginaires, Saul et Claire Osterbeck, qui vivaient avec le bon loup-garou, au pied de l'arc-en-ciel. (Brenda essaya de rire mais émit un gargouillis nerveux.) J'ai été une mauvaise mère.

— Non, pourquoi vous dites ça ? Vous êtes une mère formidable, assura Jesse.

Debout devant Brenda, elle se remit à griffonner : « Nœuds, petit homme, photo retournée », imposant doucement la présence du bloc-notes ouvert dans le champ visuel de Brenda.

— Non, je tenais trop à ce qu'il m'aime, alors, je ne lui ai jamais appris la discipline. Je ne lui ai jamais rien appris. C'était comme si je me présentais aux élections, avec Cody comme électeur, vous comprenez ?

— Vous l'aimiez, dit Jesse, surprise d'utiliser elle aussi un temps passé.

— Pour vous montrer à quel point j'ai déconné : avant, on dormait tous les deux sur le canapé. Cody s'endormait dans sa chambre, mais, vers minuit, il me rejoignait. Y a six mois environ, il a commencé à faire toutes ses nuits. C'était bien : il grandissait, il apprenait à se sentir en sécurité, à avoir confiance en lui. Moi, qu'est-ce que je fais ? Comme ça me manque qu'il ne vienne plus dormir avec moi, je loue la cassette de *Frankenstein*, la vieille version, et on la regarde ensemble. J'avais pas choisi *Halloween 3* ou *Candyman* — rien de sanglant —, mais je voulais lui faire un peu peur, pour qu'il dorme avec moi encore une ou deux fois... On regarde, il se met à pleurer. Je lui demande : « Cody, tu as peur ? » Il me répond : « Non, Maman, j'ai pas peur mais je déteste ce film. Tout le monde est méchant avec lui. — Lui qui ? — Le monstre. C'est pas de sa faute, ils devraient s'en rendre compte. Je déteste ce film. » Pour vous dire comment il était...

— Il avait un cœur généreux, dit Jesse que son propre blabla sirupeux fit aussitôt tiquer.

Mais Brenda, plongée dans ses souvenirs, n'était pas en état de juger.

— Vous savez comment il m'a punie ? Il ne m'a pas laissée arrêter le film. Il s'est mis à pleurer, mais quand j'ai voulu changer de cassette, il a refusé. Il a tenu à ce qu'on regarde jusqu'à la fin, malgré ses larmes.

— Il a dormi avec vous, finalement ? demanda Jesse en écrivant « Frankenstein ».

— Non, il était trop en colère contre moi. Il avait parfaitement compris ce que je voulais.

Brenda écouta un moment « Rainy Night in Georgia », remuant la tête au rythme des mots.

— C'est vous qui avez enregistré cette bande ?

— Ouais, je fais ça tout le temps. Quand j'aime bien quelqu'un, j'enregistre des chansons qui me font penser à cette personne, ou des airs que je pense qu'elle aimerait. Je vous ferai une cassette, si vous voulez.

— Merci, dit la journaliste, un peu émue par l'offre. Vous en aviez fait une pour Cody ?

— Frankenstein, répondit Brenda.

Et Jesse ne sut pas si elle refusait de répondre à la question ou si elle ne l'avait pas entendue.

De nouveau la sonnette, et ce fut Jesse qui tressaillit, cette fois.

— Vous avez pas idée combien c'est dur de faire regarder tout un film en noir et blanc à un gosse, dit Brenda. Mais vous le savez, bien sûr.

— Moi ?

Il fallut un moment à Jesse pour se rappeler son mensonge.

— Il aime quel genre de films, Michael ?

— *Rocky*. Surtout le 4. *Rocky 4*.

— Il a quel âge ?

— Quel âge ? bredouilla Jesse, incapable de se rappeler ce qu'elle avait dit. Comme le vôtre.

Brenda retrouva un ton désespérément enjoué :

— Vous savez ce que je parie qu'il aime ? *Big*. Quoi d'autre... *Les Petits Champions, Beignets de tomates vertes, Le Jardin secret, Harvey*. Vous l'avez vu, ce film ? Avec le lapin de deux mètres ? Quoi d'autre ? *Capitaines courageux*. Non, c'était trop triste, et en noir et blanc, en plus.

— Ça fait beaucoup de films, commenta Jesse, qui aurait bien voulu passer à autre chose.

— Oh ! on en regardait un tous les soirs, sept jours par

semaine. Le type du petit vidéoclub du coin, il avait donné à Cody sa propre carte. C'était ce qu'on aimait le plus, aller là-bas tous les soirs.

— Ça devait être formidable, dit Jesse, sincère.

— On faisait tout ensemble. Il venait même au travail avec moi. Il faut que je vous montre...

Brenda se leva du canapé, alla vers la fenêtre. Jesse comprit qu'elle allait chercher la photo de groupe du Club d'Etudes, celle qui se trouvait déjà au *Register*, et se demanda comment réagir, mais Brenda se contenta de hausser les épaules en constatant son absence.

— Bref, je l'emmenais avec moi à Jefferson. Il se mêlait aux autres gosses sans problème, même s'il était le seul enfant blanc. C'est bon, vous savez, de sentir ce que c'est qu'être l'autre.

— Sûrement, approuva Jesse.

Elle prit l'initiative d'ouvrir le canapé, dans l'espoir que cette incitation visuelle donnerait à Brenda envie de dormir.

— Il était trop jeune pour se rendre compte : les Blancs, les Noirs. La plupart des enfants commencent à comprendre vers huit, neuf ans. C'est à ce moment-là qu'ils se séparent, en général. (Elle souleva le store pour regarder dehors.) Il pleut. Il est dehors sous la pluie.

— Brenda, où vous mettez les couvertures ? Il faut que vous vous reposiez.

Brenda se retourna, les yeux brillants comme de l'acier mouillé.

— Vous savez, commença-t-elle d'une voix hésitante, je suis encore jeune...

Elle regarda Jesse comme si elle n'arrivait pas à croire qu'elle venait de prononcer ces mots. La journaliste lui adressa un sourire de handicapé moteur en pensant qu'elle garderait cette scène en mémoire jusqu'à la fin de ses jours.

Comme soudain dégrisée, Brenda annonça d'une voix plus grave :

— Il faut vraiment que je dorme.

— Bien.

— Pas ici, il fait trop clair. Dans le lit de Cody, si vous m'aidez à tirer le store.

— Pas de problème.

Jesse dut monter sur l'appui de fenêtre pour atteindre le store opaque de la chambre de l'enfant. Il pleuvait depuis quelques minutes, rien qu'une averse matinale dans un ciel bleu. Elle regarda le gros de la foule battre en retraite sous le vélum rouge et jaune d'une *bodega*, de l'autre côté de la rue. Quelques francs-tireurs trempés, dont un ou deux reporters que Jesse reconnut, continuaient à discuter vainement avec Ben, Ben de Gibraltar. La pluie collait ses cheveux autour d'une tonsure de moine : elle n'avait jamais remarqué qu'il avait une calvitie.

Une fois le store tiré, la pièce devint assez sombre pour qu'elle voie luire d'autres autocollants fluorescents sur les murs, le bureau, les montants des lits superposés : nombres, lettres, dinosaures, comètes d'un vert pâle.

Jesse déboutonna le jean de la jeune femme, l'aida à l'ôter et attendit dans la chambre qu'elle revienne des toilettes.

— Vous restez ? demanda Brenda à son retour.

— J'aimerais bien, oui.

— OK, dit-elle en s'asseyant au bord de la couchette inférieure.

— Vous voulez que je vous donne un T-shirt propre, ou autre chose ?

— Non. Votre frère pourrait aller m'acheter des disques ? Je garde l'argent dans le four à micro-ondes.

— D'accord.

— Ils viendront ici s'ils trouvent quelque chose, hein ?

Jesse hésita, un moment déroutée par les mots « quelque chose ».

— Oui, ils viendront tout de suite.

Brenda ferma les yeux, tout son visage se plissant dans un effort pour ne pas pleurer.

— Si je parle sans arrêt, j'oublie pendant quelques minutes, vous savez, mais maintenant, je suis vraiment fatiguée.

Jesse s'assit à côté d'elle, lui massa doucement le haut du dos.

— Avant, j'avais peur de mourir, poursuivit Brenda. Non, pas peur. C'était plutôt... impensable de devenir *rien*.

Mais maintenant, je ne suis... je ne sens plus ça. Je peux mourir. Je peux imaginer la mort.

— Personne ne va mourir, dit machinalement Jesse.

— Le téléphone est débranché, mais si vous devez envoyer votre article, vous pouvez remettre la prise.

— Merci. Merci beaucoup.

— Pas la peine de vous cacher dans la salle de bains. Je sais que vous travaillez, en ce moment. Pas de problème.

— Allongez-vous.

— Ça va, assura Brenda, faisant signe à la journaliste de la laisser.

Jesse alla s'asseoir sur le canapé ouvert de la salle de séjour, composa le numéro de Jose, referma l'appareil avant la première sonnerie. Elle considéra ses gribouillis, commença à rédiger, ce qu'elle laissait généralement à d'autres. Elle écrivit : « Au moment où cette nuit tourmentée laisse place à une aube impitoyable... » Puis : « Dans un geste immémorial d'affliction, aussi vieux que... » Elle alluma une cigarette, la posa, écrivit : « “96 Tears” fait résonner les murs de cette pièce noyée d'angoisse. » Elle avait les paupières lourdes. Dernière tentative : « Dans ce logis modeste mais bien tenu, le lavabo est un nid de cheveux coupés : à grands coups de ciseaux, la mère a tailladé ses propres mèches dans un geste impulsif d'angoisse autrement inexprimable. »

Jesse considéra le paragraphe, impressionnée, feuilleta ses notes en quête d'une autre « attaque ». Son œil tomba sur « Frankenstein » au moment où une plainte basse s'insinuait dans la pièce. Elle se leva d'un bond, alla dans la chambre, découvrit Brenda, enfin allongée, fixant le dessous de la couchette du haut.

Jesse s'agenouilla.

— Quoi ? murmura-t-elle, suivant les yeux de Brenda jusqu'au panneau blanc où dansaient maintenant des planètes, des animaux, des éclairs fluorescents, tout un cosmos, une imagerie grouillante.

La journaliste finit par discerner ce qui captivait le regard de Brenda : dans une clairière entourée de girafes et d'étoiles filantes, quatre lettres lumineuses, insistantes, flottaient en une ligne maladroite, enfantine, juste au-dessus du visage de la mère : CODY.

DEUXIÈME PARTIE

« 96 Tears »

9

Lorenzo Council retourna à la cité au moment où l'aube commençait à se lever, baignant Armstrong d'une lumière plate, dénuée de source. Un long train de wagons de conteneurs était arrêté sur la voie, en face de la cité. Malgré les nombreuses fois où ces coffres au trésor avaient été forcés pendant la nuit, la compagnie Conrail n'avait pas retenu la leçon. Lorenzo lui-même avait pris part à un raid ou deux pendant son adolescence, repartant avec un carton de sous-pulls à col roulé la première fois, avec quatre caisses de litière pour chat la fois suivante. Il y serait retourné si l'un de ses associés dans le crime n'avait perdu une jambe quand le train avait soudain retrouvé sa mobilité, une nuit que Lorenzo était resté coincé chez lui.

A cette heure, le campement des médias le long du train silencieux avait pris l'aspect d'un bivouac militaire de la guerre de Sécession. Le matériel électronique pendait au grillage comme des cartouchières ou des gourdes ; l'aube tourbillonnante transformait en fantômes les quelques cameramen encore debout, marchant d'un pas raide et lent tels des pervers nocturnes. D'autres se pressaient autour de cafetières branchées sur les batteries des camions. Certains reporters avaient dormi dehors, dormaient encore maintenant, étendus sur des chaises longues pliantes, une couverture remontée jusqu'au menton. Mais Council repéra un type, grosses bottes d'ouvrier du bâtiment et lunettes de soleil, qui faisait sa gym sur le gravier, et un autre, foulard autour du front et short kaki, pivotant et s'accroupissant pour son tai-chi matinal.

La cité elle-même était calme. Seuls points d'animation, les sorties, où des files de voitures attendaient la permission de quitter Armstrong. Certains chauffeurs, descendus de bagnole, faisaient les cent pas, furieux, en retard pour le boulot, tandis que les flics examinaient les papiers de tout le monde, cherchant une infraction patente ou, pire, un nom correspondant à un mandat d'amener, fouillant les coffres, fouinant, comme si Hurley et Gompers étaient des frontières internationales.

Le soleil apparut au-dessus de New York, perça brièvement l'aube vaporeuse, inonda la Cuvette de lumière. Il illumina les réfrigérateurs de la partie supérieure, la plus proche de la sortie de Gompers, transformant l'arène en un cadran solaire druidique géant. Lorenzo contempla cette mystérieuse métamorphose une bonne minute avant de repérer Danny Martin, assis seul au bord d'une caisse, au centre de la Cuvette. Les coudes sur les genoux, l'inspecteur tenait d'une main le portrait-robot de l'agresseur, de l'autre un grand gobelet de café, assez mollement pour qu'une constellation de taches brunes ait maculé une de ses tongs. Il leva lentement la tête à l'approche de Lorenzo, posa sur lui des yeux semblables à des étoiles rouge pâle.

— Y a du nouveau ? demanda-t-il.

— Rien.

Council s'assit sur le même réfrigérateur, à une cinquantaine de centimètres de lui, décida de reporter à plus tard toute discussion sur le gnon flanqué à Teacher.

Danny hocha la tête puis, sans regarder Lorenzo en face, lui tendit la main.

— J'ai fait le con, hier soir, je m'excuse.

Lorenzo attendit quelques secondes avant de prendre la main offerte.

— Ouais, bon, t'étais salement stressé.

— Merci, dit Martin.

Il but une gorgée et répéta « Merci », proposa le gobelet à Lorenzo. Celui-ci déclinant l'offre, il jeta le reste du café sur la terre battue.

— Toi et moi, on s'est toujours bien entendus, hein ?

Lorenzo s'abstint de répondre, la vérité se situant entre oui et non.

— Rien de neuf, alors ? dit Martin, faisant lentement rouler sa tête d'une épaule à l'autre. J'ai secoué les branches de tous les arbres de la forêt...

— Moi aussi, chef. Tu connais le père ?

— Un Portoricain quelconque, il est retourné tout droit dans son île dès qu'il a eu des problèmes. Perds pas ton temps, si c'est à ça que tu pensais.

— OK, répondit Lorenzo d'un ton évasif.

— D'ailleurs, la prochaine fois que tu verras Brenda, demande-lui si elle se souvient du nom du mec. Ça m'étonnerait.

— Non, non, dit Lorenzo, consultant ses notes, elle le sait. Ulysses Maldonado.

— Ulysses ! s'exclama Martin, moqueur. Merde, pardon, ajouta-t-il aussitôt, l'air dégoûté de lui-même.

— T'es proche du gosse ?

— Non. Enfin, mon fils a le même âge.

Ne sachant que dire, Council hocha la tête.

— Lorenzo... commença Martin d'un ton hésitant.

L'inspecteur de Dempsy devinait la suite : une question à laquelle il voulait lui-même trouver une réponse.

— Lorenzo, répéta Martin, la voix rauque de tension, qu'est-ce que tu penses de ma sœur ?

— Tu me demandes quoi, là ?

— Tu le sais bien.

— Ecoute, il faut explorer toutes les possibilités.

— Réponds-moi.

Lorenzo arqua son dos fatigué.

— A dire vrai, j'en sais rien. C'est ta sœur. Qu'est-ce que t'en penses, toi ?

Martin laissa s'écouler quelques secondes avant de répondre :

— Elle est complètement jetée, mais elle a bon cœur.

Une silhouette apparut au bas de la Cuvette, entreprit de la traverser en diagonale depuis Hurley Street. C'était Hootie Charles, avançant d'un pas élastique, un grand sac en plastique dans chaque main, tout à fait indifférent, semblait-il, à la présence des deux flics pourtant bien en vue. Martin dut même crier, « Hé ! », pour lui faire tourner la tête de leur côté. Sans ralentir, Hootie changea de cap, se dirigea vers leur caisse qu'il fixait de ses yeux de drogué au crack.

— Merde, d'où tu viens, toi ? lui lança Martin.

Hootie posa ses sacs, secoua ses bras.

— J'étais dans le parc.

— Dans le parc ? T'es entré comment ?

— En marchant, tiens.

Lorenzo et Danny inspectèrent les entrées, étroitement gardées.

— Comment t'as fait ? demanda Martin.

— Ben, comme on fait pour marcher, répondit Hootie. (Il se tourna vers Lorenzo.) Pourquoi il me demande ça ?

De l'index, le policier dessina un rond au-dessus de sa tête, pour englober la totalité des points cardinaux.

— T'as pas vu les voitures de police ?

— Tu sais que tout le monde te cherche ? dit Danny.

— Moi ? Pourquoi ?

— T'étais où, cette nuit ?

— Moi ?

L'inspecteur alluma une cigarette.

— T'as recommencé à piquer des bagnoles ?

— Moi ?

— T'as piqué la bagnole de ma sœur ?

— Moi ? répéta Hootie, qui se tourna de nouveau vers Lorenzo. De quoi il parle ? Qui c'est, sa sœur ?

Martin revint à la charge :

— T'étais où, cette nuit ?

— Moi ? A une veillée.

— Une quoi ?

— Une veillée, pour mon père, au... (Hootie claqua des doigts.) Comment, déjà ? Au Camelot. Il est mort, alors on a fait une veillée... Oh ! s'écria-t-il, si brusquement que les deux flics sursautèrent. Elle s'est fait jeter de sa caisse ? Ouais, j'en ai entendu parler. Comment elle va ?

Martin désigna du menton les deux sacs.

— C'est quoi ? Fais voir.

Hootie ouvrit à contrecœur l'un des sacs, montrant une grosse boîte encore emballée de pastilles à la menthe et à l'eucalyptus.

— Tu dois avoir salement mal à la gorge, dit Lorenzo. (Il

regarda dans l'autre sac, qui contenait la même chose.) Conrail organise une vente ?

Martin regarda le fond de son gobelet, le lança dans un des sacs.

— Non, je les ai trouvés, affirma Hootie.

— Ah ! ouais ?

— Dans le parc. Regarde mon fute, mec. (Il tira sur les poches pour faire danser les revers de son pantalon.) C'est de la boue. De la boue du parc. Je me suis pas approché du train.

— Voilà ce que j'ai pour le moment, dit Martin, déroulant le portrait-robot. Qui c'est ?

Hootie prit le dessin, l'examina, le rendit.

— Personne que je connais. C'est pour cette histoire de tire ? J'ai entendu dire que c'était Army Howard.

Il parlait du coin de la bouche, comme si, en ne remuant pas les lèvres, il parviendrait à masquer le fait qu'il parlait à deux flics, en plein milieu d'une Cuvette par ailleurs déserte.

— Où t'as entendu ça ? demanda Martin d'un ton indolent, Army Howard étant un animal d'une tout autre espèce.

— A la veillée pour mon père. Quelqu'un a prononcé son nom, mais je me rappelle plus qui. Qui c'était, bon Dieu ?

Les deux flics gardant le silence, Hootie souleva ses sacs pour partir mais Danny lui saisit le poignet.

— Buster, dit-il, usant du surnom de Hootie à Gannon. C'est ma chair et mon sang, ce gosse. Celui qui nous aide aura droit à un laissez-passer à vie, tu m'entends.

— Merde, laissa échapper Hootie, reposant ses sacs. Alors, vous pouvez m'appeler Rintintin, parce que je vais vous le trouver, le tuyau.

Il souleva de nouveau ses sacs et s'éloigna. Les deux flics demeurèrent assis sur leur caisse, silencieux, la mine sombre. Quelques minutes plus tard, Leo Sullivan fit son apparition par la sortie Gompers, un *New York Post* roulé dans une main. En arrivant à la caisse, il s'accroupit devant les deux flics, tint le journal par les coins supérieurs pour que la une se déroule comme une proclamation.

Lorenzo contempla une photo d'une demi-page prise la veille à Armstrong : Brenda, penchée en avant comme pour plaider sa cause auprès de quelqu'un, le visage crispé de chagrin, les mains bandées tendues dans un geste de supplication. A l'arrière-plan, une douzaine de locataires de la cité regardaient cette femme ou l'objectif avec des yeux éblouis par le flash. L'appareil avait saisi Danny, en partie hors du cadre, en train de la chasser de la main. Le titre s'étalait en caractères aussi gros que pour Pearl Harbor :

LE FRUIT DE MES ENTRAILLES

Les premières grosses gouttes d'une averse criblèrent le journal et étoilèrent la terre battue de la Cuvette. Leo Sullivan détala vers le passage couvert le plus proche, mais ni Danny ni Lorenzo ne firent le moindre mouvement pour se mettre à l'abri.

Sept heures du matin n'était pas la meilleure heure pour patrouiller dans JFK en quête d'indics, mais Council avait accepté de tenter le coup avec Martin assis à côté de lui, essentiellement pour cimenter la trêve.

— Mon équipe, marmonna Danny en montrant une demi-douzaine de toxicos totalement stone rassemblés sur les marches d'une ancienne synagogue transformée en église pentecôtiste.

Lorenzo eut un sourire machinal, continua à rouler. Il aimait le boulevard à cette heure matinale. Le silence, la lumière douce donnaient aux devantures repeintes en couleurs criardes et aux immeubles abandonnés un air mélancolique et gracieux qui, selon lui, révélait sur cette artère une vérité plus profonde que les activités fébriles qui s'y déroulaient à n'importe quel autre moment du jour ou de la nuit. La plupart des gens debout à la lisière de JFK étaient déjà sur l'affaire. Flics et bénévoles — un par pâté de maisons, à peu près — collaient des exemplaires du portrait-robot sur les réverbères et les planches condamnant les fenêtres des boutiques fermées, sur les rideaux de fer baissés.

A l'entrée du boulevard, au cœur de Dempsy, les signes en langage secret, les brèves conversations par la vitre — aveux d'ignorance sincèrement désolés, pour la plupart — s'adressaient tous à Lorenzo. A mesure que la voiture s'approchait de la limite de Gannon, Martin commença à avoir lui aussi des clients : des flics de Gannon qui s'étaient portés volontaires pour l'affichage en dehors de leur service, ou des jeunes de Dempsy avec qui il avait un arrangement.

Lorenzo eut l'impression que Danny manquait de conviction, qu'il faisait ça machinalement pour chasser de son esprit des spéculations sur sa sœur difficiles à accepter.

— Arrête-toi, dit Martin désignant un fantôme de deux mètres dix qui essayait furtivement d'attirer leur attention.

Agitant une main à hauteur des genoux, le gars regardait partout sauf en direction des deux inspecteurs dans la voiture banalisée.

— Luther, grommela Lorenzo, qui tourna pour se garer dans une rue latérale.

Danny et lui attendirent quelques minutes en silence que l'échalas les rejoigne en faisant le tour du pâté de maisons. Lorenzo avait une expression morose : de tous les dealers, Luther Ingram était celui qu'il détestait le plus voir dans le coin. Quinze ans plus tôt, Luther était la vedette de l'équipe de basket du lycée Saint Mary. Un an après, il se faisait arrêter au cours d'une descente de police dans une fumerie de crack de Las Vegas. C'était pendant le premier trimestre de ses études dans une fabrique universitaire de champions de basket ; depuis, sa vie ressemblait à un poteau enduit de suif.

— Quoi de neuf, mon frère ? demanda Danny au grand type qui devait se pencher si bas pour poser ses coudes sur le bord de la fenêtre que son dos s'arrondissait trente centimètres au-dessus de sa nuque. Qu'est-ce que tu sais, qu'est-ce que tu racontes ?

— Ben, je voulais juste te remercier de ce que tu as fait pour mon fils, Danny.

Lorenzo regarda par sa fenêtre pour n'offrir que le dos de sa tête à Luther. Plus haut sur le boulevard, il vit Rafik Aziz, docteur en nutrition islamique, ouvrir sa cafétéria, L'Enfant de Dieu, et son Musée de l'Histoire noire. Son *kufi* en brocart et la barbe qui suivait avec précision la ligne de sa mâchoire lui donnaient un air de sorcier. C'était un musulman converti en prison, un afrocentriste autodidacte et prosélyte dont la mission déclarée consistait à détourner le citadin noir de ses habitudes alimentaires suicidaires. C'était aussi l'un des hommes les plus en colère que Lorenzo eût jamais rencontrés.

— Comment ça va, Big Daddy ? lança soudain Luther d'une voix forte à l'épaule de Council.

— Ça va, répondit Lorenzo, qui se tourna lentement et lui adressa un sourire sans joie. Et toi ?

Luther haussa les épaules. Les premières fois que le policier avait dû l'arrêter pour trafic de rock[1], ils avaient parlé de le remettre en forme, de lui donner une chance, peut-être dans le basket semi-professionnel, ou de le renvoyer à l'école, comme entraîneur. Lorenzo était même allé jusqu'à arranger un essai avec l'équipe des Ruffnecks du New Jersey, mais ce jour-là, sur le terrain, Luther avait été nul, et au cours des treize arrestations qui avaient suivi, il n'avait plus été question de sports ni d'enseignement.

— Alors, il est retourné au bahut, Dion ? dit Martin, les deux pouces dressés.

— Ouais, c'était qu'une expérience de recherche d'identité, et je crois, *j'espère*, l'expérience ayant foiré...

— Je lui ai fait faire un petit tour à la prison du comté, en tête à tête, il te l'a dit ?

— On se parle plus. C'est par sa mère que j'avais appris qu'il déconnait...

L'ex-champion se redressa, fit rouler sa tête, se pencha de nouveau.

— Lorenzo, tu connais Dion, son môme ? demanda Martin, réprimant un bâillement.

— Ouais, grogna Council, qui examina Luther des pieds à la tête.

Il avait l'air malade d'un toxico : les mains gonflées, les yeux vitreux.

— Un petit gangster en herbe, hein, Luth ? poursuivit Martin. Il était en train de dealer au coin de Willow, vers deux heures du mat'. Luther vient me voir et me dit « Fais quelque chose », alors je me pointe, je l'entraîne à l'écart de son équipe, je le fouille. Il commence à rouler sa caisse : « Je connais mes droits... »

— Et, tiens, un crochet du gauche pour aller avec tes droits, marmonna Lorenzo, détournant de nouveau la tête.

Il repéra la Poisse qui remontait le boulevard en collant des affichettes.

1. Cocaïne à fumer. *(N.d.T.)*

— Exactement. Sur le cul, le môme. « Hé, pourquoi vous me frappez, j'ai que treize ans ! — Ah ! ouais ? je fais. Y a deux minutes, t'étais un homme, un vrai. »

Lorenzo décelait un enjouement forcé dans le récit de Martin, qui tentait de regonfler son propre esprit amorphe par ce petit épisode martial.

— « Je connais mes droits », répéta Luther avec un rire. C'est tout lui, ça.

Il laissa sa tête tomber sur ses poignets mais la releva quelques secondes plus tard, souriant. Il n'y avait pas un flic du comté qui ne lui avait laissé une chance à un moment ou à un autre. Personne n'avait vraiment envie de l'agrafer, vu la promesse brisée de son talent et la douceur mélancolique de son comportement. Il tendit la main à l'intérieur de la voiture.

— Ouais, je te remercie, parce que j'avais peur qu'il prenne le même chemin que moi, tu vois ce que je veux dire ? Et ce serait une... une tragédie, parce qu'il a un potentiel, mon fils, il est loin d'être bête. En fait, il est en sous-régime. Il ne maîtrise pas totalement l'intelligence que Dieu lui a donnée, tu vois ce que je veux dire ?

— Et toi, Luth, t'es quoi ? ne put s'empêcher de lui lancer Lorenzo.

— Moi ?

Luther suçota les dents qui lui restaient, regarda le boulevard, ouvrit la bouche pour répondre, se ravisa et dit à Martin :

— En tout cas, je crois qu'il a reçu le message, alors, merci.

Danny prit la main tendue, la garda.

— Luther, tu sais qui c'est ? demanda-t-il en montrant le portrait-robot. Qu'est-ce que t'as entendu ?

Le drogué fit un bruit de vapeur qui s'échappe.

— Ce que j'ai entendu ? J'ai entendu Army Howard, mais c'est pas moi qui vous l'ai dit.

Martin se tourna vers Lorenzo, qui hocha la tête — « Je m'en occupe » — en se récitant mentalement le numéro du bipeur d'Army. Luther s'éloigna, gifla le toit de la voiture en guise d'adieu. Lorenzo était étonné qu'il ne les ait pas tapés de quelques dollars.

Sur le boulevard, la Poisse se dirigeait vers L'Enfant de

Dieu en collant ses affichettes. Rafik, toujours dehors, balayait ses trois mètres carrés de trottoir. Lorenzo vit le mouvement de son balai se raidir à mesure que les affichettes se rapprochaient de son établissement. Le policier eut l'impression d'assister à une collision au ralenti.

Quand Danny et lui se garèrent devant L'Enfant de Dieu, la Poisse et Rafik avaient déjà entamé la confrontation. Iovakas, rouge cerise, agitait une poignée de portraits ; Rafik, jambes écartées, croisait les bras sur la poitrine tel un génie de conte arabe.

Council descendit de voiture et s'approcha comme s'il venait simplement bavarder. Resté sur son siège, Martin regardait fixement devant lui, les paupières mi-closes.

La Poisse se tapota la tempe avec ses affichettes.

— Je te comprends pas, dit-il à Rafik. Tu veux pas qu'il aille au trou, ce mec ? Je croyais que t'étais un grand défenseur de la communauté.

— Quel mec ?

— Çui-là, répondit le policier, frappant de ses jointures le dessus de la pile.

— Qui c'est ?

— Je sais pas. C'est pour ça qu'on met des affichettes.

— Exactement, répliqua Rafik.

La discussion prenait le rythme d'une partie de ping-pong haineuse, et Lorenzo se rapprocha encore, cherchant une ouverture dans laquelle se glisser.

— « Exactement », répéta Iovakas d'un ton écœuré. Je te comprends pas.

— Je sais bien.

Quelques lève-tôt s'attroupèrent, curieux.

La Poisse se tourna de côté, abaissa une épaule et demanda sur un ton plus intime :

— Je peux te poser une question ? S'il était blanc, ce fumier, tu me laisserais coller mes affiches sans problème, hein ?

— Hé, Nick, intervint Lorenzo, appelant le policier par son vrai nom.

Avec un rire forcé, il s'insinua entre les deux hommes, qui se déplacèrent l'un et l'autre vers la gauche pour se garder mutuellement dans leur champ de vision. Rafik pencha la tête sur le côté pour considérer la Poisse.

— Attends un peu. C'est pas toi le flicard qui a emballé

un frère hispanique l'année dernière ? Comment tu t'appelles, déjà ? La Passe ?

Parmi les curieux, des jeunes éclatèrent de rire en répétant : « La Passe ! »

— Tu parles du frère hispanique qui avait buté deux frères *noirs*. Ouais, c'est moi. Qu'est-ce que tu foutais ce jour-là, mon frère ?

Lorenzo jeta un coup d'œil à la voiture : Martin dormait profondément.

— T'es un péquenaud raciste, assena Rafik au policier.

— C'est *moi*, le raciste ? Montre un peu les brochures antijuifs que tu gardes dans ton musée de la haine.

— T'es qu'un enculé de bouseux, et tout le monde le sait... Combien y a eu de plaintes déposées contre toi, hein ? Combien ?

— Tu sais ce que je fais, toute la journée ? rétorqua la Poisse, serrant les dents. Je bosse dans cette putain de cité, je cravate des dealers, des mecs qui battent leurs femmes. Et toi, qu'est-ce que tu fous ? Qu'est-ce que t'es ? (Il jeta un regard méprisant sur l'enseigne de L'Enfant de Dieu, tracée à la main.) Le diététicien d'Allah ?

Rafik inclina une oreille vers l'épaule dans la pose du matador de D-Town.

— Tu cravates des frères parce qu'ils marchent trop vite, tu cravates des frères parce qu'ils te lèchent pas le cul, tu cravates des frères qui traînent dehors devant chez eux parce qu'ils ont pas de boulot, pas d'argent, pas d'endroit où aller...

— Ouais, dis-y ! l'encouragea une voix dans la foule.

— Je te pisse à la raie, dugland, éructa la Poisse, s'approchant encore. Tu veux jouer au con avec moi ? Vas-y, essaie, espèce de tache. Allez, essaie !

Lorenzo vit deux voitures de ronde et une camionnette de la télé à moins de deux cents mètres : tout le monde flairait le sang, maintenant. Il posa une main sur l'épaule de Iovakas, sentit la rage amassée, comme une bosse de bison, sous la chemise.

— Nick...

— Vas-y, essaie, murmura la Poisse, qui avait tellement envie de cette castagne que ses yeux s'embuaient de désir.

Vas-y, faux cul, vas-y, bonimenteur. Bouge un peu voir le petit doigt.

— Suffit que t'enlèves ton insigne.

— Faut pas que ça t'arrête.

— Enlève ton insigne.

— Faut pas que ça t'arrête.

Les deux hommes tremblaient, s'aspergeaient de postillons, uniquement retenus par une conscience innée des conséquences d'après la bataille.

Finalement, Council plaqua une main sur chaque poitrine, les écarta d'une bourrade, repoussant Rafik dans l'ombre de son magasin et la Poisse vers le caniveau.

— Allez, arrête-toi cinq minutes, dit-il au policier en l'éloignant de la boutique avec une maladresse étudiée.

— C'est comme ça que tu nous soutiens ?

— T'allais perdre les pédales, Nick.

— Dis pas de conneries.

Rafik disparut à l'intérieur, revint un instant plus tard avec un tuyau de plomb de cinquante centimètres de long. Iovakas considéra l'arme avec mépris puis se tourna vers Lorenzo.

— Comment t'oses prendre son parti...

— Hé, regarde, le coupa Council, montrant la camionnette de la télé qui venait de s'arrêter en double file. Tu veux être le Flic du Mois ? C'est tes fesses que j'essaie de sauver, pas les siennes.

La Poisse se mit à aller et venir pour se calmer. Lorenzo se retourna, indiqua la matraque dans la main de Rafik.

— Et toi, fais-moi disparaître ce machin.

— C'est ça, Oncle Cecil, défends-le...

— Hé, dit Council, marchant sur lui, t'as pas l'air de savoir qui je suis...

Le nutritionniste le congédia d'un revers de main puis rentra vite fait dans sa boutique d'un pas sautillant.

Furieux, Lorenzo fixa des yeux l'entrée quelques secondes avant de se ressaisir et de reporter son attention sur Iovakas.

— Viens, je t'emmène, grogna-t-il, luttant contre une envie de cogner les crânes des deux hommes l'un contre l'autre.

— Attends.

La Poisse contourna Lorenzo, se tourna de nouveau vers le magasin.

— Hé ! Tu veux pas accrocher le portrait de ce babouin ? cria-t-il. Pas de problème. (Avant que quiconque pût l'en empêcher, il jeta tout le paquet d'affichettes par la porte, des centaines de portraits-robots qui tombèrent sur les tables et le comptoir.) Je t'en laisse quand même quelques-uns au cas où tu changerais d'avis.

Il fit volte-face, bouscula Council au passage et partit en trombe vers le centre de Dempsy. Une centaine de mètres plus loin, il se retourna et, marchant à reculons, beugla :

— Choisis ta couleur, Council ! Noir ou bleu.

Fou de rage mais neutralisé par la foule, par les regards, Lorenzo regagna sa voiture. Danny Martin était parti, lui aussi. Lorenzo se redressa, le vit marchant dans le sens opposé à Iovakas, le corps raide, les mains aux tempes, les coudes écartés, en direction de la limite de Gannon.

Après avoir vainement patrouillé seul une heure de plus, le remake obsédant de la scène dans sa tête le rendant aveugle au monde extérieur, Lorenzo retourna à Armstrong avec l'intention de se glisser dans l'appartement de sa mère pour dormir quelques heures.

Bien qu'il ne fût pas encore dix heures quand il s'extirpa de la coquille climatisée de sa voiture pour fouler l'asphalte fissuré de Hurley Street, l'air épais montait en ondulant du trottoir comme d'un barbecue. Là-haut sur la voie ferrée, derrière le campement des médias, une procession de wagons chargés de conteneurs Tropicana avançait lentement vers Newark, leurs flancs orange vif soulignant par contraste l'atmosphère étouffante, sans issue, d'une journée d'été moite dans la cité. La plupart des gosses montant et descendant le mur en pente, garçons ou filles, étaient à présent nus jusqu'au coccyx, et plusieurs cameramen, sur la colline, portaient une serviette mouillée sous leur casquette de base-ball. Mais aux yeux de Lorenzo, le seul changement important depuis la veille, c'était la présence accrue de flics noirs : quelqu'un en haut de l'échelle avait eu la sagacité de prendre cette mesure en profitant des changements d'équipes de sept heures.

Dans le hall du Bâtiment 5, Lorenzo décida qu'il était trop vanné pour monter par l'escalier et finit par attendre l'ascenseur pendant cinq bonnes minutes. Il faillit tourner de l'œil dans la cabine qui le hissait en tremblant au quatrième étage. Dans la pénombre sépia, il vit Felicia Mitchell à l'autre bout du couloir long et étroit, devant la porte de l'appartement de sa mère : apparemment, elle l'attendait.

Il ralentit en s'approchant d'elle, tenta de deviner le problème.

— Salut, j'allais t'appeler, justement.

Elle semblait désemparée, la blouse à moitié sortie du jean, ses cheveux courts pointant dans une demi-douzaine de directions.

— On a retrouvé le petit ? s'enquit-elle, presque machinalement.

— Pas encore.

— Lorenzo, il faut que je te parle, dit Felicia, dont la voix se fit pressante. Tu connais Billy ?

— Billy ?

— Mon ami.

— Non, je l'ai jamais rencontré.

— Il s'est mis à me battre.

Une des portes s'entrouvrit, et Council agita deux doigts à l'intention de la vieille femme qui lorgnait par l'entrebâillement, geste à mi-chemin entre « Bonjour » et « Occupez-vous de vos affaires ». La porte se referma.

— Il m'a frappée, hier et aujourd'hui.

— Qu'est-ce que tu veux dire ? demanda-t-il, distrait par une autre porte entrouverte, un autre œil inspectant le couloir.

— Je veux dire ça, répondit Felicia. (Elle se tapota la pommette mais la lumière était trop faible pour qu'il puisse constater les dégâts.) Ça fait dix ans qu'on vit ensemble, jamais il avait... Lorenzo, faut que tu viennes chez moi lui parler.

— Pas maintenant, Felicia.

— Ce soir, alors.

— J'essaierai, dit-il, cherchant à tâtons la clef de sa mère dans sa poche. J'ai un emploi du temps plutôt chargé, en ce moment, tu sais.

— Je sais.

— T'as quelque chose pour moi sur cette affaire ?

— Brenda ? (Lorenzo attendit sans ouvrir la porte de l'appartement.) Je sais pas. C'est une fille sympa.

— Ouais ? Elle a un mec ?

— Je sais pas. Elle est sympa, c'est tout.

— Tu seras à Jefferson, aujourd'hui ?

Elle tâta sa pommette.

— Ouais. S'il me tue pas avant.

— Je passerai te voir, OK ? J'ai quelque chose à te demander.

— D'accord. (Felicia soupira, saisit la main tenant la clef.) Lorenzo, il faut que tu viennes ce soir lui parler. Sinon, je le jure devant Dieu, j'irai trouver la police.

Il s'introduisit dans l'appartement. Au programme : dormir une heure, avoir quelques conversations, récupérer Brenda vers midi, la reconduire sur le lieu du crime pour voir comment l'endroit lui semblait après quelques heures de réflexion.

Sa mère étant à Atlantic City pour une virée de trois jours dans les casinos avec ses deux sœurs, Lorenzo avait l'appartement pour lui seul. Il se mit en slip, se tint devant la porte ouverte du réfrigérateur pour avoir un peu de fraîcheur, éclusa toute une bouteille de jus d'orange en se repassant mentalement les commentaires de la Poisse, lui rétorqua avec retard : « On choisit pas entre noir ou bleu mais entre bien ou mal. » C'était la réponse qu'il donnait généralement quand un frère lui faisait le coup du noir ou bleu, encore que le riff émanant de ce camp était un peu plus poétique : « Ou t'es noir, ou t'es bleu, et si tu tournes le dos, tu pourrais bien devenir les deux. »

Il avala deux bouteilles de yoghourt et trois gaufres Eggo, ces dernières non grillées, et réussit à chasser Iovakas de son esprit. Il s'efforça de faire de même avec Rafik, mais ce qualificatif d'Oncle Tom était comme un cil sous la paupière. Il avait l'habitude que des flics blancs l'accusent, le plus souvent de manière insidieuse, d'être d'abord un Noir. Mais rien ne le mettait plus en fureur qu'une remise en question de son sentiment d'identité par un membre de la communauté noire, d'où que vienne l'accusation, et aussi délirante soit-elle.

Oncle Tom...

Il prit une douche, mit un slip propre et alla dans son ancienne chambre. Les posters de Gil Scott Heron et des Last Poets fixés au-dessus de son lit ornaient le mur depuis 1972. La photo de l'équipe de gymnastique du lycée de Dempsy montrant le sauteur de soixante-dix kilos qu'il était alors trônait sur son bureau dans son cadre en plastique rayé depuis 1969.

A quarante-sept ans, Lorenzo était trois fois grand-père. Deux petites-filles de son fils Reggie, prof de maths, et un petit garçon de deux ans de son autre fils, Jason, en train de tirer une peine de trois à cinq ans à l'annexe de la Maison de correction du comté de Dempsy. Le fait de se glisser, à ce stade de sa vie, dans le lit étroit de son adolescence provoquait toujours en lui une vague de peur, un sentiment de vertige, de solitude et de mort imminente. Etendu sur la mince couverture à fleurs, fixant le plafond, il se demandait combien de temps ce dernier retour chez sa mère durerait.

Lorenzo et sa femme, Frankie, étaient ensemble depuis le lycée ; leur trajectoire de séparations et de réconciliations s'étendait sur les vingt-sept dernières années comme une interminable série de 8. La plupart du temps, ils avaient rompu parce qu'il buvait et se droguait, mais depuis qu'il s'était assagi, les disputes avaient pris un caractère plus inquiétant puisqu'elles reposaient sur une évaluation claire et froide de l'autre, sans la dramatisation extérieure de l'alcool ou de la dope.

Lorenzo était convaincu que Frankie le préférait défoncé. Elle avait l'habitude de tenir dans le couple le rôle de la personne responsable, elle s'y sentait à l'aise. Elle semblait lui en vouloir plus maintenant qu'à n'importe quel moment de sa vie de camé et l'accusait d'être indifférent, irrespectueux, insupportable. Elle n'acceptait pas qu'il tente, depuis son sevrage, de reprendre en main le destin de la famille, comme si, pendant des années, elle n'avait fait que chauffer le trône pour lui. Maintenant qu'il avait réglé ses problèmes, elle était censée s'effacer pour laisser la place à l'Homme. Il refusait d'envisager qu'elle puisse avoir raison, de considérer la possibilité qu'il soit de nouveau en train de lui faire son numéro, de façon clean, cette fois. Il s'y refusait parce que, s'il ne lui était pas trop difficile de reconnaître ses torts avec la plupart des gens, il sentait confusément que, s'il présentait des excuses à Frankie pour quoi que ce soit, la plus infime peccadille, le barrage se romprait et qu'il passerait le reste de leur vie commune à s'excuser, chaque fois pour une faute plus grave que la précédente, jusqu'à la faute capitale : l'emprisonnement de Jason.

N'empêche qu'elle le préférait quand il faisait le con, il en était certain. Il régla la sonnerie du réveil en se disant : On s'en sortira. Il appela le bipeur d'Army Howard, son numéro suivi du 666, en pensant : On s'en sort toujours.

Army le rappela moins de cinq minutes plus tard.

— Big Daddy ?

— J'ai besoin de te voir.

— Quand ?

— Maintenant. Dans une heure.

— Une heure ?

— Ça fait soixante minutes.

— D'accord.

— Soixante minutes à partir de maintenant.

— Je serai devant la prison, dit Army.

— L'ancienne ou la nouvelle ?

— L'ancienne.

— Soixante minutes, Army.

— J'y serai.

— Et ta petite-fille ?

— J'ai dû la laisser à l'hôpital.

— Elle s'en tirera ?

— Je sais pas. J'espère.

— Bon. Soixante minutes.

Lorenzo raccrocha, ferma les yeux. Rafik qui le traitait d'Oncle Tom... Il ouvrit les yeux. Il n'avait pas dit « Oncle Tom », il avait dit « Oncle Cecil ». Lorenzo se redressa brusquement dans le lit : C'est quoi, un « Oncle Cecil » ?

10

En ce premier jour de juillet, Jesse fut éveillée par un doux cliquetis de vaisselle. Se redressant dans son fauteuil, elle vit Ben dans la cuisine, Brenda couchée sur le canapé convertible ouvert. Prise de panique, elle se demandait quelle heure il pouvait être quand son frère annonça à voix basse, sans qu'elle lui ait posé la question : « Neuf heures et demie. » Il fallut une minute à la journaliste pour établir son programme : appeler Jose illico, dire bonjour, raccrocher, rappeler à une heure avec la tête claire pour la réunion de l'après-midi : rien qu'un avant-goût pour les faire tenir tranquilles. Le *Register* étant un journal du soir, elle aurait jusqu'à cinq heures et demie, six heures, pour pondre son article. Jesse maîtrisait la situation. Elle avait l'intention de maintenir son rédac-chef à l'écart d'une main tout en serrant Brenda de l'autre, en la gardant collée à elle comme une sœur siamoise pendant le ou les jours à venir, en lui pressant la main à l'enterrement ou pendant les retrouvailles. A la réflexion, Jesse pariait plutôt sur un enterrement, et peut-être une mise en accusation.

D'une pression des jointures, elle chassa le sommeil de ses yeux, regarda Ben nettoyer le comptoir de la cuisine avec une petite éponge à récurer, ce geste minutieux et délicat de propriétaire donnant plus de volume encore à sa masse. Jesse alluma une cigarette, murmura :

— Qu'est-ce que tu fous ici ?

— J'ai chargé le voisin du dessous de garder la porte pour moi, répondit-il, montrant la moitié déchirée d'un billet de vingt dollars. Sympa, le mec.

— Comment tu es entré ?

Il posa deux verres de jus d'orange sur la table.

— Pense à fermer la porte à clef, la prochaine fois.

Brenda se réveilla avec un sanglot, se mit en position assise sur le canapé. Sa peau, autour des yeux, était rose, fripée. Elle porta les mains à sa tête, regarda autour d'elle d'un air affolé.

— Qu'est-ce qui s'est passé ?

Jesse ne savait pas si elle voulait une récapitulation complète du cauchemar ou une simple mise à jour sur les deux dernières heures.

— Pas de nouvelles.

— Ils l'ont pas retrouvé ?

— Non.

Brenda regarda Ben, qui lui dit bonjour en faisant glisser un verre de jus d'orange dans sa direction. Elle enfonça ses doigts dans sa chevelure.

— Où est l'inspecteur ?

— Il a probablement décidé de vous laisser dormir.

— Il m'a pris mes pilules contre la douleur. Oh ! gémit-elle, inclinant son visage vers ses mains bandées. Oh ! mon Dieu, Cody. J'ai fait un rêve.

Jesse tendit la main vers son bloc-notes sans la quitter des yeux.

— J'ai fait un rêve, répéta Brenda, écartant son visage de ses mains. Il y avait neuf Cody, j'en avais neuf. Chacun âgé de six mois de moins que le suivant : deux ans, deux ans et demi, trois ans. Quand ils ont cet âge, on les quitte un week-end, on retrouve un gosse complètement changé, mais là, c'était comme s'ils étaient sortis l'un de l'autre pour devenir des enfants séparés, du nouveau-né au gosse de quatre ans et demi. Et ils faisaient tous des choses différentes, ils ne jouaient pas ensemble. Il y en avait neuf mais c'était comme si chacun d'eux était seul, et je ne pouvais pas les aider, je ne pouvais pas les réunir. Je voulais qu'ils deviennent amis, qu'ils ne soient plus seuls, mais ils... ils tournoyaient autour de mon lit, chacun sur son orbite. C'était si triste. J'aurais voulu qu'ils se protègent l'un l'autre, qu'ils s'aiment, parce que...

Elle se tut, accablée par sa vision.

— Ce n'était qu'un rêve, dit Jesse, griffonnant à l'aveuglette.

Brenda essuya ses larmes avec le coin de la couverture.

— Je sens encore l'odeur des cheveux du bébé. Jesse, vous connaissez une odeur au monde qui ressemble à celle des cheveux de votre bébé ?

— Aucune, répondit la journaliste prudemment.

Elle n'aurait pas cru que la jeune femme se souviendrait de son nom et trouvait agaçant de l'entendre dans sa bouche.

Ben versa deux tasses de café. En plus des cigarettes, des vitamines et du maquillage de sa sœur, il avait apporté un T-shirt propre, un jean, des sous-vêtements de rechange, le tout soigneusement plié sur la moquette près du fauteuil, avec une brosse à dents et un peigne croisés par-dessus. Parfois, Ben lui donnait la chair de poule.

Il alla prendre un sac en plastique rouge dans la cuisine, disposa une douzaine de CD en éventail au pied du convertible.

— J'ai trouvé Solomon Burke et Don Covay, pas les autres, mais j'ai appelé des gens que je connais et, de l'avis général, si vous aimez ce genre de musique, ceux-là vous plairont sûrement aussi.

De la main il indiqua des disques de Linda Jones, Joe Tex, Johnny Taylor, Z.Z. Hill, Chuck Jackson, Doris Troy.

— « Just One Look », lut Brenda à voix haute, pour elle-même.

— Un des gars à qui j'ai demandé a vécu à Memphis, il dit que ça devrait coller pile avec vos goûts.

Elle regarda les CD, battit des cils, leva les yeux vers Ben.

— Merci.

— Je vous en prie. Si je peux faire autre chose pour vous...

Brenda rejeta la couverture d'un geste faible, se leva. Après trois pas, ses jambes se dérobèrent sous elle mais Ben la rattrapa par les coudes.

— Je vous tiens, dit-il d'une voix légère, encourageante, le visage soudain gris d'épuisement.

Sans lâcher Brenda, il se tourna vers sa sœur, lui adressa ce qu'elle supposa être un clin d'œil réconfortant mais, vu son état de fatigue, cela ressemblait plutôt à un tic facial.

Brenda se dégagea, alla en titubant à la salle de bains, ferma la porte derrière elle.

Ben plongea la main dans une de ses poches, remit à sa sœur deux numéros de téléphone écrits sur des Post-it.

— Celui-ci, c'est les voisins du dessous, les Cromarty : ils ne la connaissent pas vraiment ; l'autre, c'est sa mère. Je ne sais pas comment tu peux jouer le coup...

— Ça va ? lui demanda Jesse.

Elle songea un instant à lui demander comment il s'était procuré les disques si vite, même chose pour le numéro de la mère, mais elle savait qu'il prendrait plaisir à faire le mystérieux avec elle.

— Ça va, assura-t-il, passant une main sur son front bordé de sueur. Il fait chaud, aujourd'hui.

— Bois mon jus d'orange.

— Ça va.

— Tu peux toujours assurer, en bas ?

— Sans problème.

— Les voisins, j'aime pas trop...

— Compris, dit-il en se dirigeant vers la porte.

— Comment tu as eu les CD ?

Ben haussa les épaules et, fier de lui, retint un sourire.

— Bureau des services rendus. (Il ouvrit la porte, sortit la tête dans le couloir, la repassa à l'intérieur.) Jesse ? dit-il à voix basse. Je te parie vingt sacs qu'elle en sait plus qu'elle n'en dit.

Comme il refermait la porte derrière lui, elle envisagea d'appeler Jose avec son portable mais y renonça finalement en se rappelant l'habileté du rédacteur à lui soutirer une histoire avant qu'elle soit prête à la raconter. Elle ne le savait que trop, l'évangile de neuf heures du matin peut devenir la connerie de six heures du soir.

Une heure plus tard, assise sur la cuvette des WC de l'appartement de Brenda, Jesse entendit des voix juste au-dessus de sa tête :

— Quelqu'un a parlé au frère ?

— Je sais pas.
— Et le père ?
— Il est quelque part à l'étranger. Au Costa Rica ?
— La grand-mère ?
— On est dessus.
— Qui est dans l'appartement avec elle ?
— Un *runner* quelconque du journal local.
— Merde. Il est où, cet appart' ?
— Juste en dessous, je crois.
Jesse leva la tête. Les voix provenaient du toit, lui parvenaient par le conduit d'aération. « Un *runner* quelconque », pensa-t-elle avec agacement. Au moins, moi je suis entrée par la porte, mon petit monte-en-l'air.
De retour dans le séjour étouffant, elle vit Brenda jeter un coup d'œil par la fenêtre en soulevant le store. Jesse s'approcha, considéra l'attroupement lâche de cameramen et de voisins dans la rue, en bas. Quelques-uns appelèrent pour inviter Brenda à se montrer et Jesse augmenta le volume du lecteur de CD pour couvrir leurs voix.
— Restez pas là.
Elle prit Brenda par la taille, la ramena au canapé.
— Qu'est-ce qu'ils pensent de moi ?
— Ils pensent que vous traversez un véritable enfer. Qu'est-ce que vous voulez qu'ils pensent d'autre ?
Jesse avait posé la question à dessein, mais Brenda ne mordit pas à l'hameçon. Elle s'assit au bord du convertible et fredonna en même temps que le chanteur : une histoire de grand amour, de grande souffrance.
— L'inspecteur viendra me chercher quand ? enchaîna-t-elle, comme si la phrase faisait partie de la chanson.
— Il vous laisse dormir. Il viendra, croyez-moi.
Jesse aurait pu l'appeler sur son bipeur mais elle était elle-même en proie à une vive angoisse. Cette nouvelle journée la terrorisait autant que Brenda : l'arrivée de Council marquerait pour elle la fin du monopole. Dans un accès de panique, elle eut soudain envie de demander simplement à Brenda si elle savait où était son fils, oui ou non.
— Il faut que je vous dise une chose. Quand il sera ici... C'est le meilleur mais préparez-vous, parce que si on n'a pas retrouvé votre fils d'ici là, il vous posera probablement des questions difficiles...

Elle laissa la phrase en suspens, observa Brenda.

En bas, une voix appela :

— Brenda ! Descendez ! On vous fera passer à la télé ! Vous pourrez parler au type en direct !

Brenda mit un autre CD, et l'intro de « Higher and Higher » retentit dans la pièce. Elle ferma les yeux, se hissa à demi sur la pointe des pieds, comme si la voix de Jackie Wilson suffisait à la soulever, à l'arracher à ce lieu, à cette douleur.

J'ai eu le cœur brisé...

Elle remuait les lèvres pour accompagner la chanteuse.

Le désenchantement
Etait mon meilleur ami
Mais tu es venu
Et il est parti

Elle oscillait en mesure, en extase.

Il n'a jamais
Remontré son visage
Parce que ton amour...

— « Ton amour me soulève », roucoula-t-elle dans un murmure.

— Brenda ! cria quelqu'un dehors. Aidez-nous à vous aider ! Faites-le pour Cody !

De plus en plus haut...

Elle alla soudain à la fenêtre, écarta Jesse, releva le store. Son apparition suscita un remue-ménage en bas.

— Brenda, attendez, dit Jesse.

Elle la prit de nouveau par la taille comme dans une figure de *square-dance*.

— Je veux leur parler.

— C'est ce que vous vous imaginez, déclara la journaliste, du ton le plus désinvolte et le plus raisonnable qu'elle pût prendre. (Elle l'entraîna doucement vers le fond de la pièce, vers le lecteur de CD, baissa le son.) Croyez-moi. Si vous avez quelque chose à dire, ce n'est pas ici et pas à ces gens que vous devez le faire.

Brenda se figea, la regarda, l'air pas du tout idiote, et Jesse se dit qu'il fallait y aller en finesse. Elle ramena Brenda à la fenêtre, lui fit jeter un nouveau coup d'œil en bas. Trois cameramen bouquinaient sur leur chaise pliante, mais d'autres allaient et venaient, encore agités par l'apparition surprise de la mère de l'enfant.

— Vous voyez ces types ? Ils sont sous pression, ils se bousculent, ils se font des croche-pieds...

— Je veux simplement dire combien il me manque.

— Même ça, ils le saloperaient. Si vous descendez, vous aurez beau essayer de dire... Attendez.

Jesse prit Brenda par les hanches, la plaça juste en face de la fenêtre.

— Ne bougez pas...

Elle s'adossa au mur, tira sur le cordon du store, qui se releva avec un *zip* sec. Jesse regarda Brenda observer la réaction en bas, le passage abrupt d'une nervosité contenue à une agitation frénétique. La journaliste compta jusqu'à cinq puis baissa de nouveau le store, provoquant un concert de protestations exaspérées.

— Vous avez vu ? Ces types n'ont ni le temps ni l'envie de vous écouter vraiment. Vous sortez, vous ouvrez la bouche, ils vous réduiront à trois ou quatre bouchées sonores, ils vous peindront en noir ou en blanc. Et quand vous lirez ce qu'ils écriront sur vous, quand vous entendrez ce qu'ils diront, ce qu'ils auront fait de ce que vous leur aurez dit, vous vous arracherez les cheveux par poignées, vous hurlerez dans un trou noir. Les gens liront cette merde, ils verront cette merde, et ils croiront vous connaître.

Sentant l'attention de Brenda décroître, Jesse décida d'abréger :

— Si vous descendez, tout ce que vous direz reviendra vous hanter.

Brenda changea de CD, retourna s'asseoir au bord du canapé ouvert, le visage près des genoux. Une version féminine poignante de « For Your Precious Love » envahit la pièce. Jesse prit une inspiration, passa la vitesse supérieure pour conclure :

— Si vous voulez quand même parler, il y a un moyen d'éviter la fosse aux requins d'en bas. Confiez-vous à *moi*. Pourquoi ? Parce que je ne suis pas comme eux ? Parce que je suis la meilleure ? Non. Non. Si j'étais en bas, je mordrais moi aussi dans tout ce qui bouge, comme les autres. Mais je ne suis pas en bas. Je suis ici ; vous et moi, nous avons passé plusieurs heures ensemble. Je vous ai entendue raconter vos rêves, j'ai écouté vos disques. Vous êtes une *personne* pour moi.

Jesse tendit la main, toucha les genoux tremblants de la jeune femme.

— Vous pouvez me dire n'importe quoi, je le comprendrai. Vous m'aiderez à le comprendre. Ensuite, quand je le donnerai, quand *nous* le donnerons aux autres, sous la forme que nous voulons, ils le prendront tel quel, croyez-moi. Mais nous devons d'abord tout contrôler à la source. Sinon...

Jesse se tut, épuisée, submergée par une vague d'amour : pour son métier, pour cette femme, pour la situation. Et sachant que cette vague pouvait se retirer aussi vite qu'elle était venue, elle jeta tout ce qu'elle avait dans le finale :

— Brenda, je veux être avec vous jusqu'au bout.

Elle fut étonnée d'entendre sa propre voix se serrer, étonnée par la sincérité ardente de ses propos.

Brenda leva les yeux, murmura :

— Personne peut être avec moi jusqu'au bout.

— Je ne comprends pas. Pourquoi ?

Le pli de la bouche de Brenda avertit Jesse qu'elle allait trop loin, trop vite. Elle se redressa pour la laisser respirer.

Brenda alla mettre un autre disque, augmenta le volume du son et se réfugia dans la salle de bains. Jesse alluma une cigarette, résolut de faire marche arrière, ou tout au moins de trouver une manière d'avancer qui aurait l'air d'une retraite. Brenda revint, le visage luisant d'eau.

— Où est-ce que vous avez accouché ?

— Vous voulez dire dans quelle maternité ? dit Jesse, sur la pointe des pieds. En Floride.

— Vous savez où j'ai accouché, moi ? Dans une baignoire.

— Quoi ? Vous voulez parler de l'accouchement dans l'eau ?

— Je vivais seule à New York, dans un de ces vieux

appartements sans ascenseur du Lower East Side. J'avais une baignoire sabot dans la cuisine. J'étais seule, j'ai senti que ça venait. Je n'avais plus le temps de... Je me suis accroupie dans la baignoire... et je l'ai fait. Lui et moi, on l'a fait.

— Mon Dieu, murmura Jesse, à la fois effrayée et admirative.

Brenda pencha la tête sur le côté, leva un doigt.

— Ecoutez.

L'amour est un étranger
Et les cœurs sont en danger
Sur une rue pavée d'or.
L'amour, le vrai,
Chemine sur une route de gravier...

Jesse écrivit les paroles dans son bloc-notes, déjà rempli de bribes de chansons.

— Percy Sledge, annonça Brenda.

— Une baignoire, marmonna la journaliste.

Elle songeait à la solitude, une solitude immense cédant la place à une intimité délicate et profonde. Le cordon : comment avait-elle coupé le cordon ombilical ?

Brenda baissa de nouveau la tête, passa une main dans ses cheveux emmêlés.

— Vous prononcez le mot « mère », tout le monde est censé fondre en larmes. Moi, j'ai jamais pensé à la mienne comme ça. Au jeu des associations d'idées, si quelqu'un dit « mère », vous êtes censé répondre : « Amour. Chaleur. Tendresse. » Vous savez ce que j'ai dit, moi ? « Peau de vache. »

Jesse laissa son esprit dériver, songea à ses propres parents, à la démence politique qui avait valu à leurs enfants des années de mauvais traitements en dehors de la maison.

— Ça vous arrive de vous mettre en colère contre Michael ? demanda abruptement Brenda.

— Hein ?

— Vous l'avez déjà puni par votre silence ?

— Non. Bien sûr que non.

— Le silence... J'aurais préféré que ma mère me frappe avec un bâton. Si je faisais une bêtise, n'importe quoi, allez, elle démarrait : « Pourquoi tu me tortures comme ça ? Pourquoi ? Moi, la personne qui t'aime le plus au monde. Ça me tue quand tu fais des choses pareilles, tu le sais. C'est comme si tu me donnais un coup de couteau dans le cœur. Qu'est-ce que j'ai fait pour que tu me punisses comme ça, Brenda ? » (Fascinée, Jesse vit des taches rouges s'épanouir sur la gorge et les joues de la jeune femme.) Au bout de cinq minutes de ce traitement, je rampais, je me tortillais par terre, mais une fois, je lui ai simplement répondu : « Maman, tu ne devrais peut-être pas m'aimer autant. » J'avais quoi ? Huit, neuf ans. Elle a arrêté de se battre la poitrine, elle m'a regardée, comme ça... (Brenda plissa les yeux, pencha la tête sur le côté.) « Tu ne veux pas que je t'aime autant ? D'accord. » (Continuant à jouer le rôle de sa mère, Brenda hocha la tête comme si elle venait de prendre une décision.) « D'accord. » Et je le jure, elle ne m'a pas adressé la parole pendant trois jours. Trois *jours*, jusqu'à ce que je la supplie, « Maman, Maman », et alors, elle m'a regardée, elle m'a fait un de ses sourires et elle a dit : « Bon, mais souviens-toi de ça la prochaine fois que tu penseras que je ne devrais pas t'aimer autant. »

Brenda regarda Jesse, émit un rire bref.

— Seigneur, murmura la journaliste, décidant de garder ça en réserve, de ne l'utiliser que si Brenda allait en prison.

— Vous savez ce que ça a été, grandir, pour moi ? Passer de « Je mourrai sans elle » à « Si elle pouvait être morte », et enfin à « Je m'en fous complètement »...

— Ma mère à moi était communiste, hasarda Jesse, sans être sûre que ses paroles soient audibles.

Elle griffonna sur son bloc « Punition par le silence, Pouvoir ». Le stylo lui glissa des doigts quand elle succomba à un coup de fatigue. Comme elle se penchait pour le ramasser, elle prit conscience d'une absence totale de bruit, en bas, dans la rue : un silence menaçant, explosif, qui lui était familier, et elle anticipa la suite avant de la voir.

Elle se précipita à la fenêtre, vit son frère à genoux, Danny Martin derrière lui, refermant les menottes sur les énormes poignets de Ben, les cameramen affamés d'images formant le cercle autour d'eux. Un brouhaha tendu monta quand les reporters commencèrent à se demander les uns aux autres ce qu'ils étaient en train de filmer exactement. Jesse imagina la scène cinq minutes plus tôt : Ben se faisant passer pour un membre de la famille, empêchant le frère d'entrer. Elle avait peur, maintenant ; elle savait qu'à moins de trouver un moyen de neutraliser ce salaud il ne lui restait que quelques minutes avant de se faire éjecter. Quelques minutes pour poser à Brenda les questions de celle qui n'a plus rien à perdre : « Qu'est-ce que vous savez et que vous ne me dites pas ? », « Où est votre fils ? », crescendo, jusqu'à : « Est-ce que vous l'avez tué ? » Des questions qui ne laisseraient rien derrière elles, des bombardiers pratiquant la tactique de la terre brûlée. Jesse tentait fébrilement de prendre une décision : la jouer cool et se faire virer, la jouer cool et passer au travers, jeter une allumette dans la caisse de munitions, reculer et assister au feu d'artifice.

Penchée au-dessus du lecteur de cassettes, près du mur du fond, Brenda essaya de lire dans les yeux de Jesse ce qui se passait en bas.

— Votre frère monte. Il va essayer de me foutre à la porte. Si vous voulez que je parte, bon, très bien. Mais si vous voulez que je reste, rappelez-vous que vous êtes chez vous.

Jesse entendit le pas de l'inspecteur dans l'escalier, répéta mentalement ses répliques : « Danny, je me suis occupée d'elle toute la nuit... Brenda, où est Cody ?... Danny, c'est Lorenzo qui m'a envoyée ici... Brenda, vous avez tué votre enfant, n'est-ce pas... ? »

La porte n'était pas fermée à clef et Martin entra sans même ralentir le pas. De l'autre bout de la pièce, Jesse sentit son haleine d'homme resté debout toute la nuit. Brenda remua les lèvres en silence tandis que le policier regardait fixement le visage de Jesse, qu'il avait vu sur divers lieux de crime au fil des années. Il la reconnaîtrait dans quelques secondes, elle le savait.

— Qui c'est ? demanda-t-il à sa sœur, sans quitter Jesse des yeux.

— Elle est reporter, répondit Brenda, qui aspira aussitôt une goulée d'air.

Jesse devina que ce n'était pas ce qu'elle avait voulu dire.

Martin fit un pas vers elle, montra la porte.

— Dehors.

Elle recula, jeta un regard désespéré à la sœur, qui tenta de lui venir en aide :

— Elle est restée auprès de moi.

— Ça, je m'en doute, rétorqua Danny.

Il surprit Jesse en la saisissant par le poignet. Elle n'aurait pas cru qu'il en viendrait là, et elle réagit en se penchant en arrière, les talons enfoncés dans la moquette, comme si elle faisait du ski nautique.

— Je suis chez moi, déclara Brenda, essayant de mettre un peu de poids dans l'argument.

Martin lâcha le poignet de Jesse pour se tourner vivement vers sa sœur.

— Ça veut dire quoi, ça ? T'es malade ? Après ce que tu nous as fait subir, tu deviens copain-copain avec une journaliste ?

Brenda faisait la balançoire, avançait puis reculait.

— Elle m'a aidée...

— T'as pas d'autre amie ? Il faut que t'ailles chercher c'te... T'es dingue ou quoi ?

Jesse vit la jeune femme commencer à trembler, et ouvrit la bouche malgré elle :

— Ecoutez, je suis ici depuis quatre heures du matin. C'est Lorenzo qui m'a envoyée. Je ne cherche à piéger personne. Mon frère a empêché les autres d'entrer pendant cinq heures. Je n'ai fait que protéger votre sœur, depuis le début.

— Lorenzo, répéta Martin.

Il hocha la tête : mauvais signe. Jesse se surprit à reculer, comme pour trouver un appui derrière elle. Il la regarda longuement puis claqua des doigts.

— Ouais, bien sûr, c'est grâce à vous qu'il est passé à l'émission de Rolonda Watts. Maintenant, il renvoie l'ascenseur en vous plaçant aux premières loges. (Il se tourna vers sa sœur.) Elle va écrire un bouquin là-dessus, Brenda.

— Sur *quoi* ? lança sèchement Jesse.

— Tu me fais pitié, tiens, murmura Martin à sa sœur, les yeux mi-clos.

Elle réagit en inclinant la tête sur le côté, comme un moineau, regarda son frère jusqu'à être sûre d'avoir toute son attention, puis pivota sur une hanche comme une lanceuse de disque, balança son bras gauche à toute volée devant son corps et frappa de sa main blessée l'encadrement métallique de la porte de la chambre de son fils.

Martin et Jesse sursautèrent au bruit.

— Nom de Dieu ! jura-t-il entre ses dents.

Brenda, impassible, soutint son regard et recommença : pivoter, balancer, frapper. Le second choc donna à Jesse envie de vomir. Elle se força à ne pas bouger : que le frère intervienne, ça ne lui ferait pas de mal. Mais Martin resta cloué sur place quand Brenda expédia une troisième fois sa main contre le montant de métal. Elle tomba lentement à genoux, silencieuse, hébétée par la douleur, et Danny fit de même.

— Brenda, Brenda, dit-il d'une voix plus calme, la violence ayant fait son travail.

Elle souleva sa main aux blessures rouvertes, détourna les yeux comme si elle n'avait plus envie de plaider sa cause. « Brenda... » Appuyé sur un genou, il tendit les bras comme pour l'enlacer, ne se résolut pas à la toucher. Il se tourna vers Jesse, indiqua la porte d'un mouvement vif de la tête — « Foutez le camp » —, mais la journaliste feignit de ne pas le voir et regarda obstinément par la fenêtre, en espérant qu'il ne serait plus désormais capable de se lever et de l'éjecter lui-même.

En bas, les cameramen faisaient le siège de la voiture du policier. Jesse se représenta Ben menottes aux poignets sur la banquette arrière, immobile, fixant patiemment ses genoux. Entendant la porte claquer, elle se retourna, découvrit la pièce à présent vide et songea, dans un bref moment de panique, que Martin avait emmené sa sœur. Puis elle entendit leurs voix dans la chambre de l'enfant.

— Dis-moi ce qui s'est passé.

— Je l'ai dit cent fois.

— Redis-le.

Jesse baissa le son du lecteur de CD et s'approcha de la porte close, derrière laquelle Danny parlait maintenant d'une voix plus basse, presque suppliante :

— Brenda, tu nous as lancés dans une chasse aux fantômes. Où est le gosse ? Où est la voiture ? On retrouve même pas... T'as recommencé à te piquer ?

— Non.

— Je t'en prie, je gueulerai pas.

— Non.

— Non-je-me-pique-pas ou Non-je-veux-pas-te-le-dire ? demanda-t-il, Jesse sentant la rage remonter en lui.

— Non !

— Brenda, je suis ton frère. Je t'aime. Dis-moi ce qui s'est passé.

— Non ! rétorqua-t-elle, haussant elle aussi le ton.

— J'ai fait le con avec toi, hein ?

— S'il te plaît, implora-t-elle, comme si l'autoflagellation de son frère lui faisait encore plus mal que sa colère.

— Je sais jamais m'y prendre, avec toi, je suis trop dur. Je devrais pourtant savoir qu'avec plus de compréhension... Je ne sais pas pourquoi je n'arrive pas à...

Jesse sauta en arrière quand la porte s'ouvrit brusquement. Brenda, l'air égarée, se précipita sur le lecteur de CD, mit un disque au hasard, poussa le volume à fond, laissant la puissance de la musique soul expulser son frère de l'appartement.

11

De l'ancienne prison du comté de Dempsy, à moitié démolie, il ne subsistait qu'un pan du mur d'enceinte, le coin sud-ouest, vestige de plâtre et de briques, poing tendu en un défi grotesque dans le bleu éclatant d'une chaude matinée d'été. Les barreaux qui faisaient tout le tour du bâtiment, dissimulés pendant quatre-vingt-dix ans à la vue des passants par une façade grise de crasse, révélaient enfin la réalité du lieu : une cage à sept étages. Nus sous le soleil, chauffés à blanc, ils étalaient au grand jour sept couches de cellules à vif. Un siècle de graffitis, étonnamment lisibles, maculaient le plâtre des murs du fond tel un titanesque panneau d'affichage.

Quand Lorenzo se gara devant l'escalier principal, qui ne menait plus maintenant à autre chose qu'à une ultime marche, il vit Army Howard assis à l'arrière d'une vieille camionnette à la portière ouverte, vêtu du même survêtement que la veille. Comme le policier s'approchait, se frayant un chemin à travers les petits morceaux de prison, Army jeta sa cigarette dans les décombres.

— Salut, chef, dit Lorenzo, saisissant la main d'Army dressée comme pour un bras de fer.

Army bâilla devant son poing, s'adossa à un objet de la dimension d'une table basse que cachait une couverture d'enfant crasseuse avec des dessins de dinosaures.

L'inspecteur tendit le menton vers le mystère.

— C'est quoi ?

Army regarda à droite, à gauche, encore à droite, souleva la couverture, révélant un morceau d'une pierre angulaire de l'édifice avec la date 1909, et les lettres SON DU COMTÉ gravées dans le granite.

Army rabattit la couverture, alluma une cigarette.

— Mon beauf bosse dans l'entreprise de démolition. J'ai vendu ce machin à deux flics et à un maton.

— Ensemble ?

— Séparément. Ils m'ont réglé d'avance, trois cents chacun.

Lorenzo partit d'un rire guttural.

— C'est de l'Army tout craché.

Le dealer hocha la tête.

— Je vais leur raconter que quelqu'un d'autre a mis la main dessus avant moi mais que je peux le racheter. Seulement, trois cents, c'est pas assez, jusqu'où vous êtes prêts à aller ? La pierre au gagnant. (Il tapota la couverture avec un sourire lointain.) Ouais, c'est de l'Army pur jus, ça. Spécialité de la maison.

Lorenzo attendit, baissa les yeux vers ses chaussures. Un cafard, dernier occupant, trottinait parmi les gravats.

— Merde, reprit Army de sa voix traînante, je suis passé tellement de fois dans cette taule que j'ai bien envie de me le vendre à moi-même, ce truc, ça me fera un souvenir.

Lorenzo fit rouler du bout du pied ce qui ressemblait à une dent.

— Sinon, comment tu vas ?

— Comment je vais ? Pas trop bien, répondit Army, secouant la tête. J'ai une pile de factures plus grosse que l'annuaire. Tu connais Sheryl ? La fille que je fais bosser dans Boulware Street ? Elle se met dans la tête que je cherche à l'entuber, elle va trouver Valentine, du Western District, elle lui raconte que je l'ai braquée. J'ai dû faire appel à Rosenfeld, je peux pas courir le risque d'être défendu par l'aide judiciaire, parce que tu connais Valentine. Il cherche à me serrer depuis toujours. Et Rosenfeld, il se fait payer d'avance, alors, voilà.

Lorenzo eut un hochement de tête compatissant.

— Et pis, y a ma femme, Pauline, qui veut un autre môme, poursuivit Army. Tu te rends compte ? Elle a quarante-deux ans, cette bonne femme, et le docteur dit qu'elle peut pas avoir de bébé. Moi, je lui dis qu'on a déjà une petite-fille qui vit avec nous, qu'est-ce qu'on ferait d'un autre bébé ? (Il siffla entre ses dents d'un air dégoûté.) Alors, me voilà parti à Bayonne, dans c'te clinique où ils fabriquent les gosses. Tu sais, ils prennent des ovules à ta femme, ils prennent ton sperme. Ah ! dit-il avec un geste agacé, je veux même pas en parler. Quarante-deux ans, déjà grand-mère, mais quand elle veut quelque chose... Trois fois on l'a fait. Tu te rends compte ? Trois fécondations. A quatorze mille dollars chaque. Quatorze mille. Et ça a même pas marché, mais eux : « Faut payer », et moi : « Ouais, vous l'aurez, votre fric. Passez donc pour le premier anniversaire du petit, j'aurai un chèque pour vous. » Non mais sans blague, quand tu vas au restaurant, tu paies avant ou après avoir bouffé ? Et comme j'entends même pas de bruits de casserole dans la cuisine...

— Je te suis, dit Lorenzo, souriant à ses chaussures.

— Alors, maintenant, j'ai cette putain d'agence de recouvrement de dettes sur le dos, tu sais comment ils sont, ces mecs. Sheryl, Valentine, Rosenfeld, ma femme, ma petite-fille malade : trop, c'est trop. Tout ce que j'ai en caisse en ce moment, c'est trois thunes et un clou, et c'est pas avec un clou qu'on paie les factures, alors, j'ai dû fermer la boutique. Je pouvais plus payer le loyer, j'ai baissé le rideau avant que le proprio me jette à la rue. Et où je vais faire tourner mon autre bizness, maintenant ?

Army tira de sa poche une paire de dés rouges translucides, les fit rouler au creux de sa main.

— C'est ça qui fait rentrer le blé, on est bien d'accord ? Et j'ai même plus d'endroit où les jeter, plus d'arrière-salle, plus rien.

Lorenzo étouffa un bâillement.

— Tu sais ce que disait ma mère ? Le monde te doit rien à part des emmerdes et des boules de gomme...

— ... et il vient de tomber à court de boules de gomme, acheva Army pour lui.

Lorenzo déchiffra un graffiti sur le mur exposé aux regards d'une cellule du troisième niveau : EL HA RECUSITATO. Il émit un dernier grognement avant de passer aux choses sérieuses :

— T'as entendu quelque chose ?

— Pour hier soir ? Ouais. Tu sais ce que j'ai entendu ? Que c'est moi.

— J'ai entendu la même chose.

— Je me doutais bien que tu m'appelais pas pour écouter mes problèmes. Mais désolé, c'est pas moi.

— Alors, pourquoi on dit que c'est toi ?

— Tu sais ce que je pense ? Je pense que mon enfoiré de neveu s'est remis à délirer sur moi.

— Curtis ?

— Non, l'autre, Rudy, le gosse de ma sœur. Suffit qu'il se mette deux mousses dans le gosier pour raconter que j'ai braqué Fort Knox. Je suis son idole, à ce môme. Je lui dis tout le temps : « Me prends pas pour modèle, prends plutôt tes profs, parce que si tu veux réussir dans ce monde, faut que tu saches comment le lire, comment l'écrire et comment le parler. »

Lorenzo donna du pied dans un tas de gravats, vit un fragment de brique dégringoler du coin sud-ouest, filer le long du bord déchiqueté de la façade, prendre de la vitesse à chaque collision, et faire finalement le grand saut après un dernier ricochet pour atterrir cinq mètres plus bas sur un tas d'aggloméré mouillé.

Lorenzo déplia un exemplaire du portrait-robot, le tendit à Howard, qui y jeta un coup d'œil.

— Ouais, j'ai vu. Pff ! Tu sais qui on dirait ? Mon cousin George. Tu trouves pas que ça ressemble à George Howard ?

Council récupéra l'affichette, la replia soigneusement. Il avait vu Curious George profondément endormi sur le lino de sa grand-mère, la nuit dernière.

— T'as rien entendu d'au...

— Rien.

— Et ton neveu, Rudy ? Il était où, hier soir ?

— Rudy ? Dans son fauteuil roulant ! s'esclaffa Army.

Lorenzo claqua des doigts d'un air chagriné.

— Je le confonds toujours. Alors, que dalle ?

Army sauta de l'arrière de la camionnette, referma la portière.

— Je te le dirais.

— J'avais un oncle démolisseur. Tu sais comment il appelait ça, son boulot ? Faire du ciel.

Army fit le tour du véhicule jusqu'à la cabine, se glissa au volant, passa la tête par la fenêtre.

— Une façon positive de voir les choses, hein ?

Comme Lorenzo se dirigeait déjà vers sa voiture, il le rappela :

— Hé, Big Daddy, tu veux me l'acheter, mon morceau de prison ? Je te le file tout de suite, pour cinq cents dollars.

L'inspecteur considéra l'offre puis déclina.

— Non, j'aurais trop l'impression de rapporter du boulot à la maison, si tu vois ce que je veux dire.

Army Howard émit un jappement paresseux en guise de rire et démarra.

Les murs du bureau de Bobby McDonald étaient décorés d'un curieux mélange de couchers de soleil artistiques, de clichés de lieux du crime, et de photos de son fils en pleine action sous les panneaux de basket du lycée Notre-Dame de la Consolation. Vêtu d'un pantalon en toile et d'une veste sport bon marché, il avait calé une fesse sur l'appui de fenêtre. Le procureur Peter Capra, costume trois pièces gris acier, était assis, les jambes croisées, sur un canapé marron et jaune.

Entrant dans la pièce moins d'une heure après avoir rencontré Army, Lorenzo se sentit mal fringué avec son jean et son T-shirt noir portant l'inscription PERSÉVÉREZ. Il ne savait où se mettre et se contenta finalement de s'appuyer au pan de mur le plus proche de la porte, les bras croisés sur la poitrine.

Capra écrasa sa cigarette, demanda :

— Elle tient le coup ?

— Plutôt mal, répondit Council, qui plissa les lèvres pour souligner ses propos.

— Mal comme dans tragédie ?

De nouveau Capra : Lorenzo était quasiment sûr que Bobby ne dirait pas grand-chose.

— Mal comme complètement sonnée, sur le plan émotif.

Lorenzo appuya par inadvertance sur l'interrupteur électrique placé derrière lui, aveugla tout le monde. Il éteignit en s'excusant, s'efforça de garder son calme.

— Elle vous parle ? demanda Capra.

— Oh oui.

— Elle dit des choses intéressantes ?

Lorenzo alla se percher sur le bord du bureau de McDonald.

— Pas vraiment.

— Du vent, alors ?

— Dans quel sens ? Non, je crois pas.

— Vous pensez qu'elle va s'accrocher à son histoire ?

— Si c'est une histoire, dit Lorenzo. Mais non, je pense pas qu'elle tiendra longtemps, non.

McDonald regarda par la fenêtre en plissant les yeux. Council savait qu'il détestait se faire squatter son bureau comme ça.

— Vous la voyez vous cracher le morceau ?

— Hé, protesta l'inspecteur avec un rire nerveux. On vient de faire connaissance.

— Vous l'aimez bien ?

— Qu'est-ce que vous voulez dire ?

Capra alluma une autre cigarette avant de préciser :

— Vous compatissez à ses malheurs ?

— Ouais, répondit Lorenzo, chassant de la main la première bouffée de fumée.

— Bon, d'accord, dit le procureur. Nous allons lancer l'offensive sur deux fronts. Vous nous laissez nous occuper de l'agresseur, de la voiture, des témoins, et vous restez avec elle. Pour continuer à la faire parler.

Hésitant, Lorenzo se demanda s'il venait d'être promu ou sacqué. Capra se tourna vers McDonald, qui acquiesça de la tête. Manifestement, la décision avait été prise avant même que Council franchisse le seuil de la pièce.

— Et si elle dit vérité ? supposa-t-il.

— C'est pour ça que nous menons l'offensive sur deux fronts. Pour nous couvrir.

De son appui de fenêtre, Bobby McDonald lança à son inspecteur :

— Tu préférerais t'occuper de l'agresseur et nous refiler la mère ?

Lorenzo réfléchit, décida qu'il voulait être là où ça se passait.

— Non, ça va comme ça.

— Vous voulez de l'aide ? proposa Capra.

— Non, répondit Lorenzo. Non. Plus tard, peut-être, mais pas pour le moment.

— Parce que, comme vous l'imaginez... (Le procureur s'interrompit pour écraser sa deuxième cigarette.) Nous avons des gens qui attendent en coulisse. On fait la queue, pour cette affaire.

— Qui, le FBI ?

Oui, fit Capra de la tête. Lorenzo se sentit devenir possessif : Brenda Martin en savait plus qu'elle ne le disait, et il le lui ferait cracher.

— Vous pouvez empêcher le Bureau de venir dans mes pattes ? dit Council.

Du regard, il sollicita le soutien ou l'approbation de Bobby, mais les yeux de son patron étaient de nouveau tournés vers la fenêtre.

— Vous pensez qu'il vaudrait mieux les tenir à l'écart ? demanda Capra avec douceur.

— Si vous me laissiez les coudées franches au moins aujourd'hui ?

McDonald et Capra se regardèrent.

— OK, répondit le procureur avec un haussement d'épaules. Nous verrons bien.

— Encore une chose, réclama Council, enhardi. Vous pourriez faire évacuer tous les flics d'Armstrong ?

Capra prit une profonde inspiration.

— Lorenzo, vous vous rappelez le jour où on a abattu le directeur de l'école 28, dans la cité Powell ?

— J'étais là, répondit l'inspecteur, qui espérait précisément que Capra ne comparerait pas cette situation à l'autre.

— Le type sortait, relata le procureur comme s'il n'avait pas entendu Council. D'un seul coup, bang ! Neuf millions de fenêtres, la balle pouvait venir de n'importe où.

— J'étais là, répéta Lorenzo.

— Nous avons bouclé la cité et, trois heures plus tard, les dealers nous ont livré ce crétin sur un plateau d'argent. Trois heures plus tard.

Lorenzo se leva du bord du bureau.

— Ouais, mais un, il s'est déjà écoulé quatorze heures, d'accord ? Et deux, y a peut-être pas de crétin à livrer, ce coup-ci.

— Supposons qu'il y en ait un ? contra le procureur d'un ton léger.

— Non, dit Lorenzo, souriant malgré sa rage. Je vois rien de bon sortir du blocus que vous imposez là-bas.

— Je vous entends, soupira Capra.

Ce que Council traduisit par : « Connerie pure et simple. »

Confronté à une puissance de feu supérieure, McDonald contemplait ses chaussures. Lorenzo fit une dernière tentative :

— Vous pourriez au moins faire partir les flics de Gannon ?

— Ecoutez, dit Capra. Arrangez-vous pour la faire parler.

Cinq minutes plus tard, toujours souriant, toujours furieux, Council quitta le bureau de Bobby McDonald avec le sentiment que le procureur lui faisait ce que les flics faisaient à la cité Armstrong.

Il se rendit chez Brenda un peu avant midi et dut se frayer un chemin parmi les reporters, la tête baissée, les mains tendues devant lui : rien à déclarer. Ben sortit du hall, l'aida à dégager la voie jusqu'à la porte. A l'intérieur de l'immeuble, Lorenzo le jaugea d'un coup d'œil : front de marbre gris, bouche entrouverte, mains tremblotantes. Il repéra les marques féroces des menottes aux poignets. Gêné, Ben cacha ses mains derrière son dos.

— Qu'est-ce qui s'est passé ? lui demanda Lorenzo.

— Rien.

— Le frère ?

— Ça va.

Il décida de ne pas insister : ils étaient dans la ville de Danny, maintenant.

— Vous êtes resté ici toute la matinée ?

— Pas de problème, assura Ben avec une bonne humeur fatiguée.

— Je l'emmène, alors, vous pouvez raccrocher pour la journée.

— Et Jesse ? demanda aussitôt le frère.

Lorenzo haussa les épaules en pensant : Pas question.

— On verra, dit-il, pour ne pas donner à Ben une réponse négative.

Il commença à monter les marches, ne put s'empêcher de revenir à la charge, se penchant vers le bas au milieu de l'escalier pour que Ben puisse encore le voir.

— C'était Danny, hein ?

Ben rougit, détourna la tête.

— Ça va.

Quand Lorenzo pénétra dans l'appartement, Brenda l'attendait, assise au bord du canapé, tendue, les mains sur le giron. Elle s'était changée, avait même mis une touche de maquillage mais donnait quand même l'impression d'avoir dormi dans ses vêtements. Jesse aussi. Un coup d'œil suffit à Council pour comprendre que la journaliste n'en savait pas plus que lui. Sinon, pourquoi se tortillait-elle comme ça, les yeux rivés au sol, se creusant probablement la tête pour trouver un moyen de continuer à tenir la main de Brenda ?

— Qu'est-ce qui se passe ? demanda-t-elle sans lever la tête.

Son attitude inspira au policier une vague pitié : Jesse n'était pas suffisamment armée pour le regarder dans les yeux.

— On bosse, répondit-il. Brenda, vous vous êtes reposée ?

— Cody, murmura-t-elle.

Il s'aperçut dans un miroir, constata qu'il n'avait pas l'air très frais lui non plus : à eux trois, ils transformaient la pièce en salle d'attente de gare routière à quatre heures du matin.

— J'aimerais vous ramener à la cité, pour voir les lieux en plein jour. On pourrait revenir sur certains détails.

Elle hocha la tête puis, lentement, passa un casque stéréo autour de son cou, les écouteurs capitonnés venant se poser sur ses clavicules. Elle prit un lecteur portable, une boîte à CD, tenta de se lever mais perdit l'équilibre et retomba en position assise. Au deuxième essai, elle réussit à se mettre debout. Lorenzo l'observait en songeant qu'elle aurait dû perdre les pédales, l'assaillir de questions, se jeter à genoux, n'importe quoi sauf cette façon de se mouvoir comme si elle était en verre fêlé. C'est ici que ça se passe, se dit-il. Ici.

— Je peux vous parler ? demanda Jesse. (Elle passa dans la cuisine, attendit tandis qu'il faisait signe à Brenda de tenir bon.) Alors, quoi de neuf, là-bas ? ajouta-t-elle d'un ton morne en jouant avec une spatule.

— L'impasse. Qu'est-ce qui est arrivé à votre frangin ?

— Il a voulu jouer au portier avec Danny Martin.

— Je vois le genre, dit Lorenzo dans un bâillement. Excusez-moi.

— Danny est monté, il s'est engueulé avec sa sœur, il est redescendu, et je suppose qu'il a changé d'avis, pour Ben : il l'a libéré avant de partir.

— D'autres chats à fouetter. Quelque chose d'intéressant dans cette engueulade ?

Jesse haussa les épaules.

— Il a complètement disjoncté.

— Disjoncté, répéta Lorenzo.

— Ouais, c'était plutôt agité, ici, dit la journaliste, jetant la spatule dans l'évier. Je cherche pas à me faire mousser mais, si je n'avais pas été là, vous auriez sans doute eu besoin d'une housse à cadavre, ce matin. (Elle finit par lever son visage vers lui.) Je peux aider Brenda à rester en état de marche.

— C'est pas possible, Jesse, vous le savez.

Il sourit pour atténuer son refus, entrevit dans les poches et les rides de fatigue de Jesse la vieille femme qu'elle deviendrait.

— Vous la ramènerez ici, après ?

— Je peux pas vous dire.

— Vous pouvez pas me dire parce que...

— Je peux pas vous dire, répéta-t-il, réduisant un peu son sourire.

— Elle... elle a dit quelques trucs intéressants, hier soir.

— Par exemple ?

— Je peux pas vous dire, lui lança-t-elle.

— Non, vous m'aurez pas comme ça.

Il se pencha vers elle, la forçant à se renverser en arrière, le dos contre l'évier. Dans ce mouvement de retraite face à sa colère, il vit un nouveau signe qui lui prouva qu'elle n'en savait vraiment pas plus que lui.

Dehors, quand les cameramen se ruèrent sur eux, Lorenzo fit de son mieux pour protéger Brenda. Jesse lui collait aux basques. Les aboiements de la meute s'adressaient en partie à Brenda, pour lui demander de regarder l'objectif, de dire quelque chose, en partie à Jesse, pour lui signifier de sortir du champ. Brenda réagit en se cachant derrière ses mains puis tourna soudain vers les caméras un visage aux yeux écarquillés, un désir ardent et sans honte d'être réconfortée. Lorenzo eut l'impression qu'elle affrontait moins les appareils que ceux qui les tenaient. Elle se tournait vers eux parce qu'ils étaient *là*, personnellement concernés par son sort, et donc capables de lui accorder une sorte de faveur.

En se dirigeant vers la voiture de Council, ils passèrent devant deux reporters en train de fouiller dans les poubelles, extirpant des emballages de Red Dog, de Pizza Hut, une fiole de médicament dont l'un d'eux déchiffra l'étiquette en plissant les yeux. Brenda leur lança « C'est pas mes ordures » avec cette même faim non dissimulée de contact qu'elle avait montrée avec les cameramen.

— Laissez-moi venir avec vous, dit Jesse, d'un ton presque suppliant.

— Jess, répondit-il sèchement, lui signifiant son refus une fois pour toutes.

Ben se gara derrière la voiture de Lorenzo, ouvrit la portière pour sa sœur.

En démarrant, Council la vit dans son rétroviseur et trouva son expression angoissée disproportionnée par rapport à ce qu'elle venait de perdre.

Une fois qu'ils eurent semé les cameramen, dont quelques-uns coururent derrière la voiture sur une centaine de mètres, comme les invités d'une noce lançant des poignées de riz aux jeunes mariés, Lorenzo redevint assez calme pour jeter un coup d'œil sur les disques de Brenda : Al Green, Ann Peebles, Curtis Mayfield. Elle regardait droit devant elle en remuant les lèvres pour accompagner l'air qu'elle écoutait. « J'ai envie de briser le foyer de quelqu'un », disait la voix ténue et métallique dans les écouteurs. Lorenzo ne lui reprochait pas sa fringale de musique, il supposait que les écouteurs étaient là pour empêcher le cerveau de Brenda de s'échapper par ses oreilles.

Elle accompagnait le disque du fredonnement rauque, à demi murmuré, de quelqu'un qui ne se rend pas compte qu'on peut l'entendre. Il lui toucha le bras, elle ôta son casque.

— Il est vous est venu quelque chose à l'esprit, la nuit dernière ?

— Des cauchemars.

Il prit dans sa poche le portrait-robot, le lui tendit.

— Il vous fait quelle impression, ce matin ?

— Vous avez arrêté quelqu'un ?

— Pas encore.

Brenda hocha la tête en silence, et Lorenzo songea, de nouveau : Elle devrait me sauter dessus, m'engueuler. Il aurait juré au contraire que cette nouvelle — pas de nouvelles — la soulageait.

— Comment vous vous sentez ?

— Ils veulent que je passe à la télé.

— Ah ouais ?

Il ne lui dit pas qu'elle avait déjà été filmée, que leur sortie de ce matin serait diffusée ce soir.

— Je le ferai pas, déclara-t-elle.

— OK.

— Ils... Je le ferai pas. Je veux qu'on me laisse tranquille... Je sais que c'est pas possible. Je sais que j'y ai pas droit pour le moment, geignit-elle de sa voix de pénitente.

Pas droit, pensa Council.

— Même si ça peut aider à retrouver votre fils ?

— Non, trancha-t-elle.

Elle remit ses écouteurs et Lorenzo la laissa faire, s'absorba dans son plan pour les prochaines heures, se demandant si Bump avait préparé la scène comme convenu. Sur le siège d'à côté, Brenda remuait la tête comme si elle priait et n'émettait plus qu'une sorte de plainte aiguë du fond de la gorge. Elle resta dans cet état jusqu'à ce qu'ils parviennent à la hauteur de la cité Mumford, un ensemble d'immeubles bas de style pseudo-fédéral couvrant deux pâtés de maisons. Elle leva les yeux vers le panneau orange et bleu portant le nom de la cité, tourna la tête pour regarder les bâtiments au passage, enleva son casque.

— Vous avez travaillé sur le meurtre de Kenya Taylor ?

— Non, répondit Council, en se demandant où elle voulait en venir.

Brenda faisait référence à l'assassinat à coups de couteau d'une adolescente de treize ans par l'amant délaissé de sa mère. Il avait attendu que son ex sorte pour conduire son nouveau mec au travail, était monté à l'appartement, s'était vengé sur la fille et avait ensuite écrit au rouge à lèvres sur un mur de la salle de séjour : « Tu pourris ma vie, je pourris la tienne. » White — Lorenzo voyait sa tête en ce moment même —, James White.

— Le gars, il vit encore là, non ? dit Brenda.

— Ouais. Il s'est marié le mois dernier, en plus.

Council ne précisa pas qu'il s'était pointé au mariage rien que pour bousiller la fête. White n'avait pas eu assez d'estomac pour le virer.

— Vous la connaissiez ?

— Oui, dit Brenda, regardant ses mains. J'étais assistante à l'école 46 quand c'est arrivé. Ce jour-là, je le jure devant Dieu, tout le monde s'est écroulé. Les cas difficiles, les petits durs de treize ans, ils chialaient tous comme des bébés.

— Ouais, j'ai entendu ça.

— Personne pouvait faire cours. On a dû envoyer de Trenton une équipe de traumatologie. C'était une zone sinistrée, l'école. Comme après une tornade ou une inondation. Un des profs, Mr Corkin, a transformé sa classe en salle de prières, et une partie des gars de Trenton se sont installés dans la bibliothèque pour accueillir tous ceux qui voulaient parler, pleurer un coup. Les autres, ils faisaient les couloirs pour repérer les gosses qui semblaient avoir besoin d'aide. Et c'est une chance qu'ils aient été là, parce que les profs, ils étaient pas en meilleur état que les enfants...

— Je vois, dit Lorenzo, qui savait tout ça.

— Je me rappelle qu'on a projeté un film dans l'auditorium, toute la journée, entrée libre pour tout le monde. On a aussi ouvert la salle de gym, on a mis des ballons partout pour que ceux qui en avaient envie puissent venir jouer, lâcher la pression. Au troisième étage, on a transformé la plus grande classe en salle de jeux, et c'était moi la responsable. Tous ceux qui voulaient pouvaient venir jouer, au Monopoly ou à autre chose. Je me rappelle tous ces gosses dans la salle ; on avait un immense puzzle de l'Amérique, un morceau différent pour chaque Etat, il devait bien faire dix mètres de long, et je regardais une douzaine d'enfants secoués qui essayaient de reconstituer le pays. Et y avait ce garçon, Reginald Hackett, un gosse de Mumford, une terreur, qui se tenait au milieu, avec dans les mains le Kansas ou le Nebraska, je sais plus, et il n'arrivait pas à le placer, et d'un seul coup il s'est mis à pleurer...

Brenda s'interrompit, éclata en sanglots elle aussi. Après avoir essuyé ses larmes en pressant son visage contre son épaule, elle poursuivit :

— Parce que Kenya, elle était de Mumford, et que tous les gosses de là-bas allaient à l'école 46. Une cité, vous savez ce que c'est, c'est comme un grand club de cousins, pour les gosses, alors, ils avaient l'impression d'avoir perdu quelqu'un de leur famille, mais... (Elle essuya de nouveau son visage.) Mais je me demande souvent pourquoi tout le monde était dans cet état. Des enfants tués, y en avait eu d'autres. Je sais pas, c'est peut-être parce que Kenya n'avait rien fait pour, je sais que le mot est horrible, mais elle avait rien fait pour mériter ça. Elle ne traînait pas dans la rue, elle ne faisait pas le tour du quartier en dopemobile, elle ne séchait pas les cours. Elle était chez elle. Elle se préparait pour aller à l'école, elle n'avait rien fait...

Lorenzo grogna, hocha la tête, attendit.

— Je crois que la réaction a beaucoup à voir avec la personnalité de Kenya, l'impression qu'elle faisait aux autres. D'un côté, c'était pas un ange, je peux vous le dire, mais elle avait du... du charisme. C'était une grande fille costaud, qui se battait tout le temps. Elle n'avait peur de personne. Même les garçons se tenaient à carreau parce qu'elle était trop indépendante pour eux et qu'ils se doutaient qu'elle n'aurait sûrement pas accepté leurs vannes, comme cette habitude d'appeler leur petite amie « ma taspé ». Mais elle avait ce sourire. Et autre chose aussi. Elle aimait les tout-petits. La 46, elle commence à la maternelle, et je me rappelle l'avoir vue avec les gosses de quatre, cinq ans. C'était la plus douce, la plus gentille des ados que j'aie jamais vues. Jamais elle élevait la voix. Et vous savez, la plupart des gens des cités, ils sont toujours en train de gueuler sur leurs gosses. Même quand ils sont pas en colère, ils crient, ils braillent...

Elle grimaça, porta ses mains à ses tempes.

Lorenzo hocha la tête sans lui dire que Kenya était l'une de ses nombreuses filleules, que le tueur, James White, ferait l'objet d'une enquête officielle pendant six mois encore, avec pressions diverses sur les copains, les ex-petites amies, les parents, tous ceux qui pouvaient établir sa présence dans l'appartement au moment du meurtre, mais que si ces efforts finissaient dans un cul-de-sac, il pourrait y avoir un soir un terrible accident...

— Enfin, bref, le jour de la mort de Kenya, je rentre à la maison toute chamboulée, Cody me demande ce qui ne va pas et je lui explique, je laisse de côté les détails mais je lui dis que j'aimais bien Kenya, que tout le monde avait un peu peur d'elle mais qu'elle était très gentille avec les petits. Alors, il me regarde... il me regarde et il demande : « Maman, elle m'aurait aimé moi aussi ? — Elle t'aurait adoré », je lui réponds, et il hoche la tête, un peu, comme ça, et il dit : « C'est bien. » Jamais je ne l'oublierai. « C'est bien. »

Lorenzo gara la voiture à deux rues du barrage de Hurley Street, le long d'une camionnette de surveillance aux vitres teintées.

— Pourquoi vous me racontez tout ça, sur Kenya ?

— Sur... ? Non, non, non, dit Brenda en lui touchant le bras. Je vous parle de mon fils.

Elle coiffa de nouveau le casque, s'avachit sur son siège et enfonça le bouton *Play*.

Rosen descendit de la camionnette, changea rapidement de véhicule avec Lorenzo. Quelqu'un avait laissé sur la plage avant un exemplaire du *New York Post*, et le pare-brise teinté reflétait l'image de Brenda dans sa posture angoissée de la veille. Lorenzo saisit prestement le journal avant qu'elle puisse le voir, le passa à son collègue par la fenêtre ouverte.

Bump roula le *Post* dans sa main droite, regarda Brenda qui oscillait en cadence sur le siège avant, tourna les yeux vers Council.

Lorenzo haussa les épaules : « Laisse-la. »

Clignant des yeux dans la chaleur, Bump frappa sa paume de son bâton de papier.

— Y a déjà eu du grabuge, ce matin.

— Avec qui ?

— Jamal Bankhead.

— Et... ?

— Moi. Cette tête de nœud était près des jets d'eau avec son équipe, à écluser des canettes.

— Il a pas le droit de picoler là-bas.

— Non, justement. Alors, je lui fais : « Hé, Jamal, vous avez la ZD [1] dans le passage souterrain pour faire ça. — Y a des guêpes, là-bas », il me répond, alors, je lui dis : « Vous pouvez pas boire ici. Avec tous les gosses qui jouent pieds nus sous les jets d'eau, si vous laissez tomber une canette, c'est la catastrophe. Allez là-haut siroter votre bibine. » Il me balance : « Si je buvais du Pepsi en bouteille de verre, tu trouverais rien à redire, alors lâche-moi. »

— Qu'est-ce qu'il a, ce môme ? grommela Lorenzo.

Pour la première fois depuis des années, il eut envie d'une bière, sensation troublante.

— « Foutez le camp, c'est tout », je lui dis, reprit Rosen. Je tourne le dos... et paf ! entre les omoplates. Un gosse s'était assis sur un des jets, et la flotte m'était retombée dessus. Je me retourne, je vois mon Jamal plié en deux, « Ha ! Ha ! Ha ! ». J'ai pas pu m'empêcher : ivresse sur la voie publique, refus d'obtempérer, voie de fait sur un officier de police, récita Bump en comptant sur ses doigts. Parce qu'il m'en a collé une bonne, en plus.

— Sa grand-mère est morte hier soir, dit Lorenzo d'un ton écœuré.

Mais il pensait encore à cette bière.

— Eh ben, il va peut-être manquer l'enterrement, maintenant.

— Et les autres ? Ils se conduisent comment ?

— Qui ? Ceux de Gannon ? Je crois qu'ils commencent à avoir le mal du pays. Pour te dire la vérité, on est tous en train de craquer, ici. Il doit faire pas loin de quarante, à Armstrong, aujourd'hui. Ça promet.

— C'est sûr.

1. Zone démilitarisée. *(N.d.T.)*

— Sans déconner, Lorenzo, il faut boucler cette affaire vite fait. On est assis sur une bombe à retardement.

— D'accord. T'as préparé ce que je t'ai demandé ?

— Ils sont tous au Bâtiment 3, l'escalier pourri, dit Bump, qui lui tendit une clef munie d'une étiquette. J'ai même réussi à faire sortir Tyler de taule pour l'occasion. Lui, il pourra dire qu'il me doit un sacré service...

Comme la camionnette commençait à rouler, Bump courut derrière en criant et en faisant signe à Lorenzo de s'arrêter. Par la fenêtre, il lui passa une cassette vidéo.

— J'avais oublié.

Council mit un moment à se rendre compte qu'il avait en main un enregistrement de l'épisode de la veille de *Law and Order*.

— Tu vas voir, dit Rosen avec un grand sourire.

— Moi aussi, j'ai oublié un truc, lui renvoya Lorenzo. Comment tu la trouves, ma copine ?

— Qui ça ?

— Jesse Haus.

— *Qui* ? répéta Rosen, jouant l'ahuri.

Lorenzo plissa les yeux, redémarra.

— Ouais, et là, c'est écrit jobard, dit-il en se montrant le front.

Il n'insista pas, il n'avait pas la tête à ça en ce moment, mais nota cependant que le prochain retrait à la banque des faveurs serait pour lui.

Après avoir passé le barrage sans problème, il gara la camionnette sous le passage couvert du Bâtiment 3, fit entrer discrètement Brenda. Délaissant l'ascenseur, il la dirigea immédiatement vers l'un des escaliers. La puanteur surchauffée semblait solide comme un mur ; l'humidité donnait au béton un éclat cireux et faisait couler les graffitis.

A quelques marches du rez-de-chaussée, Brenda hésita en avisant quatre adolescents qui glandaient dans l'escalier, deux autres sur le palier du premier étage. Ils avaient été postés par Bump pour l'examiner, dire si c'était une cliente, en une sorte de séance d'identification inversée. Lorenzo n'apprécia pas trop les poses raides, manquant de naturel, des dealers. Les traits figés, ils n'osaient même pas parler tant ils prenaient leur tâche au sérieux, tant ils désiraient faire partir la police pour recommencer à gagner un peu d'argent.

En faisant passer Brenda entre eux, Council remarqua trois autres dealers plantés plus haut tels des chandeliers en appliques. Il nota aussi une présence indésirable, un reporter mal rasé appuyé au mur entre les potiches un et deux. Avec un sourire d'excuse, il glissa sa carte à l'inspecteur, lui emboîta le pas. Lorenzo dut se retourner et le repousser avec douceur.

— Vous êtes même pas censé être ici.

— Je veux juste...

Il entraîna Brenda rapidement vers le deuxième étage tandis que le journaliste criait derrière eux :

— Qu'est-ce qui se passe, là-haut ?

Malgré l'incident, Lorenzo restait sur l'impression que la jeune femme avait passé la douane locale : aucun des revendeurs n'avait paru la reconnaître. Au moment où il ouvrait la porte du 2P, Brenda fit glisser les écouteurs autour de son cou et s'essuya le front avec l'avant-bras.

— Alors, j'ai passé l'inspection ?

L'appartement était vide, fraîchement repeint, et étouffant. Lorenzo eut le T-shirt collé au bas du dos avant d'avoir pu traverser le living pour ouvrir une fenêtre. Situé immédiatement au-dessus de chez Miss Dotson, l'appartement donnait sur le parc miniature. Council fit signe à Brenda d'approcher pour avoir une vue aérienne du lieu du crime. Il la tint cependant un peu en arrière afin d'éviter qu'elle passe la tête dehors et provoque une cavalcade le long de la voie ferrée.

— A quoi vous pensez ?

— Ça paraît si facile, répondit-elle.

— Quoi ?

— De traverser le parc en voiture.

Silencieuse, elle contempla un moment le feuillage des arbres en vacillant comme un ivrogne. Lorenzo l'observait en pensant qu'elle allait tourner de l'œil d'un moment à l'autre, mais il la vit se remettre à pleurer.

— Brenda, à quoi vous pensez ?

Elle se retourna, parcourut la pièce du regard.

— Je me rappelais quelque chose, dit-elle d'une voix lointaine.

— Oui ?

— Je revivais quelque chose.

Il s'appuya contre le mur, sentit la viscosité de la peinture fraîche.

— Quoi ?

Elle se mit à faire le tour du living d'un pas raide.

— J'arrive pas à chasser ça de mon esprit.

— Quoi ?

— C'est compliqué.

Il se surprit à osciller de la tête pour tenter d'accrocher son regard.

— C'est à propos d'hier soir ? Parce que c'est pour ça qu'on est ici.

Sans répondre, elle continuait à tourner dans la pièce vide, l'épaule droite effleurant le mur.

— C'est à propos de votre fils ?

— La vie se divise en deux parties, déclara-t-elle tout à trac. Avant et après les enfants.

Il la laissa boucler un autre tour du living avant de la solliciter de nouveau :

— Dites ce qui vous passe par la tête.

— Ça ne servira à rien.

— On ne sait jamais.

— C'est compliqué.

— J'ai le temps, dit Lorenzo d'une voix douce. Attendez.

Il sortit de la pièce et chercha dans l'appartement quelque chose pour la faire asseoir, trouva dans un des placards une chaise pliante métallique tachée par ce qui semblait être du vernis à ongles séché. Il la rapporta dans le séjour, l'ouvrit.

— Reposez-vous.

Elle s'assit, se releva aussitôt pour tirer la chaise à l'ombre. Lorenzo posa une fesse au bord d'un appui de fenêtre. Le soleil lui chauffait l'épaule comme à travers une loupe, mais il n'y avait pas d'autre endroit où il pouvait s'asseoir sans tacher ses vêtements.

— Y a de ça une dizaine d'années, commença-t-elle lentement, s'adressant au plancher entre ses jambes, quand j'avais vingt, vingt et un ans, je suis allée vivre à New York, pour sortir de la cloche en verre.

Ne supportant plus le soleil, Lorenzo se rapprocha du mur à la peinture encore fraîche.

— De la quoi ?

— Pour échapper à ma famille. Je me suis trouvé un boulot au Hayden Planetarium et j'ai commencé à sortir avec un gars qui vivait dans une communauté où tout le monde suivait la même psychothérapie. Ils étaient parfaitement organisés : cent, cent cinquante personnes qui se connaissaient, qui vivaient par groupes de cinq ou six dans un loft ou un immense appart', tout le monde voyait la même douzaine de psys, les psys se voyaient entre eux. C'était comme une société secrète en plein cœur de la ville... Bref, ce type m'emmène à une soirée — ils organisaient des soirées géantes —, et personne n'est là en couple, tout le monde s'amuse : on boit, on danse, on se pelote. Moi, j'étais un peu paumée à ce stade de ma vie, alors j'hésite pas : « Où est-ce que je dois signer ? » Et je me retrouve en thérapie avec un psy qui me prend presque rien, je vis avec une demi-douzaine d'autres femmes dans un grand loft de Tribeca. J'ai plein de nouvelles copines, je vois des tas d'hommes, tout le monde est sur la même longueur d'onde, et au début, c'était vraiment marrant. Mais ils avaient, comment dire, cette conception du monde qui divisait les gens en deux catégories : nous, le groupe, et tous les autres, qui n'étaient qu'une bande de psychopathes. Votre famille ? Une cellule de psychos, comme si l'objectif essentiel de vos parents dans la vie était de vous détruire. Si vous étiez marié ? Votre couple n'était qu'une association psychotique qu'il fallait rompre et, et *vous*...

Elle leva les yeux, pointa vers Lorenzo un doigt accusateur.

— Si vous rejetiez leur conception du monde, vous n'étiez qu'un pauvre psychopathe, vous aussi, poursuivit Brenda, baissant de nouveau la tête. En tant que personne, vous ne pouviez que vous épanouir ou vous dégrader, et le message était le suivant : si vous nous rejetez, si vous rejetez nos valeurs, notre sagesse, vous êtes manifestement en train de vous dégrader, ou pire, vous avez choisi de vous dégrader...

Lorenzo s'accroupit devant elle en pensant à Jonestown, à la secte Moon.

— Est-ce que ces gens — vous n'avez pas à avoir peur de

qui que ce soit —, est-ce que ces gens ont quelque chose à voir avec votre fils ?

Brenda écarta la question d'un geste.

— Quand j'en parle comme ça, ça paraît évident, ça fout la trouille, mais ils arrivent à vous emberlificoter dans leur truc, dans cette communauté géante, cette amitié, cette vie ensemble. D'ailleurs, quand on décide de voir un psy, c'est qu'on a du mal à vivre, au départ, alors, ils vous tiennent dès que vous franchissez la porte, ils vous offrent un changement si radical... Bref, j'ai fini par rompre complètement avec ma famille, par vivre avec une bande de femmes et baiser avec un tas de mecs. Tout le monde le faisait. Je venais d'une famille de flics, c'était facile de la mettre en pièces avec un psy. Je faisais partie du groupe et au début, ça allait, mais, chaque semaine, il y avait ces réunions à la maison, moitié questions domestiques, moitié thérapie amateur. Par exemple, une des filles avec qui je partageais l'appart' disait : « Je suis en colère contre Brenda, elle n'a pas fermé la porte à clef hier soir », ou bien : « Je suis en colère contre Brenda, elle a oublié de donner à manger au perroquet », et toutes les autres embrayaient : « Ouais, moi aussi, je suis fâchée contre elle. Qu'est-ce que tu as, Brenda ? » Et moi : « Je crois que je suis en colère. Parce que je suis en train d'explorer mon histoire familiale avec Ted. Et je commence à prendre conscience que ma mère était une personne extrêmement colérique, et ça me met en colère. Mais je crois que ça me fait peur aussi, l'idée d'avoir grandi au sein d'une telle rage. » Je fondais en larmes, toutes les autres me serraient dans leurs bras et pleuraient elles aussi. Je me sentais bien, je me sentais aimée, et pendant quelques jours je fermais la porte d'entrée à triple tour, je gavais le perroquet. Une vraie vie de femme battue : une gifle, une caresse, une gifle, une caresse.

Lorenzo se leva, s'appuya au mur le plus proche. Une bonne partie de ce que Brenda racontait lui échappait, mais sa phrase sur le tas de mecs qu'elle baisait résonnait encore dans ses oreilles. Ce n'était pas l'acte lui-même qui le choquait mais l'expression. Il avait sur ce chapitre une attitude collet monté surprenante étant donné son métier : il n'aimait pas entendre des obscénités dans la bouche d'une femme.

— Au bout de quelques mois, je m'accroche toujours, je

m'entends bien avec certaines des filles, en tout cas, je me sens pas seule, et puis, un samedi, je descends et je vois mon frère dans une voiture garée devant l'immeuble. J'ai la frousse parce que je viens d'envoyer un mot à ma famille, pour couper définitivement les ponts. Je remonte, je dis aux autres que Danny est en bas, et elles : « Oh, mon Dieu, le flic ? » Elles me demandent comment il a pu me retrouver, je réponds que j'ai téléphoné à ma mère la semaine d'avant, pour qu'elle sache que je ne suis pas morte, mais que je ne lui ai pas donné l'adresse, ça, non. Elles deviennent dingues, elles appellent leur psy. On tient une réunion extraordinaire et elles *décrètent*, c'est le mot, que je suis une sale psychopathe, que j'expose délibérément mes amies aux réactions d'un flic armé et peut-être atteint de folie homicide, que j'ai mis en danger toute la communauté thérapeutique. Là-dessus, elles me donnent deux heures pour vider les lieux...

« Il m'a pas fallu deux heures, je suis partie en cinq minutes, j'ai laissé tout ce que j'avais. C'était dur pour moi de vivre de cette manière, mais j'essayais, j'essayais vraiment. Je faisais ma thérapie, je participais aux réunions. Je pensais qu'elles m'aimaient bien, en un sens, et je les aimais plus ou moins aussi, mais en cinq minutes, terminé. J'étais devenue une nullité parce que mon con de frère s'était montré...

Lorenzo grogna pour exprimer sa compassion, regarda l'heure : une heure moins dix.

— Je descends, je vais droit à la voiture de Danny. « Tu brises le cœur de Maman », il me dit. « Elle en a pas », je réponds, et nous voilà partis vers le tunnel. Je suis sûre que j'avais à peine quitté l'appartement que les autres ont appelé leur psy : « Elle est partie, Tom, ou Tod, ou Sheila ou Lorraine. » Elles ont toutes probablement réclamé une séance d'urgence au cours de laquelle on leur a expliqué que Brenda avait peur de sa thérapie, qui la rapprochait trop d'une vérité terrifiante pour elle, alors elle tournait cette rage contre son psy et contre ceux qui la mettaient au défi de grandir, elle essayait de faire capoter toute l'entreprise, de détruire ceux qui tentaient de l'aider. Ils ont probablement dit que ma psychopathie était trop forte et que...

Elle s'arrêta soudain, se mit à pleurer, longue plainte tremblante qu'elle essaya de maîtriser en comprimant les lèvres, en fermant les yeux, en pressant une main bandée sur son front.

Lorenzo était à nouveau un peu perdu, mais éprouvait de la pitié pour elle.

— Après ça, pendant des années, je me suis sentie comme une vraie merde. Chaque fois que je faisais une connerie, que je perdais mon boulot ou mon appart' parce que je me droguais, ils étaient là dans ma tête, ils me regardaient foutre ma vie en l'air comme ils l'avaient prédit... Mais vous savez quand ça s'est arrêté ? Quand j'ai eu mon fils, quand j'ai eu Cody. Dès... dès que je l'ai tenu dans mes bras, je suis devenue quelque chose de *plus*. J'ai pensé... Je vous emmerde, tous. Vous ne pouvez pas toucher à ça. Vous ne pouvez pas être ça, la mère de ce bébé. *Moi.*

— OK, dit Lorenzo, comme pour marquer ce qu'il espérait être la fin de l'histoire. OK.

Ayant finalement saisi l'essentiel, il était partagé entre la colère contre Brenda et la colère contre ce qu'on avait fait à cette femme. Refoulant un sentiment de panique dû à la pression incessante du temps, il éprouvait de la compassion, de la frustration, mais aussi, indépendamment de cette histoire, de cette femme, une vive indignation. Il devait se retenir de déclarer combien il trouvait désinvolte et présomptueuse l'attitude de ce groupe à l'égard de la famille. Il lui semblait parfois qu'il passait la plupart de ses heures de veille à tenter de maintenir l'unité des familles. Pour Lorenzo, un père et une mère sous un même toit, c'était une bénédiction. Une tape sur les fesses, voire sur la joue d'un enfant, c'était le signe d'un engagement, d'une sollicitude. Les parents, aussi stricts et répressifs soient-ils, tant qu'ils fournissaient un lit, un foyer et des règles cohérentes, il fallait les respecter, les honorer, les chérir, parce que sans famille, sans au moins un simulacre de famille, un gosse n'avait aucune chance, du moins pas du côté de chez Lorenzo.

— OK, répéta-t-il, décidant d'y aller avec le gros marteau. Brenda, est-ce que vous croyez en Dieu ?

— En Dieu ? dit-elle, levant lentement la tête. Je sais pas comment répondre à cette question.

— Essayez par oui ou par non, suggéra-t-il.

Un concours de coups de gueule venait de débuter dans

Martyrs Park. Comme Brenda ne répondait pas, Council poursuivit :

— Je sais pas si je crois aux psys, aux communautés, aux étiquettes négatives qu'on colle aux gens. Mais je crois en Dieu, je crois que tout ce qui nous arrive sur terre, les bonnes choses comme les mauvaises, c'est parce que Dieu le veut.

Il mentait à demi, croyant plus à l'acte de croire qu'en Dieu lui-même.

Il alla prendre la chaise pliante délaissée par Brenda, l'approcha et s'assit, dominant la femme de sa masse.

— Pour votre fils par exemple, reprit-il en se penchant en avant, les mains jointes devant lui. Je sais qu'au fond de vous-même vous êtes terrifiée par l'idée que... que cela pourrait finir mal...

Elle tourna la tête jusqu'à ce que son profil se dessine sur le mur.

— Moi aussi, continua Lorenzo. Moi aussi... Mais il faut puiser de la force en Dieu. Il faut croire que s'il est arrivé quelque chose, c'est parce que Dieu a voulu reprendre cet enfant, comme il nous reprendra tous un jour ou l'autre, alors, en un sens, c'est la faute de personne, on n'y peut rien.

Il marqua une pause, lui sourit, les paupières mi-closes.

— Comprenez-moi bien : je n'arrêterai pas avant d'avoir retrouvé votre fils, et la personne avec qui il se trouvait en dernier. Mais quelquefois, plus on cherche à savoir, plus la vie est mystérieuse.

En bas, le raffut s'intensifiait et Lorenzo reconnaissait maintenant les voix : un flic de Dempsy nommé Beausoleil et un jeune de la cité, Corey Miller.

— C'est comme pour Kenya Taylor, continua-t-il. Pourquoi elle est morte ? Nous n'en savons rien, mais Dieu, lui, il le sait. Ses raisons sont trop profondes pour nous. Plus on essaie de... de les saisir, plus on nage, et quelquefois, la meilleure chose à faire, la seule chose à faire, c'est de s'abandonner à Lui, de s'abandonner à notre faiblesse, à notre ignorance, à notre condition humaine. Si vous faites ça, vous aurez plus de paix dans le cœur qu'avec toute une armée de thérapeutes, de psychiatres, de gourous et je ne sais quoi.

Il attendit, les coudes sur les genoux, se frottant lentement les mains, oscillant à nouveau de la tête pour trouver le regard de Brenda. Elle tourna son visage complètement vers le mur et il vit dans ses cheveux massacrés une bosse de la taille d'une bille, il vit les nœuds de sa colonne vertébrale, semblable à une corde tressée.

— On essaie de bien se conduire dans la vie, mais quand ça tourne mal, il faut savoir que c'est pas vraiment nous qui décidons, et quelquefois, il y a rien d'autre à faire que se laisser aller, s'abandonner...

Lorenzo essaya de se rappeler combien de fois il avait débité ce discours au cours des quinze dernières années. Il s'attendait toujours à ce que le suspect lui rie au visage et dénonce un stratagème qui sautait aux yeux, mais cela n'arrivait jamais. Ils cherchaient tous désespérément à se raccrocher à quelque chose, à n'importe quel argument qui les aiderait à continuer à vivre avec eux-mêmes. Cela ne signifiait pas pour autant qu'ils « s'abandonnaient ». La plupart d'entre eux cherchaient simplement un moyen de dormir tranquillement une nuit de plus.

Silencieuse, la respiration régulière, Brenda ruminait son boniment — du moins, il l'espérait. Lorenzo était allé aussi loin que possible sans tomber dans le prêche pur et simple. Il se leva, se pencha par la fenêtre, regarda le ciel torride puis baissa les yeux vers la prise de bec. Beausoleil et Corey Miller en étaient aux coups de poitrine. Ils se taisaient à présent et échangeaient des regards mauvais, « Essaie un peu de faire le con avec moi », la castagne proprement dite devant éclater dans deux minutes environ.

Il se tourna de nouveau vers Brenda, toujours assise par terre.

— Et si vous retombez un jour sur un membre de ce groupe, dites-lui qu'il n'y a plus de psychopathes depuis 1930. On appelle ça des personnes atteintes de troubles asociaux de la personnalité. (Elle émit un halètement qui pouvait passer pour un rire.) Venez ici. Prenez un peu l'air.

Elle se mit lentement debout, le rejoignit à la fenêtre au moment où Beausoleil et Miller entamaient les bourrades.

— Regardez ça, dit Lorenzo.

Il claqua de la langue en voyant trois copains de Corey et un groupe de flics converger vers le lieu de la confrontation qui, soudainement, devint un échange effréné d'uppercuts. Les flics plaquèrent Corey, ventre contre le sol. Beausoleil, la bouche en sang, lui pressa le visage contre l'asphalte brûlant tandis qu'un autre policier lui passait les menottes derrière le dos. Les gars de Miller faisaient cercle, injuriant la police avec une telle ardeur que les muscles de leur cou saillaient comme des cordes.

— Vous avez entendu ce qu'a dit Bump avant qu'on vienne ici ?

Brenda ne répondit pas, s'appuya contre l'épaule de Lorenzo, épuisée, et ce contact physique inattendu provoqua en lui une vague perturbante de tendresse.

— Il a dit que la cité est comme une bombe à retardement. Enfin, vous connaissez l'endroit, vous êtes pas une touriste.

— Je suis si fatiguée, murmura-t-elle.

— Brenda, je prie Dieu pour qu'on retrouve votre gamin. Ça, c'est la première chose. Mais je prie aussi pour qu'on le retrouve avant que quelqu'un d'ici soit vraiment blessé. Regardez-moi ce merdier.

Deux des copains de Corey l'avaient rejoint par terre, un genou de flic dans le dos. D'autres personnes accouraient : des ados, des vieux, des flics, et d'autres flics encore, derrière. Tout le monde avait l'air excité, à moitié dingue.

— Brenda, on se cogne la tête contre un mur, ici... S'il y a quelque chose d'autre que vous pouvez nous dire pour nous aider à mettre fin à tout ça, c'est le moment... C'est le moment.

Elle quitta la fenêtre, alla s'asseoir sur la chaise, laissa sa tête tomber entre ses genoux. Lorenzo se demanda s'il devait lui prendre le menton pour lui faire lever les yeux vers lui avant qu'elle ait eu le temps de se ressaisir, ou s'il valait mieux la laisser venir d'elle-même.

Il misa sur la non-intervention — pas de contact physique, pas de mots pour rompre le fil de sa pensée — et quand elle finit par se redresser, ce fut comme si elle émergeait après une longue plongée à vous faire exploser les bronches, la bouche ouverte, les épaules montant vers les oreilles avant de reprendre leur place sous le cou.

— J'essaie, j'essaie, plaida-t-elle, le visage tordu de souffrance. Mais c'est si dur, vous pouvez pas savoir...

12

Ne prêtant aucune attention à la partie de gendarmes et de voleurs qui se déroulait dans le parc, Jesse, agitée comme un chien attaché à la devanture d'une boucherie, continuait à fixer la camionnette de surveillance, vide, qui avait transporté Brenda au Bâtiment 3 près d'une heure plus tôt.

De la Chrysler de Ben, garée devant le barrage de Hurley Street, elle avait également une bonne vue sur le campement médiatique, là-haut, derrière le grillage. Une autre conférence de presse s'y déroulait mais cela ne l'intéressait pas. Après l'intimité de ses rapports de la veille avec Brenda Martin, l'idée de redevenir simplement l'un des chiens de la meute sous un ciel chauffé à blanc lui était insupportable. Brenda était à elle, elle ne voulait pas la partager.

Sortant de la voiture pour mieux voir le Bâtiment 3, elle se plaça involontairement sur le chemin de la Crown Victoria de Council. Bump Rosen dut donner un coup de volant et freiner brutalement pour éviter de la faucher. Sans perdre une seconde, elle se pencha à la fenêtre ouverte du conducteur.

— Salut.

— Salut, répondit Bump, le souffle court d'avoir frôlé l'accident.

Jesse eut un mouvement du menton pour désigner Armstrong.

— Vous pouvez me faire entrer ? sollicita-t-elle, l'anxiété purgeant sa voix de tout charme.

Rosen plongea une main dans le sac de la journaliste, y prit son bloc-notes, l'ouvrit à une page vierge et inscrivit une série de chiffres.

— Tenez, dit-il en lui rendant le bloc. C'est mon numéro, chez moi. Mon fils y est en ce moment.

— Quoi ? répondit-elle.

— Hé, j'ai fait ma part. Vous voulez qu'on continue ? C'est donnant, donnant. Vous interviewez Terry et ce sera de nouveau mon tour. Attention à vos mains, prévint-il deux secondes avant de démarrer.

Jesse fit un tour sur elle-même en tombant, lâcha son téléphone portable, dont la coque en plastique se disloqua sur l'asphalte en trois morceaux inégaux. La nuit précédente, dans l'appartement de Brenda, elle avait éprouvé par moments de telles bouffées d'amour pour son métier, pour sa vie, qu'elle en aurait pleuré. Elle avait maintenant envie de se trancher la gorge. Cette dégringolade en quelques heures ne lui était que trop familière. Elle sentit les mains de son frère se glisser sous ses bras pour la porter dans la voiture.

— Tu crois pas que tu devrais appeler Jose ? lui demanda-t-il.

Elle était de nouveau assise dans la Chrysler, le regard vitreux, le portable de son frère sur les genoux.

— Jess ?

— Pas encore.

— Il attend. (Elle ne répondit pas.) Et la mère ? suggéra-t-il.

Elle tourna vers lui un regard ébahi.

— La mère ?

— La mère de Brenda.

Cette fois, Jesse s'anima :

— Merde. J'ai oublié le numéro.

— Le voilà, dit-il, tirant le Post-it de derrière son pare-soleil. C'est mieux que rien, non ?

Elaine Martin, la mère de Brenda, habitait Farraly Place, à Gannon, un lotissement dense de petites maisons en planches à clins du début du siècle, certaines surmontées d'un dôme en oignon, d'autres d'une tour miniature. Elles étaient peintes en vert pois cassé, en jaune boueux ou en gris cuirassé, avec sur le devant un carré de gazon. L'impression lugubre de l'ensemble était quelque peu atténuée par les bannières en nylon décorées d'images estivales simples — dauphins, trèfles, arcs-en-ciel — qui pendaient au-dessus de chaque porche.

Le 144 Farraly semblait gardé par un vieil homme à l'air engourdi, chemise blanche, pantalon de toile marron serré une dizaine de centimètres sous les pectoraux. Il posa un regard renfrogné sur la voiture de Ben quand elle s'arrêta. Le mouchard de la rue, pensa Jesse en lui adressant un petit signe de son siège.

— Salut.

— Bon, à tout à l'heure, lui dit Ben dans un bâillement.

— Tu m'attends ?

— Non, j'ai des gens à voir, des coups de fil à donner.

— Pour quoi ?

— Quelque chose.

— Pour quoi ?

Il haussa les épaules et elle sut que c'était pour elle, quelque chose pour elle. Elle y crut aussi ferme qu'un enfant croit au Père Noël.

— Tu t'en sortiras, ici ?

— Oui, répondit-elle, sarcastique, en descendant de la voiture.

Il lui passa son téléphone cellulaire par la fenêtre.

— Je t'appellerai.

En se tournant vers la maison, Jesse eut la surprise de découvrir Elaine Martin dans l'ombre de son entrée, porte ouverte. La mère de Brenda était jeune — la soixantaine —, soignée, presque menue, vêtue d'un pantalon de toile et d'un haut qui semblait coupé dans le même tissu que la bannière accrochée au-dessus du porche. Sous une chevelure grise bouffante, un fin réseau de vaisseaux capillaires enserrait son nez. Ses yeux étaient gonflés d'avoir pleuré et leur bord inférieur brillait, comme enduit de gel.

— Mrs Martin ?

— Tout va bien, Angelo, dit-elle, s'adressant au vieux qui montait encore la garde devant sa barrière. Mon garde du corps, murmura-t-elle à Jesse avant de l'entraîner à l'intérieur de la maison.

La salle de séjour, immaculée et peu spacieuse, semblait

encore plus petite avec son mobilier lourd et sombre, son épaisse moquette, les cadres tarabiscotés des photos et des diplômes accrochés sur tous les murs. Jesse eut l'impression de pénétrer dans un foyer où la bande-son prédominante serait faite d'un silence profond ponctué par le tic-tac régulier d'une horloge. La mère de Brenda s'assit sur un canapé de velours marron, Jesse en face d'elle sur un fauteuil assorti.

— Comment vous tenez le coup ? s'enquit la journaliste en sortant son bloc-notes.

— Mon fils vient ce matin, l'air complètement bouleversé, il me fait asseoir et il me dit : « Maman, il vaut mieux que tu l'apprennes par moi que par la télévision : Brenda s'est fait agresser dans Dempsy. Le type a volé sa voiture avec le gosse endormi à l'arrière. » Alors, comment je tiens le coup ? Ça fait trois heures que je reste là à attendre un coup de téléphone.

Jesse hocha la tête en pensant : Un coup de téléphone de Brenda ? Pourquoi tu n'appelles pas toi-même ? Elle garda cependant la bouche close car l'expérience le lui avait appris : rien de tel qu'un silence attentif pour continuer à faire parler les gens.

— Dans toute famille, il y a des règles bizarres, ajouta la mère, comme si elle avait lu dans la tête de Jesse. J'ai appris à mes dépens que Brenda, il vaut mieux la laisser venir à vous.

Elaine Martin tira un mouchoir en papier d'une boîte posée sur une table basse, essuya la trace luisante sous ses yeux rouges.

— Alors, comment elle va ?

— Pas très bien.

— Je m'en doute. Danny dit qu'elle est blessée ?

— Un poignet foulé, je crois.

— Vous pensez que je devrais l'appeler ?

Sidérée, Jesse se demanda de nouveau si cette femme déchiffrait ses pensées.

— C'est... c'est à vous de voir.

— Ce serait un sacré coup, murmura la mère d'un ton lointain, comme si elle pensait à voix haute. Au téléphone, vous disiez que vous aviez une raison importante de me voir ?

Elle regarda la visiteuse, attendit.

— Je... je cherche à aider Brenda, répondit Jesse. Je voudrais que les gens la connaissent. Je voudrais...

Elle s'interrompit, comme submergée par son désir de bien faire, mais Elaine Martin lui jeta un tel regard que Jesse arrêta son numéro : deux générations de flics étaient passées dans cette maison.

— Vous voulez des éléments pour faire un portrait de Brenda, c'est ça ? Vous voulez venir vous asseoir à côté de moi et me regarder feuilleter l'album de famille, les photos de Brenda bébé, sa confirmation, son mariage ? Je ne vois pas ce qu'il y a d'important là-dedans. Elle est la victime, dans cette affaire. Maintenant, on étudie le passé de la victime pour retrouver l'auteur d'une agression commise au hasard dans la rue ? Ni mon mari ni mon fils ne m'ont parlé de cette méthode...

— Vous voulez que je parte ? proposa calmement Jesse, sachant que des orages de ce genre retombaient d'eux-mêmes assez rapidement.

La mère feignit de ne pas avoir entendu l'offre de la journaliste.

— Vous voulez que je vous raconte la vie de Brenda ? La version à l'eau de rose ou la version crade ?

— Ce que vous jugerez utile.

— Ce que je jugerai utile ? OK, je vous dis une ou deux choses sur ma fille, et vous, vous me dites si vous pensez que c'est utile, rétorqua la mère, dont la voix s'était légèrement voilée, malgré la sécheresse du ton. C'était une élève brillante qui a laissé tomber la fac au bout d'un trimestre, une jolie fille qui ne ramenait dans cette maison que des petits amis noirs ou portoricains, qui est partie à New York faire une sorte de thérapie dans une secte, qui a rompu avec sa famille pendant plus d'un an, qui s'est offert une bonne petite toxicomanie, qui est tombée enceinte, et personne ne sait qui est le père. Vous avez déjà quelque chose d'utile ?

Jesse la regardait sans oser prendre de notes.

— Non, répondit pour elle Elaine Martin. C'est bien ce que je pensais. Et vous savez pourquoi ? Parce qu'à moins qu'elle ne soit la coupable, rien de tout ça ne vous regarde, vous ou qui que ce soit d'autre. Vous n'êtes pas d'accord ?

Jesse s'abstint de répéter « A moins qu'elle ne soit la coupable » et dit, à la place : « Vous voulez que je m'en aille ? », à peu près certaine que la mère déclinerait de nouveau la proposition. En fait, quand le regard d'Elaine Martin se fit soudain lointain, que ses doigts se mirent à tirailler le tissu de son pantalon, la journaliste eut l'impression que cette femme venait seulement de se lancer.

— Vous voulez une anecdote ? demanda Elaine Martin d'une voix plus douce. Un jour que Brenda était toute gosse, on s'est disputés, son père et moi. Il buvait, à l'époque. Il n'était jamais violent, mais j'en avais assez, je venais de lui annoncer que je partais de la maison, avec les gosses. Il se met à pleurer, il promet d'arrêter. Il pleure, je pleure, on est tous les deux dans la cuisine, et Brenda entre. Elle nous regarde, l'air atterrée. La radio marchait, « September Song », chanté par — vous ne devinerez jamais — Jimmy Durante. « Chérie, je lui dis, tu entends comme elle est triste, cette chanson ? Elle nous fait pleurer, moi et Papa, tellement elle est belle et triste. » Naturellement, elle se met à pleurer elle aussi, alors, je la prends dans mes bras et je reviens sur ma décision de quitter Pete, ce qui était une bonne chose. Mais, Seigneur Dieu, Jimmy Durante ! Vous savez, je ne l'ai jamais plus entendu chanter cet air à la radio, ni avant ni après.

Jesse grogna sans bruit, la feuille de son bloc-notes toujours vierge.

— Pete est mort il y a quelques années, poursuivit Elaine. Brenda vient à la maison, elle m'emmène dans la cuisine, elle me dit : « Maman, j'ai quelque chose pour toi » et elle me donne une cassette qu'elle a enregistrée. Elle adore ça, faire des enregistrements pour les gens. Et c'était « September Song » par Jimmy Durante. Comment elle s'en était souvenue ? Comment elle l'avait retrouvée ? Aucune idée. Elle avait cinq ans ! Elle me donne la cassette en disant : « Maman, si Papa te manque trop, tu pourras écouter cette chanson. » Elle m'avait crue. Pendant toutes ces années, elle avait cru qu'on pleurait parce que...

Elaine Martin détourna la tête, cligna furieusement des yeux. Jesse comprit alors la vraie raison de sa présence : elle était là parce que cette maison, cette femme avaient connu Brenda. Jesse ne pouvait plus avoir Brenda en chair et en os, alors elle se rabattait — comme l'ivrogne qui renverse au-dessus de sa langue une bouteille vide — sur les lieux et les gens qui lui étaient familiers.

— Cody, reprit Elaine Martin, s'étranglant presque sur le nom de son petit-fils. J'ai vu cet enfant — on m'a autorisée à le voir — quatre fois en quatre ans.

Elle lança à la journaliste un regard appuyé, attendit.

— Pourquoi ? finit par demander Jesse.

— Quand Brenda est tombée enceinte, je lui ai dit : « Tu n'es pas mariée, qu'est-ce que tu veux que je fasse ? Tu as plus de vingt et un ans, tu fais ton lit comme ça te chante. Mais une question, quand même : tu sais qui est le père ? » Elle a répliqué : « Tu oses m'insulter comme ça ? Va te faire *foutre*. Tu ne le verras jamais, ce bébé, je le jure. » Et vlan, elle est partie...

Elaine Martin s'interrompit, regarda un moment un agrandissement de Danny et Brenda enfants accroché au-dessus de la télévision.

— Brenda a toujours eu un problème avec moi. Le père... Pete a été vingt-neuf ans dans la police, mais à la maison, c'était moi le flic, parce que Pete, il rentrait le soir à moitié soûl, il leur disait : « Je sais pas quelles bêtises vous avez faites, mais moi, je suis trop crevé, alors, montez dans votre chambre et collez-vous une fessée vous-mêmes. » (Elle haussa les épaules, eut un sourire crispé.) Vous voyez ce que je veux dire ?

— Tout à fait, répondit Jesse machinalement.

La conversation s'écartait de plus en plus de l'affaire et elle commençait à chercher des voies de sortie.

— Ce que je ne comprends pas... commença Elaine Martin en se tordant les mains. Elle me hait, elle a peur de moi, elle pense que je suis toujours sur son dos, mais c'est comme si elle ne pouvait se passer de moi. Elle me met à l'épreuve. Avec ses petits amis, par exemple. Un Noir, un Portoricain : rien que pour me mettre en colère, parce que je suis d'une autre génération, et la première fois, j'ai marché, j'ai gobé la ligne et l'hameçon. Elle amène ce jeune Noir à la maison pour me le présenter — soit dit en passant, il avait lui-même l'air très gêné — et j'ai piqué une crise...

Jesse songea à Charles, son copain jamaïquain, en troisième, toute cette énergie qu'ils dépensaient à regarder les gens en train de les regarder.

— Je l'ai forcée à rompre dès qu'il est sorti de la maison. A propos, elle s'était arrangée pour amener ce pauvre garçon à un moment où elle était sûre que son père ne serait pas là, vous voyez ? Alors, je pique ma crise, je crie : « Tu romps, tu romps tout de suite ! » et elle prend un air outragé mais je voyais bien... (Elle plissa les yeux, fixa le vide.) Je voyais bien qu'elle n'aurait pas été plus heureuse si je l'avais couronnée Reine d'un Jour, et je me suis dit : OK, j'ai compris. Je ne retomberai plus jamais dans le panneau. Elle pouvait bien sortir avec Malcolm X, ça m'était égal, parce que j'avais découvert que le meilleur moyen de répondre à une conduite négative de votre enfant, c'est de ne pas réagir. Mais Brenda, elle est dure, elle est têtue. Comme son frère. Vous connaissez Danny ? Vous êtes reporter, vous avez dû le rencontrer.

— On s'est rencontrés.

— Un autre exemple. Il y a de ça dix, douze ans, elle quitte la maison, comme ça, dit la mère en claquant des doigts. Elle s'installe à New York, dans une secte où on lui serine que sa famille est du poison. Elle nous envoie donc un mot : « Ne cherchez pas à me revoir », pour couper définitivement les ponts avec nous. Mais je vous pose la question : si vous rompez comme ça avec votre mère, vous pensez à elle moins ou plus que si vous la voyiez normalement ? Et laissez-moi vous dire que, secte ou pas, elle téléphonait ici une fois par semaine environ, pour se disputer avec moi, avec moi, parce que, là encore, elle appelait quand elle était sûre que son père n'était pas à la maison.

— Je vois.

Elaine Martin pressa contre ses yeux un mouchoir roulé en boule.

— Elle me fait passer pour un monstre, mais je vais vous dire, pendant tout le temps qu'elle a vécu ici, il n'y a qu'une chose que j'ai faite et que je donnerais mon bras droit pour pouvoir effacer. Elle devait avoir près de dix-huit ans, elle vivait encore à la maison, et je crois que c'est peut-être ça qui l'a fait se retrouver en thérapie à New York. Je parlais à ma sœur au téléphone, dans la cuisine, j'étais un peu déprimée ce jour-là et je lui dis : « Tu sais, Jean, si je compare avec tes gosses, je suis plutôt déçue de ce que deviennent les miens. » Au moment où je prononce ces mots, j'ai une drôle d'impression, je me retourne, et je vois Brenda sur le pas de la porte... (Elle se tut, porta son poing à sa bouche.) Je n'ai rien pu dire. Je savais que tout ce que je pourrais dire ne ferait qu'aggraver les choses.

— Oh ! non, murmura Jesse, réellement touchée.

Comme pour prendre acte de la seule réaction sincère de la journaliste depuis son arrivée, Elaine Martin tendit soudain le bras par-dessus la table basse et lui saisit le poignet.

— Vous m'avez posé beaucoup de questions, vous savez ? reprit-elle d'une voix entrecoupée.

Quasiment aucune, pensa Jesse.

La mère de Brenda prit une longue inspiration, bredouilla :

— A... à mon tour de... de vous en poser une. (Jesse attendit, supportant difficilement le contact de cette main.) Mon petit-fils, vous croyez qu'on le retrouvera ?

La sonnerie du portable les fit sursauter toutes les deux. Elaine Martin lâcha à contrecœur la main de sa visiteuse.

— Excusez-moi, dit Jesse. (Elle se tourna de côté, approcha les lèvres de l'appareil.) Oui ?

— Je peux parler ? demanda Ben.

— Quoi ?

— Il n'y a rien de sûr mais j'ai eu une longue conversation avec certaines personnes, et je crois avoir une bonne chance de te faire revenir auprès de Brenda.

— Non ! murmura-t-elle, transportée de joie.

— Où tu seras, plus tard ?

— Chez moi.

— Je te rappellerai. Sinon, tout va bien ?

— Ouais.

Après que son frère eut raccroché, Jesse murmura « Désolée », puis, se rendant compte que la mère attendait une réponse, ajouta, comme à la réflexion :

— Si je pense qu'on le retrouvera ? Oui, je crois. Il faut avoir une attitude positive.

— Vraiment ? dit Elaine Martin, sans remarquer ce que la réponse de Jesse avait de distrait, de paresseux. Je ne sais pas. (Elle haussa les épaules, s'étreignit les genoux.) Avec la drogue, le sida, la criminalité — demandez à Danny. Il y a tellement de haine, aujourd'hui, on ne peut même plus regarder quelqu'un. Dans quel monde on vit !

La tête bourdonnant d'impatience, Jesse tentait de respecter l'atmosphère du lieu, mais son corps prit le dessus et elle se mit à mimer le départ, fermant son bloc-notes, laissant tomber ses mains sur ses cuisses. Elaine remarqua le manège avec une perspicacité amère.

— L'inspecteur qui s'occupe de l'affaire est le meilleur, assura Jesse. Demandez à votre fils.

Sentant que son cadeau d'adieu n'était pas approprié, elle rouvrit son bloc, en détacha une feuille et nota dessus le numéro de son bipeur.

— Là, j'ai une urgence mais, tenez, si je peux faire quelque chose pour vous, appelez-moi.

Elle fit glisser la feuille sur la table, se rendit compte que Bump avait écrit son numéro au verso.

Elaine Martin considéra l'offrande d'un œil sceptique.

— Notre millionième client, hein ?

Ravalant sa honte, Jesse haussa les épaules pour s'excuser et pensa : Si vous saviez, ma pauvre dame...

Elle quitta la maison de la mère pour retrouver la même sentinelle à la mine ahurie appuyée à la barrière des Martin. Il la suivit d'un œil bougon, comme possédé d'une colère dont l'origine se perdait dans le temps. En se dirigeant vers la station de métro la plus proche, elle sentit dans sa gorge l'arrière-goût de sa sortie peu élégante : elle n'avait vraiment aucune raison de filer comme ça. Tant qu'elle avait le portable, Ben pouvait la joindre n'importe où. C'est la faute au boulot, décida-t-elle, un monde de gestes réflexes, de priorités brusquement imposées, où tout le monde est conditionné à courir contre la montre, à courir après l'information.

Le problème, lorsqu'on a convaincu les gens de parler, c'est de trouver un moyen de s'esquiver une fois qu'on a obtenu les informations recherchées. Une fois que vous les avez lancés, les gens semblent incapables de s'arrêter, ils ne veulent plus que vous quittiez la maison, que vous raccrochiez le téléphone. Ils vous clouent sur place avec leur réaction silencieuse à vos « Bon », « Eh bien, voilà », « Je vous rappelle dans quelques jours, d'accord ? ». Toute réplique finale que vous parvenez à sortir est accueillie par une prière muette de rester en ligne, de rester dans la cuisine : la femme n'a pas fini de vous convaincre — et de se convaincre — qu'il vaut mieux finalement que le mari soit mort ; la grand-mère n'a pas fini de répéter que comme ça, sa petite-fille, ou son petit-fils, ne connaîtra pas le sida, la drogue, la prostitution.

Un courant d'air humide et fétide monta à sa rencontre lorsqu'elle descendit les marches d'Allerton Avenue, l'une des deux stations de Gannon. Au niveau de l'entresol, son attention fut attirée par la une du *New York Daily News* du jour, avec, côte à côte, le portrait-robot de l'agresseur et la photo de Cody nourrissant le chevreau avec un biberon, et, au-dessus, ce titre en lettres énormes : LES AVEZ-VOUS VUS ?

Jesse continua à descendre vers les quais. A cette heure creuse, la station était quasi déserte. En attendant la rame, penchée au bord du quai, plongeant le regard dans le tunnel sans fond, tendant l'oreille pour déceler un grondement annonciateur, elle se mit à chercher le ton adéquat pour le matériau qu'elle avait rassemblé jusqu'ici : une certaine compassion pour l'épreuve que traversait Brenda, mais dépourvue d'une sentimentalité qui la ferait passer pour une cruche si jamais il s'avérait que Brenda avait le mauvais rôle dans cette histoire. Les confidences d'Elaine Martin étaient également à manier avec des pincettes. Jesse ne pouvait utiliser les histoires du petit ami noir, du droit de visite refusé à la grand-mère, de la thérapie en secte que si elle avait la certitude de la culpabilité de Brenda. En évaluant ce qu'elle pouvait donner pour le moment sur Elaine Martin — veuve de flic, mère de flic, sentinelle solitaire —, Jesse se surprit à penser plus en termes de mise en forme, de rédaction, que de simples informations déversées dans l'oreille de Jose.

A la fois contente et nerveuse, elle était si absorbée par les diverses possibilités qu'elle ne vit les ennuis arriver que lorsqu'ils lui tombèrent quasiment dessus : trois jeunes Blancs, des gars de Gannon, habillés comme des Blacks, shorts amples descendant jusqu'au mollet et maillots de hockeyeurs trop grands. Ils avançaient d'un pas lent sur le quai, trahis par leurs yeux détournés, regardant tout sauf Jesse, le plus costaud en tête, le front baissé, les lèvres pincées, la poitrine gonflée d'excitation. Jesse reconnut le langage corporel de groupe, qu'elle avait remarqué au cours d'une dizaine de tempêtes de merde citadines ; elle s'était fait casser le nez en couvrant un concert Sauvez les Enfants qui avait viré à l'émeute à Dempsy. Elle se sentait impuissante mais calme, son passé lui revenant en images isolées, légèrement floues et tremblantes, comme sur l'écran de contrôle d'un système de surveillance vidéo : son bureau, sa poupée, la plage, ses parents...

Paralysée, elle attendait, mais, quand ils parvinrent à son niveau, ils s'écartèrent, la contournèrent et se regroupèrent derrière elle, continuant vers le bout du quai, vers le jeune Noir qui se tenait à une dizaine de mètres d'elle. Jesse éprouva une vague de soulagement mêlée de gêne.

Le Noir, qui devait avoir une vingtaine d'années, portait un jean et une chemise aux pointes de col boutonnées. Coursier ou étudiant, il avait sous le bras une pile de grandes enveloppes et regardait le trio s'approcher avec la même expression de compréhension impuissante que Jesse avait sans doute eue quelques secondes auparavant, imaginait-elle. Ils s'arrêtèrent, formant un triangle grossier, l'un derrière le Noir, les deux autres l'encadrant devant, tous écarquillant les yeux, attendant, quatre cœurs battant à tout rompre.

Le coup de poing vint de derrière : le plus baraqué des trois Blancs — cheveux blond pâle presque ras et maillot des Pittsburgh Penguins — expédia au Noir une patate incroyable puis recula, sautillant sur place comme si l'arbitre l'avait renvoyé dans un coin neutre. « Aouh », fit le Noir, dont l'oreille commença instantanément à gonfler. Ses genoux se dérobèrent sous lui et l'une des enveloppes tomba sur le quai.

Tous les quatre attendirent de nouveau, comme figés par une étrange timidité. Le Noir ne tentait pas de s'enfuir. Tremblant, il essaya de remettre en place les enveloppes qu'il tenait encore sous son bras. Malgré sa peur, Jesse finit par crier un « Hé ! » qu'elle fit suivre d'un « Merde ! » rageur, sans qu'elle pût s'expliquer pourquoi. Elle tendit le bras pour montrer son portable, comme pour les menacer d'appeler.

Finalement, un des deux autres décocha un coup de pied de karaté dans les côtes du Noir. Les enveloppes absorbèrent une partie du choc, mais l'impact projeta le jeune contre une poutrelle et sa tempe droite heurta un rivet à la peinture écaillée. Il tomba à genoux au moment où Jesse criait : « Arrêtez ! Police ! » Personne ne lui prêta attention. Elle avait trop peur pour faire quoi que ce soit d'autre que les interpeller et craignait aussi, si elle quittait le quai pour aller chercher de l'aide, que le Noir ne se fasse tuer. Le troisième Blanc lâcha son coup : une basket en pleine poitrine. Le Noir bascula en arrière avec un « Mon Dieu ! » plus exaspéré qu'effrayé qui décida cependant Jesse à intervenir physiquement. Elle se retrouva agenouillée à côté de lui, épaule contre épaule, sans trop savoir ce qu'elle faisait, une sorte de réflexe militant hérité de son enfance, peut-être.

Les trois agresseurs échangèrent des regards. Le plus grand se mit lui aussi sur un genou, de l'autre côté du jeune Noir groggy, et, presque avec douceur, prit les enveloppes coincées sous l'avant-bras raide, les jeta avec désinvolture sur la voie. « C'est pour Cody Martin », annonça-t-il d'un ton dépourvu de rancœur, comme si, soulagé d'en avoir fini, il offrait maintenant une explication détachée de son acte. S'appuyant à l'épaule du jeune Noir, il se releva. « Fais passer le mot, mon gars », dit-il, marchant à reculons pour rejoindre les deux autres, qui se dirigeaient déjà vers la sortie. Le « karatéka » se retourna pour beugler : « C'est pas D-Town, ici ! C'est le pays de Marlboro ! » Ils sautèrent tous les trois par-dessus les tourniquets et remontèrent sans être inquiétés en direction de la rue.

La police arriva sur les lieux moins de dix minutes plus tard, mais pour ce qu'elle fit d'utile, elle aurait aussi bien pu se montrer le lendemain, estima Jesse.

Adossée à une poutrelle, l'estomac soulevé par la puanteur moite des tunnels, la journaliste remarqua que les deux flics avaient le même nom de famille. L'un semblant deux fois plus âgé que l'autre, elle ne put que se demander si c'étaient le père et le fils. Gannon comptait, disait-on, quelque chose comme huit familles où plusieurs générations exerçaient le beau métier de flic. L'une, à sa connaissance, s'enorgueillissait d'avoir trois frères, deux sœurs et les deux parents dans le Service. Une autre, les Longo, annonçait un grand-père directeur adjoint, deux fils inspecteurs et trois petites-filles simples agents.

Parents ou non, les deux officiers de police Mullane se situaient chacun à un bout du bâton : le plus jeune voulait aller jusqu'au bout de l'affaire, le plus âgé faisait tout son possible pour cantonner l'agression du jeune Noir dans le registre de l'incident fantôme.

— Alors, il est où ? demanda Mullane Senior, les mains sur les hanches, grimaçant comme s'il avait des crampes. Si j'ai pas de victime, qu'est-ce que vous voulez que je fasse ?

Jesse s'attendait à cette réaction. Effrayé, le Noir avait déguerpi dès qu'elle avait composé le 911. Elle avait prévenu quand même la police, ne serait-ce que pour donner à l'agression une existence officielle, vérifiable, pour laisser une piste sur papier, au cas où elle déciderait d'écrire quelque chose : à la première personne, un article où l'on entendrait une vraie voix.

— Regardez, dit-elle, montrant les grandes enveloppes éparpillées sur la voie. Je vois d'ici qu'il y a l'adresse de l'expéditeur. Ça devrait permettre de le retrouver.

— D'accord, grommela Mullane Senior avec un haussement d'épaules. Je dois prévenir le métro, demander qu'on coupe le jus.

Jesse pencha ostensiblement la tête pour déchiffrer son matricule, le nota sur son bloc.

— Attends, Jimmy, intervint le jeune flic. Je peux sauter pour les récupérer...

Mullane l'Ancien lui saisit le coude.

— Non, non, non. Dans ce tunnel, tu peux pas dire si la rame est deux arrêts plus loin ou à deux mètres. La dame veut qu'on ferme la ligne ? On va la fermer.

— Quelle connerie, lança Jesse, exaspérée.

— Non, c'est pas de la connerie, lui rétorqua-t-il. La connerie, c'est de jeter de l'huile sur le feu rien que pour avoir quelque chose à écrire.

— Mais enfin, c'est arrivé !

— Ah ! ouais ? Je peux vous le garantir : si vous nous forcez à faire une enquête, y aura des suites. Ce genre de truc a tendance à faire des petits. Vous voulez pondre un papier ? Allez-y, on est en république. Mais rappelez-vous une chose : le prochain crâne fêlé, il sera de votre faute.

Le jeune flic semblait embarrassé. Il se donna une contenance en fixant les enveloppes tombées sur les rails jusqu'à ce qu'une rame déboule brusquement du tunnel. Plus d'enveloppes. Le flic âgé se pencha vers Jesse en tapotant son insigne.

— Mullane, matricule 45382.

— Je peux vous poser une question ? dit-elle, choisissant d'être moins agressive. Vous avez eu d'autres incidents de ce genre aujourd'hui ? Ça fait le tour de la ville ?

Il la gratifia d'un autre de ses regards de plomb.

— Allez, Mullane, je fais mon boulot, plaida-t-elle.

Secouant la tête, il prit son coéquipier par le bras, fit un signe de paix avec les doigts et s'éloigna.

Dès que Jesse mit le pied dans son immeuble, où flottait une odeur d'air en boîte, elle eut l'impression de pénétrer dans la salle d'attente première classe d'une compagnie aérienne régionale. Des claquements rythmés montaient du club de gymnastique installé au sous-sol, où quelqu'un rugit entre ses dents tel un lion constipé.

— Oui ? dit le portier en uniforme marron derrière son bureau, les jointures d'une main posées sur la photo de Cody nourrissant le chevreau, publiée dans le *Jersey Journal* du jour.

— J'habite ici, marmonna-t-elle en faisant tinter son trousseau de clefs.

Dans l'appartement hermétiquement clos où la climatisation était arrêtée, l'air était étouffant, suffisamment chaud pour faire peler de l'acier. Par la porte à demi ouverte de la chambre de sa colocataire — la vraie chambre —, elle découvrit un homme chauve et nu dormant sur le ventre dans le lit aux draps douteux. Elle lorgna le corps svelte mais velu en songeant : Un joggeur. Elle passa dans sa propre chambre de fortune : matelas par terre, piles de linge assez hautes pour faire figure de mobilier, poster des tours de New York punaisé au mur à côté de l'original.

La chaleur avait dilaté l'encadrement de la fenêtre, qu'elle tenta vainement d'ouvrir, le corps ruisselant de sueur sous ses vêtements. Elle n'avait pas envie de faire son rapport à Jose. Elle devait pourtant faire son rapport à Jose. Quittant la pièce, elle alla dans la kitchenette, où les arômes mêlés de café lui levèrent le cœur, considéra l'homme nu par la porte de la chambre. Elle prit une douche en tâchant de se vider le cerveau.

Jose.

Enveloppée dans une serviette, elle passa dans le séjour — ce qu'il en restait après création de sa chambre —, alluma la télé, coupa le son, tomba sur Brenda filmée à la fenêtre de chez elle, ce matin, vit son propre bras s'insinuer dans le champ pour baisser le store. Elle regardait toujours les informations avec le son coupé : les faits rassemblés par d'autres la rendaient dingue. Dans une dernière tentative pour gagner du temps, elle changea de chaîne, remit le son, regarda un moment sans vraiment le voir un cuisinier en train d'émincer quelque chose. Elle décolla de la moquette quand l'homme nu ferma la porte de la chambre en la claquant violemment.

— Jose...

— Merde ! Où t'étais passée ?

— J'étais occupée.

Assise nue sur son matelas, Jesse tenait l'appareil coincé entre la mâchoire et l'épaule, les mains libres pour feuilleter ses notes.

— Tu l'as paumée, il paraît.

— Qui t'a dit ça ?

— Ton frère a téléphoné. T'as vu la mère, d'après lui.

— Oui.

— On avait déjà envoyé quelqu'un.

— Qui ?

— Jeff.

— Merci de me prévenir.

— Appelle de temps en temps, tu seras au courant. Parle-moi plutôt de Brenda. C'est elle ?

— Difficile à dire.

— Mais c'est elle ou pas ?

Jesse se leva pour résister à l'invite du matelas.

— Je sais pas.

— T'es amoureuse ?

— Je crois pas. Elle souffre réellement. Enfin, je te dis ça pour ce que ça vaut.
— C'est-à-dire ?
— Elle est seule.
— D'accord.
— Vraiment seule. Pas de famille, pas d'amis. Retranchée dans son bunker, quasiment. Le frère est venu.
— Le flic ? Comment il est ?
— Une fusée en bouteille. Il a failli me jeter par la fenêtre. Il croit que je veux écrire un bouquin.
— Et avec elle, comment il se comporte ?
— Pas trop bien. J'ai cru qu'il allait lui taper dessus.
— Il pense que c'est elle ?
— Je sais pas, peut-être, mais vas-y doucement là-dessus, d'accord ? Je dirais qu'il est en plein désarroi mais quand même résolu à aider.
— A aider, répéta Jose.
— Je peux te le dire, cette fille n'a personne dans son camp.
— OK.
— Sa mère s'en fout, son frère s'en fout.
— OK.
— Pendant tout le temps que j'ai passé là-bas, le téléphone n'a pas sonné une fois.
— OK.
— Ni voisins, ni copines, ni copains, personne.
— OK.
— Elle ne pouvait pas rester dans la chambre du gosse, c'était plus fort qu'elle.
— OK.
— Elle a dormi sur le canapé, une heure ou deux.
— OK.
— Elle a été réveillée par un cauchemar.
— Sur ?
— Son gamin éclaté en neuf. Mets seulement un cauchemar à propos de son enfant : elle ne pouvait pas l'aider, le sauver.
— OK.
— Elle a les mains... emmaillotées. On dirait ces bandes de tissu dont on entoure un bâton pour faire une torche. Tu

sais, comme celles que prennent les villageois pour aller à la recherche du monstre de Frankenstein...

— OK.

— Elle souffre, physiquement. Ses mains...

— OK.

— Elle n'arrive pas à dormir — sauf une heure avec cauchemar —, elle a mal, elle est isolée, enfermée dans une putain de solitude. Le gamin est « toute sa vie », je la cite.

— OK. Bon. L'appartement ?

— Minable. Tu mets « modeste mais bien tenu ».

— OK.

— Le môme a sa chambre. Maman dort sur le canapé.

— Super.

— Des photos du gosse partout.

— OK.

— Elle s'est coupé les cheveux.

— Quoi ?

— Elle s'est coupé les cheveux. Elle a déjanté et... Attends. (Jesse chercha dans son bloc les notes qu'elle avait prises à l'aube.) Ouais, voilà : « Dans ce logis modeste mais bien tenu, le lavabo est un nid de cheveux coupés : à grands coups de ciseaux, la mère a tailladé ses propres mèches dans un geste impulsif d'angoisse autrement inexprimable. »

Elle fut secouée par ses propres mots, par le style outré qu'elle leur trouvait maintenant : trop engagé, trop compatissant. Dangereux.

— Putain, elle a vraiment fait ça ?

— Tu veux que je répète ?

— Non, j'ai l'idée. Quoi d'autre ?

Elle hésita, à la fois soulagée et légèrement vexée.

— Elle écoute de la musique soul non-stop.

— OK.

— Elle s'y enfouit. Les écouteurs sur la tête, elle chante en même temps. La totale, mais ça fait pas dingue. C'est, c'est compréhensible. C'est comme une bouée de sauvetage. Ça l'empêche de perdre complètement les pédales.

— OK. Des airs favoris ?

— « 96 Tears » ?

— Génial. Quoi d'autre ?

— Elle aime... (Jesse consulta ses notes.) Judy Clay ? Ann Peebles ?

— Qui ?
— Toute une éducation à revoir. Jackie Wilson, ça te va ?
— Elle pourrait pas écouter Whitney Houston comme tout le monde ?
— Tu écoutes Whitney Houston, toi ?
— Pas toi ?
— Bon. La mère, la grand-mère : d'après elle, Brenda sortait avec des Noirs, des Portoricains. Alors, entre la musique, les petits copains, le boulot à Strongarm, c'est quasiment une Black honoraire. Il y a une certaine ironie, là-dedans.
— Je creuserai ça. Des citations ?
— Ouais, une seconde... « Je veux tellement qu'il revienne. Je veux être avec lui. »
— Arrête.
— Une seconde... « Il est toute ma vie. »
— Tu me tues, là.
— Elle traite sa mère de peau de vache. Elle te plaît, celle-là ?
— Stop.
— Tu m'as demandé une citation. Et celle-là : « Je suis encore jeune. »
— Ce qui veut dire ? demanda Jose, soudain intéressé.
— Devine.
— Putain.
— Ecoute, je garde quelques saloperies en réserve, mais... si c'est elle, je livre le tout. Pour le moment, je ne veux pas la griller inconsidérément, tu comprends ?
— T'es amoureuse.
— Et je ne veux pas non plus me griller moi-même, alors, j'aimerais qu'on maintienne un côté sobre, d'accord ?
— Tu connais la définition du sociopathe ?
— Ouais, c'est quelqu'un qui arrive à berner les journalistes.
— Quoi d'autre ?
— Pas grand-chose.
— Des mecs ?
— Pas que je sache.
— Tu la crois ?
— Si elle a quelqu'un, il est discret. Je n'ai vu ni photos ni lettres, rien.

— Ecoute, Jess : une fille jeune, célibataire et libre. A quoi ça te fait penser ?
— D'abord, elle est pas libre, elle est coincée par le gosse.
— Justement.
— Arrête, Jose. Tout ce que je peux te dire, c'est qu'elle n'a pas avoué, qu'elle est complètement perturbée. Je la vois pas partir la semaine prochaine à Atlantic City avec le laitier.
— C'est bien ce que je disais : t'es amoureuse.
— Je t'emmerde.
— Elle est où, en ce moment ?
— Avec l'inspecteur, je pense.
— Y a une chance pour que tu puisses renouer le contact ?
Epuisée, Jesse se laissa tomber sur le matelas.
— En fait, oui.
— Ouais ? Comment ?
— Par des gens, répondit-elle, laissant Ben en dehors. Mais si j'arrive à la récupérer, je me contente plus de donner les éléments.
— Je te demande pardon ?
— Je veux écrire l'article.
— Ah oui ?
— Oui.
Jose hésita avant de suggérer :
— A quoi tu penses ? A une sorte de journal ?
— Un journal ? Qu'est-ce que tu racontes ?
— Ouais, un journal. Par exemple : « Ma journée avec la mère. La veille continue. » Ouais, je serais partant. Putain, si tu la récupères, je serais franchement partant.
— Cool, dit Jesse à voix basse, pensant à LES AVEZ-VOUS VUS ?
Toujours pas de nouvelles de Ben. Elle eut la nausée.
— Jose, faut que j'y aille.
— Tiens-moi au courant.
— Bien sûr.
— Tu sauras quand ?
— Bientôt.
— Et si tu y arrives...
— Si j'arrive à quoi ?
— A reprendre contact.
— Ouais.

— Fais gaffe.
— A quoi ?
— A tout, répondit Jose, qui ajouta d'un ton plus léger : N'oublie pas de fouiner côté mecs.

13

Brenda avait tenu le coup dans l'appartement vide mais, lorsqu'ils retrouvèrent l'atmosphère étouffante du couloir, Lorenzo la sentit profondément déçue, ce qui renforça son propre sentiment d'échec. Elle avait voulu qu'il la force à s'ouvrir, il l'aurait juré, et cette prise de conscience gênante le faisait penser qu'ils avaient échoué tous les deux, bien au-delà du boulot, de la justice ou de tout autre aspect formel de la situation.

Quelques minutes plus tard, en sortant de l'ombre du Bâtiment 3, il fut instantanément aveuglé par la lumière fulgurante de midi, dépourvue de toute couleur. Les voix disparates d'Armstrong lui parvenaient dans cette chaleur hallucinatoire comme s'il était assoupi sur une plage. Brenda eut un peu la même réaction physique en s'avançant sous le soleil : elle s'arrêta brusquement puis recula dans l'ombre du passage couvert en vacillant, s'appuya à un pilier de béton pour recouvrer l'équilibre.

De l'autre côté de Hurley Street, en haut du mur de soutènement, les photographes et les cameramen se rendirent soudain compte de la présence de Brenda. Leur réaction immédiate fit claquer et vibrer le grillage de la clôture ; un chœur frénétique appela son nom, l'implora de quitter l'abri du passage couvert.

Quelqu'un avait déplacé la camionnette, que Lorenzo repéra en face du Bâtiment 5. En se retournant vers Brenda, il vit qu'elle était encadrée par des affichettes du portrait-robot, l'une sur la colonne à laquelle elle s'appuyait, l'autre sur un carré de contre-plaqué cloué sur une fenêtre brisée du rez-de-chaussée. Bien qu'elles aient été apposées depuis moins d'une heure, l'une d'elles était déjà recouverte d'un X tracé à la bombe de peinture.

Des locataires formèrent autour de Brenda un demi-cercle silencieux. Les petits, bouche bée, écarquillaient les yeux de curiosité, mais les adolescents et les mères la toisaient d'un œil malveillant. A peine vingt-quatre heures, et tout le monde en a déjà marre, pensa Lorenzo.

Attiré par des cris d'enfants joyeux, il se tourna vers l'Armstrong Beach Club, un bassin ovale peu profond situé entre les bâtiments 3 et 4, et réservé aux jeux d'eau. Par bonheur, les jets fonctionnaient, quatre arches de crachin se croisant au-dessus d'une maigre bande de gosses en maillot de bain ou en slip. Lorenzo se rappela ses propres pas hésitants sur ce même ciment mouillé, l'agréable picotement sous la plante de ses pieds.

Par-dessus le feu croisé aquatique où jouait un arc-en-ciel, il vit une autre altercation démarrer à la sortie Hurley Street, où le révérend Henry Longway, gardien de la cité, s'en prenait à deux flics de Dempsy, tous les deux noirs, qui lui barraient le passage.

Agé d'une soixantaine d'années, Longway était un poids coq à la poitrine gonflée, affublé d'une casquette et de chaussures orthopédiques. Il y avait derrière lui une douzaine de personnes en qui Council reconnut des parents et des amis de la vieille Miss Bankhead. Les hommes, malgré la chaleur, portaient tous des chemises blanches à manches longues et des cravates ; les femmes, plus âgées pour la plupart, avaient revêtu les robes qu'elles mettaient pour aller à la messe.

Lorenzo se rappela que le révérend aurait dû être au Centre médical, où il se remettait d'une crise cardiaque. Il imagina le vieux rejetant sa couverture et quittant le centre les pieds nus pour ne pas manquer la scène, au risque d'y laisser sa peau.

Il n'avait pas besoin d'entendre les mots échangés pour savoir exactement ce qui se passait. Le révérend tentait d'emmener le groupe à une messe donnée à la mémoire de

Miss Bankhead en dehors de la cité. Ignorant délibérément le blocus, il se servait de la mort de la vieille femme comme d'un bélier contre les humiliations des seize dernières heures. Lorenzo connaissait aussi les deux flics en tenue, deux jeunes ayant moins d'un an de métier, trop peu expérimentés pour être affectés à un endroit aussi sensible, mais envoyés là en guise de trompe-l'œil racial. Les risques de la confrontation se reflétaient clairement sur leurs visages tandis que le révérend, vétéran des luttes politiques de rue, les ramenait à leur condition ancienne de petits garçons. Lorenzo fit signe à l'un des jeunes flics de venir s'occuper de Brenda et se dirigea vers le barrage.

— Rev, je sais que c'est une messe à la mémoire d'une morte, et je le comprends, arguait l'autre policier, Anthony Cooley, dont le propre père, Lorenzo le savait, était pasteur lui aussi. Mais il faut que je vérifie les identités.

— Tu vérifies rien du tout, riposta Longway.

— Ecoutez...

La colère grossie par les verres de ses lunettes, le révérend tendit un doigt vers le visage du policier.

— Non, toi, tu écoutes. Il y a eu vingt-sept homicides en douze mois dans ce district, six rien que pour cette cité, et jamais une présence policière comparable à ce qu'on a maintenant pour la disparition d'un seul enfant blanc.

Cooley adressa un regard impuissant à Lorenzo.

— Pourquoi ils ont pas fait tout ça quand Darryl Talley a été abattu devant le Bâtiment 3, le mois dernier ? poursuivit Longway. Ou quand Hakim Watrous s'est fait descendre ici même dans Hurley, hein ?

— Allons, Rev, intervint Lorenzo avec un rire respectueux. Y a la vie d'un enfant en jeu.

— Un enfant ? Un enfant *noir* de quatorze ans a été tué à deux rues d'ici il y a six semaines. Tyrell Walker. J'ai pas vu de policiers pratiquant des fouilles à corps.

— Voyons, personne pratique de fouille à c... commença Council.

— J'ai pas vu de vérifications d'identité pour Tyrell Walker, le coupa Longway, haussant le ton.

— Vous avez pas tort, convint Lorenzo, mais c'est comme ça.

— J'ai pas vu de policiers faire quoi que ce soit pour

Tyrell Walker ! poursuivit Longway, criant presque. Et j'ai vu aucun de cette bande non plus ! dit-il, indiquant d'un geste théâtral reporters et photographes.

Il ne s'adressait plus vraiment à Council, il essayait d'attirer les mouches journalistiques pour obtenir un troc, seule façon d'arracher des concessions dans cette partie de la ville. Ameuter les médias, acculer la municipalité puis échanger une disculpation morale contre les miettes qu'il y avait à ramasser : plus d'emplois noirs, plus de flics noirs, de services sociaux, d'équipements de terrain de jeu, n'importe quoi. Lorenzo le laissa décharger sa colère. La plupart des cameramen réservaient encore leur attention à Brenda, mais quelques-uns se mirent à courir le long de la clôture pour filmer l'incident au point de contrôle.

Lorenzo regarda Brenda, qui pressait le front contre le pilier de béton, l'autre jeune flic à ses côtés. Il tenta de lui faire signe de ramener la jeune femme à l'intérieur du bâtiment mais ne réussit pas à capter son attention.

— J'ai pas vu d'équipes de télévision pour Tyrell Walker, j'ai pas vu de reporters des journaux ! s'égosillait Longway.

Lorenzo s'apprêtait à le laisser passer avec ses ouailles quand le révérend franchit les limites en lâchant :

— Et puisqu'on en parle, je me rappelle pas non plus t'avoir vu, Lorenzo.

Council le saisit par le coude, la pression de ses doigts se reflétant dans les yeux du révérend.

— Hé, me mettez pas avec les autres, gronda-t-il d'une voix basse, destinée à une seule paire d'oreilles. Vous savez ce que je cherche et qui je suis, y a rien de changé.

Le soir de l'assassinat de Tyrell Walker, Lorenzo était au lit avec sa femme pour la troisième fois seulement en six mois, ce qui ne regardait ni le révérend, ni qui que ce soit d'autre. En ce qui concernait le meurtre lui-même, il avait servi de médiateur pour amener le coupable à se livrer aux services du procureur le lendemain du crime.

— Pour dire la vérité, je sais plus rien de rien, reconnut Longway, un peu calmé.

— Alors, je vous suggère de regarder autour de vous, murmura Lorenzo, balayant du regard le périmètre de la cité, avec les flics de Gannon, les frères de Dempsy, les journalistes prêts au combat. Regardez autour de vous avant de me cracher à la figure, parce qu'en ce moment précis vous pouvez compter que sur moi.

Le révérend réfléchit, reprit d'un ton blessé :

— J'ai entendu dire que le maire est venu voir cette femme. Alors qu'elle vit même pas à Dempsy.

— Information inexacte.

— En tout cas, il est pas venu voir la mère de Hakim Watrous, dit Longway, relançant la machine. Il est pas venu voir la mère de Tyrell Walker. Il est pas venu voir...

— Laissez-moi vous poser une question, Rev, l'interrompit Lorenzo. Elle a lieu où, cette messe ?

— A Mumford.

— Pourquoi ? Elle vivait à Armstrong.

— Elle avait aussi de la famille là-bas.

— Non. Vous voulez juste une épreuve de force ici.

— Toute cette affaire pue le racisme, tu le sais parfaitement.

Lorenzo haussa les épaules. Longway avait raison. Aucun doute. Mais il fallait bien faire face. Au quotidien.

— Et votre cœur ? s'enquit-il à voix basse. Vous êtes remis ?

— Bah, quand c'est ton heure, c'est ton heure.

— Je comprends.

— En attendant, je dois jouer les cartes qui me restent.

— Ça aussi, je le comprends.

Lorenzo regarda les amis et parents silencieux, leur expression légèrement perplexe. Il fit signe au jeune flic.

— Laisse-les passer.

Cooley eut un soupir de soulagement. Longway hésita, il n'avait pas vraiment envie de partir : la bagarre, c'était ici, pas à Mumford. Lorenzo lui pressa une dernière fois le coude, sans inimitié.

— Vous savez, Rev, quelquefois, les gens ont juste envie de se désoler, vous voyez ce que je veux dire.

— Merde, Lorenzo, nous, on pleure tous les jours.

— Ouais, d'accord, marmonna Council.

Il détourna la tête : Assez.

Sous le passage couvert, le flic à qui il avait confié Brenda avait disparu, la laissant seule face aux curieux et aux gens hostiles. Avant que Lorenzo puisse la rejoindre, un des ados d'Armstrong, un jeune puissamment bâti dont le maillot des

Knicks moulait les deltoïdes, se détacha de la foule et marcha d'un pas vif vers la jeune femme, les poings fermés. Brenda le fixait avec l'expression innocente et avide qu'elle avait offerte aux cameramen en sortant de chez elle, le matin. Avant que Lorenzo ait le temps de crier son nom, le jeune approcha son visage de celui de Brenda, qui attendait, sans même ciller. Au dernier moment, il tendit le bras, arracha l'affichette scotchée au contre-plaqué, la chiffonna, la jeta puis disparut dans la pénombre de la cage d'escalier.

Brenda regarda les autres comme si elle fixait le soleil puis remit les écouteurs sur ses oreilles et ferma les yeux. Quand Lorenzo la rejoignit, il entendit Curtis Mayfield chanter d'une voix de crooner un « It's all right » apaisant.

En conduisant Brenda à la camionnette, Lorenzo eut l'attention attirée par un brusque mouvement : des locataires montaient en courant la pente située derrière le Bâtiment 4. Il recula, vit que quelqu'un avait mis le feu à l'un des frigos couchés dans la Cuvette et sut instantanément — aux visages excités autour des flammes, aux cris lancés pour rameuter les copains, à la cavalcade en tous sens — que si on ne postait pas là quelques flics, et tout de suite, la Cuvette semée de caisses se transformerait en brasier avant minuit. Bonne nouvelle pour les cameramen, mauvaise pour tous les autres. Les habitants de la cité étaient si furax d'être parqués que, tels des taulards bouchant leurs latrines et mettant le feu à leurs paillasses, ils détruisaient ce qui était à eux rien que pour envoyer un message. Et ce n'était que le commencement.

Lorenzo appela le central par radio pour signaler l'incendie. Comme il reculait vers la camionnette, il heurta Brenda sans le vouloir, la forçant à plaquer la main contre la portière pour ne pas tomber. Le poids de son corps sur son poignet blessé la fit crier si fort que les enfants s'ébattant dans le bassin se figèrent et se turent, le chuintement de l'eau, privé de concurrence sonore, devenant soudain parfaitement distinct.

Un moment plus tard, à la fois gêné et énervé par les regards sans expression des habitants, Lorenzo emmenait Brenda recroquevillée sur le siège avant. Il passa le barrage de Hurley Street à si vive allure que Cooley dut se jeter en arrière pour éviter de se faire accrocher.

Quelques minutes plus tard, au sommet d'une butte dominant le Centre médical, Lorenzo téléphona au docteur Chatterjee pour le prévenir. Incapable d'estimer la gravité de la blessure de Brenda, et craignant les arguties juridiques en cas de refus d'accès à des soins médicaux, Council n'avait d'autre choix que de la ramener là où tout avait commencé. Le problème, ce serait de la faire entrer dans l'hôpital sans ameuter la presse.

Chatterjee suggéra que l'inspecteur la conduise au neuvième étage, dans le service d'obstétrique, où il les attendrait à l'abri des regards, pouvait-on espérer. Restait à la faire pénétrer discrètement dans le bâtiment.

Sur son promontoire, Lorenzo réfléchit un moment aux options qui s'offraient à lui puis la solution lui vint : la morgue. Ce pouvait être la pire décision qu'il prendrait jamais ou — mais c'était moins probable — le moyen idéal pour faire craquer Brenda. Il hésitait cependant devant la cruauté du procédé et, en guise d'aiguillon, il imagina la cité Armstrong en proie aux flammes. En entamant avec Brenda la descente de la rampe réservée au fourgon à viande, il se demanda s'il y avait quoi que ce soit dans un réfrigérateur — fréon, huile de moteur — qui pût le faire exploser quand il avait pris feu.

A l'entrée de la morgue, ils attendirent que le rideau de fer se relève devant une grande poubelle ouverte surmontée d'une pancarte portant une inscription écrite à la main, « Prière de jeter les draps tachés de sang avant d'entrer », et décorée par de joyeux visages jaune vif grossièrement dessinés.

— Est-ce que mon fils est ici ? demanda brusquement Brenda d'une voix aiguë, effrayée, le regard rivé sur le rideau de tôle ondulée qui montait.

— Non, non, non. C'est simplement le moyen le plus rapide d'entrer sans se faire remarquer. Non, je vous le jure.

L'air réfrigéré de l'intérieur se mêla à la chaleur de la journée pour les envelopper de vagues tour à tour moites et glacées. Lorenzo guida Brenda en lui posant une main au creux des reins.

— On va traverser rapidement, OK ? Gardez les yeux sur vos godasses, dans moins d'une minute, on sera de l'autre côté.

Un corps était allongé sur un chariot sous l'écran à affichage numérique de la balance de l'accueil, un grand adolescent noir vêtu d'un short et d'un maillot écossais assortis, un pied nu, l'autre chaussé d'une basket blanche. Il avait les yeux clos, les sourcils levés et la bouche ouverte, comme si ce qui avait causé sa mort l'avait profondément surpris. Humpy, l'employé de la morgue, bigleux au marmottement incessant, se penchait au-dessus du cadavre pour prendre ses mensurations, coinçant le bout d'un mètre ruban jaune entre les orteils rigides du pied nu, glissant l'autre sous la tête.

— Ah, t'es bien avancé, maintenant, grand couillon. Qu'est-ce qu'on t'avait dit de cette merde, hein ? Mais t'écoutes jamais personne...

Lorenzo passa un bras autour des épaules de Brenda, plaça sa paume en position d'œillère pour l'empêcher de voir tandis que l'employé inscrivait un chiffre sur une tablette posée sur la poitrine du jeune mort.

— Humpy, je voudrais traverser.

Entendant son nom, l'homme se redressa, regarda un long moment Brenda avant de la reconnaître.

— Il est pas ici.

— Non, on veut juste prendre le raccourci, je te dis.

Humpy décrocha d'une patère un blouson de base-ball portant dans le dos, en élégantes lettres jaunes, les mots « Morgue du comté de Dempsy », le jeta sur ses épaules et conduisit les visiteurs vers ce qui ressemblait à la porte métallique d'une chambre froide de restaurant.

— Gardez les yeux baissés, murmura Lorenzo à Brenda, espérant qu'elle obéirait, mais aussi qu'elle n'en ferait rien.

Par ce portail tout simple, ils pénétrèrent dans une nécropole glacée aussi vaste qu'une église. Ils contemplèrent un nombre inconcevable à première vue de cadavres stockés à découvert, certains récents, d'autres non réclamés, d'autres encore attendant une autopsie. Lorenzo savait que plus de la moitié d'entre eux étaient des invités provenant du comté voisin d'Essex, de la morgue de Newark, dont le système de réfrigération était en panne. Les corps étaient allongés sur des étagères d'acier, sept en hauteur, quatre en profondeur, de part et d'autre d'une allée centrale. Leur posture et leur état, variables, composaient une sorte d'inventaire des ultimes sorties. Les morts gisaient sur le dos, sur le ventre, en chien de fusil, comme s'ils avaient froid ou peur, figés dans des attitudes de souffrance, de repos, de résistance, d'abandon. Lorenzo fit descendre l'allée à Brenda comme s'il menait une mariée à l'autel, la fit passer devant des décapités, des hommes-troncs, devant des corps violets boursouflés, squelettiques, noircis par le feu ou d'un blanc de neige ; des corps nus, habillés, enveloppés d'une blouse d'hôpital, de toutes races, de tous âges. Comme chaque fois que les circonstances le conduisaient en ce lieu, Council se sentait accablé, non pas tant par la mort elle-même qui, malgré son métier, restait un peu abstraite pour lui, mais par l'immobilité, l'immobilité irrévocable de ces dizaines de morts assemblés. Bien qu'il eût franchi la porte d'acier un grand nombre de fois, bien que la liste des hôtes de la morgue, en perpétuel changement, n'eût cessé de confirmer et reconfirmer cette immobilité impressionnante, il se préparait toujours à voir un jour *le* cadavre qui bougerait, à entendre *la* voix qui gémirait ou réclamerait une couverture.

A mi-chemin, ils furent bloqués par une vieille femme en blouse d'hôpital allongée sur une palette en plastique reposant elle-même sur la fourche d'un élévateur. Ils durent reculer dans l'une des allées transversales pendant que Humpy manœuvrait pour dégager la voie.

Devant un homme calciné, les bras levés en une posture pugilistique, et un bébé enveloppé pour une raison quelconque dans un rideau de douche, Lorenzo sentit la détresse de Brenda passer dans le bras avec lequel il lui enserrait encore les épaules dans un geste protecteur. Il s'efforça de remonter à la source du raisonnement qui l'avait conduit à penser que lui faire traverser cet endroit précipiterait la conclusion de l'affaire. Quelque chose en rapport avec des réfrigérateurs en feu... Le reste ne venait pas.

— Ça va ? lui demanda-t-il dans un murmure, comme si la présence des morts transformait le lieu en chapelle.

— Comment osez-vous ? rétorqua-t-elle, la voix étranglée, les épaules tremblantes. Allez vous faire foutre.

— Brenda, si on était passés par la porte de devant...

— Allez vous faire foutre !

Il ne tenta pas d'aller au bout de son explication. Les yeux baissés, évitant de regarder les cadavres qui les entouraient, ils attendirent en silence la fin de la manœuvre en écoutant le ronronnement de l'élévateur, le marmonnement obstiné de Humpy, jusqu'à ce que Lorenzo tousse, s'éclaircisse la voix et lâche :

— Je suis désolé, Brenda.

Un ascenseur réservé au personnel les hissa de la morgue au service d'obstétrique, de l'oméga à l'alpha. Au moment où ils arrivèrent à l'étage des parents débordant de joie et des nouveau-nés braillards, Lorenzo comprit — bien que Brenda ne dît pas un mot — que l'atmosphère de cet étage devait être encore plus pénible pour elle que le monde souterrain glacé qu'ils venaient de quitter. Comme pour faire pénitence, il pensa à Jason, son fils en prison, et à son propre échec de parent.

Chatterjee les attendait dans une lointaine salle d'examen, assis sur un tabouret à roulettes. Il venait sans doute de prendre son service car sa tenue était encore immaculée : nuances de rose, d'or, de chocolat, sous une blouse d'un blanc aveuglant.

— Baby Doc, dit Lorenzo.

Le médecin se leva, fit signe à Brenda de s'allonger sur la table d'examen. Quand le policier voulut l'aider, elle refusa, bien qu'elle fût incapable de s'y hisser avec une seule main. Chatterjee la sortit de l'impasse en abaissant la table avec une pédale. Il ôta avec précaution le bandage de la main blessée en observant attentivement le visage de la jeune femme.

— Quand avez-vous uriné pour la dernière fois ?

Lorenzo tourna aussitôt le dos à la question, mais ne quitta pas la salle.

— Quoi ?

— Vous avez entendu.

Brenda baissa les yeux vers un plateau de ciseaux.

— Ce matin ? dit-elle, comme si elle posait une question.

— Vous êtes sûre ?

— Je crois.

— Vous avez envie d'y aller maintenant ?

— Non.

— Ouvrez la bouche. (Brenda s'exécuta et Chatterjee jeta

un bref coup d'œil à sa langue crayeuse.) On recherche toujours votre enfant ?

— Oui.

Il glissa une main sous son aisselle puis palpa les nodules sous la clavicule.

— Vous êtes déshydratée, vous le savez ?

— Non.

— Il fait 36 °C, dehors. Regardez cet homme, dit le médecin, montrant Lorenzo. Sa chemise est trempée. Vous, vous êtes aussi sèche que de l'étoupe.

Elle haussa les épaules comme s'il la critiquait.

— Nous allons devoir vous injecter du liquide, OK ?

Elle haussa de nouveau les épaules, indifférente à son état.

— 36 °C, grogna Chatterjee. Laissez-moi vous poser une question : vous pensez qu'avec ce temps nous devrions être débordés en salle de traumatologie, n'est-ce pas ?

— Quoi ?

— Agressions, coups de feu, coups de couteau : on penserait que la canicule provoque plutôt ce genre de choses, non ?

Elle le regardait sans comprendre. Lorenzo, lui, avait déjà entendu le boniment.

— Eh bien, c'est tranquille comme dans une église, ici, en ce moment, reprit le médecin en ôtant le dernier pansement. (Le dos de la main gauche de Brenda était gonflé et bleu.) Il fait 36 °C dehors, mais je pourrais lire les cinq Livres de Moïse du début à la fin sans être dérangé. Vous savez pourquoi ?

— De quoi vous parlez ? dit Brenda, la voix tremblante de désarroi.

— Il fait trop chaud ! claironna Chatterjee. Les gens n'ont plus d'énergie. Charcuter quelqu'un, ça demande de l'énergie. Mais dans trois jours, quand la vague de chaleur sera passée, on nagera dans le sang. La première nuit fraîche après la canicule est la plus sanglante de l'année. Demandez donc à l'inspecteur... (Lorenzo confirma d'un hochement de tête réticent.) Qu'est-ce qui est arrivé à votre main ? Vous n'aviez pas cette blessure, hier...

— Je me suis cognée contre l'encadrement d'une porte.

— Je veux des radios, cette fois, déclara le docteur en

s'attaquant au bandage de la main droite. L'histoire aussi est tributaire du temps, vous le saviez ?

Brenda eut un long soupir découragé.

— Il me faut quelque chose contre la douleur.

— Si vous remplacez le mot « humidité » par le mot « oppression »... A votre avis, sans ouvrir un livre d'histoire, quand les gens se soulèvent-ils contre un régime oppressif ? Lorsqu'il est le plus féroce, non ? Erreur. A ce stade, les gens sont trop faibles, ils sont démoralisés, terrifiés, déprimés. Non, la révolution éclate lorsque les libéraux, les réformateurs accèdent au pouvoir. Dès que les opprimés sentent une légère brise entre le joug et leur cou, ils redressent l'échine, et c'est à ce moment-là que les têtes commencent à tomber. Prenez la Russie, la France, l'Afrique, l'Asie... Qu'est-ce qu'on dit ici ? Ce n'est pas la chaleur, c'est l'humidité.

Lorenzo était toujours déconcerté par les petites théories et les leçons d'histoire de Chatterjee, non parce qu'elles lui semblaient absurdes mais parce qu'il n'arrivait jamais à savoir de quel côté le médecin se situait.

— Bon, je veux des radios, répéta le docteur en tenant les deux mains de Brenda, la paume tournée vers le haut. (Les écorchures, les lacérations de la veille avaient pris une couleur tabac.) Ensuite, je veux que vous dormiez. Je vais vous réhydrater avec une transfusion, vous faire une piqûre de Valium et baisser les stores. Oui ?

Brenda le regarda un moment puis détourna les yeux sans répondre. Chatterjee se tourna vers Council.

— Oui ?

Craignant de laisser Brenda trouver son second souffle, Lorenzo hésita mais pensa à tous les gens qu'il pourrait travailler au corps pendant qu'elle dormirait.

— Elle restera hors circuit combien de temps ? voulut-il savoir.

— Quatre, cinq heures, peut-être plus, répondit Chatterjee, qui regarda de nouveau Brenda. Alors, c'est une bonne idée, non ?

— Je veux simplement retrouver mon fils, balbutia-t-elle, épuisée.

— S'il y a du nouveau, nous vous réveillerons, promit le médecin. D'accord ?

Il se tourna vers Council, qui acquiesça de la tête. Souriant enfin à sa malade, Chatterjee assura :

— Je vous aime bien, vous savez. Je crois que vous êtes un agent de l'histoire.

En retournant à la camionnette, garée devant la morgue, Lorenzo fut surpris et quelque peu agacé de voir Ben appuyé à la portière du conducteur, le nez dans le *Village Voice*.

— C'est pas vrai, dit-il, se forçant à rire. Vous devriez bosser avec la CIA.

Le frère de Jesse leva la tête, replia son journal.

— Hé ! comment ça va ?

— Vous me filez ?

— Non, j'ai vu la camionnette en passant. Je me suis arrêté pour voir si vous aviez besoin de quelque chose. Ça avance ?

— Vous passiez par hasard devant la morgue...

Lorenzo sourit en lui lançant un regard appuyé, attendit.

— Ecoutez, j'ai donné quelques coups de fil, et je crois avoir trouvé quelqu'un qui pourrait accélérer les choses, dit enfin Ben.

— Accélérer les choses ?

— Vous savez, aider Brenda à se souvenir. La personne que je connais...

— Un hypnotiseur ? le coupa Lorenzo. Un privé ?

— Je vous en prie, répondit Ben, écartant les deux suggestions d'un geste dédaigneux.

— Qu'est-ce qu'on va faire, alors ? Jouer aux « Vingt Questions » ?

Lorenzo le regarda longuement puis éclata de rire : ce type ne manquait vraiment pas d'air.

— Vous voulez que je remette Jesse dans la cabine de pilotage, c'est ça ?

— Je trouve qu'elles s'entendaient très bien, toutes les deux.

— Content de l'apprendre, grogna Council.

Il secoua la tête, contourna Ben pour ouvrir la portière.

— Lorenzo, si mon amie s'en occupe, ce sera réglé en vingt-quatre heures.

— Votre amie connaît Brenda ? demanda Lorenzo, intéressé malgré lui.

— Pas encore.

Lorenzo ouvrit la bouche pour donner libre cours à son irritation, se ravisa, monta dans la camionnette.

— Ecoutez, je comprends parfaitement, dit Ben, écrivant un numéro au dos d'une carte. Mais si vous changez d'avis... (Il tendit la carte, qui portait gravées au recto les coordonnées d'un bar appelé le Phatso's Lounge. Lorenzo la retourna pour déchiffrer le gribouillis de Ben.) Si vous changez d'avis, je serai au Quality Inn, près du Holland Tunnel, chambre 303. Un service que je rends à un associé. Je resterai là-bas trois heures environ. Après ça...

Il haussa les épaules : le boniment publicitaire était terminé.

— Central à IS 15 sur le canal 2.

Lorenzo, qui retournait à Armstrong, tendit la main vers la radio.

— IS 15 à Central.

— Appelez immédiatement l'enquêteur 13.

Lorenzo s'arrêta devant une cabine téléphonique du JFK. D'un bout à l'autre du pâté de maisons, il pouvait voir une douzaine de devantures, toutes à l'abandon hormis celle du bureau d'un parlementaire. Il fit un signe à deux femmes âgées passant sur le trottoir et dont l'une, à ce qu'il avait entendu dire, avait été la petite amie de son père.

— Bump, quoi de neuf ?

— Tu retournes à Armstrong ?

— Ouais.

— Je voulais juste te prévenir. On va avoir droit au cirque. Longway se prépare à donner une conférence de presse le long de la voie ferrée. Je crois qu'il cherche à faire péter la baraque, alors, à toi de voir si tu tiens à être là ou pas.

— Qu'est-ce que tu racontes ? Je l'ai vu sortir de la cité y a pas deux heures...

— C'était y a deux heures.

— Comment il a fait pour monter son coup aussi vite ? repartit Lorenzo, une colère non maîtrisée dans la voix.

— Les gens sont sur le point d'exploser. Suffit que chacun donne un coup de fil. Et les caméras sont déjà sur place, t'as plus qu'à faire monter la pression.

— Il a qui avec lui ?

— A peu près tout le monde : Jésus, Allah, la moitié du conseil municipal, la Brigade des Mamans, tout le bazar. Ça va péter, Big Daddy, et franchement, je pense qu'il est temps.

Dix minutes plus tard, Council s'arrêtait devant la voie ferrée, de l'autre côté de Longway et du campement des médias. Vitres baissées, clim' à fond, il regarda le révérend aller et venir sur le gravier, les mains sur les hanches, se concentrant avant de s'adresser aux journalistes rassemblés devant lui en un peloton compact de micros et de Betacam. Derrière Longway se tenaient un bon nombre des représentants des minorités de la ville : cinq pasteurs — quatre Noirs, un Latino —, deux dirigeants islamiques, deux conseillers municipaux, trois représentants des locataires à l'Office du logement, le secrétaire de l'YMCA ; Tariq Wilkins, l'ancien aéroporté, une jambe dans le plâtre, et sa grand-mère, Yvonne ; Teacher Timmons, une dent en moins, et sa mère, Frieda, présidente de l'Association des locataires d'Armstrong. Côté cité du grillage, les habitants s'entassaient sur trois rangées, doigts et jointures poussant par centaines entre les mailles métalliques.

Lorenzo était furieux. Il se considérait comme l'un des piliers de la communauté. Ne pas avoir été averti par l'un de ceux qui faisaient maintenant face à la presse, c'était comme recevoir une gifle en pleine figure. Même s'ils avaient cherché à le tenir en dehors compte tenu de son statut d'inspecteur chargé de l'affaire, quelqu'un d'autre que Bump Rosen, un flic blanc, aurait dû le prévenir.

Longway effectua trois derniers allers-retours puis s'approcha du micro.

— Je vais essayer d'être bref, dit-il en regardant les caméras. Bref et clair.

Un chœur de « Ouais ! » et de « C'est ça ! » monta du grillage, mais les « notables » alignés derrière Longway restaient pour le moment sur la réserve. Seul un des pasteurs applaudit, les autres se contentant de hocher la tête, tâtant le terrain.

— Il va de soi que le souhait naturel de tout membre respectable et craignant Dieu de cette communauté, de cette ville, c'est de voir cet enfant, Cody Martin, sain et sauf dans les bras de sa mère.

Une nouvelle salve de « Oui ! » fusa du grillage, pendant que les partisans du révérend dodelinaient du chef. Longway remonta ses lunettes sur son nez.

— Mais mettre en... en quarantaine, isoler, transformer en ghetto, en double ghetto, les sept cents familles de la cité Henry Armstrong... (La foule se répandit en « Vas-y ! », « T'as raison ! », les notables applaudissant maintenant bruyamment, mais toujours sans ouvrir la bouche.) Prétendre, prétendre ! que la mentalité, l'instinct de ces sept cents familles les pousseraient à protéger un criminel de ce... de cet acabit, ce n'est rien d'autre que du racisme de la plus pernicieuse, de la plus monstrueuse espèce qui soit !...

Le grillage se mit à vibrer comme à l'approche d'un train, et une bonne partie des caméras abandonnèrent Longway pour braquer leur objectif sur la foule.

— Et je suis ici aujourd'hui... Nous ! s'exclama-t-il, tendant un bras derrière lui. Nous sommes ici aujourd'hui pour prévenir les services de police de la ville de Dempsy. Pour prévenir les services de police de la ville de Gannon. Pour les avertir, devant cette communauté, cet Etat, ce pays, devant le monde entier ! (Longway pointa un doigt vers les Betacam.) Non ! Nous ne tolérerons pas ça !

La foule se mit à beugler, le grillage ondulant sous la force de son émotion. Lorenzo, assis dans la camionnette, sentait la justesse, la légitimité des propos de Longway mais demeurait sur la touche, continuant à souffrir d'un sentiment d'exclusion.

Les autres flics présents aux alentours restaient eux aussi à distance, la plupart sur la voie ferrée, l'air impassibles mais vigilants, les bras croisés sur la poitrine. Bobby McDonald, mains dans les poches, considérait d'un œil mauvais le gravier à ses pieds.

— Je voudrais, je voudrais que vous puissiez vous voir en ce moment, poursuivit le révérend, s'adressant directement à la foule. On dirait une photo de magazine d'un camp de réfugiés africains... La photo d'un camp d'internement africain !...

« Oui ! », « Non ! » rugirent les locataires, interrompant leur clameur pour appeler les parents et les amis restés dans les bâtiments. Les Betacam délaissèrent presque toutes Longway pour les mouvements de la foule.

Au-dessus de leurs têtes, Lorenzo vit un flamboiement, plusieurs flamboiements, en fait, et fut pris de panique : tous les réfrigérateurs de la Cuvette semblaient en feu. Il sauta hors de la camionnette et, regardant par-dessus le toit brûlant, constata avec soulagement que le gigantesque incendie n'était que le soleil se réfléchissant sur l'émail blanc ou le chrome qu'il parvenait à toucher de ses rayons entre les lattes en bois des caisses à claire-voie.

Il se laissa tomber sur le siège, essuya de la main la sueur de son front et leva les yeux vers le révérend en pensant : Bref, tu disais...

— On dirait des détenus, des prisonniers... Mais emprisonnés pourquoi ? Je vais vous dire pourquoi : parce que vous êtes noirs. Parce que vous êtes pauvres. Parce que vous vivez où vous vivez...

Lorenzo remarqua que les gens du premier rang commençaient à être écrasés contre le grillage et sentit un picotement glacé au creux du ventre.

— Ce blocus, ce siège, ce déni criminel des libertés fondamentales que nous garantit la Constitution des Etats-Unis est une insulte à ceux qui travaillent dur, à ceux qui luttent...

— A ceux qui fument du crack, entendit Council derrière lui.

Il jeta un coup d'œil dans son rétroviseur, ne vit que des flics impassibles.

— ... aux familles craignant Dieu, non seulement dans cette cité mais dans toutes les cités de cette ville, de ce pays. Et je suis là aujourd'hui, nous sommes là aujourd'hui pour vous dire : Non ! nous ne le tolérerons pas !

Les notables claquaient furieusement des mains, à présent. Un des pasteurs s'approcha de Longway et, tel un diacre extatique, lui tapa dans le dos. Le révérend épongea son front, se remit à aller et venir. Le grillage retenait maintenant des gens massés sur six rangées, et d'autres accouraient du fond de la cité. Council s'apprêtait à descendre de nouveau de la camionnette pour envoyer quelques uniformes disperser la foule, mais Bobby McDonald le devança en demandant à une demi-douzaine de flics de passer de l'autre côté de la clôture.

— S'abattre sur nos immeubles à la faveur de la nuit, brutaliser, mutiler les jeunes gens de notre communauté, tempêta Longway, tendant le bras vers Teacher et Tariq, qui semblaient tous deux un peu embarrassés. Semer la... la... la terreur dans les cœurs de leurs mères, de leurs grand-mères... (Geste en direction de la grand-mère de Tariq, en larmes, et de la mère de Teacher, au visage impavide, tel un roc sculpté par la rage.) Enfoncer les portes à coups de pied comme les troupes d'assaut sud-africaines, comme une meute de...

Longway se tut brusquement, eut un geste de dégoût, comme si l'indignation l'étranglait. Les pasteurs et les parents applaudissaient et braillaient, le grillage s'incurvait, Lorenzo priait en silence : Faites cesser ça. Longway finit par reculer et reprit, la voix rauque comme s'il avait crié toute la journée :

— Je suis ici aujourd'hui, nous sommes ici pour vous dire que cette action policière, cette « Sowetisation » de la cité Henry Armstrong vient de prendre fin, parce que non... nous ne le tolérerons pas !

Le rugissement qui s'éleva de l'autre côté du grillage transforma le monde en une chute d'eau. Longway se retourna. Avec des gestes de chef d'orchestre, il disposa ses partisans sur deux rangées à peu près droites. Et sous la conduite du révérend, ils commencèrent à avancer en se tenant par le bras et en scandant :

Hé, Dempsy,
Tu te goures,
Armstrong, c'est pas
Johannesburg !

Ils criaient avec divers degrés d'ardeur : les femmes et les pasteurs à tue-tête ; les deux conseillers municipaux avec plus de circonspection ; Teacher Timmons et Tariq Wilkins se contentant de remuer les lèvres, l'air plus gênés qu'enragés.

Dès que Longway et ses troupes se mirent en marche, les reporters se postèrent sur leurs flancs, les cameramen coururent devant puis avancèrent à reculons pour les filmer, l'escorte médiatique triplant le nombre des manifestants.

Lorenzo fut soulagé de voir que les habitants suivaient eux aussi le cortège de l'autre côté du grillage, l'étalement de la foule réduisant le risque d'une bousculade fatale.

Hé, Dempsy,
Tu te goures,
Armstrong, c'est pas
Johannesburg !

Il supposa qu'ils se dirigeaient vers le barrage de Hurley Street, le plan consistant à forcer le blocus, à refuser les contrôles d'identité. Finalement, Lorenzo surmonta à contrecœur sa blessure d'amour-propre et s'avoua que Bump avait raison : il était temps. Il vit Bobby McDonald siffler avec ses doigts pour attirer l'attention des flics gardant la sortie et leur faire signe : « Laissez-les passer. » Les deux agents s'écartèrent, le blocus d'Armstrong avait officiellement pris fin. Les reporters se précipitèrent dans la cité pour interviewer les habitants, et les habitants se ruèrent dehors, simplement parce qu'ils pouvaient le faire.

Council rejoignit Bobby McDonald, qui se tenait entre les rails.

— Content que ce soit fini, dit l'inspecteur à mi-voix.

— Rien n'est fini, lui rétorqua McDonald. Qu'est-ce que tu fais ici ?

Interdit, Lorenzo tendit le bras vers les barrages abandonnés, voulut répliquer, mais finit par marmonner, l'air gêné :

— Ils l'ont mise sous calmants, au Centre médical.

— Ouais. Et alors ?

— Je bosse.

— Tu m'as demandé de t'accorder un jour, lui rappela McDonald.

— Je sais.

Son chef consulta ostensiblement sa montre, adressa un long regard à Lorenzo et s'en alla, laissant l'inspecteur planté là, avec le sentiment d'être un incapable.

La standardiste du motel brancha Council sur la chambre 303 du Quality Inn.

— Cesar ? dit Ben à mi-voix. Le type n'est pas venu.

— Ben ? C'est Lorenzo Council.

— Hé, comment ça va ?

— Vous savez que je ne peux pas avantager un membre de la communauté médiatique par rapport aux autres, commença Council, conscient du ton officiel qu'il avait adopté.

— Je comprends.

Lorenzo hésita avant de demander :

— Donnez-moi un numéro où je peux joindre votre sœur.

Ben récita un numéro de portable que Lorenzo inscrivit sur la couverture de son calepin.

— Dites-lui que je l'appellerai.

— D'accord.

— Dites-lui que notre contrat tient toujours.

Nouvel acquiescement fervent de Ben :

— Absolument. Je peux savoir où elles reprendront contact ?

— Non.

— Alors, vous pouvez peut-être me dire quand ?

L'inspecteur hésita de nouveau, finit par répondre :

— D'ici quelques heures.

— Excellent. Je pourrai leur servir de chauffeur ?

Lorenzo réfléchit : Jesse et Brenda sans voiture, cela poserait un problème.

— Je peux être sûr que votre sœur respectera ses engagements envers moi ?

— Lorenzo, s'il vous plaît...

Il imagina Ben à l'autre bout du fil, les yeux clos, la main sur le cœur.

— Alors, c'est d'accord.

— Merci, dit Ben solennellement.

Council baissa la tête, vit des étoiles derrière ses paupières.

— Y a intérêt à ce que vous assuriez, de votre côté.

14

Une heure après avoir appelé Jose, Jesse arpentait sa chambre dans un tel état d'anxiété que la sonnerie du téléphone de l'appartement lui parut aussi stridente qu'une sirène d'alarme.

— Ben ?

Après un silence, une voix d'homme, probablement blanc, demanda :

— Je parle à Jesse Haus ?

— Qui êtes-vous ?

— Je peux vous donner des informations.

— Sur ?

— Vous savez bien.

— Dites-le quand même.

— Brenda Martin.

— Qui êtes-vous ? redemanda-t-elle en enfilant maladroitement un jean propre.

— Je la connais.

Les pieds de Jesse décollèrent du sol quand elle sauta pour parvenir à remonter la fermeture à glissière jusqu'en haut.

— C'est Ulysses ? risqua-t-elle.

— Qui ? dit la voix, sincèrement étonnée.

— Comment se fait-il que vous m'appeliez ?

— Je vous ai vue avec elle ce matin, devant l'immeuble.

Elle se passa une main dans les cheveux.

— Ah oui ? Vous savez ce qui est arrivé au gosse ?

— Moi ?

— Oui, vous. Vous le savez ?

— Aucune idée. Mais je connais Brenda.

Jesse tendit la main vers son paquet de cigarettes.

— Vous ne voulez pas me dire votre nom ?

— Y a un bar à Dempsy, le McCoy's, vous pouvez y être dans une heure ?

— Au McCoy's ? Il paraît que toutes les équipes de télé s'y retrouvent, dit Jesse, cherchant du regard des allumettes, des chaussettes. Si vous voulez passer inaperçu...

— Je ne suis pas une célébrité.

— Je vous préviens, c'est tout, répondit-elle d'un ton neutre, songeant qu'elle irait peut-être, peut-être pas. Vous la connaissez d'où, Brenda ?

Le portable de Ben émit son trille de flûte quelque part sous les draps du lit défait.

— Bon, d'accord, au McCoy's, conclut-elle rapidement.

Elle raccrocha, plongea à la recherche de l'autre téléphone.

— Ben ?

Cette fois, son souhait fut exaucé.

— J'ai de bonnes nouvelles, annonça-t-il comme s'il s'apprêtait à sortir des friandises d'un sac, une par une. J'ai parlé à Lorenzo.

— Et...

— Tu la récupères.

— Oui ! s'exclama-t-elle, pivotant sur elle-même, revigorée.

— Il va t'appeler. Je lui ai donné le numéro du portable au cas où tu voudrais sortir.

— Je la retrouve quand ?

— Dans quelques heures.

— Où ?

— Je viendrai te chercher, répondit-il avec un détachement étudié.

— Explique-moi, demanda-t-elle, soudain sur ses gardes.

C'était en effet le ton que son frère prenait quand il devait faire marcher quelqu'un.

— C'est... Je passerai te prendre.

— Explique-moi, insista-t-elle, carrément méfiante à présent.

— Je préfère pas.
— C'est quoi, l'accord ?
— Je passerai te prendre, OK ?
— Je serai sortie, répliqua-t-elle, puérile.
— Pas de problème. N'oublie pas le portable.
Elle raccrocha, furieuse, puis se rappela l'essentiel — Brenda — et se sentit déborder de joie, de vie.

Le McCoy's était un bar sombre et maussade situé au rez-de-chaussée d'une maison victorienne au toit mansardé, à cheval sur la frontière Dempsy-Gannon, à deux rues de la cité Armstrong. En face, côté Dempsy, sur un terrain jonché de détritus se dressait, solitaire et surréaliste, un mur en ciment piqueté par le temps, de cinquante mètres de long et de trois mètres de haut, unique vestige d'un camp de prisonniers construit pendant la Première Guerre mondiale. A trois cents mètres dans la direction opposée, côté Gannon, s'étendait un abattoir abandonné, théâtre, au début du siècle, d'une grève fameuse au cours de laquelle des emballeurs de viande ukrainiens et slovaques armés de pierres, de pistolets et de bombes artisanales avaient affronté une petite armée de flics locaux et de détectives privés importés en une bagarre de rue de cinq jours qui avait fait onze morts.

L'établissement, appelé alors Chez Koerner, avait servi de quartier général aux privés de l'agence Pinkerton, qui avaient viré le propriétaire de son propre bar après qu'il eut refusé de les servir. Quand Jesse se décida à entrer dans la salle humide, sentant la bière, elle chercha des yeux le dernier souvenir de cette semaine sanglante, cinq impacts de balles préservés par un écran de Plexiglas, entre la cible du jeu de fléchettes et les cabines téléphoniques. Ces dégâts avaient été infligés quand une poignée d'emballeurs armés, conduits par Koerner lui-même, avaient tenté de libérer le bar. L'assaut avait fait trois morts, dont Koerner, tué accidentellement par un membre de son propre commando.

Jesse avait entendu dire que la presse avait quasiment réquisitionné le McCoy's pour la durée de l'affaire, mais elle n'y crut réellement qu'en voyant un nombre inhabituel de voitures de location garées le long du mur de l'ancien camp de prisonniers de guerre. Chaque fois qu'éclatait une affaire d'importance nationale, quel que soit l'Etat ou la ville, les journalistes envoyés sur les lieux se posaient d'instinct dans un bar-restaurant particulier pas trop éloigné du camp de base médiatique et s'y retrouvaient en nombre chaque soir après avoir expédié leur copie ou rangé leur matériel. Mais le choix du McCoy's...

La climatisation donnait la maladie du légionnaire et, bien qu'il y eût en principe un menu, un cuisinier d'âge canonique atteint de tuberculose mettait vingt bonnes minutes à descendre de son tabouret pour préparer un hamburger-frites, apporté généralement six verres après le moment de la commande.

Jesse inspecta la salle, sépara aisément les gens des médias des habitués. Détendus et aimables — la différence avec leur personnalité diurne relevait presque de la schizophrénie —, les reporters et les cameramen étaient généralement plus jeunes, plus minces et plus expansifs que les habitués, qui parlaient entre eux en lorgnant les envahisseurs ou sirotaient leur verre en solo. Le coude effleurant le bord d'une petite flaque d'un liquide à l'odeur douceâtre répandu sur le comptoir, Jesse regarda le chroniqueur d'un tabloïde new-yorkais jouer au billard miniature avec un photographe émacié et barbu portant un T-shirt *USA Today*.

Près des cabines téléphoniques, un présentateur de *Hot Copy* draguait une femme un peu lourde et fumant sans arrêt dont Jesse pensa qu'elle devait travailler pour le *Washington Post*. A l'autre bout de la salle, les trois banquettes au vinyle déchiré étaient occupées par des journalistes avalant, fesse contre fesse, force hamburgers et verres, dans un brouhaha de conversations ressemblant à un bourdonnement d'abeilles amplifié. Comme chaque fois qu'elle couvrait une affaire débordant le cadre local et qu'elle pénétrait dans un des innombrables McCoy's de l'Amérique, proches du lieu du crime, proches du tribunal, proches de la zone sinistrée, Jesse avait l'impression d'être entourée par des gens qui se connaissaient depuis des années, de faire intrusion dans une sorte de club spontané de cousins. En fait, elle le savait pertinemment, l'écrasante majorité des journalistes rassemblés ce soir-là ne s'étaient jamais vus avant la veille, avant que Brenda Martin entre aux Urgences du Centre médical, les deux mains déchirées.

Généralement, lorsqu'elle rencontrait une salle entière de ses pairs provisoires, Jesse avait une réaction défensive de mépris et se sentait terriblement seule. Ce soir-là, cependant, avec la double perspective d'un contact avec un témoin et d'un rendez-vous avec la reine de la fête elle-même, elle se sentait plus aristocratique que dédaigneuse, plus gauche que solitaire.

Quant à son correspondant anonyme, elle voyait deux candidats possibles, la trentaine tous les deux, assis seuls l'un et l'autre. Le premier, sorte d'ours au visage bouffi, portait une veste sport trop chaude et faisait sans cesse aller ses yeux cernés et accablés du comptoir où se tenait Jesse au verre plein entre ses mains immobiles. L'autre, teint hâlé et mise soignée, avait l'air d'un gentleman égaré avec ses cheveux bruns courts et son bouc bien taillé semé de gris. Pour le moment, il semblait totalement absorbé par le fragile cylindre de cendre de sa cigarette, qu'il sculptait en le pressant contre la courbe de son verre, mais il émanait de lui une telle détermination théâtrale à se concentrer sur cette tâche que Jesse ne cessait de jeter des coups d'œil dans sa direction, attendant qu'il lève les yeux vers elle pour confirmer son intuition.

A deux tabourets d'elle, l'un des quelques habitués disposés à combler le fossé, un vieux de la vieille au visage rougeaud et aux cheveux blancs, bavassait avec une femme de l'âge de Jesse qui portait un T-shirt *Deadline USA* et faisait durer un scotch avec glaçons.

— La criminalité qu'on a maintenant... Grave, hein ? Vous savez à qui la faute, d'après moi ? Les progrès des moyens de communication.

— Ah oui ? dit la journaliste, qui écrasa sa cigarette et en alluma une autre.

— La radio, la vidéo. S'il se passe quelque chose et qu'on vous filme, vous êtes foutu. Comme dans l'affaire Rodney King. Mais il y a un autre aspect. De nos jours, un flic en difficulté, qu'est-ce qu'il fait ? Il demande des renforts par radio. Résultat, cinq minutes plus tard, vous avez une fête de quartier : les voisins, la famille, les journalistes. Et là, vous avez intérêt à faire gaffe. Gaffe à ce que vous faites, gaffe à ce que vous dites. Vous avez les mains liées, pour ainsi dire. De mon temps — je vous parle d'il y a de ça trente, trente-cinq ans —, vous étiez tout seul, vous faisiez ce qu'il y avait à faire. Pas de vidéo, pas d'appels radio, pas de journal télévisé à onze heures. Vous faisiez ce qu'il fallait pour régler le problème. Et les types concernés savaient ce qui les attendait, ils l'acceptaient. Avec les progrès des moyens de communication, on met les menottes à ceux qu'il faut pas...

Surveillant la salle dans le miroir du bar, Jesse vit que ses deux candidats ne bougeaient toujours pas. Le sculpteur sur cendre au visage tendu et mélancolique croisa son regard dans la glace et elle lui adressa un petit hochement de tête, mais il toussa dans son poing et elle ne fut pas sûre qu'il ait capté son signe.

Le barman, la trentaine, mèches à la Moe Howard, moustache en brosse, lunettes et tatouages sur les deux bras, posa un autre « tournevis [1] » devant elle sans qu'elle eût rien demandé.

— C'est ma tournée, dit-il en tapotant sur le bois du comptoir.

Bien que son visage fût impassible, il semblait excité par la clientèle des journalistes.

— Vous avez de la verdure ? demanda une reporter de New York, d'une des chaînes nationales, Jane quelque chose, en se pressant contre le bar.

Jesse l'avait reconnue davantage à sa voix qu'à ses traits.

— De la verdure ? répéta, étonné, le barman.

— Des légumes, de la salade. J'ai besoin de verdure.

— Des carottes ? proposa-t-il, l'air de s'amuser beaucoup. Je crois qu'on a des carottes à la cuisine. Mais elles ne sont pas vertes.

— Ça ne fait rien, donnez-moi des carottes, répondit-elle, forçant un peu dans l'exaspération. (Elle se tourna vers Jesse.) Le New Jersey, c'est bien le Jardin de l'Amérique, non ? On croirait qu'ils font venir leurs légumes de Nouvelle-Zélande...

Avant que Jesse puisse répondre, elle s'adressa au vieux pro :

— Vous lui servez ce bobard sur la vidéo, cause de la criminalité ?

---

1. Vodka et jus d'orange. *(N.d.T.)*

— Je crois qu'il n'a pas complètement tort, fit valoir la journaliste de *Deadline USA*.

Le vieux tricota des sourcils, la bouche ouverte de plaisir.

— Alors, la maman, qu'est-ce qu'elle pense ? demanda Deadline à Jane en faisant signe au barman de lui remettre ça et de resservir aussi le vieux de la vieille.

— En ce moment ? répondit Jane avec un haussement d'épaules. Je pense qu'elle doit se dire : « Tiens bon, tiens bon. C'est presque fini... »

— Tu crois ? Je sais pas. Moi, je pense qu'elle est sincère.

— Elle ment comme elle respire, cette pouffe, affirma Jane.

Jesse sentit son estomac se serrer comme si elle venait d'entendre une vile calomnie sur elle-même ou sur un proche. Elle jeta un nouveau coup d'œil sur ses deux candidats : Allons-y, allons-y.

— Santé, dit le policier en retraite, levant son verre gratos.

— L'année prochaine à Jérusalem, lui répondit Deadline, qui le congédia de son monde d'une rotation des épaules. Tu te souviens de cette bonne femme de l'Oklahoma qui avait gazé ses trois gosses ? demanda-t-elle à Jane. Qu'est-ce qu'elle disait, déjà ?

— « Je crois que j'étais dans un de ces jours où on a vraiment une mauvaise opinion de soi », répondit Jane, tandis que Jesse se rappelait mentalement la même citation, mot pour mot.

Le vieux de la vieille, comprenant que son heure de gloire était passée, se laissa glisser de son tabouret, le visage congestionné par la colère et la déception.

Deadline alluma une autre cigarette.

— Bon, admettons que ce soit elle. Elle l'a tué par accident ou elle avait un plan ?

— Je pense... (Jane s'interrompit pour examiner l'assiette de carottes qu'on lui apportait comme un tas de rondins.) Je pense que l'idée lui est venue un peu avant, qu'elle l'a ruminée pendant une heure, mettons. Donc, c'est plus ou moins spontané.

— Et pourquoi ?

— Pourquoi elle l'a fait ?

Dans le miroir, ses deux rencards possibles la regardaient

directement, à présent. Jesse passa sur le tabouret voisin pour faire de la place.

Un jeune reporter impeccablement vêtu d'un pantalon kaki au pli en lame de couteau, d'une chemise blanche et d'un nœud papillon occupa aussitôt le siège libéré, s'asseyant presque sur la main de Jesse.

— Il faudrait vérifier, dit-il. Tu vois le gros près de la cible ? Il dit qu'il est sorti avec elle l'année dernière.

Deadline prit une carotte dans l'assiette.

— Il parle ?

— Il est prêt à jouer au billard avec toi pour vingt sacs la partie.

Jesse se renversa en arrière sur son tabouret et lorgna le gros. C'était Tony Kowalski, ex-pompier bénévole qui venait de passer trois ans en prison pour incendies volontaires dans tout le comté de Dempsy. Elle avait couvert les incendies et l'arrestation.

Surprenant de nouveau l'artiste à la cigarette en train de la regarder dans le miroir, elle lui adressa un autre hochement de tête, celui-ci parfaitement reçu, mais l'homme détourna simplement les yeux.

Un autre journaliste, un Noir d'une vingtaine d'années, lunettes à monture dorée et polo, se pencha pour commander une bière.

— On retourne à Armstrong ce soir, annonça Nœud-Pap. Pour examiner le lieu du crime.

— Quand ?

— A quelle heure ça s'est... ? A l'heure à laquelle elle dit que c'est arrivé. Pour repérer le terrain, voir qui il y a dans le coin. Parler aux gens.

— Avec ton nœud papillon ?

— Non, non, je repasse par ma chambre. J'ai une tenue de chasse au canard Eddie Bauer. Très décontract'. Ils vont adorer ça, les frères. En plus... (Il entoura d'un bras les épaules du jeune Black.) J'ai Shaka Zulu en appoint.

Jesse comprit soudain le nœud papillon, clin d'œil à Jimmy Olsen. Ça lui plut.

Elle regarda de nouveau ses deux témoins potentiels, s'attardant cette fois sur le gars en veste d'hiver. Elle remarqua qu'il portait une boucle d'oreille, coquetterie tout à fait en contradiction avec son air intello. Et bien qu'il parût suffisamment tendu pour être le bon candidat, il avait cessé de lui rendre ses regards appuyés par l'intermédiaire du miroir.

Le reporter noir but une gorgée de bière avant d'annoncer :

— J'ai parlé à plusieurs frères d'Armstrong. Ils m'ont raconté qu'à Gannon ils vous jettent dans une cellule spéciale : pas de porte, pas de fenêtre, pas de nourriture, pas de toilettes, pas de coup de téléphone.

— Comment ils t'y jettent, alors ? s'interrogea Jane à voix haute.

— Ils m'ont dit qu'ils t'y laissent une semaine avant que tu puisses appeler ton avocat, tu te rends compte ? Je suis tombé sur un flic de Gannon qui m'a expliqué en rigolant : « Ouais, c'est ce qu'ils croient, il paraît, et nous, on fait rien pour les détromper. »

— Pas mal.

Jesse connaissait cette cellule, la première chose qu'on découvrait passé le bureau du sergent, à l'accueil. Le truc inhabituel ou troublant, c'était qu'elle était en Plexiglas : quatre murs transparents, pas de barreaux.

Le portable de Nœud-Pap émit son grelot et le journaliste tourna le dos à tout le monde, penché en avant, un doigt sur l'oreille. Les trois autres se turent, nonchalamment attentifs, pour tenter de deviner à qui il parlait.

Dans le miroir, Jesse vit son candidat n° 1 se lever et se diriger vers les toilettes. Elle se laissa glisser de son tabouret et commençait à le suivre quand son propre téléphone cellulaire sonna. Elle se rassit, le dos tourné aux autres.

— Ouais ?

— Allô, Brenda, dit Lorenzo. Jesse, pardon, corrigea-t-il aussitôt, l'air énervé par son erreur. C'est Lorenzo Council.

Nom, prénom, pensa-t-elle, il est pas loin du point de rupture.

— Salut.

— Votre frère vous a expliqué ce qui se passe ?

— Non.

— Il vous conduira auprès d'elle.

— OK.

— Je dois voir des gens.

— OK.

— Alors, je veux que vous restiez avec elle.

— OK.
— Vous l'emmenez chez elle et vous restez avec elle.
— D'accord.
— Vous n'allez nulle part.
— Pas de problème.
— Vous restez là-bas, que je puisse vous trouver.
— Entendu. Elle est où, en ce moment ?

Long silence. Jesse retint sa respiration, en priant pour qu'il ne soit pas en train de changer d'avis.

— Au Centre médical, en obstétrique, chambre 907, répondit-il, comme s'il donnait les économies de toute une vie. Vous passez la prendre là-bas, vous la conduisez direct chez elle.
— D'accord.
— Tout ce qu'elle vous confie, vous le gardez pour vous. S'il se passe quoi que ce soit, vous m'appelez tout de suite.
— Absolument.
— J'en ai déjà parlé à votre frère, il vous conduira auprès d'elle.
— OK, dit Jesse, s'abstenant de faire remarquer qu'il se répétait.

Il y eut un autre silence qu'elle attribua cette fois à l'angoisse de Council : il cherchait fébrilement dans son esprit quelque chose d'autre, un dernier mandat à lui confier.

— Lorenzo, ça va ? demanda-t-elle, pour briser le silence.
— Ça ira mieux quand ce sera terminé.
— Vous progressez ?

Il raccrocha. La tête de Jesse se mit à bourdonner. Etourdie, elle avait l'impression d'entendre à travers des boules Quies.

— J'ai parlé au gars du vidéoclub, disait Deadline, bâillant devant son poing. La boutique du coin, en bas de chez elle. Tous les soirs, ils louaient deux, trois cassettes.
— On sait quels films ?
— Ouais, les titres habituels. *Serial Mother, Henry : portrait d'un serial killer, La Mauvaise Graine...*
— *Les Enfants des damnés.*
— *Jeu d'enfant.*
— *Maman très chère.*

Laissant son attention dériver, Jesse se demanda pourquoi un inspecteur confiait la garde de Brenda à une journaliste et non à un autre flic. Elle se demanda ce que Ben pouvait bien avoir dit, ou offert, à Lorenzo en échange. Il y avait un prix à payer, elle en était sûre, mais elle n'avait aucune idée de sa nature.

— Le gosse avait même sa propre carte, ajouta Deadline. Non, je ne crois vraiment pas que ce soit elle. Ils étaient très proches, tous les deux.

— Jusqu'à ce qu'arrive le petit ami, dit Jane.

— Quel petit ami ? demanda Nœud-Pap.

— Il y a toujours un petit ami. La mère et le mioche s'entendent parfaitement, jusqu'au jour où Maman se dégote un mec, expliqua Jane.

Le candidat n° 1 de Jesse revint des toilettes, lui coula un regard. Avec le coup de fil de Lorenzo, elle l'avait presque oublié. Merde.

— Qu'est-ce que le mec de Louisiane a dit à sa copine avant qu'elle empoisonne sa fille, le mois dernier ?

— « Je te demanderais bien de venir vivre chez moi avec ma mère si y avait pas ta petite négresse », chantonna Nœud-Pap d'une voix flûtée.

— Non. « Si y avait pas ta petite moitié de négresse », corrigea le reporter noir. « Moitié de négresse. »

S'écartant du comptoir d'un coup de reins, Jesse se dirigea vers les toilettes.

Dans le vestibule humide et froid séparant les WC des hommes de ceux des femmes, Jesse écouta distraitement deux journalistes discuter au téléphone avec leur rédacteur en chef. L'un et l'autre promirent des révélations explosives — des informations nouvelles, quasi confirmées, qui déclencheraient une réaction en chaîne de gros titres — et, d'une manière générale, débitèrent toutes sortes de salades pour obtenir quelques lignes de plus dans l'édition du lendemain.

Au bout de dix minutes, les yeux irrités par l'air s'échappant des toilettes à chaque entrée ou sortie, elle reprit le chemin du bar et entra en collision avec le candidat n° 1, l'ours aux yeux de chien battu.

— On peut aller quelque part ? murmura-t-il, la dominant de sa masse.

— Aller quelque part... ?

— Pour parler. (Il pressa ses paumes l'une contre l'autre.) De Brenda.

Ils traversèrent la petite cuisine pour sortir par la porte des livraisons. Sous les rayons obliques du soleil couchant, sous cette lumière particulière, elle réévalua l'âge de son témoin, plus près de quarante-cinq ans que de trente. Ils se faufilèrent parmi les poubelles, s'assirent sur le perron d'une *brownstone*[1] délabrée. Sous la sonnette, une plaque en bois indiquait qu'il s'agissait d'un centre de réadaptation d'anciens drogués dirigé par le diocèse local.

Jesse regarda l'homme extraire nerveusement ses bras de la veste sport.

— Vous pouvez me donner votre nom, maintenant ?

— Je préfère pas.

— OK.

— J'habite Philadelphie.

— OK.

— Je suis écrivain.

— Allez vous faire mettre.

Elle se leva et fit deux pas avant qu'il puisse la saisir par le coude.

— Non, non, je vous en prie, j'écris des ouvrages d'aide psychologique. Je ne suis pas ici pour cette affaire. Je suis vraiment sorti avec elle, je le jure. J'ai simplement besoin d'en parler à quelqu'un. Je vous en prie.

— Citez-moi deux de vos titres.

— Non, je ne veux pas être mêlé à cette histoire. Ecoutez, je ne vous demanderai rien. Ça ne m'intéresse pas. Je vous en prie.

Elle retourna s'asseoir.

— Il y a trois ans, pour la sortie d'un de mes bouquins, mon éditeur m'a envoyé faire une petite tournée des librairies, uniquement la côte Est. On reste assis quelques heures devant une pile de livres : venez faire connaissance avec l'auteur.

— Vous aidez les gens dans quel domaine ?

— Le bonheur, répondit-il. Certains aspects du bonheur.

1. Maison bourgeoise en pierre brune construite à la fin du siècle dernier. *(N.d.T.)*

Comme s'il lisait dans les pensées de la journaliste, il ajouta :

— Je suis plus heureux que j'en ai l'air.

— Et donc...

— Donc, je me retrouve à New York, dans une grande librairie de Greenwich Village, je signe quatre bouquins en deux heures et je m'apprête à remballer, encore une journée de perdue, quand je la vois, Brenda, qui se balade dans une allée. Elle a son enfant sur le dos, dans un porte-bébé à l'indienne ; elle n'est pas là pour mon livre, mais nous nous regardons et je découvre ses yeux, ses yeux gris clair. Ça y est, je perds la boule. Jamais je ne fais ça — ce n'est pas mon genre —, mais je bredouille quelque chose comme : « Excusez-moi, qu'est-ce que je pourrais bien dire pour vous convaincre de prendre un café avec moi ? » Ça m'est sorti comme ça. Je ne suis jamais aussi cavalier avec les femmes, mais ses yeux... Ils étaient comme, comme *l'anarchie*.

— Et après ? demanda Jesse, qui commençait à le trouver sympa.

— Elle me répond : « Vous venez de le dire », et nous quittons la librairie ensemble, moi, elle et le bébé. Nous allons au Washington Square Park regarder le cirque. On parle, on parle, on parle. Elle me plaît, elle me plaît beaucoup. Elle est intelligente, elle est caustique. Au bout d'une heure, je lui prends la main, comme si nous avions treize ans, tous les deux, et elle me laisse faire. C'est... (Il plaque une main sur son cœur.) C'est plus excitant pour moi que si nous avions pris une chambre quelque part.

La main retomba, laissant une empreinte de sueur violette sur la chemise bleu ciel.

— OK, dit Jesse, pour l'inciter à poursuivre.

— Nous marchons, nous marchons ; finalement, elle dit qu'elle doit rentrer, elle vit dans le New Jersey. Devant la station de métro de West Village, je lui demande « On peut se revoir ? », elle répond « Bien sûr », et nous nous mettons à nous embrasser en pleine rue, à nous embrasser. Seigneur ! Vous avez déjà rencontré quelqu'un qui vous remet en mémoire tout ce que vous croyiez avoir oublié ? L'embrasser, c'était, c'était... comme 1966. C'était...

L'ours se tut, secoua la tête d'étonnement rétrospectif.

L'un des pensionnaires du centre de réadaptation, un

Latino sec et nerveux à la peau ravagée, sortit de la *browns-tone*, glissa une Marlboro entre ses lèvres, descendit les marches en direction de Jesse. Sans dire un mot, il prit dans ses deux mains celle avec laquelle elle tenait sa cigarette et, baissant la tête, lui prit du feu. Ses doigts étaient rugueux comme du papier de verre.

Le spécialiste en bonheur sourit à ses chaussures d'un air embarrassé, comme si le type venait de lui faucher sa cavalière. Il attendit qu'il ait tourné au coin de la rue pour reprendre :

— Je retourne à Philadelphie, et toute la semaine, nous nous parlons au téléphone. Elle promet de venir pour le week-end. Je suis... transporté. Comme... (Il écarta les bras, renonçant à trouver le mot juste.) Elle vient, je vais la chercher à la gare, et c'est comme si nous ne nous étions pas vus depuis la guerre : on s'embrasse, on se serre l'un contre l'autre. Elle a emmené le bébé, je l'avais presque oublié. Il faut dire que la semaine d'avant, il avait quasiment dormi tout le temps sur le dos de sa mère. Mais bon, c'est son enfant. Je n'ai pas de problème avec les gosses. Je n'en ai pas, mais...

« Nous allons chez moi, un deux-pièces. Le gosse est endormi, et Brenda sait que nous allons prendre la chambre, alors elle le couche, doucement, sur mon canapé, elle place des chaises contre les coussins pour qu'il ne tombe pas...

Jesse se surprit à commenter :

— C'est ce qu'il faut faire.

— Oui, je sais. Donc, le petit dort. Tango chaloupé pour passer dans la chambre ; on se saute dessus, on s'arrache les vêtements, et quand on y est presque... Le gosse se réveille, se met à pleurer. Elle retourne dans le séjour, elle reste auprès de lui une vingtaine de minutes, elle revient dans la chambre. Nous sommes un peu déphasés, mais pas trop. Dix minutes plus tard, le bébé recommence à pleurer. Nous étions arrivés chez moi à trois heures, disons, nous nous étions mis à faire l'amour à trois heures cinq, et nous avons été interrompus tellement de fois par ce gosse que nous n'avons pu conclure que cinq heures plus tard, dans un tel état d'énervement, tous les deux, que c'était quasiment pour en finir.

— La corvée du sexe, glissa Jesse sans s'appesantir. Comment était-elle avec le bébé ?

Elle jeta un coup d'œil sur le portable de son frère pour s'assurer qu'il était en veille.

— Bon, l'enfant d'abord, reprit-il. C'est normal, je le comprends. Je ne suis pas quelqu'un d'égoïste, par nature. D'ailleurs, pas une seule fois je ne me suis plaint ou énervé contre elle. Ça a duré comme ça trois jours, du vendredi au dimanche. Je ne sais pas si le gosse avait des coliques ou s'il était désorienté, mais au bout d'un moment, c'était devenu une sorte d'automatisme, comme chez les abeilles ouvrières. Se lever, se coucher, se lever, se coucher, promener l'enfant, changer l'enfant, lui faire faire son rot, debout, couché, debout, couché. Je dois avouer que le samedi après-midi, les yeux gris clair avaient perdu pour moi un peu de leur magie, et le dimanche... Pour être tout à fait franc, le dimanche, j'étais impatient de la voir partir.

— Dommage, dit Jesse, qui s'était laissé prendre à l'histoire. Mais elle, elle se comportait bien avec Cody ?

— Cody ? répéta-t-il d'un ton hésitant.

Jesse comprit qu'il n'avait jamais su ou qu'il avait oublié le nom du bébé, que l'entendre à présent le désarçonnait et donnait rétrospectivement plus de réalité à l'être vagissant sur le canapé.

— Oui, elle était très bien avec lui. C'est son enfant, après tout. Vous voulez connaître mon explication ? Le jour où nous nous sommes rencontrés, à New York, je ne peux pas parler pour elle, mais moi, quand nous nous sommes embrassés, devant la station de métro, j'étais amoureux fou. Je l'aurais épousée sur-le-champ. Et pendant la semaine qui a suivi, je ne pouvais pas respirer sans penser à elle. Peut-être qu'elle aussi, de son côté, éprouvait un peu la même chose. Alors, avant le grand week-end à Philadelphie, elle a peur de ses sentiments, elle a peur de perdre la tête, et elle emmène le gosse comme bouclier, pour empêcher que les choses aillent trop loin. Ça se tient, non ? (Jesse ne répondit pas.) N'importe quel psychologue à la petite semaine tirera la même conclusion, vous ne croyez pas ?

— Oui, oui, répondit hâtivement Jesse, qui ne tenait pas à lui faire perdre le fil de son récit en exprimant son opinion.

— Et ça a marché, si c'était bien son objectif. Mais je

termine. Dimanche après-midi, nous étions dans un parc, près de chez moi, et je lui demande : « Ton train est à quelle heure ? » Elle me regarde, je vois dans ses yeux... rien qu'un instant, une expression, comment ? je dirais « déçue » mais en plus fort.

— Trahie ? proposa Jesse.

— Non, plutôt découragée, abattue. L'espace d'une seconde, juste assez pour que je le remarque, et tout de suite après : « Oh, j'ai oublié de consulter les horaires. Il y a un train toutes les heures, à peu près, non ? » Bla-bla-bla, mais j'aurais juré qu'elle s'attendait vraiment à ce que je lui demande de rester, ou de s'installer chez moi, comme si nous venions de passer un week-end inoubliable. C'était complètement irréaliste. Peut-être parce que pas une fois je ne m'étais plaint du gosse. Vous savez ce qu'on dit : une bonne action est toujours punie.

— C'est ce qu'on dit, oui, confirma Jesse, pensant : Mieux vaut vivre seul, mais vivre seul rend fou...

— Plus tard, je l'ai conduite à la gare, et c'était comme si quelqu'un avait soufflé la chandelle. Nous en avions conscience, tous les deux. Pas de baisers, pas de... Rien d'hostile ni d'agressif, du moins, à l'extérieur mais... Enfin, je l'ai déposée et je suis rentré chez moi. Un peu déprimé, mais c'est le genre de chose qui arrive. Vers neuf heures, neuf heures et demie du soir, je reçois un coup de téléphone, un policier de la gare qui me demande si je connais une Brenda Martin. « Oui, je réponds, qu'est-ce qui se passe ? » J'avais peur qu'il soit arrivé quelque chose. « Elle va bien ? — Je crois », il me dit. « Comment ça, vous croyez ? » Il faut que je vous explique que dans la salle d'attente il y a vingt-quatre bancs, six rangées de quatre qui se font face et forment un carré, vous voyez ? Le bébé, celui de Brenda, est assis dans sa poussette devant le premier banc, sur un des côtés du carré intérieur. Il est seul, il n'y a personne sur aucun des quatre bancs de devant, et il se met à pleurer. D'autres personnes sont assises çà et là, mais le bébé est seul. Le flic s'approche de la poussette, demande à qui est l'enfant. Tout le monde : « Hein, quoi ? » Il répète en criant : « A qui est cet enfant ? » Rien. D'après lui, il a posé la question une demi-douzaine de fois, il a même fait faire une annonce par haut-parleur. Au bout d'un moment, il se dit qu'il a un bébé abandonné sur les bras et il se demande ce qu'il va en faire. Il attend encore un peu, fait un dernier essai : « Quelqu'un a vu qui a laissé ce bébé ? » Là-dessus, me raconte-t-il, Brenda se lève. Elle était assise trois rangées derrière. Elle s'approche et elle dit : « Je suis là. » Très calme. « Je suis là. » Le flic et son collègue la regardent. « Vous avez laissé cet enfant ici ? — Je ne l'ai pas laissé, je l'ai mis là, elle rectifie. J'étais juste derrière. » Effectivement, elle n'était qu'à cinq mètres de la poussette pendant tout ce temps. « Vous ne m'avez pas entendu demander à qui est cet enfant ? » dit le policier. « Si, à l'instant », elle répond. « Et les autres fois ? — Non, dit Brenda. Je suis assez fatiguée. »

« Ils l'examinent, constatent qu'elle est apparemment à jeun et calme, qu'elle a l'œil clair. Le flic insiste : "Vous n'avez pas entendu votre enfant pleurer ? — Ça lui arrive de pleurer, vous savez. Je voulais voir s'il s'arrêterait tout seul. Très souvent, il se calme tout seul. Je vous l'ai dit, je suis vraiment fatiguée en ce moment." Le policier me dit qu'il ne savait plus quoi faire. Le bébé n'est pas abandonné, la mère est là, elle a l'air mentalement équilibrée...

Jesse se représentait la scène : Brenda se distanciant physiquement du bébé en ruminant le week-end gâché, fermant les yeux, fermant les oreilles : une expérience.

— Bref, ils prennent ses coordonnées, ils obtiennent mon numéro — « Qu'est-ce que vous faisiez à Philadelphie ? » etc. —, ils la mettent dans le premier train. Mais le flic est quand même tracassé par son attitude et il me téléphone : « Je vous appelle pour que vous puissiez m'assurer que tout va bien entre cette dame et son enfant, que je n'ai pas fait une boulette en n'alertant pas l'assistance sociale. » Vous savez ce que je réponds ? « Si tant est qu'on puisse lui reprocher quelque chose, elle s'occupe *trop* de cet enfant. »

— Vous avez le nom de ce policier ?

— Même si je l'avais, il ne s'est en fait rien passé. Il n'y a pas eu de rapport, à ce que j'ai cru comprendre.

— Vous avez revu Brenda ?

— Non.

— Donc, vous ne savez pas si elle a quelqu'un, maintenant.

— Je vis à Philadelphie, rappela-t-il.

Il se leva, épousseta de la main son pantalon.

— Une dernière chose. Quand je l'ai laissée à la gare, ce jour-là, ce devait être vingt minutes avant le départ. Et elle avait un train toutes les heures. J'ai demandé au policier à quelle heure l'incident s'était passé : c'était *quatre* heures après que je l'eus déposée.

— Qu'est-ce que vous essayez de me dire ? demanda Jesse en prenant un ton déconcerté.

— Ce que j'essaie de dire ? (Il détourna les yeux, eut un sourire embarrassé.) Je viens de le dire.

Et, au lieu de retourner au McCoy's, il descendit la rue d'un pas lourd.

Encore une à garder au chaud, encore une pour le dossier noir de Brenda, pensa Jesse. Cette lente accumulation d'anecdotes, de propos et de gestes à demi remémorés lui disait à la fois tout et rien. Elle retournait vers le bar quand elle entendit de nouveau son portable sonner.

— C'est moi, annonça Ben. Où es-tu ?

— Au McCoy's.

— Le bar ?

— Oui.

— Je peux passer te prendre ?

— Tu peux.

— Dans dix minutes ?

— Dans dix minutes.

Au comptoir, ils continuaient à discuter : Jane, Deadline et les deux hommes. Jesse récupéra son tabouret, commanda une Stoli[1] pure pour se préparer à Brenda, à ce que Ben avait offert à Lorenzo en échange de Brenda. Elle avala son verre d'un trait, boule de feu, tenta d'imaginer la jeune femme assise sur ce banc de salle d'attente, tentant de se distancier de son bébé. Mais pendant combien de temps ? Quinze minutes ? Une heure ? Quatre heures ?

— Vous êtes au courant pour le fils du flic ? demanda Nœud-Pap aux autres.

— Quel flic ?

— Council, l'inspecteur chargé de l'affaire. Il a un fils qui purge une peine de cinq à sept ans pour vol à main armée.

---

1. Abréviation d'une marque de vodka. *(N.d.T.)*

— Pas mal, commenta Jane.

— A l'émission de Rolonda Watts, le papa déclare à tout le monde « Dites simplement non », mais il a un gosse au trou pour braquage de dealers...

— « Dites simplement par ici la thune », lâcha le journaliste noir.

— En plus, il se servait de l'arme de son père pour ses braquages.

— Oh ?

— Le flic est passé au Rolonda ? demanda Jane.

— Deux fois.

— « Docteur, soigne-toi toi-même », récita Deadline.

— Il a aussi un fils qui enseigne les maths dans un lycée de Camden.

Ils se tournèrent tous vers Jesse, qui était la première surprise d'avoir ouvert la bouche. Ils la lorgnèrent avec une vague curiosité, la classant dans la piétaille journalistique, jusqu'à ce que le reporter noir établisse le rapport :

— Vous étiez avec elle, non ?

— Oui, répondit Jesse, vibrant comme un diapason.

— Et ? dit Deadline avec une pointe d'impatience.

— Et maintenant, je suis là.

Le ton légèrement agressif de la réponse les fit échanger des regards, puis Jane leva ostensiblement les yeux au plafond.

— Qu'est-ce que vous en pensez ? demanda Nœud-Pap d'un ton sérieux : « Fini de plaisanter. »

— Je ne pourrais pas vous dire, répondit Jesse avec chaleur, comme pour compenser sa sécheresse de l'instant d'avant.

— Vous pouvez au moins nous orienter ? sollicita Jane.

— Je fais comme vous. Je suis dans le même bateau.

— Vous êtes d'ici ?

— Je travaille pour le *Register*.

— Des Moines ?

— Dempsy.

— Comment vous avez réussi à lui mettre le grappin dessus ?

— Amie de la famille, répondit Jesse.

Elle s'écarta du comptoir, soudain impatiente de sortir de là.

— Vous voulez nous accompagner ce soir ? proposa Nœud-Pap. Nous servir de guide ?

— A Armstrong ? (Il garda le silence, se contenta de la jauger du regard.) Non, je ne peux pas.

— Vous savez où elle est, en ce moment ? demanda le Noir.

— Je voudrais bien.

Le tabouret de Jesse grinça quand elle le repoussa pour passer. Elle sentait leurs yeux sur elle, se voyait comme un paquet de battements de cils et de tics.

— Qui c'était, le grand balaise, en bas dans le hall, ce matin ?

— Aucune idée.

Elle se faufila entre les tables, remarqua que le candidat n° 2 continuait à l'observer. Sous l'influence de la vodka, elle obliqua brusquement pour lui demander des explications. Quand il se rendit compte qu'elle se dirigeait droit vers lui, il se raidit, se leva de sa chaise, ramassa ses cigarettes et son briquet d'un même mouvement, et gagna rapidement la porte.

En sortant du bar, Jesse vit Ben garé en double file le long du mur des prisonniers de guerre. Il y avait quelqu'un à côté de lui dans la voiture, une femme qui semblait d'origine italienne, grande, les épaules carrées sous un blouson de base-ball en satin rouge. Jesse remarqua alors la Chevrolet Blazer arrêtée derrière la voiture de son frère et occupée par trois femmes, dont deux portaient le même blouson rouge. Au volant, un Noir d'une quarantaine d'années arborait une fine moustache bien taillée.

Quand sa sœur commença à traverser la rue, Ben lui fit un grand sourire gêné.

— Jesse, dit-il, comme si c'était la première fois qu'il prononçait son nom, je te présente Karen Collucci, des Amis de Kent.

Il s'aplatit contre l'appui-tête pour que les deux femmes puissent prendre la mesure l'une de l'autre. La grande Karen Collucci, pensa Jesse, plongeant le regard dans les yeux marron qui l'évaluaient avec détachement. La journaliste commençait à entrevoir le prix à payer pour la récupération de Brenda.

— Enchantée, Jesse, assura Karen d'une voix pleine d'autorité, quasi masculine.

Elle tendit une main aux ongles rouges qui retint celle de la journaliste plus longtemps que nécessaire, comme si les doigts de Jesse étaient chargés d'informations. Sous un casque de cheveux bleu-noir laqués, Karen avait un visage basané, chevalin. Le pli de sa bouche enduite de rouge, l'inclinaison de sa tête, la fixité de ses yeux aux paupières lourdes se conjuguaient pour donner une impression de défi flegmatique. Sur le devant du blouson, à l'emplacement du sein gauche, deux dessins stylisés figuraient un adulte et un enfant. Le trait représentant le bras gauche de l'adulte entourait les épaules de l'enfant ; sous leurs pieds s'étirait l'inscription « Les Amis de Kent ».

Kent, c'était Kent Rivera, un enfant de six ans étranglé et hâtivement enterré dans un bois derrière l'école des garçons, cinq ans plus tôt. Ben, membre à temps partiel des Amis de Kent, avait raconté plus d'une fois l'histoire à sa sœur : comment Karen et ses troupes — à l'origine, un simple groupe de femmes du voisinage —, réunies un soir dans son jardin pour une partie de rami, avaient entendu le père du garçon patrouiller les rues dans une camionnette équipée de haut-parleurs en appelant son fils disparu d'une voix affolée. Elles avaient décidé de constituer ce soir-là leur propre unité de recherche et, à leur stupéfaction horrifiée, avaient trouvé l'enfant deux heures avant l'aube.

A en croire la narration admirative de Ben, c'était Karen elle-même qui avait découvert le corps. Remarquant un grand sac-poubelle en plastique bleu au pied d'un chêne, elle l'avait rejeté sur le côté, révélant un endroit du sol semé de mottes argileuses. Sans savoir que c'était là l'indice d'une terre récemment retournée, elle avait quand même ratissé la surface avec ses doigts et mis au jour cinq orteils pâles se détachant de la terre noire comme une poignée de perles.

L'évangile selon Ben précisait que les techniciens de la police avaient ensuite relevé assez de preuves sur les lieux pour qu'on arrête le gardien de l'école. Galvanisées par leur succès macabre, Karen et ses partenaires au rami avaient formé Les Amis de Kent, huit anciennes ménagères élues par le destin et inébranlables, à présent perchées au bout d'une ligne téléphonique ouverte vingt-quatre heures sur vingt-quatre. Bien que ne comptant qu'une douzaine de membres à part entière, l'organisation était suffisamment connue de diverses polices locales pour qu'on fasse de temps en temps appel à elle afin de mettre sur pied et de diriger de vastes battues. A l'occasion, ses membres servaient d'intermédiaires entre la famille de l'enfant disparu et les flics locaux, ce qui signifiait quelquefois cuisiner en douceur le père, la mère et autres parents quand la police ne pouvait le faire de peur de rompre les lignes de communication.

— Karen rencontre Lorenzo ce soir vers huit heures, huit heures et demie, dit Ben, hochant la tête comme pour s'approuver lui-même. Elle va voir si son groupe peut être utile, et je lui ai conseillé de te parler, parce que tu as passé vraiment beaucoup de temps avec... avec Brenda.

C'était tout juste s'il ne lui adressait pas des signaux en morse en clignant de l'œil. Il prenait les choses en main, transformait le duo avec Brenda en relation triangulaire.

Jesse se pencha à l'intérieur de la voiture, capta une faible bouffée de vernis à ongles et de nicotine.

— Oui, c'est vrai, depuis le début, je suis restée plus longtemps que n'importe qui avec elle.

Karen hocha la tête, jeta son mégot marqué de rouge par la fenêtre, haussa légèrement le menton en direction de la journaliste.

— Vous écrivez sur elle ?

— C'est ce que je fais, oui, répondit Jesse, détournant les yeux.

— Quelle impression elle vous fait ?

— Qu'est-ce que vous voulez dire ? demanda Jesse, mais Karen se contenta d'attendre. Si vous me demandez si elle souffre, tout ce que je peux vous dire, c'est qu'elle ne mange plus, qu'elle ne dort plus et qu'on l'a hospitalisée pour déshydratation. Maintenant, savoir si c'est à cause de sa douleur ou d'un sentiment de culpabilité, ou les deux...

Karen Collucci hocha de nouveau la tête, regarda droit devant elle.

— Vous pensez qu'on peut retrouver le gosse ?

— Seigneur, je l'espère.

Elle prit une autre cigarette et son briquet dans un étui en vinyle.

— Vivant ?

— J'aimerais croire que oui, commença prudemment la journaliste, qui s'étonna elle-même en ajoutant : Mais c'est peu probable.

Karen alluma sa cigarette avec le briquet jetable, referma et rangea son matériel.

— Bon, nous allons discuter avec l'inspecteur, et s'il nous donne le feu vert, nous rencontrerons la mère. Votre frère souhaite que vous soyez présente. Je n'aime pas avoir des journalistes dans les jambes à ce stade, mais Ben est un type formidable, jamais il ne nous laisse tomber, et il affirme que nous pouvons vous faire confiance.

— Me faire confiance pour quoi ?

— Pour ne rien écrire de ce que nous avons besoin de garder secret pour le moment.

— Comme vous voudrez, marmonna Jesse.

Elle haussa les épaules, détourna de nouveau les yeux, sentit sa colère croître contre Ben, qui avait tout arrangé derrière son dos, et qui avait maintenant le toupet de la forcer à se mettre à genoux devant cette femme.

— Une dernière question, réclama Karen. Vous seriez capable de faire quoi que ce soit qui salirait la réputation de votre frère ?

— J'ai ma propre réputation dont je dois me soucier, répondit Jesse d'une voix traînante.

Elle fit glisser son regard le long du mur des prisonniers en songeant : Je vais le tuer, ce salaud.

Karen Collucci descendit de la voiture de Ben pour remonter dans la Blazer. Lorsque les Amis de Kent démarrèrent et passèrent devant elle, Jesse aperçut le museau et les oreilles d'un berger allemand assis à l'arrière du monospace.

— Comment tu as pu avoir le culot de la mettre dans cette histoire ! lança-t-elle à son frère dans un murmure sifflant, comme si Karen pouvait l'entendre.

— T'inquiète, dit Ben, tout content, en prenant le chemin du Centre médical. Karen est une fille super.

— Elle va me marcher dessus, oui.

Jesse sentit son visage s'empourprer : Brenda lui filait entre les doigts.

— T'inquiète, répéta-t-il, sourire vissé aux lèvres. Jess, il faut que tu voies comment elle bosse.

Elle alluma une cigarette du mauvais côté, la jeta par la fenêtre. Elle aurait dû s'en douter depuis le début : entre son frère et Karen, cela remontait à trois ans, à la disparition du petit Gregory Towles. Ben avait répondu à un appel radio des Amis de Kent pour rechercher le garçon, dont la mère prétendait qu'il avait été enlevé sur un marché paysan de Yonkers. On n'avait jamais retrouvé l'enfant et, avant que la police ne fasse subir à la mère un interrogatoire plus serré, elle avait disparu elle aussi, avec son nouvel amant, un flic de la police d'Etat. Neuf jours d'affilée, Ben était venu à l'aube sur le parking de l'église qui servait de camp de base, et jamais les mains vides. Un de ses copains de poker, gérant d'un magasin de viennoiseries à Jersey City, avait proposé de régler ses dettes en nature — beignets, tortillons à la cannelle, gâteaux de carotte — et, au bout de trois jours, tout le groupe de recherche ne pensait plus qu'à l'arrivée de Ben.

— Jess, dit-il, cherchant à l'amadouer, supposons que je t'aie demandé l'autorisation avant, tu aurais refusé, d'accord ? Et tu serais encore dans ce bar, à écluser de la Stoli.

Elle se redressa un peu sur son siège : comment savait-il ce qu'elle avait bu ?

— Elle est mariée, Ben, repartit-elle dans un accès de méchanceté impuissante. T'as pas vu son alliance ?

C'était une tentative de plaisanterie sans signification mais une ombre passa sur le visage du frère, rapide comme un vol d'oiseau. Jesse comprit qu'il valait mieux qu'elle se taise.

Hormis quelques mots échangés sur leur destination, ils roulèrent en silence jusqu'à ce que Ben se gare devant le Centre médical.

— Tiens, dit-il sèchement en lui passant un sac contenant des lunettes noires et une perruque.

— Qu'est-ce que tu veux que je fasse de ça ? grogna-t-elle, un article dans chaque main.

— C'est pour Brenda.

15

Débarrassé de Brenda, Lorenzo décida, avec l'accord réticent de Bobby McDonald, d'utiliser le temps qui le séparait de son rendez-vous avec Karen Collucci pour interroger Felicia Mitchell, la supérieure de Brenda au Club d'Etudes. En fin d'après-midi de cette journée étouffante, il se retrouva donc grimpant à pied, suant et haletant, au cinquième étage de la tour Crispus Attucks, dont l'ascenseur était en panne.

Le club, qui, en cette période de l'année, était plutôt une garderie qu'un centre d'assistance scolaire, occupait deux appartements contigus de la cité Jefferson. L'Office avait fait abattre les murs mitoyens pour obtenir six grandes pièces, alignées comme des wagons, et affectées chacune à un usage précis : informatique, jeu libre, devoirs scolaires, billard, bibliothèque et coin-pour-se-calmer, cette dernière salle étant complètement vide, mis à part quelques chaises d'école. Ses murs étaient couverts d'affiches : Règles de la Discussion, Règles de la Classe, Règles des Devoirs Scolaires, Règles du Billard, Règles de la Coopération, Règles de la Conversation, Règles de Bonne Santé, Règles pour Exprimer sa Frustration...

Normalement, avec cette chaleur, Felicia et ses assistantes auraient dû être dehors avec les enfants, mais du fait de l'intrusion des médias, on avait opté pour une journée de jeux d'intérieur. Il n'y avait que quatre ventilateurs portatifs pour les six pièces, et même avec toutes les fenêtres ouvertes, on avait l'impression que les murs eux-mêmes dégoulinaient de sueur.

Quand Lorenzo entra, Felicia beuglait à l'adresse d'un enfant de neuf ans qui jouait par terre trop près du billard.

— Excuse-moi, excuse-moi. Qu'est-ce que je t'ai dit, hein ? Qu'est-ce que je t'ai dit ?

Malgré la dureté du ton, Lorenzo la trouva de meilleure humeur que lorsqu'elle l'attendait devant la porte de l'appartement de sa mère.

— J'attends une réponse. Qu'est-ce que j'ai dit ?

Le gosse haussa les épaules.

— Je sais pas.

— Qu'est-ce qui se passe si une boule saute du billard, hein ? Qu'est-ce qui se passe ?

Avant qu'il puisse répondre, elle se tourna vers les deux joueurs de billard, une fillette de huit ans avec une cicatrice de coup de couteau courant de la mâchoire à l'oreille droite et Curious George Howard, le petit-fils de Miss Dotson, vingt et un ans et près de deux mètres.

— Qu'est-ce qui se passe si la boule saute par-dessus la bande ?

— Eh ben, il ferait mieux de se baisser, dit George.

Il donna un coup de queue, manqua sa bande. La boule n° 3 eut un hoquet en roulant sur un pli du tapis puis s'arrêta au milieu de nulle part.

Lorenzo inspecta le club. La plupart des enfants se trouvaient dans la salle des devoirs où, penchés sur les tables, ils fabriquaient des objets avec des bâtonnets et de la colle ou enfilaient des perles en plastique. Au-dessus de leurs têtes était accroché le Tableau des Eloges, couvert de photos des enfants et de compositions de deux paragraphes écrits à la main, toutes intitulées « Ce que j'aime chez... » et se terminant par le nom d'un gosse avec lequel l'auteur des lignes venait de se battre. C'était le moyen sûr et éprouvé trouvé par Felicia pour résoudre les conflits. Lorenzo avait constaté son efficacité de ses propres yeux en voyant des adversaires de la veille lutter pour retenir un sourire en entendant des choses positives sur eux-mêmes dans la bouche de leur ennemi juré.

Felicia se tourna de nouveau vers l'enfant de neuf ans.

— Où est-ce que tu devrais être en ce moment ? Où ?

— Je veux à manger, marmonna le garçon, qui se leva en essuyant l'arrière de son short trop grand.

— A manger ? s'exclama Felicia. La dernière fois que j'ai apporté de la nourriture, vous l'avez avalée avant que j'aie le temps d'enlever mon manteau, bande de voraces !...

— T'as pas de manteau, aujourd'hui, argua l'enfant avec un sourire.

Elle s'esclaffa, le fit déguerpir et découvrit Lorenzo en levant les yeux.

— Hop là !

Elle sauta en arrière quand les enfants, l'ayant découvert eux aussi, se ruèrent dans ses jambes. Lorenzo adorait quand ils faisaient ça, il l'attendait, en fait.

Accroché à la poche du pantalon de l'inspecteur, le garçon de neuf ans piaillait :

— Big Daddy, file-moi un dollar !

— Shamiel ! le tança Felicia.

— Hé, il est pire que ma femme, dit Lorenzo en riant.

Un autre enfant, auquel une déficience des muscles de la paupière donnait un air endormi, boxa le bras de Shamiel.

— T'as entendu ? Big Daddy t'a comparé à sa pétasse.

— Michael ! aboya Felicia.

— Ah ! ouais. Et si je faisais de toi *ma* pétasse ? répliqua Shamiel, poussant la poitrine de l'autre gosse.

Felicia les empoigna tous les deux par le bras.

— Vous allez vous asseoir tout de suite et m'écrire quelque chose pour le Tableau des Eloges.

— Qu'est-ce que j'ai fait ? protesta Michael. C'est Big Daddy qui l'a dit, pas moi.

— Tout de suite, répéta Felicia, qui les envoya d'une double bourrade dans des directions opposées.

— Ha, ha ! ricana triomphalement la petite fille jouant au billard avec Curious George, t'as perdu.

— Arrête avec tes « ha, ha ». C'est toi qui as perdu, rétorqua George, dont le visage s'assombrit.

— T'avais dit la 8 dans le coin. Elle est allée au milieu, t'as perdu.

— Ça change rien ! Ça change rien ! brailla George en se penchant vers elle, violet de colère.

La fillette haussa les épaules, récupéra la boule n° 8.

— T'as perdu.

— Non, non, pas question ! beugla-t-il, lui prenant la boule. T'as pas gagné.

— Si.

— Qu'est-ce... Putain, bredouilla George.

— Hé ! lui lança Felicia.

Sans lui prêter attention, il se tourna vers les autres enfants, la boule d'une main, la queue sans procédé de l'autre.

— Suivant ! Suivant !

— T'as perdu, répéta la petite fille en s'éloignant.

— Suivant ! s'obstina George, flirtant avec la crise de nerfs.

Aux yeux de Council, George était — malgré son accès de rage — un de ces jeunes gens qui révèlent le meilleur d'eux-mêmes dans la compagnie non menaçante des enfants. Il avait un art de les écouter, de leur parler sérieusement, totalement à l'opposé du côté taré qui faisait de lui un pigeon pour toutes les combines de la rue et qui lui avait déjà valu deux fois la prison.

Songeant à l'observation d'Army Howard sur la ressemblance de son cousin avec le portrait-robot, Lorenzo examina le T-shirt de George : noir avec un dessin à la bombe d'une souris dure à cuire fumant un barreau de chaise et tenant deux sacs pleins de fric, sous l'inscription « J'ai de grands projets ». George n'avait officiellement aucune tâche au club mais il y était plutôt le bienvenu.

— Tu passes voir Billy ce soir, rappela Felicia à Lorenzo en lui touchant le bras. T'as promis.

— Une minute, répondit-il en s'approchant de George, qui jouait seul au billard, maintenant.

Avec un claquement de langue frustré, elle partit dans la direction opposée.

— Je croyais que tu devais bosser à Action Park, dit le policier.

— Je croyais aussi, répondit George, qui blousa la blanche. Mais y avait pas de moyen de transport pour moi.

— Y avait pas quoi ?

— Ils devaient envoyer un car ramasser les gars — sinon, c'est trop dur pour aller là-bas —, mais y a eu que trois personnes d'embauchées à Dempsy, et ils ont dit que c'était pas assez pour faire un ramassage.

— L'arrêt le plus proche, c'est où ?

— Jersey City.

— Alors, traîne tes fesses à Jersey City.

— C'est trop tard, argua George.

La 6 passa par-dessus la bande, rebondit par terre.

— Tu ferais bien de continuer à chercher du boulot.

— Ouais, OK.

— Et surveille ton langage devant les petits.

— Moi ! s'exclama George. Daddy, tu devrais entendre les saloperies qu'ils sortent. La moitié du temps, c'est eux qui me les apprennent.

Tout au fond du double appartement, Felicia Mitchell cria « Salade de fruits ! », ce qui provoqua une cavalcade en direction de la salle de jeu libre, suivie peu après par un raclement de pieds de chaises. George fit quelques pas pour rejoindre les petits puis, conscient que Council l'observait, rougit, retourna près du billard, alla à la fenêtre d'un pas hésitant et finit par quitter le club sans un mot ni un regard.

Quand Felicia revint de la salle de jeu libre, Lorenzo lui prit doucement le poignet.

— J'ai besoin de ton aide pour le gamin de Brenda, dit-il à voix basse. Tout ce qui te passe par la tête.

Felicia s'adossa au mur.

— Je sais pas, c'est triste. Elle l'aime, ce gosse, elle l'amène ici tout le temps. Viens voir.

Elle le conduisit dans la salle des devoirs scolaires, déserte à présent à l'exception d'une petite Hispanique construisant une maison.

— Où est-ce qu'... murmura Felicia en inspectant le Tableau des Eloges. Ah, voilà...

Elle détacha une photo Polaroïd de Brenda avec Cody sur ses genoux. Autour d'eux, les enfants du club souriaient à l'objectif, les yeux étoilés par le flash.

Lorenzo entendit la voix machinale d'une assistante demander dans la salle de jeu libre :

— Pourquoi nous jouons à « Salade de fruits » ?

— Pour apprendre à concentrer notre attention, répondit le chœur pas tout à fait monotone des enfants.

— Tu vois ça ? reprit Felicia, montrant à Lorenzo une

pile de dessins d'enfants. Aujourd'hui, tous les gosses lui ont envoyé une carte. C'était pas mon idée, ils ont fait ça tout seuls.

Council en tira quelques-unes du paquet : « J'espère que tu vas bien », « Ne t'en fais pas, il va bien », « Chère Brenda, je t'aime, toi et Cody... » Cette dernière montrait la mère et l'enfant, grossièrement dessinés, courant l'un vers l'autre, Cody s'écriant « Maman, je suis revenu ! » dans une bulle déformée.

— Elle fait un boulot remarquable, ici. Elle se donne à fond.

— Elle a un problème particulier avec quelqu'un ?

Dans la salle de jeu libre, un enfant cria « Mandarines ! », ce qui provoqua des cris et des bruits de pas, chaos momentané des chaises musicales.

— Pas vraiment. Enfin, si, une fois, mais... On avait une petite qui venait ici, Tamika Jackson, tu la connais ?

— Non.

— Un jour, elle est arrivée au club couverte de bleus, et on a pensé qu'elle avait peut-être été battue mais on savait pas trop parce que sa famille venait d'emménager. Alors, j'ai téléphoné à ma supérieure, tu sais, June, pour demander ce qu'on devait faire. Mais Brenda... J'attendais encore que June me rappelle qu'elle avait disparu. Elle est allée directo voir la mère de Tamika pour exiger des explications. Mon Dieu ! dit Felicia, une main sur la poitrine. Tu fais pas ça, même si t'as raison. La mère, Miss Jackson, a menacé de nous faire un procès pour diffamation. Je sais pas si elle a battu cette gosse, elle ou son mec, ou n'importe qui. La gamine a raconté qu'elle était tombée, et on saura jamais la vérité parce que la mère a retiré la petite du club. C'est triste parce que même si elle était maltraitée, nous, on était là pour elle, on était un endroit où elle pouvait aller, et Brenda a malheureusement jeté le bébé avec l'eau du bain. Je sais qu'elle l'a fait parce qu'elle a bon cœur mais...

— Pommes ! cria un enfant, les murs se remettant aussitôt à trembler.

Par la fenêtre, Lorenzo vit Iovakas la Poisse en bas dans la rue, appuyé à sa voiture de ronde garée en double file, faire signe à Curious George, qui venait de sortir du bâtiment. Après un moment d'hésitation, George approcha.

— Brenda, elle est pleine de contradictions, poursuivit Felicia. Par exemple, elle a peur de dire à une mère que son gosse devrait prendre l'habitude de faire plus sérieusement sa toilette, parce que les autres enfants commencent à se moquer de lui. C'est pas si difficile de trouver une façon gentille, positive, de le dire. Mais Brenda, elle s'angoisse tellement à l'avance qu'elle n'arrive pas à le faire sans entrer en confrontation. Alors, en général, je le fais moi-même, mais quand elle décide de s'en prendre à quelqu'un, elle va jusqu'au bout. Comme avec Miss Jackson. Attention, je veux pas que tu aies d'elle une mauvaise impression. La plupart du temps, elle fait des choses bien, comme demander à des gens de venir parler aux gosses, leur offrir un modèle constructif, tu vois. Elle a fait venir ce type qui travaille avec le révérend Al Sharpton, son assistant ou quelque chose comme ça, il a parlé aux enfants de la nécessité de rester à l'école.

Council tira son carnet de sa poche.

— Tu te rappelles son nom ?

— Je l'ai pas en tête mais je te le trouverai. Et puis y a eu cette femme d'une agence de publicité. Elle a parlé de la façon dont on fabrique la pub, et c'était marrant parce qu'elle avait apporté une nouvelle marque de chewing-gum ; tout le monde l'a goûté, et après elle nous a demandé de lui inventer un nom, un slogan. Je me souviens pas non plus comment elle s'appelle. Brenda a même fait venir un facteur, qui a parlé de sa tournée, et lui, je me rappelle son nom, Eddie Taylor, parce que... (Elle se pencha vers Lorenzo, lui pressa le bras et murmura :) Il était très gentil.

Il agita un doigt dans sa direction en riant, nota « Eddie Taylor ».

— Ici, il est comment, Cody ?

— Il est très intelligent pour son âge. Tous les autres l'aiment. C'est un peu la mascotte du club parce qu'il n'a que quatre ans, et que, en principe, ici, les plus jeunes ont six ans, mais il est gentil, il joue avec tout le monde.

— Et Brenda, elle est comment avec lui ?

— Elle est bien, répondit Felicia en haussant les épaules. Elle est comme une mère. Je crois pas qu'elle ait beaucoup d'amis en dehors, alors ils sont très proches, elle et lui.

— Des mecs ?

— Je sais pas. Peut-être. Tu sais, elle est de Gannon. Après le boulot, elle retourne en Amérique, si tu vois ce que je veux dire. J'ai aucune idée de ce qu'elle fait quand elle sort d'ici.

— Je comprends, dit-il en souriant. La dernière fois que tu l'as vue, avant-hier soir, c'était quand ?

— Avant-hier soir ? Euh, le jour même. C'était un peu la pagaille parce qu'on était moitié ici, moitié à Armstrong, pour établir un deuxième club là-bas. Pour le moment, tout est arrêté, tu t'en doutes.

— Elle t'a paru comment, hier ?

— J'ai eu l'impression qu'elle était pas à ce qu'elle faisait, mais c'est peut-être moi qui interprète après coup, avec tout ce qui s'est passé...

— Pas à ce qu'elle faisait ?

— Bananes ! cria un enfant, déclenchant un nouveau remue-ménage.

— Je te donne un exemple, c'est juste un détail mais on est là pour aider les mômes à faire leurs devoirs, ceux qui ont des cours de rattrapage pendant l'été. Et Brenda s'occupait d'Angela, une petite qui a des problèmes en maths. Elle était là, assise avec la gamine, mais au lieu de lui expliquer le problème, elle le faisait à sa place. Ça ne lui ressemble pas, d'habitude, elle est très consciencieuse, Brenda.

Dans la salle de jeu libre, une brève dispute opposant un garçon et une fille se termina par une intervention de l'assistante, « Shamiel ! », le garçon répliquant :

— Pourquoi tu l'engueules pas, elle ?

L'instant d'après, Shamiel apparut, traversa la bibliothèque pour se rendre à la salle de billard, marmonnant comme un vieux. Felicia le suivit des yeux, attendit qu'il soit hors de portée de voix.

— J'ai un autre truc à te raconter, dit-elle à mi-voix. Le petit Shamiel, il est quelquefois terrible. Hier, il avait dégoté des punaises quelque part, et il les a mises sur la chaise de la maîtresse, dans la salle des devoirs, près du téléphone. La petite Mary Stevens, la fille de Dottie, est venue me dire ce qu'il avait fait, alors je suis allée dans la salle des devoirs et j'ai vu Brenda au téléphone, debout près de la chaise. Avant que je puisse l'en empêcher, elle s'est assise, vlan ! en plein sur les punaises, et... rien. Elle a continué à parler au téléphone. J'ai cru que j'avais mal compris ce que Mary m'avait dit de Shamiel, je me suis tournée vers lui... Lorenzo, ce gosse pleurait. Il la regardait assise sur les punaises et il pleurait. Il avait peur. Brenda parlait au téléphone, je sais pas à qui, mais quand elle a raccroché, elle s'est levée, et j'ai vu toutes ces punaises enfoncées dans son jean. Ça devait lui faire horriblement mal.

— Tu sais à qui elle téléphonait ?

— Non.

— Tu te rappelles ce qu'elle a dit ?

— J'écoutais pas vraiment.

— Hum, grogna Lorenzo, en pensant : Obtenir la liste des coups de fil.

Il regarda de nouveau par la fenêtre, vit Curious George et la Poisse en grande conversation, les bras croisés sur la poitrine, tous les deux. Son attention fut attirée par une voiture banalisée qui s'arrêta derrière celle de Iovakas. Leo Sullivan en descendit, bâilla, se mit sur la pointe des pieds et s'étira.

Felicia passa une main sous le bras de Lorenzo.

— Tu veux savoir ce que Brenda fait surtout ici ?

Elle lui fit traverser le double appartement jusqu'à la salle de jeu libre. Du seuil de la porte, il découvrit un cercle de chaises au centre duquel une fillette sourit, remua les lèvres puis lâcha :

— Citrons !

Le mot provoqua un branle-bas sélectif, la petite fille et trois des autres enfants se précipitant vers les chaises libérées. Michael, le garçon aux paupières tombantes, tenta de s'asseoir sur les genoux de Mary Stevens, qui le repoussa. Il se plaça au centre et cria. « Noix de coco ! », ce qui fit se lever d'un bond trois autres enfants. Council remarqua que chacun d'eux tenait un morceau de papier portant le nom d'un fruit.

— Tu vois ce jeu ? Il s'appelle « Salade de fruits ». C'est comme les chaises musicales mais on avait un problème avec les chaises musicales parce que personne ne voulait être exclu du jeu, on avait tout le temps des bagarres. C'est Brenda qui a inventé « Salade de fruits ». Chaque môme a un papier portant le nom d'un fruit particulier, et quand celui qui se trouve au centre crie « Fraises ! », par exemple, toutes les « fraises » se précipitent pour occuper une chaise, et celui qui a perdu se met au centre. Mais quand il appelle son fruit, il se remet dans le jeu. En fait, personne ne perd. Brenda a inventé ce système et ça a éliminé une grande partie des bagarres.

Lorenzo regarda le jeu d'un œil distrait puis grommela :

— Donc tu ne sais pas à qui elle parlait ?

— Absolument pas.

— Le gosse était avec elle ce jour-là ?

— Non. Elle avait dit qu'il était malade.

— Malade ? Qu'est-ce qu'il avait ? Elle te l'a dit ?

— Non.

— Donne-moi autre chose.

— Quoi, par exemple ? (Il attendit.) T'as déjà vu ses dents ?

— Ses dents ?

— La semaine dernière, on a parlé aux enfants des caries, des visites chez le dentiste. J'ai ouvert la bouche pour leur montrer mes plombages, jusqu'à ce qu'ils commencent à fourrer leurs petits doigts sales à l'intérieur. Alors Mary et quelques autres filles sont allées compter les plombages de Brenda. Elle ouvre la bouche, et tu sais quoi ? Ses dents sont presque réduites à zéro.

— Qu'est-ce que tu veux dire ?

— Elles sont comme rabotées. Elle passe sûrement son temps à les faire grincer.

— Oh merde ! s'exclama Shamiel dans la pièce voisine. Oh merde !

L'exclamation avait un ton étrange, mêlant la détresse à l'excitation. Lorenzo tourna la tête vers le gamin, qui regardait la rue ; il fit un pas vers la fenêtre mais Felicia lui agrippa de nouveau le bras.

— Tu passes chez moi ce soir, d'accord ?

Sa voix était si chargée d'angoisse qu'au lieu de se dérober il répondit :

— Je ferai mon possible.

— Il est fou, Lorenzo. Il me frappe sans arrêt. Il faut que tu viennes.

— Lorenzo ! cria Shamiel, le visage hésitant entre grimace et sourire. Ils ont arrêté George !

— Qui ? La Poisse ?

Council se rua vers la fenêtre, ainsi que tous ceux qui avaient entendu Shamiel.

— Non, dit Shamiel. Il s'est fait embarquer dans l'autre caisse.

Leo Sullivan, pensa Lorenzo en regardant la rue. Tout le monde était parti, maintenant qu'il ne se passait plus rien. Un suspect en garde à vue — on verrait ça aux informations de onze heures.

Council se gara en travers devant le bâtiment municipal de Gannon, prit une entrée latérale menant au premier étage, déboucha dans une réception spacieuse à l'éclairage cru. Il n'y avait dans le hall que deux cabines téléphoniques et un guichet derrière lequel officiait un flic noir de Gannon, Julius Raymond, vieux partenaire de whist de Lorenzo. Julius accueillit Council d'un hochement de tête, appuya sur un bouton pour lui ouvrir une porte métallique à la peinture écaillée.

Lorenzo entra dans le centre de mise en détention de la police de Gannon. Quatre portraits photographiques de flics martyrs entourés de fleurs, accrochés au-dessus d'un comptoir courant sur toute la longueur de la pièce, fixaient une cellule en Plexiglas qui, pour le moment, retenait trois prisonniers : un dealer iranien que Lorenzo connaissait sous le surnom d'Elvis, un jeune Noir assis par terre, jambes écartées, et un barbu blond aux yeux rouges en jean et T-shirt noirs. Council supposa qu'il devait s'agir d'un routier qui, avant d'arriver à New York, avait fait halte pour se ravitailler dans la cité Roosevelt, dernier point de vente de dope avant le Lincoln Tunnel, et qu'il s'était fait choper par les gars des Stups de Gannon en traversant la ville pour rejoindre le péage du New Jersey.

Evidemment, ils n'auraient jamais gardé George Howard dans un endroit où tout le monde pouvait le voir.

— Lorenzo...

Julius Raymond, qui se tenait maintenant derrière le comptoir, inclina la tête vers une autre porte, dont le verrou grinça. Council descendit un long corridor aux murs décorés de vieilles photos de mitraillettes et de Ford modèle T, de

Saturday night specials[1], de pantalons pattes d'éléphant, de portraits de groupes de flics depuis longtemps disparus, de coupures de presse plastifiées et encadrées rappelant une grève, une explosion, un déraillement, un naufrage.

Lorenzo passa la tête à l'intérieur de chaque pièce en chantonnant à sa propre adresse, « Reste calme et respectueux, calme et respectueux », jusqu'à ce qu'il trouve ce qu'il cherchait, la salle des inspecteurs. Il entra et George Howard, entouré par six flics en civil, l'œil gauche transformé en œuf rouge, bondit quasiment vers lui, criant son nom et traînant derrière lui le bureau auquel il était attaché, avant d'être maîtrisé par Leo Sullivan et les autres.

— Qu'est-ce qui se passe ? demanda Council, se forçant à sourire.

Sullivan croisa les bras sur sa poitrine, cala une fesse contre le bord du bureau.

— Pose-lui la question.

— Big Daddy, c'est le délire, là, geignit George, sur le point de pleurer.

Les yeux de Council s'égarèrent sur un fax du portrait-robot de l'agresseur affiché sur le mur.

— Hé, les gars, vous devez passer par moi, rappela-t-il en riant.

— Pas pour ça, répondit Sullivan.

— Pas pour quoi ?

— Non-versement de pension alimentaire pour enfant.

— Quoi ?

— George, elle crèche où, Keisha ? demanda Sullivan. Dans la cité Mary Bethune, non ? (Il se tourna vers Lorenzo.) Elle est de chez nous, Big Daddy.

— Lo-Lorenzo, bredouilla George, la lèvre inférieure tremblante, ils essaient de me piéger.

— Te piéger pour quoi, mon frère ? intervint un inspecteur noir, Boris Hope, grand gaillard aux épaules larges en costume trois pièces. T'as entendu quelqu'un te reprocher autre chose que d'être un père lamentable ?

George posa le front sur le bord du bureau, à une dizaine de centimètres du genou de Sullivan.

— Vous l'avez ramassé à Jefferson ? demanda Lorenzo.

---

1. Revolvers de petit calibre qu'on peut se procurer facilement. *(N.d.T.)*

— Exactement. Pas vrai, George ?

Un léger tremblement de la voix dû à l'adrénaline contredisait le ton enjoué du policier.

— Hé, les gars, vous pouvez pas débarquer comme ça...

— On a fait ça dans les règles, chef, affirma Boris Hope. Y avait un de tes hommes avec nous.

— Un de mes hommes ?

— Nicky Iovakas.

La Poisse. Lorenzo contint sa rage, regarda Leo et les autres, tous affalés sur leur chaise autour du prisonnier.

— Je vais te dire, Council, reprit Sullivan. Quand on est tombés sur le George pour cette peccadille, il a détalé comme un lapin. Pas vrai, George ?

— Non.

— Non ? Et tu m'as pas tapé dessus non plus ?

— Parce que vous vouliez me serrer.

— Et alors ? Tu t'es pas mis à cavaler, les autres fois.

— Vous me coursiez.

Sullivan se leva, remonta son pantalon.

— Une question : combien de fois je te suis tombé dessus avec un mandat ? Est-ce que j'ai pas toujours été correct avec toi ? Les autres fois, c'était pour quoi ? Possession, possession avec intention de vendre, voie de fait, une fois. Tout ça, c'était bien plus grave que cette merdouille, dit-il, envoyant une chiquenaude au mandat. Tu crois pas ?

— Je sais pas ce qui est écrit sur ce papelard, marmonna George, baissant la tête. Je lis pas dans les pensées.

— En tout cas, t'as dû penser que c'était salement mauvais pour toi. D'abord tu nous la joues Carl Lewis, et quand on te rattrape, tu m'envoies un pain ?...

D'où le coquard : George était tombé en plein dans le panneau. Lorenzo se tourna vers la fenêtre ; il savait que tout ça n'était que bluff et fanfaronnades, que ça ne valait pas le coup de voler dans les plumes de Gannon bille en tête.

Sullivan poursuivit son numéro :

— Moi non plus, je lis pas dans les pensées, George. Alors, tu pourrais peut-être m'expliquer ce que tu croyais qu'on avait de si grave contre toi, que t'as préféré jouer des flûtes plutôt que jouer le jeu. Parce que je sais que tu sais comment jouer le jeu, je sais que t'es pas assez con pour me filer un gnon pour une histoire de pension alimentaire, pas vrai ?

— Non.

— Qu'est-ce que tu caches ?

— J'ai rien fait.

— Réfléchis bien, intervint de nouveau Boris.

— Je vois, bande d'enfoirés, vous pensez que...

George s'interrompit.

— On pense quoi ? demanda l'inspecteur noir.

Mais George garda le silence.

— Il a raison, tu ferais bien de réfléchir, dit Sullivan. Je donne un seul coup de fil, tu deviens un criminel endurci. Ce qui veut dire pas de libération sous caution. On t'expédie tout de suite à la prison du comté. Il paraît que le taux d'occupation est de six cents pour cent en ce moment. On entasse les prisonniers dans la salle de gym, dans la buanderie. Tu te rends compte ? Dans la buanderie, par cette chaleur ? Oh !

— Criminel endurci pour quoi ? Pension alimentaire pas payée ? J'ai même pas de boulot. C'est pas en taule que je pourrai donner à bouffer à mon gosse...

— La pension alimentaire, on s'en fout, déclara Sullivan, tapotant sa pommette encore rouge.

— Lorenzo ! dit George d'un ton suppliant. (L'inspecteur haussa les épaules, détourna la tête.) Ouais, et vous êtes prêts à me boucler pour ça sauf si j'avoue quelque chose de plus grave, de bien plus grave, et là vous me relâchez ?

— Moins tu nous fais chier, moins on te fera chier, ouais.

Attiré par un son aigu de cornemuse, Lorenzo regarda par la fenêtre et vit un cortège funèbre descendre les marches d'une église massive, de l'autre côté de la rue. Malgré la cornemuse, les uniformes étaient rares, et Council conclut qu'on devait enterrer seulement une veuve de flic.

— Putain, je comprends plus le système, gémit Curious George.

Sullivan alla prendre un club de golf dans un coin.

— Moi, je crois que tu le comprends parfaitement. (Il se mit en position pour putter, remua les hanches.) En fait, je pense que t'es un expert en la matière.

Lorenzo vit le cercueil sortir de l'église, porté par six hommes négociant lentement les marches.

— Où tu l'as dégoté, ce T-shirt, mon frère ? demanda

Boris Hope avec une grimace. Te coller une souris sur la poitrine ! Faut vraiment que tu t'aimes pas.

— Vous pensez que j'ai enlevé ce gosse hier soir, c'est ça, hein ?

Un murmure à peine perceptible s'éleva. Sullivan ne quitta même pas des yeux sa balle imaginaire.

— J'ai pas dit ça. J'y ai même pas fait allusion. T'as entendu quelqu'un en parler ?

Lorenzo se décida à intervenir :

— George, elle te connaît, Brenda Martin ?

— Ouais, elle me connaît du Club d'Etudes. Vous me croyez assez bête pour agresser quelqu'un que je connais et lui piquer sa caisse ?

— Tu préfères agresser ceux que tu connais pas, alors ? suggéra Boris.

— Mais non... Lorenzo ! implora de nouveau le jeune Noir, le coquard lisse et terne comme de l'acier.

— Leo, tu veux régler le problème dans un sens ou dans l'autre ? proposa Council calmement, prenant la voix diplomatique. Décroche le téléphone, appelle-la, demande-lui si c'était George Howard. Parce que moi aussi, j'aimerais le savoir.

— Ça me plairait bien, Council, sauf qu'on arrive pas à mettre la main dessus.

— Si vous aviez commencé par me joindre...

Lorenzo s'interrompit en voyant l'œil valide de George devenir blanc. Effrayé, l'adolescent se leva à demi. Avant que Council puisse se retourner pour voir ce qui lui faisait peur, il fut projeté contre un classeur métallique : quelqu'un venait de pénétrer en trombe dans la pièce.

Bien qu'enchaîné au mobilier, George était le seul préparé à faire face à cette irruption violente, et il frappa Danny Martin au visage de sa main libre. Sans même reculer, le frère de Brenda cogna la tempe de George contre le coin du bureau, se laissa tomber sur lui et colla un portrait-robot contre son mufle ensanglanté en hurlant :

— C'est toi, hein ? C'est toi ?

Les autres inspecteurs le saisirent par la poitrine, par le cou, le traînèrent hors de la pièce tandis qu'il vociférait :

— Hé ! George ! Tu connais Dieu ? Y a plus de Dieu.

C'est moi, Dieu. Ça se passe rien qu'entre toi et moi, t'entends, espèce d'enculé ?

George parvint à se relever, essaya de sauter par la fenêtre, entraînant le bureau dans son sillage. Lorenzo se remit debout en titubant, sentit du sang couler sur sa nuque : la poignée d'acier du dernier tiroir du classeur avait entaillé sa tête chauve. Laissant George gémir et éclabousser de sang le dessus du bureau, Council suivit la ruée dans le couloir bordé d'histoire, où les six collègues de Danny, sans exception, s'employaient à le maîtriser. Il commençait seulement à se calmer, le rouge framboise de sa figure refluant par plaques.

Ramenant devant ses yeux une main tachée de sang, Lorenzo se surprit à lui crier :

— Qu'est-ce que tu fous ? T'es content de toi ?

Danny se remit à gigoter contre le mur, fit tomber la photo d'un meurtre vieux de cinquante ans.

— Moi ? riposta-t-il.

— Council, va faire un tour ! lança sèchement Sullivan, plaquant Martin contre le mur.

— Moi ? répéta le frère de Brenda. Je fais *ton* boulot, couille molle ! Si t'es vraiment le roi de la jungle, là-bas, comme ça se fait que tu l'as raté, ce singe ?

— Tu ferais mieux de partir, dit Boris Hope.

Il semblait plus calme que les autres, comme si le fait d'être noir le mettait mieux à même de communiquer dans une telle situation. Va chier, toi aussi, Boris, pensa Lorenzo.

— Tu fais rien que semer la merde pour tout le monde, y compris ta sœur, déclara-t-il sans hausser la voix. Et si tes copains avaient un peu de bon sens, ils te diraient la même chose.

Les six inspecteurs multipliaient clins d'œil et hochements de tête à l'adresse de Council pour lui signifier, chacun à sa manière, de disparaître. Ecœuré, il se retourna et s'éloigna à pas lents, cherchant des toilettes, cherchant de l'eau froide et un miroir.

— Hé, Lorenzo, le rappela Danny. Qu'est-ce que t'es venu faire ici ? Protéger les tiens ?

— J'en sais rien...

Council s'arrêta et lança par-dessus son épaule :

— Je devrais peut-être te poser la même question.

En sortant des toilettes dix minutes plus tard, un tampon de papier hygiénique mouillé sur sa blessure, Lorenzo rattrapa l'arrière-garde de la troupe se dirigeant vers la réception. Il se hissa à la hauteur de Sullivan et de George Howard, qui avait le visage en sang, les menottes aux poignets.

— Je te le jure, murmura Leo à Lorenzo, on avait même pas prévenu Danny qu'on avait agrafé George.

Council grimaça en portant une main à sa tête : l'entaille était profonde.

— Vous allez jusqu'au bout quand même ? Vous l'arrêtez ? (Sullivan haussa les épaules, l'air pas très satisfait.) Ça ne tient pas debout, Leo. Si vous le bouclez pour cette histoire de pension alimentaire, il demandera un avocat, et vous ne pourrez même pas l'interroger sur l'autre affaire. Allez, qu'est-ce que vous foutez ? Appelez Brenda, elle réglera la question tout de suite.

Sullivan se suçota les dents. Il s'était apparemment fourré dans un de ces guêpiers juridiques qui acquièrent rapidement leur autonomie et exigent des protagonistes d'être menés jusqu'au bout.

— Dans la merde jusqu'aux yeux, hein ? soupira-t-il. Bah, on trouvera un moyen de s'en sortir.

Au moins, Danny Martin était parti. Dès qu'ils pénétrèrent dans le hall, ils tombèrent dans une embuscade dressée par la famille de Curious George. Les parents venus soutenir l'adolescent étaient tous des femmes : sa grand-mère, Miss Dotson ; sa tante, Risa, la peau anthracite et l'œil fulgurant ; sa sœur aînée, Charise, enceinte, des rouleaux dans les cheveux. Les deux plus jeunes glapirent en le voyant couvert de sang, la grand-mère manqua de défaillir et claqua lentement des mains de désespoir. Lorenzo se fit la réflexion qu'il ne l'avait jamais vue sur ses pieds, encore moins hors de son appartement, et tandis que Risa et Charise criaient leur rage, tandis que les inspecteurs, furieux et déroutés, gueulaient à Julius Raymond, en faction derrière son guichet, de virer tout le monde, Council se demandait comment la vieille femme aux pieds enflés avait réussi à se traîner jusque-là.

— Vous le bastonnez parce qu'il a pas payé la pension

alimentaire ? hurla Charise, les poings serrés. Vous l'avez mis dans cet état pour *ça*, espèces de salauds ?

— Seigneur, aie pitié de nous, pria Miss Dotson, qui continuait à claquer des mains.

— On va vous faire un procès, bande de dégueulasses ! menaça Risa.

Elle décocha un coup à Sullivan et Lorenzo se précipita pour la maîtriser, lui murmurer quelque chose à l'oreille, sous le regard assassin de Leo.

— Regarde l'autre négro, là-bas ! cracha Charise à Boris Hope, qui lui renvoya son mépris d'un index dressé. Qu'est-ce que tu vas me faire, pédé ? Je suis enceinte. Tu vas me coller ton pied dans le ventre ?

Plutôt que de recourir à la force pour faire sortir la famille de George, les inspecteurs jugèrent plus sage de battre en retraite dans le centre de mise en détention. Charise expédia une ruade dans la porte qu'ils venaient de fermer à clef et leur cria :

— Il a pas pris le gosse de cette garce de Blanche !

Un instant partagé entre demeurer avec les Howard et filer avec la brigade de Gannon, Council décida finalement de rester auprès de la famille et d'essayer de les calmer. Il posa une main sur l'épaule de la femme enceinte.

— Charise, Charise...

— Pourquoi ils font ça ?

Elle tremblait de colère et postillonnait, projetant une fine bruine sur le visage du policier.

— Ça va aller, ça va aller, dit-il d'une voix apaisante, propos absurdes auxquels elle répondit en lui frappant la poitrine de sa main ouverte.

Par-dessus l'épaule de Lorenzo, elle tendit le doigt vers la porte fermée à clef.

— Je sais pas pour qui tu te prends, lui assena-t-elle, les lèvres tremblantes, mais tu ferais mieux de rester avec *eux*.

16

Sortant de l'hôpital par une porte latérale, Jesse et Brenda n'eurent à attendre que quelques minutes avant que Ben arrête sa voiture devant elles. Brenda monta à l'arrière et s'allongea sur la banquette, recroquevillée comme si elle avait froid, fixant l'arrière du dossier de Ben.

— Karen dit que la réunion s'est très bien passée, dit-il à voix basse pour ne pas déranger Brenda.

— Quelle réunion ? demanda Jesse.

— Celle avec Lorenzo.

— Quelle Karen ?

— Les Amis de... Arrête, s'il te plaît.

Six rues plus bas, dans un quartier tranquille de maisons préfabriquées subventionnées par des fonds fédéraux, Ben fit halte derrière la voiture de Council. Appuyé au capot, l'inspecteur semblait attendre depuis un moment.

— Brenda, relevez-vous, murmura Jesse, passant une main derrière pour lui toucher le bras.

Brenda fit de la place à Lorenzo, dont la présence dans la Chrysler propulsa Ben hors de son siège, comme si la voiture ne pouvait accueillir qu'une seule grande carcasse à la fois. Il s'éloigna pour ne pas les gêner.

— Jesse, vous pourriez nous laisser, vous aussi ? sollicita Lorenzo.

— Bien sûr, répondit-elle, tendant la main vers la poignée de la porte.

— Elle peut rester ? murmura aussitôt Brenda.

Jesse laissa sa main retomber ; Lorenzo ne protesta pas.

— Brenda, je viens de discuter avec la responsable d'un groupe de femmes qui recherche des enfants disparus, attaqua-t-il d'une voix ferme. Elles ont fondé les Amis de Kent, elles ont une excellente réputation et elles ont demandé à vous rencontrer.

Brenda pressa le bas de sa main bandée contre son front. Lorenzo lui toucha le genou du bout du doigt.

— Elles ne cherchent pas à se faire de la pub. Ce sont uniquement des bénévoles, mais elles ont une grande expérience. Elles savent organiser une battue, elles savent comment trouver ce qu'elles cherchent.

Brenda inclina lentement la tête jusqu'à ce que sa tempe droite repose sur la vitre. Jesse regarda Lorenzo noter cette réaction de retrait à son boniment.

Devant la voiture, Ben était adossé à un tronc d'arbre : Brenda cernée par les géants.

— Ces femmes voudraient venir chez vous, reprit Council. A vous de voir si vous voulez les rencontrer, mais, personnellement, je vous le recommande. Ce serait comme avoir une armée entière ne s'occupant que de retrouver votre fils.

Il lui laissa un long moment pour répondre, finit par demander de nouveau :

— Je peux leur dire de venir vous parler ?

— OK, murmura Brenda, haussant les épaules.

— Bien. Très bien. J'assisterai pas à la réunion mais j'aimerais voir avec vous ensuite comment ça s'est passé, ce que vous en pensez... (La tête appuyée contre la vitre, Brenda semblait endormie.) Bon, entendu comme ça, conclut gauchement Lorenzo en ouvrant la portière.

Jesse descendit elle aussi, le rattrapa au moment où il allait monter dans sa propre voiture.

— Ils vous laissent faire ça ? demanda-t-elle.

— Qui, *ils* ?

— Le procureur, McDonald, toute l'équipe.

— Ils n'ont rien à voir là-dedans. Brenda est majeure et paie ses impôts. Elle est libre de faire ce qu'elle veut.

— D'accord, répondit-elle d'un ton détaché.

Elle voyait cependant sur le visage de Lorenzo, elle entendait dans sa voix une impulsion panique à jouer le tout pour le tout. Et elle savait, avec une certitude absolue, qu'il avait délibérément caché à ses supérieurs la participation des Amis de Kent, non parce que c'était une affaire strictement privée, mais parce qu'il craignait qu'ils ne s'y opposent. Elle devinait qu'il comptait désespérément sur Karen et son groupe pour lui apporter la solution. Elle le regarda manier maladroitement ses clefs et eut l'impression de le voir s'effondrer sous ses yeux.

— Vous avez confiance en elle ? lui demanda-t-elle quand il eut enfin réussi à mettre le contact.

— En Brenda ?

— Non. En Karen Collucci.

Il passa en première, répondit :

— A peu près autant que j'ai confiance en vous.

Il tenta de sourire, n'y parvint pas et démarra.

Ils pénétrèrent dans l'immeuble de Brenda Martin par le sous-sol, entrée moins surveillée par les journalistes que celle de Van Loon. Ben leur fraya rapidement un passage et, une fois à l'intérieur, resta un moment derrière pour empêcher les photographes et les cameramen de suivre, de sorte que Jesse et Brenda furent dans l'appartement avant que la nouvelle de leur retour rameute la foule médiatique massée devant la porte principale. Brenda se laissa aussitôt tomber sur le canapé encore ouvert, sur le dos, un genou relevé. Malgré la chaleur, Jesse éprouva le besoin de la couvrir. Au moment où elle ramenait le drap sur ses épaules, Brenda lui pressa faiblement le poignet en murmurant : « Faut que je vous fasse une cassette », puis s'endormit.

Jesse se mit à aller et venir sans but dans la pièce, touchant des objets — affiches, cassettes, napperons —, comme si ce simple rapport tactile pouvait lui transmettre une sorte de soutien. Elle repensa à sa conversation avec Jose, au moment où il lui avait demandé : « T'es amoureuse ? » Elle l'était. Encore une fois. A ses yeux, tous les reporters, mais plus particulièrement ceux des faits divers, étaient des drogués, et la dope variait de l'un à l'autre. Il y avait les accros de la course aux informations, ceux qui rêvaient d'être là le premier. Certains de ses confrères vivaient vingt-quatre heures sur vingt-quatre dans les starting-blocks, la sonnerie de leur bipeur faisant office de starter.

Pour d'autres, c'était un désir compulsif de connaître la vérité, non une quête abstraite ou philosophique, mais un besoin irrépressible de savoir ce qui s'était passé, et pourquoi. Pourquoi ce sang sur ce perron, dans ce lit, l'interrogation ne visant le plus souvent qu'à livrer ce détail au public et, sur un plan personnel, à gratter un prurit ne les laissant pas en paix.

Il y avait ceux qui prenaient leur pied quand ils côtoyaient les flics, la violence, la mort, ceux qui aimaient vivre dangereusement et étaient payés pour ça.

Enfin, il y avait ceux — et Jesse se classait dans ce groupe — qui étaient accros à ce qu'elle appelait l'empathie, le besoin d'intégrer en soi des sentiments extrêmes, de s'en emplir, d'absorber la souffrance, la rage, la folie des autres : assassins, victimes, affligés, menteurs, héros et clowns. Jesse avait besoin de les sentir en elle, de leur donner vie, et elle les aimait pour ça.

Comme la plupart des autres journalistes à peu près bons, elle avait été traitée de tous les noms — vampire, goule, suceuse de sang, parasite —, mais cela l'indifférait parce qu'elle savait que son amour était ardent et sincère, comme celui qu'elle éprouvait pour Brenda, endormie dans un tortillon de draps, le menton relevé, la bouche grande ouverte, comme sur un hurlement, la respiration hachée par des gémissements, des frissons de cauchemar, la peau humide, presque bleuâtre.

Une heure plus tard environ, au moment où Brenda commençait à s'éveiller, Jesse entendit des bruits de pas dans l'escalier, des voix puis un coup frappé à la porte. Brenda se leva d'un bond et, sans demander d'aide, entreprit de refermer le canapé. Jesse attendit qu'elle ait terminé pour ouvrir à Karen Collucci et à quatre autres personnes portant toutes, sauf une, le blouson de satin rouge des Amis de Kent.

— Bonjour, Jesse, ça va ? dit Karen d'un ton énergique. (Par-dessus l'épaule de la journaliste, elle regarda Brenda, assise sur le canapé.) Nous pouvons entrer ?

Sans attendre de réponse, elle franchit la porte. Trois autres femmes et le Noir qui conduisait la Blazer quelques heures plus tôt la suivirent à l'intérieur. Ils s'arrêtèrent respectueusement au bord du tapis, comme si aller plus loin requérait une seconde invitation, mais Karen s'agenouilla devant Brenda, prit une main bandée entre les siennes et chercha son regard.

— Brenda ? dit-elle d'une voix ferme, apaisante. Je suis Karen Collucci, des Amis de Kent. Vous saviez que nous devions venir ?

— Oui, répondit la mère de Cody d'une voix morne, lointaine.

Jesse, intimidée, restait en retrait avec les autres, confirmée dans sa conviction qu'elle détestait cette femme, son air présomptueux, ses manières de rouleau compresseur.

— Nous sommes ici pour vous aider si vous en êtes d'accord, déclara Karen. Vous savez qui nous sommes ?

— Oui, répondit Brenda du même ton monotone par lequel elle manifestait sa peur.

Les autres membres du groupe l'observaient en silence.

— Nous venons de parler à l'inspecteur Council. Il nous a expliqué l'affaire du point de vue de la police, mais nous ne sommes pas des flics, nous sommes ici en qualité de parents, nous sommes ici parce que nous avons des gosses nous aussi, et que ce qui est arrivé à votre fils pourrait arriver à n'importe lequel de nos enfants, OK ?

— OK, dit Brenda, les yeux fixés sur la main que Karen gardait entre les siennes.

Karen se retourna vers les autres, qui se sentirent autorisés à avancer de quelques pas. Jesse suivit le mouvement.

— Je vous présente Elaine, dit Karen.

Elle désigna une femme aux traits tendus qui, malgré ses cheveux gris, ne devait guère avoir plus de trente ans. Elle était la seule à ne pas porter le blouson de l'association et avait les mains profondément enfoncées dans les poches de son jean, comme si elle avait froid. Une tache de vin marquait son visage ingrat, du cou à l'oreille.

— Salut, dit-elle dans un murmure rauque, funèbre. On va faire tout notre possible.

Brenda évita aussi son regard.

Karen poursuivit en présentant Marie, une femme trapue d'une soixantaine d'années, avec des cheveux noirs comme du charbon et un hâle très prononcé qui donnait de la profondeur à son regard. Elle s'avança pour embrasser la tempe gauche de Brenda, qui ferma les yeux à son contact.

— Voici Teenie, la fille de Marie...

Très bronzée elle aussi, avec la même constitution robuste que sa mère, portant au bout d'une chaîne en or un *chai* — symbole hébreu de la vie — et le logo de l'association, le dessin stylisé d'un adulte entourant les épaules d'un enfant.

— Et Louis.

Le Noir hocha la tête. Sa moustache bien taillée et ses cheveux luisants, décrêpés, lui donnaient un air de Billy Dee Williams, malgré des chaussures qui trahissaient le flic. Les Amis de Kent se trouvaient maintenant au centre de la pièce.

— Qui est Kent ? demanda Brenda à Karen, encore agenouillée près d'elle.

— Un garçon que nous avons retrouvé il y a cinq ans. Depuis, nous aidons à chercher les enfants disparus.

La porte d'entrée s'ouvrit derrière Jesse ; Ben entra portant une caisse en carton remplie de bouteilles de soda, d'eau minérale et de pâtisseries.

— Salut, dit-il, livide d'épuisement, le front de nouveau couvert de sueur.

Il passa dans la cuisine, commença à disposer un en-cas sur le comptoir.

— Vous voulez notre aide, Brenda ? demanda Karen.

A la question, Brenda répondit par une manœuvre dilatoire :

— Vos enfants ont quel âge ?

— Les miens ? Dix, huit, et quatre ans.

— Ah...

— Vous voyez Teenie ? C'est la fille de Marie. Elle a un enfant de quatre ans et un de six.

— Ah...

Elaine alla à la fenêtre, tourna le dos à la pièce. La main gauche en visière, Brenda regarda Louis, Karen suivit la direction de ses yeux.

— Louis a trois enfants.

— Vous êtes mariés, tous les deux ? dit Brenda, fixant le ventre de Karen.

— Depuis douze ans.

— Je sais pas pourquoi, je l'ai senti. Seigneur, tout le

monde a un enfant de quatre ans, dit Brenda avec un frisson nerveux. Jesse aussi.

La journaliste baissa la tête vers le tapis. Ben s'arrêta de dresser le buffet, regarda ses mains en fronçant les sourcils. Karen se tourna vers Jesse, lui lança un « Tiens, c'est vrai ? » lourd de sous-entendus, et Jesse comprit qu'elle était piégée, que cette femme la débinerait dès qu'elle refuserait de marcher droit.

— Ouais, répondit la journaliste, tapotant dans sa poche le nouveau téléphone cellulaire que son frère lui avait procuré.

Karen se tourna vers Brenda, prit cette fois les deux mains bandées dans les siennes.

— Vous voulez notre aide ?

Brenda eut un soupir exténué puis murmura « D'accord » d'une voix mourante, et Jesse comprit que ces gens étaient pour elle une punition de plus, qu'elle n'avait qu'une envie : les voir partir. En relevant les yeux, Jesse s'aperçut qu'Elaine l'observait de la fenêtre, le regard attentif mais sans expression.

— On pourrait peut-être s'asseoir ?

Karen s'installa sur le canapé à côté de Brenda. Teenie et Marie approchèrent des chaises pour former un demi-cercle. Elaine demeura près de la fenêtre et Louis resta en faction contre le mur, maître de lui et discrètement vigilant.

— Tout d'abord, nous devons entendre de votre bouche ce qui s'est passé.

— Non, ça, je peux plus. Je peux plus. J'ai tout raconté à la police...

— Je sais, je sais, je sais, la coupa aimablement Karen. Mais la police a ses priorités et nous avons les nôtres. En ce moment, les inspecteurs font leur boulot de flics et ils sont l'objet de certaines pressions... Nous, c'est différent. Nous n'avons pas les mêmes oreilles, nous n'entendons pas les mêmes choses. Alors, Brenda, je vous en prie, une dernière fois. Je n'exigerais pas ça de vous si ce n'était indispensable. S'il vous plaît.

Brenda libéra ses mains, s'en couvrit le visage.

— Non. Je ne peux pas.

C'était l'impasse : Karen attendait, Brenda se cachait derrière ses bandages. La présidente des Amis de Kent laissa le silence durer deux bonnes minutes avant de reprendre :

— Brenda. Vous devez nous aider à vous aider. (Après un autre long silence, elle capitula.) D'accord, je comprends. Nous nous contenterons du rapport de police... Bon, voilà ce que nous allons faire. Nous rédigeons une affichette ; nous la tirons tout de suite, nous la distribuons : les commerçants, les journaux...

D'un sac en toile, elle tira une carte du comté, la déplia, considéra le rectangle où passait la frontière Dempsy-Gannon, montra à Brenda le lieu du crime, le marqua d'un point rouge.

— Voilà ce que nous allons faire : nous allons quadriller tout le secteur, dit-elle en entourant le point d'un carré de dix centimètres de côté.

— Dans Armstrong ? demanda Brenda.

— Armstrong et les rues environnantes. Nous frapperons à toutes les portes.

— Ça ne donnera probablement rien, prédit Jesse, mesurant soigneusement ses mots. Les gens du quartier ont les boules, les flics leur sont tombés dessus comme des troupes de choc...

Karen la considéra quelques secondes avant de répondre :

— Justement. Nous, nous nous présenterons en tant que parents.

— Vous seriez étonnée de ce que les gens nous disent et ne disent pas aux flics, ajouta Teenie, tirant sur sa chaîne.

— Jesse, il faut vraiment que tu les voies opérer, intervint Ben de derrière le comptoir avec un sourire idiot.

Elle ne se retourna pas pour le regarder.

— Vous avez déjà mis les pieds dans ces bâtiments ? demanda Jesse.

Mise en garde détachée, dernier commentaire. Elaine continuait à l'observer de la fenêtre.

— Trésor, vous imaginez pas les endroits dans lesquels on est passés, répondit la mère de Teenie d'une voix rappelant un crissement de bottes sur du gravier.

La remarque fit sourire les autres. Jesse remarqua que Marie et Karen portaient comme une amulette le même logo que Teenie : Karen au poignet, Marie autour du cou, comme sa fille. La gorge et les bras d'Elaine étaient aussi dépourvus d'ornement que son visage l'était d'expression.

Karen tapota le carré rouge en déclarant :

— Nous pouvons rassembler une centaine de bénévoles en une heure. Nous avons ce qu'on pourrait appeler des troupes de réserve pour des situations de ce genre, mais elles sont toutes de Hoboken, Bayonne, Jersey City. Elles ne connaissent pas vraiment cette ville. En revanche, nous avons les noms de tous les membres du comité de locataires d'Armstrong. Nous pouvons commencer par eux, voir s'ils peuvent nous aider, faire appel à des gens du coin. Et vous ? Vous avez de la famille, des amis... ?

Brenda haussa les épaules, baissa les yeux.

— Non ? dit Karen, inclinant la tête. Et au travail, les collègues ?

— Juste là, Felicia.

— Felicia, OK, nous appelons Felicia.

— Felicia... ? demanda Teenie, le stylo suspendu au-dessus de son bloc.

— Mitchell.

— Très bien. Nous appelons Felicia Mitchell, pour voir si elle peut nous trouver des gens.

— Vous avez son numéro ? s'enquit Teenie.

— Nous le trouverons, dit Karen, balayant la requête d'un geste. Brenda, si j'ai bien compris, vous travaillez pour... quoi ? une sorte de programme d'aide scolaire ?

— Le Club d'Etudes.

— Le Club d'Etudes. Les enfants ont quel âge ?

— On a surtout des petits.

— Des ados ?

— Quelques-uns.

— Bien. Ils viennent d'être enrôlés. Et ils peuvent amener leurs amis. Vous voyez ? Ça prend forme. Etonnant, non ? (Elle tapota de nouveau la carte.) Nous faisons ce quadrillage ce soir. Si ça ne donne rien...

Elle dessina un carré plus grand, doublant la superficie de la zone de recherche.

— Nous ne renonçons jamais, nous redoublons de colère.

Notre devise, pensa Jesse en voyant les autres femmes approuver de la tête.

— Il faut aussi que vous nous donniez une bonne photo

de lui, ainsi qu'une description précise : vêtements, taille, poids, cheveux, etc. Il nous faut ça tout de suite pour pouvoir nous mettre au travail.

Brenda protesta d'un long soupir puis s'exécuta :

— Un mètre trente, vingt-trois kilos, cheveux courts sur le devant, longs derrière, comme le catcheur... Je connais pas son nom...

Elle débita le reste du signalement d'une voix aiguë, agressive, pour exprimer son exaspération. Karen, pas le moins du monde affectée, hochait la tête tandis que Teenie prenait note.

— ... des pantoufles avec de gros dinosaures qui grognent quand on appuie sur les talons, une fine cicatrice en travers du sourcil droit... On a lui posé des agrafes la fois où ce gosse, dans le terrain de jeux...

L'événement devait être récent car Jesse vit Brenda chanceler, bouleversée par le souvenir de la scène malgré ses efforts pour la maintenir au niveau de l'anecdote.

— C'était... Vous savez, quelquefois, on voit les choses avant qu'elles arrivent vraiment. Il était en haut de ce bassin en pente, Cody, et l'autre enfant, Brian, était en bas et essayait de monter la pente. Et dans ma tête, j'étais déjà là, attrapant l'un des deux avant que...

Karen la ramena au moment présent :

— Cicatrice au sourcil droit, bon.

— C'est tout.

— OK. Maintenant, il nous faut une bonne photo, dit-elle, promenant son regard sur les murs, le dessus des meubles.

— Vous pourriez pas utiliser celle des journaux ? suggéra Brenda derrière ses mains.

La remarque étonna Jesse, qui ignorait que Brenda s'était vue à la devanture des kiosques.

— Laissez-moi vous montrer quelque chose, dit Karen, extrayant de son sac une grande enveloppe de papier bulle.

Elle y plongea la main, y prit un badge métallique orné d'une photo : Cody donnant le biberon au chevreau.

— J'en ai fait faire des wagons, précisa-t-elle. Nous les distribuerons pour maintenir la vigilance des gens, mais je dois vous dire une chose, Brenda : je ne crois vraiment pas que je le reconnaîtrais d'après cette photo. Elle est trop sombre. Et puis elle date de quand ? Parce que vous venez de nous dire que Cody a les cheveux courts devant, longs derrière. Le gamin de la photo a une coupe au bol.

— Ça remonte à un an.

— Ah ! vous voyez, dit Karen, l'air attristée.

Jesse se sentait de plus en plus irritée par les mimiques exagérées de Karen, son ton condescendant.

— Si je peux me permettre...

Quand les têtes furent tournées vers lui, Ben montra une bande de quatre photos d'identité fixée sur le réfrigérateur par un aimant.

— Très bien, approuva Karen. Brenda ?

La mère de Cody hocha la tête sans regarder.

Elaine, se détachant enfin de l'appui de fenêtre, prit les photos, les notes de Teenie et sortit de l'appartement, au grand soulagement de Jesse.

— Il y aura deux numéros de téléphone au bas de l'affichette, expliqua Karen à Brenda. Celui de la police et le nôtre. Notre ligne est ouverte vingt-quatre heures sur vingt-quatre. Je préfère ne pas donner votre numéro personnel, si vous êtes d'accord, parce que...

— D'accord, la coupa Brenda.

Karen hésita, la considéra.

— A propos de téléphone... Disons que le type a paniqué, il a vu votre fils sur le siège arrière, il s'est arrêté quelque part, il l'a laissé descendre...

Brenda émit l'un de ses interminables soupirs de désespoir ; Karen attendit puis reprit :

— Est-ce que Cody sait téléphoner à la maison ?

— Quoi ?

— Il connaît son numéro ?

— Ouais. Oui.

Brenda regarda le téléphone, la prise débranchée.

— J'ai commencé à recevoir des coups de fil de plaisantins, s'empressa-t-elle de se justifier, comme si Karen allait la punir.

Elle se leva pour rebrancher l'appareil mais Ben la devança, lui fit un signe de la main : « Pas de problème. »

— Des coups de fil de plaisantins, répéta-t-elle.

— Hé, je comprends parfaitement, assura Karen avec le

même geste que Ben : « Pas de problème. » Vous avez un répondeur ?

Comme Brenda secouait la tête, Karen plongea de nouveau la main dans son sac, y prit un modèle en plastique gris portant le nombre 800 écrit en rouge.

— Avant de vous laisser, je vais vous faire enregistrer un message pour votre fils, au cas où il appellerait pendant votre absence, d'accord ?

— Ouais, dit Brenda à ses mains. Et au cas où le type lui aurait donné une pièce avant de le balancer hors de la voiture.

Les Amis de Kent accueillirent cette pointe rebelle avec détachement, et Jesse sentit que Brenda était en grand danger, que les forces se liguant lentement contre elle croissaient à chaque réponse évasive ou inadéquate. Elle tourna les yeux vers son frère, qui lui adressa un clin d'œil exaspérant.

Karen posa une main légère sur le genou de Brenda.

— Bon, nous quadrillons le secteur ce soir. On peut espérer que nous récolterons des tuyaux que les gens ne donneraient pas aux flics. Maintenant, venons-en directement à la question : où est votre fils ? Où devons-nous chercher ? (Elle lissa la carte, effleura le lieu du crime de la pointe de son feutre.) Qu'est-ce que vos tripes vous disent, Brenda ?

— Il est parti en *voiture*, répliqua Brenda. Comment voulez-vous que je le sache ?

Karen se pencha en avant sur le canapé.

— Disons que votre fils se réveille presque tout de suite, que le gars s'aperçoit rapidement qu'il a un passager sur le siège arrière. Nous restons dans un rayon d'un kilomètre, un kilomètre cinq...

Elle traça un cercle autour des deux carrés, donnant au lieu du crime l'aspect d'une cible, puis glissa une main derrière le dos de Brenda pour la faire se pencher elle aussi.

— Regardez. Qu'est-ce que votre instinct vous dit ? Où devons-nous chercher ?

— Je sais pas.

— Qu'est-ce qu'il aime faire, Cody ? Qu'est-ce qui l'attire ?

— Il est dans une *voiture*, sanglota Brenda. Il fait *nuit*. Il a *quatre* ans...

— Mon garçon de quatre ans, il voit le mot « pizza », il se met à saliver, dit Karen, qui se tourna vers son mari. Pas vrai, Lou ? (Il lui fit un signe de tête machinal.) Adam, le fils de Teenie, il voit un parc, il tombe à quatre pattes et se met à courir comme un chien. Pas vrai, Teenie ?

— M'en parle pas, grogna Teenie.

— Et le vôtre, Jesse ? demanda Karen, se tournant vers la journaliste, tirant un peu sur la laisse.

— Oh ! plein de trucs, répondit Jesse avec un haussement d'épaules.

Karen s'adressa de nouveau à Brenda.

— Alors, qu'est-ce que Cody aime faire ?

— Etre avec moi. Il aime être avec moi.

Karen prit un moment pour encaisser la repartie puis revint à la charge :

— Bon, regardez. Comme ça fait près de vingt heures qu'il a disparu, il y a peu de chances pour qu'il traîne encore quelque part dans les rues. Quelqu'un l'aurait recueilli... (Elle indiqua six taches vertes dans un rayon d'un kilomètre et demi.) Nous avons examiné la carte avant de venir et, sur le papier, nous avons repéré six endroits possibles où un enfant pourrait se perdre ou se cacher une journée et une nuit entières sans être remarqué. Mais nous avons ensuite parcouru le secteur en voiture et nous en avons éliminé trois. Ici, c'est un terrain de golf, ici un cimetière, là un terrain de foot. (Elle traça des X sur les lieux rejetés.) Il n'y a pas d'arbres, pas de creux, pas de bâtiments, aucun endroit où se cacher, ce qui nous laisse... (elle entoura les taches vertes restantes) l'ancien Institut Chase, Freedomtown et Hudson Park, d'accord ? Brenda, qu'est-ce que votre cœur de mère vous...

— Chase, dit aussitôt la jeune femme, clignant des yeux pour refouler ses larmes.

— Va pour Chase ! claironna Karen, qui entoura les jardins de l'hôpital abandonné d'un second cercle rouge. Demain matin, Lou et quelques gars feront rapidement le tour de Chase, peut-être aussi de Freedomtown ou de Hudson Park si nous avons le temps. Nous ferons ce que nous pourrons ce soir et nous nous retrouverons tous demain sur le parking de Saint Agnes, au coin de Turner et Blossom, tous les bénévoles... Ça vous dit de nous accompagner ?

— Quoi ? dit Brenda, abasourdie.

— Ah, non ! lâcha Jesse avant de pouvoir se contrôler.

Les Amis de Kent ne parurent pas l'avoir entendue.

— Si vous vous en sentez la force, Brenda, j'aimerais vous avoir avec nous.

— Rien de tel que le radar maternel, renchérit Marie.

— Nous faisons ça depuis cinq ans, et je peux vous dire, je ne sais pas si c'est Dieu, l'amour maternel, un phénomène surnaturel ou quoi, mais quand la maman arrive, le sixième sens se met en marche. Teenie, parle-lui de Donna Cord.

— Michael Cord, un gamin de cinq ans, avait disparu dans le Bronx, la famille habite près du zoo. Ça faisait douze heures qu'on cherchait. Donna, la mère, était à l'hôpital. Elle nous rejoint en fin de journée... Et hop ! elle le trouve en trois quarts d'heure. Il dormait dans un caniveau. Je sais pas comment elle a fait.

— Et on avait un chien, en plus, ajouta Marie, tout le monde s'échauffant au récit de la battue.

Louis fit passer son poids d'un pied sur l'autre, ouvrit la bouche pour la première fois :

— Pour être juste envers le chien, il faut dire qu'on était à côté du deuxième zoo du pays. Vous imaginez combien d'odeurs différentes le vent portait ? La pauvre bête a failli faire une dépression nerveuse.

Karen massa le cou de Brenda, lui caressa les cheveux.

— Ce que j'essaie de vous expliquer, c'est que, que ce soit Dieu, l'amour, ou ce que vous voudrez, si vous venez avec nous, vous verrez, vous sentirez quelque chose qui échappera à tous les autres.

— Une couleur, un vêtement, par exemple, dit Marie.

— Nous ne nous y mettrons pas vraiment avant neuf heures, de toute façon. Vous pourrez faire une bonne nuit.

— C'est ça, dit Brenda, s'efforçant de prendre un ton sarcastique.

— Alors, vous viendrez ? demanda Marie.

Brenda fixa la carte sans la voir. Le silence se fit de nouveau dans la pièce ; les Amis de Kent attendirent. Finalement, pliant sous le poids de leurs regards, Brenda acquiesça d'un « OK » tremblant.

— Ça va ? lui demanda Karen. (Elle se tourna vers Jesse.) Vous pouvez lui apporter un verre d'eau ?

Jesse soutint un moment son regard puis, se rendant compte qu'elle était tiraillée entre l'envie de résister à cette sainte dominatrice et la crainte de paraître sans cœur à Brenda, elle fit signe à Ben, resté dans la cuisine. En un acte de trahison stupéfiant, Ben articula silencieusement : « Non, toi », et lui adressa un hochement de tête rassurant, comme s'il n'y avait rien au monde de plus exaltant que lécher le cul de quelqu'un. Elle alla chercher le verre d'eau, le posa sur la carte.

— Merci, Jesse, dit Karen, insistant sur le prénom.

Elle brancha le répondeur, l'installa sur la table basse, devant Brenda.

— Je veux que vous laissiez un message pour votre fils. (Brenda détourna la tête, ferma hermétiquement les yeux.) Je veux que vous laissiez un message, insista Karen d'une voix calme.

— Quoi, par exemple ? demanda Brenda, refusant de la regarder.

— Par exemple, « Cody, si c'est toi, sache que Maman t'aime beaucoup, que tu lui manques. Où es-tu ? Je veux venir te chercher tout de suite. Je ne suis pas fâchée. Dis-moi où tu es. Il y a des gens autour de toi ? »

— « Je ne suis pas fâchée » ? Pourquoi je serais fâchée ?

— Je veux juste dire que, dans ce genre de situation, les enfants pensent quelquefois que leurs parents sont en colère parce qu'ils ne sont pas à la maison. Il faut penser comme un gamin de quatre ans. Bien sûr que vous n'êtes pas fâchée, nous envisageons simplement toutes les éventualités.

— Oh, mon Dieu, hoqueta Brenda.

Jesse se faufila dans la cuisine, toucha le bras de son frère.

— Fais-la arrêter, murmura-t-elle entre ses dents serrées.

— Regarde, répondit-il, sans quitter Karen des yeux.

— Bien, pouvons-nous enregistrer ce message, maintenant ? (Brenda fixa l'appareil en silence.) Ce serait peut-être plus facile si vous l'écriviez d'abord. Vous voulez l'écrire ?

— Mon Dieu, je vous en prie, gémit Brenda. Je veux mourir. Laissez-moi mourir.

Karen lui caressa de nouveau la tête.

— Vous n'êtes pas seule. Nous sommes avec vous.

Non, sûrement pas, pensa Jesse. Elle essuya son visage, découvrit avec surprise que ses doigts étaient mouillés.

— Allons, Brenda, laissez-lui un message.

La mère de Cody se mit péniblement debout, alla d'un pas titubant à la salle de bains. Son absence posa une équation nouvelle, déconcertante. Curieusement, personne ne parlait : pas de logistique, ni de stratégie, ni d'évaluation hâtive de la situation. Plus troublant encore, aucun regard n'était même échangé, ce qui laissa Jesse sur le sentiment que tout cela n'était qu'une supercherie, une pièce jouée pour un public d'une seule personne, avec une communion si parfaite entre les comédiens qu'ils pouvaient s'interrompre pendant cet entracte impromptu, ayant si bien mémorisé leur texte qu'ils n'avaient rien d'autre à faire que se reposer.

Le silence était tel dans le séjour qu'on aurait entendu facilement tout ce qui se passait dans la salle de bains, mais c'était la même absence de bruit de l'autre côté de la porte. Au bout de cinq minutes, Karen se leva du canapé.

— Brenda ? Ça va ?

Ne recevant pas de réponse, elle ouvrit la porte, révélant la mère de Cody assise tout habillée sur le couvercle des toilettes, le visage entre les mains, se cachant dans son propre appartement. Karen la fit se lever, la ramena au canapé, lui passa un bras autour des épaules puis, après un délai de grâce supplémentaire d'une trentaine de secondes, murmura « Le temps presse » et appuya sur le bouton *Enregistrement* du répondeur. Brenda commença à se balancer d'avant en arrière.

— Allez, chuchota Karen, d'un ton un peu sévère.

— Cody, je t'aime, déclara abruptement Brenda, les paupières closes, comme si elle interprétait une chanson d'amour.

Les Amis de Kent regardaient le plafond, le plancher, la fenêtre, partout sauf en direction de Brenda, par respect pour l'intimité du message.

— Où tu es, mon cœur ? poursuivit-elle d'une voix hachée en se pressant l'estomac. J'ai tellement besoin de toi. Je veux aller te chercher. Dis-moi comment venir te chercher, s'il te plaît. Tu me manques tellement. Dis-moi comment je peux faire pour être avec toi.

Brenda porta une main à son visage, repoussa l'appareil de l'autre. Karen arrêta l'enregistrement, rembobina, repassa le message. Brenda se balança de plus belle en écoutant sa supplique entrecoupée.

— Vous pensez que votre fils vous reconnaîtra ? demanda Karen d'une voix calme. Ça ressemble à votre façon de lui parler ? Je pense, je pense que nous devrions peut-être faire un nouvel essai. Vous aviez l'air terriblement bouleversée, vous pourriez l'effrayer.

— Non.

— Vous pensez que ça ira comme ça ?

— Je recommence pas.

— Non ?

Jesse ne put se retenir :

— Elle vient de vous le dire.

Karen la toisa brièvement, promesse impassible de représailles.

— Bon, si vous pensez que c'est bien comme ça, dit-elle, avec une pointe de reproche. Et ne vous en faites pas pour les plaisantins. Quand ils entendront ça, ils raccrocheront.

— OK, murmura Brenda, les yeux toujours baissés.

— Si vous voulez, je demanderai à l'inspecteur Council de mettre votre ligne sur écoute. Je suis étonnée qu'il n'ait pas pensé à le faire.

— Ça m'est égal, dit Brenda, continuant à se balancer.

— Une dernière chose. Lou est dresseur de chiens, il travaille pour la police de Newark. Pour des recherches de ce genre, nous utilisons généralement des chiens. Ils peuvent fouiller un immeuble en cinq, dix minutes, fouiner dans les recoins, les gravats, les fourrés. Ils couvrent dix fois plus de terrain en dix fois moins de temps. Et c'est moins dangereux aussi, parce que, quelquefois, on visite des constructions dans un sale état, avec des planchers pourris ou je ne sais quoi, et les chiens sont plus légers sur leurs pattes. Plus légers que moi, en tout cas.

Ben eut un rire éloquent. Jesse en fut sûre, cette fois : son frère en pinçait pour cette garce.

— Mais pour pouvoir utiliser le chien, poursuivit Karen, plongeant de nouveau la main dans son coffre au trésor, il nous faut un sac à odeurs.

— Un quoi ?

Elle lui tendit un sac à fermeture Eclair de la taille d'un porte-documents.

— Allez dans sa chambre me le remplir. Je veux sa taie d'oreiller. Je veux aussi... Vous avez du linge sale à lui, séparé du vôtre ?

Brenda la regarda un moment puis répondit :

— Dans son placard.

Karen se leva, aida Brenda à faire de même.

— Allez-y maintenant, d'accord ? Comme ça, nous pourrons vous laisser tranquille. Vous voulez que je vienne avec vous ? (Brenda regarda Jesse.) Moi, vous et Jesse, d'accord, dit Karen, se tournant vers la journaliste. Vous venez ?

Brenda se tenait devant le placard ouvert : trois jeans sur des cintres, quelques maillots, deux paires de baskets par terre, une douzaine de jeux de société entassés n'importe comment et, dans un panier d'osier sans couvercle, un tas de T-shirts, de chaussettes, de slips, ainsi qu'un marcel des New Jersey Nets. Elle resta un moment immobile puis demanda à Karen :

— Vous pouvez pas le faire pour moi ?

— Non. Le chien connaît mon odeur, ça le troublerait.

Jesse fit un pas vers le panier, mais Karen la repoussa.

— Je crois vraiment que c'est Brenda qui doit le faire.

— Vous avez regardé ses mains ? rétorqua la journaliste d'un ton dur, exaspéré.

— Je peux vous parler une seconde, Jesse ?

Karen tendit un bras comme pour la piloter en la prenant par les épaules, mais Jesse se dirigea vers la porte pour éviter son contact.

Elle fit trois pas hors de la chambre et Karen lui colla aux basques. Elle se retourna, les yeux à la hauteur de la bouche de l'autre femme.

— J'ai quelque chose à vous dire, dit Karen dans un murmure sifflant. Au cours des cinq dernières années, j'ai retrouvé douze enfants disparus, quatre vivants, huit morts. C'est ce que je fais, je les trouve, et, en cet instant précis, je me fous de tout le monde excepté de ce petit garçon. Je le trouverai, et je trouverai ce qui lui est arrivé. Vous ne m'aimez pas ? Si ça peut vous consoler, vous n'êtes pas la seule. Mais si vous vous remettez encore une fois en travers de mon chemin, je vous détruis, je vous le jure. Vous savez que je le ferai, et vous savez comment. (Le souffle coupé, Jesse voulait riposter, mais elle était submergée par la précision de la fureur de Karen.) Apparemment, Brenda a besoin de vous, alors, vous resterez avec elle, mais vous feriez bien de garder en mémoire jusqu'à la fin de cette affaire ce que je viens de vous dire, sinon je vous botte le cul, vous avez compris ?

Malgré elle, Jesse acquiesça de la tête. Pour une raison qu'elle ne parvenait pas à comprendre, toute son aversion pour cette femme avait disparu, elle était même consumée — du moins, pour le moment — d'un désir de gagner son respect. Elle retourna avec elle dans la chambre de Cody, où Brenda était restée devant le placard, le sac à fermeture Eclair pendant, vide, à sa main droite.

— Allez, Brenda, le temps presse, s'impatienta Karen.

Brenda tomba à genoux, commença à remplir le sac, lentement à cause de ses bandages. Utilisant ses doigts comme des baguettes chinoises, elle piquait les vêtements un par un, le visage tordu par la détresse.

— Il vous faut aussi la taie ? demanda Jesse à Karen d'un ton prudent. Parce que je crois pas qu'elle arrivera à la défaire toute seule.

— Ne vous tracassez pas pour ça, répondit Karen sans même la regarder.

Jesse eut l'impression que Karen la jugeait neutralisée, pas même digne d'un coup d'œil, et son désir tout neuf de gagner l'estime ou l'approbation de cette femme fut remplacé par l'ancienne aversion, d'autant plus forte maintenant que Karen avait un moment brouillé ses sentiments.

Quand elles retournèrent dans la salle de séjour, Jesse et Brenda eurent la surprise de voir un berger allemand au bout d'une courte laisse, Louis n'accordant pas plus d'une vingtaine de centimètres à l'animal, du poing au collier.

Un sourire illumina le visage de Karen.

— Salut, Sherlock ! (Elle se tourna vers Brenda.) Sherlock est notre arme secrète. Avec son flair, il est capable de retrouver une marguerite dans un cyclone.

— Je l'ai fait monter, j'espère que ça ne vous dérange pas,

dit Louis en tapotant le flanc luisant de la bête. Dans la voiture, par cette chaleur...

Brenda fixait l'animal comme si c'était un loup. Jesse supposa que Sherlock était un chasseur de cadavres, dressé avec des fœtus de porc enterrés et des balles de tennis enduites de Cadaverine, solution chimique reproduisant l'odeur d'un corps humain en décomposition. Elle avait vu ce genre de limier en action une ou deux fois sans qu'ils obtiennent de résultats, mais elle avait entendu raconter des histoires étonnantes.

— Est-ce qu'on pourrait lui donner un peu d'eau ? sollicita Louis.

— Je m'en occupe, dit Ben.

Karen passa un bras autour des épaules de Brenda, la détourna du chien.

— A partir de maintenant, Brenda, nous sommes avec vous jusqu'au bout. Nous ne laissons jamais tomber nos mères.

Ou alors le chien avait suivi un double dressage, qui le mettait à même de trouver aussi des personnes disparues ou invalides, pensa Jesse, les vivants comme les morts. Pourtant, elle en était quasiment sûre : pour qu'un tel groupe l'utilise, Sherlock devait être un chien à cadavres.

Le dos tourné aux autres, Brenda demanda à Karen :

— Kent, le petit garçon : quand vous l'avez retrouvé, il était mort ou vivant ?

— Mort, lâcha carrément la présidente.

Ben posa un plat rempli d'eau devant le chien qui le regarda, mais n'avança pas la gueule pour boire. Jesse tendit machinalement le bras pour caresser le pelage magnifique de l'animal et sursauta quand Louis écarta sa main sans ménagement.

Profitant de ce que Brenda lui tournait le dos, il s'agenouilla à côté du chien haletant, lui souleva le museau et murmura « corps » dans l'oreille dressée, puis défit rapidement la laisse.

Rien de tel que se mettre tout de suite au travail, pensa Jesse.

17

Après avoir accepté de rester à l'écart de la réunion des Amis de Kent avec Brenda Martin, Lorenzo, débordé mais n'ayant en fait rien à faire, remonta lentement le boulevard JFK. Il se sentait impuissant et désespéré. Tous les aspects de l'enquête lui échappaient. Occupation quasi militaire, manifestation en riposte, arrestation arbitraire, battue organisée par des bénévoles, journaliste garde-malade, famille outragée : il était incapable de contrôler ou de prévenir quoi que ce soit.

De toutes les retombées et bavures des dernières vingt-quatre heures, la plus pénible, la plus exaspérante pour lui, était l'arrestation de Curious George Howard. Gannon avait jeté l'adolescent dans le système, et il fallait maintenant attendre que le système le rejette de lui-même, car, même s'il était possible de convaincre les flics de Gannon de laisser tomber pour le moment cette histoire de pension alimentaire, George avait cassé le nez de Danny Martin. Un jeune d'Armstrong cognant sur Sullivan, cognant sur Martin, c'était une parfaite illustration de ce que Council appelait habituellement « se jouer à soi-même un tour de con ». Mais il n'y avait rien d'« habituel » dans les événements des dernières vingt-quatre heures, et les conférences sur la meilleure façon de survivre dans la rue étaient suspendues jusqu'à nouvel ordre.

Pour compliquer les choses, les médias — comme Council le prévoyait — n'avaient pas traîné à annoncer qu'un suspect était en garde à vue, et les sœurs de George, remplaçant la vedette du show, s'étaient ruées sur les caméras comme un prédicateur monte en chaire pour se plaindre amèrement des flics racistes, des brutalités policières, de la persécution des innocents. Et les sœurs Howard n'étaient pas les seules à se plaindre. En dépit de la levée du blocus, un grand nombre d'habitants de la cité dénonçaient devant les caméras les mauvaises conditions de logement, le désintérêt de la municipalité pour Armstrong et d'autres cités, la pratique raciste du « deux poids, deux mesures », les promesses électorales non tenues par le maire, le mépris des autorités municipales pour les défavorisés en général, l'absence d'emplois à plein temps, l'absence de petits boulots d'été pour les jeunes, l'absence de programmes récréatifs, de ci et ça, chaque récrimination s'éloignant un peu plus du crime présumé par quoi tout avait commencé.

Ce qui rendait Lorenzo particulièrement furieux, c'était la façon inepte dont il avait lui-même conduit cette affaire, d'abord en laissant Jesse s'y insinuer, ensuite en faisant intervenir Karen Collucci. Au moins, celle-ci avait quelque chose à lui offrir. Quelques heures plus tôt, lorsqu'il avait fait la connaissance de Karen et des autres membres de son groupe, il avait trouvé que leur programme de recherches était remarquablement organisé, et qu'il se révélerait peut-être même utile, bien que, fidèle à son habitude de se raccrocher à des fétus de paille, il vît surtout en Karen une autre épaule sur laquelle Brenda pourrait pleurer, une confidente potentielle.

Il avait été prudent dans ses propos pour ne pas l'influencer : si Brenda mentait, il était sûr que Karen s'en apercevrait toute seule. Et pas question d'informer Bobby McDonald, ou qui que ce soit des services du procureur, de l'intervention des Amis de Kent. Pour le moment, Brenda était parfaitement libre de ses actes. Elle pouvait voir qui elle voulait, aller où elle voulait, mais Lorenzo craignait quand même que les pontes, si l'occasion leur en était offerte, ne s'opposent à ce coup tordu. Il savait depuis longtemps que le meilleur moyen d'obtenir une autorisation était de ne pas la demander. De toute façon, ils seraient bientôt au courant : selon le programme, la première battue ouverte au public commencerait le lendemain matin.

A chaque coin de rue, Lorenzo provoquait les réactions habituelles chez les dealers, certains faisant semblant de détaler, d'autres cavalant pour de bon. Le boulevard étincelait de bandes réfléchissantes : sur les T-shirts, sur les baskets, sur les shorts amples descendant à mi-mollet. La semaine précédente, un jeune lui avait donné cette explication : « Si on en porte tous, les keufs sont paumés. » Lorenzo avait objecté : « Si personne en porte, les keufs sont paumés aussi, non ? », ce à quoi l'ado avait répondu : « Ouais mais si on en porte pas, alors, on est juste nous. »

Autre mode qui faisait fureur cet été : les lunettes de ski aux verres roses ou jaunes, relevées en haut du front. Un jeune sur trois en portait, comme s'il allait s'élancer sur les pentes alors que la plupart d'entre eux ne connaissaient que le ciment ou le gazon municipal. C'étaient ces mêmes jeunes qui s'obstinaient à appeler leur quartier Darktown, ou D-Town, comme si ce surnom donné par des bouseux de Blancs avait quelque chose d'honorifique. Ils ignoraient son étymologie, son histoire. Lorenzo leur avait vainement expliqué — pendant les arrêts au stand — qu'au dix-neuvième siècle cette partie de Dempsy était un bidonville avant la lettre, le seul endroit où les Blacks avaient le droit de vivre, et donc appelé Darktown. A ces mini-conférences de coin de rue, à ces sermons musclés de cage d'escalier, les jeunes opposaient généralement un haussement d'épaules et déclaraient : « C'est vieux, tout ça. Maintenant, il est à *nous*, ce putain de quartier ! »

Si, de manière générale, Council ne débordait pas d'amour pour la majorité des individus qui hantaient le boulevard, il aurait tenu la distance, neuf soirs sur dix, pour sauver un seul d'entre eux. Mais ce soir était le dixième, il en avait ras le cul. Plus sa colère montait, plus il roulait lentement, cherchant quelqu'un sur qui se défouler, fonçant sur une cible puis se reprenant, fonçant sur une autre, se reprenant de nouveau, conscient que sa rage n'avait rien à voir avec la patrouille de skieurs de JFK. Il ne s'aperçut que quelqu'un courait à pied derrière sa voiture que lorsqu'il entendit frapper du poing sur son coffre. Il fit halte, bondit hors de son siège, prêt à distribuer les mandales, découvrit Felicia Mitchell, pantelante, appuyée à son aile.

— 'renzo, hoqueta-t-elle. Leuh-renzo...

Pour savoir si elle était blessée ou simplement hors d'haleine, il dut attendre qu'elle se redresse, aspirant goulûment l'air par la bouche, une main sur le front, l'autre éventant sa gorge. Il était arrêté en double file mais les voitures le contournaient sans klaxonner : tout le monde savait qui il était.

Felicia fit une autre tentative :

— Lorenzo... Je t'ai vu passer. T'avais dit... Ouf ! T'avais dit que tu viendrais ce soir...

— Pour quoi faire ? demanda-t-il, l'expression blessée du visage luisant de sueur de Felicia ne lui laissant pas d'autre choix que de passer chez elle.

Felicia avait consenti de mauvaise grâce à ce qu'il fasse un arrêt-buffet avant de sermonner son mec, et Council finissait d'engloutir deux cheeseburgers et un milk-shake à la fraise en montant au troisième étage. Situé dans une rue perpendiculaire au JFK, l'appartement de Felicia se résumait par le mot « trop » : trop de tissus, trop de surfaces de meubles, trop de couleurs. En y pénétrant, Lorenzo porta machinalement la main à son vaporisateur contre l'asthme. Le petit living dégoulinait de couleurs : une table basse en verre rose devant un canapé de velours noir recouvert de plastique et flanqué de deux petites tables de verre fumé supportant des lampes col-de-cygne chromées. Ce coin salon faisait face à une télé grand écran au-dessus de laquelle étaient fixées des étagères de métal doré et de verre, niches à caprices et sentiments : poupées, figurines, albums, cassettes vidéo, console Nintendo, série de photos de remises de diplômes encadrées : Felicia au lycée, Felicia en fac, son frère en fac, son fils Shawn à l'école primaire. Sur le plancher peint en noir, on avait disposé çà et là de grands vases contenant des plumes de paon ou d'autruche, des épis de blé multicolores.

Pour ajouter à l'accès de claustrophobie que ressentait Council, le volume du son de la télé — George Benton chantant « Masquerade » — était trop fort. Sur un écran d'un mètre carré, l'image, neigeuse, décrochait sans cesse, impossible de voir quoi que ce soit. L'air lui-même était surchargé : une odeur de viande frite avec, dessous, des relents de bière, beaucoup de bière.

Lorenzo tâta délicatement son entaille à la tête.

— Alors, est-ce qu'il... Est-ce que Billy t'a frappée ce soir ?

— Pas encore, répondit Felicia d'une voix traînante, mais il est en train de s'échauffer, dans sa cabane. (Elle indiqua le mur du fond.) Attends de voir ce bordel.

Council fut dérouté : il n'y avait apparemment qu'eux dans la pièce. Mais quand Felicia éteignit le poste, George Benton continua de chanter, et il se rendit compte que le séjour n'était pas aussi exigu qu'il l'avait cru. Ce qu'il avait pris pour le mur du fond était une séparation : le son provenait de l'autre côté d'une seconde série d'étagères, hautes d'un mètre vingt, et couvertes, celles-là, de bouquins. Lorsqu'il en eut fait le tour, il estima que le mot « séparation » n'était pas approprié et que « barricade » conviendrait mieux.

Billy Williams était un homme jeune, grand et corpulent, avec une fine moustache en deux parties qui soulignait paradoxalement le côté bébé de son visage rond et transformait ses yeux en agrandissements ingénus des sentiments qui agitaient son esprit.

Vêtu en tout et pour tout d'un caleçon blanc, il était assis, perdu dans un brouillard de bière, sur un matelas en mousse sans drap. Comme ce matelas reposait à même le sol, les genoux de Billy étaient à la hauteur de ses épaules, et ses cuisses pressaient sa légère bedaine. La musique émanait d'une minichaîne dont les enceintes détachables étaient disposées de chaque côté de son oreiller.

Derrière les étagères, le monde de Billy occupait environ deux mètres sur trois, avec une seule fenêtre sans store. Deux costumes accrochés à la tringle sans rideau barraient incomplètement la lumière de la rue, la découpaient selon des angles étranges qui dessinaient sur le mur des fragments dispersés semblables à ceux d'un kaléidoscope. En dessous, le long de la plinthe, trois paires de chaussures astiquées séparaient des piles nettes de T-shirts et de slips, d'une part, et des pantalons de toile au pli en lame de rasoir, de l'autre, dans un demi-cercle de socquettes roulées en boule entourant le tout comme une bordure de jardin.

Sous la fenêtre, perpendiculairement à cette garde-robe sans meuble, se trouvait le centre de loisirs de Billy Williams : livres de poche, manuels, CD bien rangés, à côté d'une pile de quatre packs de bière. Essentiellement du jazz pour les CD, de la science-fiction pour les poches, et de l'économie pour les manuels.

Malgré l'ordre quasi militaire avec lequel Billy rangeait ses affaires — et qui dénotait de l'instruction, des aspirations —, Lorenzo, qui n'avait jamais vu ce type, eut l'impression de pénétrer dans le monde de fortune d'un SDF.

— Salut, Billy.

Levant la tête en entendant son nom, Williams posa sur Council un regard embrumé par l'alcool. Il n'était pas tout à fait ivre, rien qu'un peu lent à la détente.

— Qu'est-ce qu'il y a ? demanda-t-il d'un ton hésitant.

— Je suis Lorenzo Council.

Lorenzo se baissa pour lui tendre la main ; Billy la prit, encore déconcerté, puis son regard s'éclaira, sa bouche s'étira en un sourire, sa poignée de main s'affermit.

— Ouais, ouais, je vous connais. Comment ça va ? s'exclama Billy avec la gaieté dure d'un homme en manque de contact.

— Ça va. Et vous ? lui renvoya Council en souhaitant qu'il enfile un pantalon.

Billy écarta les mains pour indiquer son coin avec une moue.

— Eh ben, je m'accroche, vous voyez.

Quand il arrêta la musique, des rires en boîte fusèrent du poste de télévision, de l'autre côté de la « barricade ».

— Il paraît que vous avez un problème.

Billy recourba les doigts vers sa poitrine glabre.

— Moi ? J'ai des tas de problèmes. Vous parlez duquel ?

Avant que Lorenzo puisse répondre, le visage de Billy se transforma soudainement, ses yeux et sa bouche s'arrondirent comme s'il venait de se rappeler qu'il avait laissé le gaz allumé quelque part. Lorenzo regarda par-dessus les étagères, vit Felicia assise de côté sur le canapé, les yeux rivés sur l'image trouble et fuyante du poste, le visage fermé comme un poing.

— Qu'est-ce... qu'est-ce qui se passe ?

La voix de Billy le fit se retourner.

— J'ai entendu dire que vous auriez la main un peu lourde, mon frère.

Bouche bée, Billy agita la tête.

— J'aurais quoi ?

Lorenzo trouva un endroit où s'asseoir, en équilibre sur une pile de livres à couverture cartonnée.

— Elle dit que vous la frappez.

— Qui... elle ? (Billy leva un bras, plia l'index par-dessus les étagères, pour désigner Felicia comme avec un périscope.) Ça alors ! (Il enfouit son visage dans ses mains, l'y laissa une bonne minute.) Ça alors !

Lorenzo écarta un peu plus les jambes, posa les coudes sur ses genoux, baissa un peu plus la tête.

— Vous n'avez pas le droit de la frapper, d'accord ?

— La frapper... dit Billy en écho derrière la coupe de ses mains. (Il releva la tête, regarda le policier bien en face.) C'est pour ça que vous êtes ici ? (Lorenzo garda le silence.) La frapper, répéta-t-il, détournant les yeux.

Lorenzo eut l'impression qu'il s'accordait un instant pour se reprendre, pour procéder à un nouveau rangement dans sa cantine mentale.

— Elle... elle joue à la femme battue, c'est ça ? dit-il, la voix changeant totalement de registre, encore agitée mais moins craintive. Non, non... (Il secoua la tête, et soudain des larmes coulèrent sur ses joues, contournèrent son nez.) Je n'ai jamais levé la main sur elle.

— Demande à mon fils, Lorenzo, intervint Felicia de l'autre côté des étagères. Demande à Shawn.

— Shawn ne m'a jamais vu te frapper.

— Si.

Billy eut un claquement de langue dégoûté.

— Elle, une femme battue, vous rigolez ? Moi, je suis pas d'ici, mais je vais vous dire, les mecs de cette ville, ils cognent leurs femmes. Venez à l'hôpital, je vous en montrerai, des femmes battues.

Rien dans l'expression ni dans la voix de Billy ne semblait en accord avec ses larmes. On eût dit un liquide qui coulait de son corps sans résonance émotionnelle véritable.

Billy se mit debout, dégingandé et mou. Il tendit le bras par-dessus les étagères et, sans vraiment regarder Felicia, dirigea la lampe à col-de-cygne la plus proche sur sa figure et ses bras nus.

— Regardez-la. Regardez-la ! dit-il, haussant le ton, s'adressant à Lorenzo comme si Felicia était un objet. Inspectez-la des pieds à la tête. Où sont les marques ? Où sont les bleus, les fractures, les coquards ?

Restant dans le style d'agression curieusement impersonnel de Billy, Felicia s'abstint de réagir à la lumière crue, garda les yeux fixés sur la neige abstraite de la télé.

Billy demeura un long moment penché au-dessus de la séparation, serrant le col de la lampe comme si c'était la Pièce à Conviction N° 1, puis il s'effondra brusquement sur le matelas.

— Dans la maison où j'ai grandi, mon père s'est drôlement mal conduit, et je sais à quoi ressemble une femme battue, hein ? Mais pendant que vous y êtes, demandez-lui un peu ce qu'elle m'a fait à moi.

— Seigneur, grogna Felicia.

— Elle m'émascule, elle me détruit, elle m'humilie.

— Vous n'avez pas le droit de la frapper, répéta calmement Lorenzo.

Billy assena une claque à sa cuisse nue.

— Elle dit qu'elle va porter plainte contre moi ? Moi, j'ai grandi dans une maison où, quand on sort son flingue, on tire, sinon, on le laisse dans sa poche. Pas de petits jeux, dans cette maison.

— Pas de petits jeux ? s'écria Felicia. Alors, pourquoi il s'est construit un fort, là derrière ?

— Pas de petits jeux, réitéra Billy, les dents serrées.

— Vous n'avez pas le droit de la frapper, rappela de nouveau Lorenzo, qui sentait arriver le mal de crâne.

— Je l'ai prévenue : « Tu fais ce que tu veux, mais il vaut mieux te préparer à aller jusqu'au bout, parce que moi, j'irai jusqu'au bout. »

— Ce qui signifie ? demanda Council, soudain intéressé.

Les larmes de Billy continuaient à couler, comme déconnectées de son visage, de sa voix.

— Tu portes plainte, je porte plainte moi aussi, traduisit-il. Mais bon, ça me pose un problème, parce que je l'ai peut-être frappée une fois.

— Une fois ? dit la voix morne et traînante de Felicia. Une fois par jour, oui.

— Une seule fois, affirma Billy. Mais de mon côté, je vous pose la question : on peut porter plainte pour humiliation verbale ? Pour... pour atteinte à ma virilité ?

— Vous n'avez pas le droit de la frapper, répéta Lorenzo du même ton calme, les coudes sur les genoux, souriant.

— On peut porter plainte pour castration mentale ? Tenez, puisque vous êtes là : le mois dernier, je vous ai vu à la télé, dans l'émission de Rolonda Watts, et ça m'a plu ce que vous avez dit, la pression des jeunes l'un sur l'autre, l'importance des modèles. J'étais cent pour cent d'accord avec vous et je lui ai dit : « C'est le gars que tu connais, hein ? J'aime sa façon de penser. » Elle, elle se tourne vers moi et elle me balance : « Ah ! ouais ? Eh ben, lui, il t'aime pas. »

— Il ment, Lorenzo, lança Felicia, un peu plus fort, cette fois.

— Vous ne m'aviez même pas encore rencontré, gémit Billy.

— Exact, commenta Lorenzo d'un ton patient, se palpant la nuque, tapotant du pied.

— Me dénigrer devant des gens que j'admire, des gens sur qui je n'ai même pas eu l'occasion de faire bonne impression, il n'y a pas de quoi porter plainte, peut-être ?

— Billy, on peut retourner le problème dans tous les sens, la conversation entre vous et moi commencera toujours par « Vous n'avez pas le droit de la frapper ».

— Je n'ai *jamais* levé la main sur elle.

— Hé, mon frère, vous venez de me dire que vous l'avez fait ! s'esclaffa Lorenzo, comme s'ils blaguaient tous les deux. Allons, Billy.

— Elle cherche à me détruire parce que... J'étais bon en fac. A l'exam, je me suis classé dans les premiers. Quand j'ai trouvé un boulot à Wall Street, on m'a mis dans une arrière-salle à donner des coups de téléphone, mais j'étais le meilleur qu'ils avaient. Combien d'autres courtiers noirs ils avaient, à votre avis ? Eh ben, il n'y avait que moi. A la pause déjeuner, j'avais personne à qui parler mais j'étais le meilleur.

— Billy, dit Lorenzo, qui avait de la peine à le suivre, vous ne pouvez pas la frapper.

Il commençait à croire que, tout comme les larmes déconnectées, les propos contradictoires de Billy n'étaient qu'un écran de fumée, comme si son esprit et sa bouche avaient intérêt à ignorer mutuellement ce que l'un et l'autre faisaient.

— Je cassais la baraque. Et laissez-moi vous dire une chose : les gens décrochaient, ils entendaient ma voix, mes inflexions, alors, pour les convaincre d'investir, il fallait vraiment que je sois meilleur que n'importe quel collègue blanc.

Lorenzo fit un clocher en joignant l'extrémité de ses doigts écartés.

— D'accord, mais vous n'avez pas...

— Et je l'aime encore, dit Billy. (Il inclina la tête vers les étagères, l'expression enfin en harmonie, quoique fugitivement, avec ses larmes.) C'est une femme très spéciale, mais si on essaie de m'émasculer...

— Emasculer, répéta Felicia, renvoyant sèchement la balle de l'autre côté du filet. C'est son mot préféré, Lorenzo. Emasculer.

— Ecoute, tu ne...

Billy s'interrompit brusquement, essuya ses larmes avec une telle violence que son geste ressemblait presque à une gifle.

— L'année dernière, reprit-il, j'ai enterré mon père et j'ai perdu mon boulot...

— Lorenzo, tu ferais mieux de revenir de ce côté, conseilla Felicia. Il va te tenir la jambe toute la nuit si tu le laisses faire.

— ... et ma mère est à l'hôpital avec un cancer, poursuivit Billy. A Paterson. J'ai même pas de quoi aller la voir. Elle vivait à Plainfield, j'ai pas de quoi aller là-bas non plus pour lui garder sa maison.

— Lorenzo, intervint Felicia, si ça le tracasse tant que ça, les frais de transport, il a qu'à s'installer là-bas, je serai débarrassée de lui.

L'œil gauche de Council commença à palpiter.

— Je suis même pas d'ici, je suis venu pour être avec elle, expliqua Billy. Et maintenant, je n'ai plus aucun endroit où retourner, vous comprenez ? C'est sa ville, ses amis... C'est elle qui a un boulot, des relations. C'est elle qui peut vous téléphoner, vous faire venir ici pour m'intimider...

— Je cherche pas à vous intimider. Je vous parle d'homme à homme et j'ai une seule chose...

— Une seule chose à me dire : je n'ai pas le droit de la frapper. Et je suis tout à fait d'accord. Pas de discussion là-dessus, mais que je la frappe ou non, ça n'a plus d'importance maintenant parce que c'est fini avec elle. Je ne coucherai plus avec elle, je ne romprai plus le pain avec elle, je ne lui adresserai plus la parole, je ne la regarderai même plus. C'est fini !

— Très bien ! beugla Felicia. Alors, dégage ! Lorenzo, dis-lui de se tirer d'ici ! La moitié du temps, il est chez sa mère, de toute façon, alors dis-lui d'y rester l'autre moitié aussi.

— Je vais chez ma mère parce qu'elle est mourante ! cria Billy au plancher. Je vais chez ma mère parce que c'est le seul endroit qui me reste où je me sente encore un homme !

— Ouais, et quand il a passé un moment là-bas à se sentir un homme, tout ce qu'il fait en revenant ici, c'est s'enfermer dans sa cage de hamster, picoler de la bière et s'apitoyer sur lui-même parce qu'il vit à mes crochets.

Billy se mit à trembler, et Council eut l'impression de voir la rage bouillonner sous sa peau.

— Tu sais, Lorenzo, ajouta Felicia, avec tout le respect dû à sa mère et je ne sais quoi...

— « Je ne sais quoi », répéta Billy entre ses dents serrées.

— Il a une poule, là-bas, c'est sûr. Il me raconte qu'il va là-bas garder la maison ! Des fois qu'elle se sauverait dans la rue, peut-être. Non, non, je suis pas idiote. Il veut qu'on le traite comme un homme ? Il a qu'à se conduire comme un homme. Ou il déménage ou il emménage, parce que je supporterai pas de le voir camper ici un jour de plus !

— *Sa* maison, *sa* ville, *ses* amis, *son* argent, *son* boulot, *ses* relations, et tout le monde de *son* côté, geignit Billy, le visage ruisselant. Comment vous auriez pu lui dire que vous ne m'aimez pas ? Vous ne me connaissez même pas. Je regardais la télé...

Le bipeur de Lorenzo sonna : c'était Bump.

— Vous et moi, on se connaît, maintenant, dit-il en tendant une de ses cartes. Si vous avez besoin de moi, vous m'appelez, exactement comme elle... (Il haussa la voix pour inclure Felicia dans la conversation.) Parce que, maintenant, tout le monde me connaît et je connais tout le monde. Alors, j'attends le coup de fil. Que ce soit l'un ou l'autre, je viendrai.

Billy hocha la tête, réduit au silence, comme s'il ne savait pas si ce flic venait de l'approuver ou de le menacer. Lorenzo se pencha vers lui et demanda dans un murmure théâtral qui excluait Felicia :

— Depuis combien de temps vous vivez comme ça ?

— Depuis cette semaine seulement, répondit Billy sur le même ton confidentiel.

— Et cette semaine, vous l'avez frappée ?

— Non.

— Si, vous l'avez frappée. (Billy resta silencieux.) Vous l'avez frappée, répéta Council.

— Ça a été une semaine épouvantable, bredouilla Billy. Vous pouvez pas savoir...

Lorenzo attendit, le visage à quelques centimètres de celui de Billy.

— Je me considère comme un gentleman...

— Alors, vous ne pouvez pas la frapper, mon frère.

— Je sais... Je perds les pédales, en ce moment.

Sans tourner la tête ni même le regard, Lorenzo tendit le bras vers une des piles de vêtements soigneusement pliés, prit un T-shirt et le donna à Billy pour qu'il puisse s'essuyer les yeux. Le jeune Noir considéra un moment le maillot d'un air perplexe puis l'enfila. C'est pas vrai, pensa Lorenzo.

— Vous parlez de respect, dit-il du même ton tranquille et puissant. Quand vous la frappez, vous gagnez son respect ? Ou vous le perdez ?

— Bien sûr, bien sûr.

— Son fils. Qu'est-ce que vous lui apprenez quand il vous voit...

— Je suis d'accord, coupa Billy, comme si l'image évoquée était insupportable.

Lorenzo inclina un peu la tête pour inciter Billy à lever les yeux.

— Vous voulez la quitter ?

— Non.

— Vous êtes sûr ?

Un silence puis :

— Oui.

— Parce que, sinon, je vous trouverais un endroit où habiter.

— Non.

— Je décroche le téléphone, je vous trouve une piaule pour cette nuit, ça ne vous coûtera pas un sou.

— Non, non.

Council accorda à la réponse quelques secondes de réflexion, posa une main sur le genou nu du jeune Noir, dont les larmes coulaient maintenant en un filet paresseux, comme l'eau d'une baignoire à travers un plafond.

— Vous êtes un jeune adulte intelligent et instruit, Billy. Il faut vous ressaisir. Nous avons besoin de vous, vous comprenez ?

Les yeux pleins de larmes, Billy remua les lèvres en silence puis finit par lâcher, avec un trémolo dans la voix :

— Vous avez parfaitement raison. Vous savez, vous ne connaissez pas encore le vrai Billy.

Le bipeur de Lorenzo se manifesta de nouveau, affichant cette fois le numéro du labo.

— Je suis impatient de faire sa connaissance, dit Council, qui se leva et repassa dans l'autre partie de la salle de séjour.

Billy le suivit en sautillant sur un pied pour enfiler la jambe d'un jean. Felicia, affalée sur le canapé, donnait l'impression de ne pas avoir bougé d'un pouce depuis que Council était entré dans le monde de Billy. Elle devait penser qu'il avait fini par prendre le parti du jeune Noir, alors que, de son point de vue, Lorenzo n'avait fait que jouer sur la vulnérabilité de Billy, le caresser dans le sens du poil pour l'amener, au moins temporairement, à avoir une conduite positive.

— J'ai vraiment été ravi de vous parler, assura Billy en tendant la main. Je n'ai pas souvent de conversations intéressantes avec les gens, ces temps-ci.

— Le plaisir est partagé, déclara Council. (Il sourit, vit Felicia lever les yeux au plafond.) Rappelez-vous, tous les deux : un appel sur mon bipeur, de l'un ou de l'autre, je reviens. Parce que ça se passe pas seulement entre vous. Y a aussi... (Du pouce, il indiqua l'autre bout de l'appartement, la porte fermée de la chambre de Shawn.) Et là, c'est la catastrophe.

— Je suis de votre avis, approuva Billy, passant un doigt rapide sur une pommette brouillée de larmes.

Felicia tordit sa bouche d'un côté de son visage, refusa de regarder l'un ou l'autre des deux hommes.

— Bon, dormez bien tous les deux, dit Lorenzo, s'attardant malgré lui, estimant que Billy et lui n'avaient finalement parlé de rien.

Il sortit, demeura de l'autre côté de la porte, tendit l'oreille, guettant un bruit de bagarre. Après avoir entendu trois minutes de rires enregistrés provenant de la télé, il quitta l'immeuble.

En ouvrant la porte de l'appartement de sa mère, où il avait l'intention d'attendre la fin de la réunion entre les Amis de Kent et Brenda Martin, il vit le voyant rouge du répondeur lui adresser un clin d'œil de l'autre bout du séjour plongé dans l'obscurité. Il y avait deux messages, le premier d'Atlantic City : sa mère l'informait qu'elle avait gagné deux mille dollars à une machine à sous et prolongeait son séjour du temps nécessaire pour rendre l'argent au casino.

Le second message n'était ni aussi joyeux ni aussi insouciant. Sa femme, Frankie, était furieuse, en larmes : un des tabloïds new-yorkais avait publié en marge de l'affaire un article sur Jason, sur le fait que le fils de l'inspecteur Council était un taulard de vingt et un ans. Il écouta les plaintes angoissées de sa femme en marmonnant au répondeur : « Je m'en occupe, je m'en occupe », sachant pourtant qu'il ne pouvait rien faire d'autre qu'encaisser et passer à autre chose.

Quand Frankie cessa de se lamenter, il s'aperçut qu'un liquide tiède lui coulait dans la nuque. En écoutant sa femme, il avait gratté trop fort la croûte à peine formée de sa blessure et rouvert la plaie.

Après avoir changé de chemise, il jeta un coup d'œil aux derniers numéros enregistrés sur son bipeur. Présumant que Bump l'avait simplement appelé pour faire le point, il téléphona d'abord au labo, sans s'attendre cependant à des déclarations fracassantes : le sac de Brenda était écrasé et couvert de boue la dernière fois qu'il l'avait vu. Finalement, il n'y avait personne au labo pour décrocher le téléphone.

Karen Collucci l'appela quelques minutes plus tard, alors que, à moitié endormi devant le miroir de la salle de bains, il tentait de refaire le pansement de son entaille à la tête. Elle lui livra un rapport complet : le message enregistré pour Cody, les cartes, le sac contenant des vêtements de l'enfant, le chien. Concernant ce qu'instinctivement elle pensait de Brenda, Karen se montra circonspecte mais estimait indispensable que la mère participe le lendemain aux recherches dans l'ancien Institut Chase et ses bâtiments universitaires abandonnés. Quand Lorenzo lui demanda s'ils avaient réellement une chance de trouver Cody Martin au matin, elle répondit par un long silence puis déclara que si c'était seulement un cadavre qu'on cherchait, il suffisait d'envoyer le chien. Lorenzo lui demanda quelques heures pour réfléchir. Sachant qu'il n'en avait plus pour très longtemps à être chargé de l'affaire en qualité d'inspecteur local, il voulait au moins faire lui-même une dernière tentative avec Brenda Martin.

Sans plan préétabli, Lorenzo gravissait d'un pas pesant l'escalier menant à l'étage de Brenda. Une odeur de couches bouillies s'échappait de l'appartement du rez-de-chaussée et montait avec lui. Jesse lui ouvrit, le téléphone de Brenda coincé sous le menton. Elle le salua d'un hochement de tête machinal en continuant à donner du grain à moudre à son rédacteur.

Brenda était assise sur le canapé, le visage rouge d'avoir pleuré. Les écouteurs sur les oreilles, elle ne s'était pas rendu compte de son arrivée.

— ... il fait très chaud dans le petit appartement de Brenda Martin... Pas de climatiseur, pas de ventilateur... et pourtant les fenêtres demeurent fermées... car l'air frais apporterait en même temps les cris montant de la foule massée sous ses fenêtres — non — massée en bas...

Jesse racontait n'importe quoi. Quelqu'un, probablement son frère, supposa Council, avait monté à l'appartement quatre ventilateurs et en avait placé un dans chaque coin du séjour. L'air était toujours lourd, mais au moins il circulait.

— ... malgré cette chaleur... les Amis de Kent, quatre femmes et un homme... sont restés plus d'une heure dans cette pièce... sans ôter le blouson de satin rouge... qui porte le logo de leur organisation...

Lorenzo approcha une chaise du canapé, entendit les pulsations de « Take Me to the River » autour de la tête de Brenda. Il examinait son visage, y cherchait un signe sur la façon dont il devait procéder, quand son bipeur émit un bourdonnement : le labo qui jouait à chat.

— ... leur présidente, Karen Collucci — deux L, deux C — a le regard farouche, implacable, d'une fanatique, mais sa cause est juste...

Lorenzo mima le geste de retirer les écouteurs mais Brenda était perdue dans sa musique.

— ... le mot te plaît pas ? Tu devrais voir la femme. Bon, zélote, alors, proposa Jesse. Ça te va, zélote ?

Lorenzo tendit le bras pour toucher le genou de Brenda, la ramener dans le monde, mais, ne sachant vraiment pas quel angle d'attaque adopter, il se leva, battit en retraite vers l'obscurité du vestibule où, pour gagner du temps, il rappela le labo. La communication dura moins de dix minutes, Lorenzo ne disant quasiment rien, écoutant, ponctuant son silence de hochements de tête. Après avoir raccroché, il griffonna MAGDA BELLO sur la couverture de son carnet. Le stylo dérapait entre ses doigts comme si Chatterjee venait de lui administrer un de ses médicaments contre l'asthme. Se jugeant maintenant armé, quoique toujours sans plan, il appela enfin Bump Rosen pour le charger de trouver Magda Bello et, dans l'immédiat, pour lui demander simplement son avis.

Le conseil de Bump fut aigre-doux :

— Puisque tu ressens de la pitié pour elle, sers-t'en.

Lorenzo retourna auprès de Brenda, toujours dans sa musique, utilisant la transe comme une tactique d'évitement. « I'm Your Puppet » sortait à présent des écouteurs, et l'idée lui vint d'un seul coup : le cadre approprié pour leur prochaine rencontre. Lorsqu'il lui toucha le genou, elle entra quasiment en lévitation.

— Attends, je te rappelle, dit Jesse à son rédacteur.

Council se pencha en avant sur sa chaise.

— Brenda, mon patron m'informe que le FBI sera sur le

coup à partir de demain. Jusqu'ici, on les a comme qui dirait tenus à l'écart parce qu'on pensait s'en tirer tout seuls en frappant aux portes...

Il s'interrompit pour déchiffrer son expression : pas de vraie peur, rien que de l'épuisement et de la souffrance.

— Mais je commence à penser qu'on a besoin de leurs... de leurs compétences.

Elle le regarda puis découvrit soudain ses dents.

— Il me tue, dit-elle, balançant lentement la tête d'un côté à l'autre.

— Qui est-ce qui vous tue ? demanda Lorenzo calmement, sûr de connaître la réponse.

Elle ne répondit pas, il n'insista pas.

— Brenda, vous dormez suffisamment ? (N'obtenant toujours pas de réponse, il se tourna vers la journaliste.) Elle dort un peu ?

Jesse recula en direction de la cuisine, lui fit signe de la rejoindre.

— Brenda, je fais du café, déclara-t-elle d'une voix trop forte.

Dans la pièce exiguë, il ne put éviter de se retrouver quasiment collé contre elle.

— Qu'est-ce qui se passe ?

Jesse ouvrit le robinet pour que le bruit de l'eau couvre leur conversation.

— Ils ont fait venir un chien à cadavres.

— Ah.

— Son maître lui murmure « Corps » dans l'oreille, le clebs fonce droit sous la table de la salle à manger, frotte son museau contre le tapis, vous voyez, la croupe en l'air. Il frotte, il frotte, tout excité, en faisant...

Jesse émit une sorte de plainte aiguë.

— Je vois.

Lorenzo savait tout ça depuis sa conversation avec Karen, il savait aussi que la réaction de l'animal n'était pas concluante. Le problème, avec ces chiens ayant suivi un double dressage, c'était que le mot-stimulus pouvait conduire à des résultats inattendus. Le maître-chien cherchant un cadavre disait « Corps » ; l'animal trouvait de la drogue ou une arme et regardait son maître en pleurnichant comme pour dire : « On peut discuter ? »

Evidemment, il n'y avait pas de cadavre sous la table mais Sherlock, vedette polyvalente, avait peut-être reniflé une trace résiduelle de liquide corporel — sang, vomi, pisse — ou détecté de l'héroïne, de la marijuana, de la coke. C'était difficile à dire sans prélever un échantillon, mais, à coup sûr, il y avait quelque chose d'intéressant dans le tapis.

Dans la cuisine graisseuse et sentant le renfermé, Lorenzo battit des cils pour chasser une goutte de sueur.

— Quoi d'autre ?

— C'est une garce, cette Karen Collucci.

— Une zélote, corrigea-t-il avec un sourire. Quelque chose d'autre ?

— Ouais.

Jesse fit passer son pied d'une jambe sur l'autre, indiqua de la main un verre posé à côté de l'évier. Il contenait un liquide effervescent vert pâle, un rond de sédiment séché marquant la ligne des hautes eaux. Lorenzo se pencha, une odeur âcre lui fit rejeter la tête en arrière.

— Pouah !

Jesse tambourina des ongles sur la cuisinière.

— Qu'est-ce que vous en pensez ?

Par-dessus le comptoir, il regarda Brenda, lovée dans sa musique sur le canapé. Il prit le verre, le vida dans l'évier, fouilla dans les tiroirs à couverts, trouva un sac à congélation, y laissa tomber le récipient.

— Elle a parlé de se suicider ?

— Non, non.

Avec un grognement, il glissa le sac dans sa poche.

Jesse bâilla devant son poing, frissonna de fatigue.

— De votre côté, quoi de neuf ?

— Rien, mentit Lorenzo. Je vais l'emmener faire un tour.

— Un tour ?

— Ouais. Il se pourrait qu'on revienne pas, dit-il, répondant par avance à la question suivante.

— Je peux vous demander où vous allez ?

— Non.

— Notre contrat tient toujours, hein ?

— Reposez-vous un peu, lui conseilla-t-il en sortant de la cuisine. Vous n'aurez qu'à dormir près du téléphone.

Dans la voiture qui descendait Jason Avenue, Brenda fredonnait doucement sur le siège avant droit : « Any Day

Now », de Chuck Jackson. La tempe droite contre la vitre, le fil des écouteurs branché sur le lecteur de CD portable posé sur ses genoux. Lorenzo souriait nerveusement en roulant sur le long doigt de terre qu'était Gannon en direction de Gannon Bay. Quand il tourna dans F.X. Kiely Avenue, à quatre rues de l'océan, Brenda se redressa soudain, ôta son casque.

— Où vous me conduisez ?

— Dans un endroit paisible, répondit-il en se garant devant une clôture de grillage vomissant herbes et broussailles. Vous avez besoin de sérénité.

— Vous m'emmenez voir mon fils ? dit-elle d'une voix creuse et tendue.

Il sortit de la voiture, en fit le tour pour ouvrir la portière de la jeune femme.

— Je voudrais bien, Brenda. Sincèrement, je voudrais bien.

Comme la grille n'était pas fermée à clef, il n'eut qu'à soulever le loquet. Il tendit la main à Brenda mais elle recula, le teint crayeux sous le clair de lune.

— Pourquoi ici ?

— Brenda...

— Qu'est-ce qu'il y a, là-dedans ? demanda-t-elle, reculant encore.

— De l'histoire, répondit-il.

Il lui prit la main, l'entraîna à l'intérieur, le long d'une courbe en macadam fissuré s'avançant dans la baie. Mince croissant de chaussée creusé d'ornières, l'endroit était flanqué d'un côté par une eau couleur d'acier et de l'autre, aussi loin que portait le regard, par un vaste terrain abandonné sur lequel des formes bossues, étranges, créées par l'homme et enveloppées de végétation, se dressaient telles les ruines d'une civilisation disparue dans la jungle.

Lorenzo marchait en traînant les pieds pour ne pas semer Brenda, qui avançait d'un pas saccadé, hésitant.

— Vous connaissez pas cet endroit ?

— Non, dit-elle, regardant l'eau noire et clapotante de la baie.

— Ça s'appelait Freedomtown [1]. C'était une sorte de parc

1. La ville de la liberté. *(N.d.T.)*

à thème sur l'histoire des Etats-Unis : la guerre de Sécession, les *riverboats*[1], les vieilles Ford Modèle A, une rue d'une ville du Far West, une vieille forge. Vous êtes sûre que vous ne connaissez pas ?

— Je connais pas. J'en ai entendu parler.

— Ils ont ouvert ici en 1962, parce qu'à l'époque, à New York, le Freedomland[2] marchait du tonnerre : un parc de cent hectares, avec la forme exacte de l'Amérique, tout le monde y allait. Je me souviens de leur pub : pendant un an, chaque fois que j'allumais la télé ou la radio, j'entendais ce gosse qui chantait à ses parents : « Emmenez-moi à Freedomland. » C'était vraiment très populaire. Alors, des gars d'ici, les frères Hartoonian, je crois, se sont dit : « Allons-y. » Ils avaient seulement cinq hectares mais ils pensaient que les gens du coin — de Gannon, Jersey City, Bayonne, Dempsy — auraient peut-être envie d'aller dans un parc plus près de chez eux...

En passant devant les monticules couverts de broussailles, Lorenzo se demanda ce qui gisait au cœur de chacun d'eux : un emplacement de mortier de la guerre de Sécession, une roue à aubes abandonnée, la coque pourrie du bateau pirate de Jean Laffite, un guichet renversé, ou une pile de lattes de plancher d'une brasserie du dix-neuvième siècle, autant de fac-similés bon marché devenus des objets présentant en eux-mêmes une valeur archéologique.

Sur un bardeau fiché dans le flanc d'un des tas, on pouvait encore lire le mot « Information », en lettres tarabiscotées. Brenda monta le son de son lecteur de CD, qu'elle portait sur ses deux mains bandées comme un plateau ou une offrande.

— Le modèle original, le Freedomland de New York, il a fait faillite au bout de quelques années parce que l'Exposition universelle de 64 s'est ouverte dans Queens et leur a piqué toute leur clientèle. Ici, ça n'a pas duré longtemps non plus. Je crois que les frères Hartoonian ont fermé en 1967, ou quelque chose comme ça. Ils ont disparu, ils sont partis en laissant le parc comme une vieille carcasse. Alors, les gens sont venus prendre ce qui leur plaisait, c'était gratuit, ils

1. Bateaux fluviaux du Mississippi. *(N.d.T.)*
2. La terre de la liberté. *(N.d.T.)*

repartaient avec des chevaux de bois, des voitures anciennes, des machins de pirates, des barattes, des chapeaux de cow-boys, ce que vous voulez. Moi et mes copains, je me rappelle qu'on avait pris le miroir de bar qu'ils avaient mis dans leur saloon. On a réussi à le sortir, à le porter jusqu'à Armstrong : je voulais le donner à ma vieille pour la Fête des Mères. Vous savez quoi ? Je l'ai fait tomber dans le couloir de l'immeuble, conclut-il avec un sifflement de dégoût.

Brenda chantait les paroles de « What's Your Name ? », une ballade que Lorenzo n'avait pas entendue depuis des lustres. Il avait mal aux pieds à force de marcher au ralenti pour rester au niveau de Brenda.

— Bref, poursuivit-il, la ville a fini par saisir le parc pour impôts non payés. On a parlé d'en faire un parc de verdure ou une marina, de le céder à des promoteurs privés, de construire des immeubles résidentiels, mais finalement...

Il n'aurait su dire si elle écoutait. La prenant par les coudes, il la dirigea vers une autre allée qui s'enfonçait plus profondément dans les ruines. Elle se dégagea et protesta d'une voix plaintive :

— Qu'est-ce que vous faites ? Dites-moi ce que vous voulez.

— Je veux simplement vous montrer quelque chose, répondit-il avec douceur.

A une vingtaine de mètres de la seconde allée, ils s'arrêtèrent devant la façade en contre-plaqué grisâtre d'une pension de famille du dix-neuvième siècle. On aurait dit le décor abandonné d'un théâtre en plein air. La porte d'entrée, les corniches, les frontons, les linteaux, les bacs à fleurs et autres détails étaient simplement peints ; les fenêtres, trois par étage, du rez-de-chaussée au deuxième, n'étaient que des trous rectangulaires sans vitres. Une femme en bois vêtue d'un costume d'époque, le torse et la gorge enserrés par des plantes grimpantes, levait les bras en V à l'une des fenêtres du dernier étage, les sourcils haussés de terreur, la bouche grande ouverte, trou noir bordé de rose, comme si elle s'était figée au milieu d'un appel à l'aide.

— Ça, c'est l'Incendie de Chicago, dit Lorenzo d'un ton affectueux, remarquant que le mannequin baigné de clair de lune fascinait Brenda. Vous voyez toutes ces fenêtres ? Derrière la façade, y avait des brûleurs à gaz qui projetaient des flammes, on entendait la sirène d'incendie dans tout le parc, et des gars habillés en pompiers rappliquaient avec une vieille pompe à main. Avec un mégaphone, l'un des types appelait les mômes à la rescousse, et les gosses s'amenaient en courant, ils lançaient de l'eau sur les fenêtres. Dix minutes plus tard, on éteignait les brûleurs, comme si les gamins avaient éteint le feu...

Lorenzo regarda les fenêtres en tâchant de se rappeler les craquements et la fumée. Les flammes avaient été remplacées par ce vert conquérant, les neuf fenêtres crachant vers le ciel des lianes, des vrilles et des branches.

En suivant le regard de Brenda, Lornezo s'aperçut que la femme avait perdu sa main gauche, que sa tête et sa poitrine étaient ébréchées, criblées d'impacts de balles.

— C'est Timi Yuro, dit-il en réprimant un bâillement nerveux. Je sais pas pourquoi, mais on l'a toujours appelée Timi Yuro, même quand on était gamins.

Brenda, captivée par la femme en bois, parut sur le point de dire quelque chose mais détourna finalement les yeux sans faire de commentaires. Lorenzo lui reprit le coude, la conduisit à un rebord de béton couvert de mousse marquant la limite d'une plaque de ciment fendillée et veinée d'herbe d'une dizaine de mètres carrés. Au bout de cette piste on discernait les vestiges d'une scène surmontée d'une coque de protection.

— Ça, c'est ce que j'appelle l'histoire américaine, déclara-t-il. C'est pas de la reconstitution comme le reste. C'est ici que l'histoire s'est faite.

— Quelle histoire ?

— La mienne, répondit Lorenzo, qui attendit que Brenda se tourne vers lui pour poursuivre. Quand le parc a ouvert, y avait de la musique, de la musique vivante, et les gens dansaient, là, sur la piste. La première année, ils ont fait venir ce qui restait des grands orchestres, les derniers big bands, qui jouaient de la polka ou du swing, les trucs qu'aimaient les parents. Mais plus tard, quand les difficultés ont commencé, les Hartoonian ont visé un public un peu plus jeune, ils se sont associés avec Motown et ils ont organisé des concerts le samedi après-midi avec des chanteurs de Motown, parce qu'à l'époque, au début des années 1960, Motown s'était pas encore vraiment fait une clientèle, et ils prêtaient probablement leurs artistes pour presque rien, juste pour les montrer, vous comprenez. Alors on a vu passer les Miracles, les Four Tops, les Marvelettes, Marvin Gaye, et c'était pas con, sauf que, quand vous engagez ce genre de chanteurs, votre parc d'attractions commence à changer de couleur. Vous attirez une bonne partie des jeunes qui vivent dans les cités de Dempsy, à Darktown, vous voyez ?

« De toute façon, ils ont fermé, même si, personnellement, je pense pas qu'ils étaient obligés de le faire, d'un point de vue financier, parce qu'ils avaient vraiment du monde avec les spectacles de Motown. Moi, je crois plutôt que c'est la ville qui les a fait fermer : les conseillers municipaux, les commerçants, la chambre de commerce, parce qu'ils voulaient pas que tous ces négros de D-Town foutent en l'air leur mascarade...

Brenda s'étendit dans l'herbe, donna l'impression de tirer la nuit sur elle, comme une couverture, et se coucha sur le côté, en chien de fusil. Mais elle garda les yeux ouverts et ne remit pas son lecteur de CD en route.

— Moi, en ce temps-là, je faisais partie du problème, continua Lorenzo. Avec mes potes, on débarquait d'Armstrong tous les samedis et on planait avec... le petit Stevie Wonder, vous vous rendez compte ? Les Contours, les Supremes, c'était vraiment autre chose. On était pas des anges, on se bastonnait tout le temps, tout le temps ; on se faisait courser par les jeunes Blancs du coin, les Irlandais, les Italiens, les Polonais, mais je peux vous dire que nous aussi on les coursait. Circulation dans les deux sens. Au total, les bons souvenirs l'emportent sur les mauvais, et de loin.

Il hocha la tête à sa propre intention avant de se tourner vers Brenda, recroquevillée sous la lune, sac de souffrance. Il lui toucha l'épaule.

— Vous voulez savoir ce qui m'est arrivé de meilleur, ici ? Le... le plus beau jour de mon adolescence ?

Il attendit, eut l'impression qu'elle se ratatinait sous ses yeux.

— Brenda...

— Continuez.

— Mon plus beau souvenir... J'étais là un samedi avec

mes trois copains d'Armstrong, et, sur la scène, il y avait Mary, Mary Wells, vous vous souvenez d'elle ? « The One Who Really Loves You », « You Beat Me to the Punch », « Two Lovers »... Bref, j'étais au premier rang et elle, elle était... belle. Je l'écoutais même pas, je la regardais... Alors elle m'a souri et j'ai décollé, perdu dans un rêve, comme quand vous roulez sur la grand-route, et que, d'un seul coup, vous partez. Je me souviens, j'ai senti qu'on me prenait le poignet, quelqu'un qui me cherche, j'ai pensé, mais non, c'était elle... Mary. Elle me tire, elle me fait monter sur la scène, moi et mes quatorze balais, je rêve, je rêve ! Elle me fait chanter en duo avec elle, « Two Lovers », vous vous rappelez ?

Il sourit au dos de Brenda, se mit à chanter d'une voix mal posée :

— « J'ai deux amants mais j'ai pas honte... » Je me rappelle plus le reste, mais les deux amants, c'est le même mec coupé en deux, des fois gentil, des fois mauvais avec elle, une double personnalité, quoi. Plus je vieillis, plus je pense que cette chanson parle de tout le monde, vous voyez ce que je veux dire ? Nous sommes tous deux personnes. Y en a même qui sont plus. Ma femme, par exemple, elle est au moins sept personnes, une pour chaque jour de la semaine.

Il sourit, l'observa : rien.

Il ne savait pas pourquoi il lui racontait tout ça au milieu des ruines de son cœur d'adolescent, mais il pensait qu'il devait continuer à parler, à s'ouvrir. Le moment viendrait où ce serait le tour de Brenda.

— Enfin, je suis là en train de chanter, et à quatorze ans, j'avais une de ces voix ! Une oie qu'on étrangle. Les gens étaient pliés de rire mais je m'en foutais, j'étais dans mon rêve. A la fin de la chanson, elle m'a embrassé. Embrassé ! Je suppose qu'elle a voulu me faire un bécot sur la joue mais j'ai bougé et elle m'a embrassé dans l'oreille. On vous a déjà embrassée dans l'oreille ? Ça claque comme une bombe, ça vous aspire l'œil comme un débouchoir à ventouse ou je sais pas quoi.

Il fit une pause, sourit. Il ne l'avait encore jamais fait, le coup du « débouchoir à ventouse ». Tout le monde lui disait qu'il aurait pu être comique professionnel, mais il préférait se voir en incitateur, en interrogateur professionnel.

— Quand elle m'a embrassé, elle a posé une main sur ma nuque, pour m'attirer vers elle, et, je le jure devant Dieu, ça fait de ça trente ans mais je sens encore chacun de ses doigts frais se poser sur moi. Je sens encore l'odeur de sa laque, de son parfum... Seigneur, c'était le plus beau jour de ma vie. Le plus beau.

Il hocha la tête en regardant la scène et sa coque, la végétation qui en prenait possession, en faisait la plus grande jardinière du monde.

Malgré le nombre de fois où il l'avait racontée, cette histoire l'émouvait toujours, surtout en ce lieu, et son esprit partit un moment à la dérive. Quand il redescendit sur terre, il eut la surprise de voir Brenda assise, aveuglée de larmes. Pleure-moi une rivière, pensa-t-il, ému, sidéré, n'ayant jamais rencontré un être humain capable de verser un tel flot de larmes, jour après jour. Mais elle ne fait que ça, songea-t-il, elle ne fait que pleurer, et il pria pour ne pas perdre patience.

— J'ai tant d'amour en moi, sanglota-t-elle. Vous pouvez pas savoir.

— Vous vous trompez, je le sais. C'est pour ça que je vous ai amenée ici.

— Pourquoi...

Il tapota de l'ongle le lecteur de CD.

— Ça vous aide à traverser les flammes, hein ? J'entends les airs que vous écoutez, je vois comment vous vivez. Qui viendrait bosser dans la cité Armstrong si on lui laissait le choix ? Moi, dit-il se touchant la poitrine. Vous. Pourquoi ? Parce que nous avons en nous assez d'amour pour le faire. Mais moi, j'y suis né et j'y ai grandi, dans cette cité. Tandis que vous, une Blanche de Gannon ? Et maintenant que vous avez le cœur brisé, votre propre famille bouge pas le petit doigt. Elle vous laisse tomber en cette heure de... de... d'épreuve. Alors, qu'est-ce que vous faites ? Vous vous réfugiez dans la musique. Vous vous réfugiez auprès des enfants, vous parlez de Kenya Taylor comme si elle avait été votre propre fille, vous parlez de Reginald Hackett, de tous les gosses de cette cité pourrie... Beaucoup d'amour, oui. Beaucoup d'amour.

Il se tut, la regarda se balancer doucement d'avant en arrière.

— L'ironie de la situation, c'est que je connais pas une seule personne extérieure à Armstrong — blanche, brune ou noire — qui pourrait être plus peinée que vous de ce qui arrive en ce moment à la cité.

— Je... je ne me doutais pas... dit-elle d'une voix hachée. (Une main sur le front, elle accentua son balancement.) Je vous le jure.

Council passa en seconde :

— Une question : George Howard, vous le connaissez du Club d'Etudes ?

— Oui.

— C'est pas George qui vous a agressée ? Vous l'auriez reconnu si c'était lui...

— Bien sûr. Non, c'était pas lui.

— Parce qu'ils l'ont bouclé...

— Pourquoi ? demanda-t-elle en se redressant, le rouge de ses joues visible au clair de lune.

Lorenzo haussa les épaules.

— Il ressemble à la description que vous avez donnée.

— Oh, mon Dieu, non !

— Ils l'ont salement esquinté aussi. Enfin, là, c'est à moitié de sa faute. Depuis le temps, il devrait connaître la musique, mais...

— Ce n'était pas lui, je le jure !

— Oh, je pense qu'ils doivent le savoir aussi, maintenant, mais les choses ont tendance à vous échapper. C'est de la folie, là-bas. La télé partout, les gens de plus en plus énervés, les flics qui pètent les plombs...

— C'est peut-être un bien, en un sens, argua-t-elle sans le regarder. Les habitants d'Armstrong ont enfin la possibilité de dire tout ce qu'ils ont sur le cœur. Quelquefois, il faut que ça aille mal avant d'aller mieux.

Il demeura silencieux, la regarda fermer les yeux, secouer la tête pour rejeter cette théorie désespérée.

— Enfin, étant donné le genre de musique qui vous aide à traverser tout ça, je me suis dit que cet endroit pourrait vous réconforter.

— Elle n'est même pas à moi, marmonna Brenda, qui se remit à se balancer, le front pressé contre les genoux.

— Quoi ?

— Cette musique.

— Non, il faut pas penser comme ça. La musique appartient à ceux qui en ont besoin.

Elle rejeta sa générosité d'un haussement d'épaules et ils restèrent un moment sans parler, les arbres sifflant doucement au-dessus de leurs têtes.

Lorenzo tira du sac à congélation le verre qu'il avait pris dans la cuisine et le lui montra.

— Qu'est-ce que c'est, ça ?

Elle le fixa un moment d'un regard sans expression.

— Qu'est-ce que c'est ? répéta-t-il.

Quand il le lui passa sous le nez, un reste d'odeur âcre la fit se rejeter en arrière. Elle ne répondit pas.

— Vous alliez pas faire une bêtise, quand même ?

— Non, dit-elle d'une toute petite voix.

— Vous êtes sûre ?

Elle ne répondait toujours pas et il se força à ajouter .

— Quand Cody reviendra, il aura besoin de vous plus que jamais.

— Non, lâcha-t-elle en se balançant.

Vas-y, continue, pensa Lorenzo.

— Vous savez, ce groupe de thérapie dont vous m'avez parlé ? On passe beaucoup de temps à fouiller dans son enfance, à chercher comment vos parents vous ont traumatisé, c'est ça, non ?

Pas de réponse. Brenda ondulait à présent, mettait toute la partie supérieure de son corps en rotation.

— Vous devez le savoir, la plupart des gens estiment qu'il vient un moment dans la vie où il faut arrêter de regarder en arrière, de tout mettre sur le dos des parents, de l'enfance ou je ne sais quoi, et commencer à assumer la responsabilité de ses propres actes. C'est ce qu'on appelle devenir adulte. Et ce point de vue n'est pas nécessairement stupide, vous savez.

Lorenzo sentit qu'elle n'écoutait pas, changea d'angle d'attaque :

— Ma femme m'a dit qu'il y avait un article sur moi aujourd'hui dans le journal. Ils ont découvert que j'ai un fils en zonzon.

— Quoi ?

— Jason, le cadet, il tire de trois à cinq ans pour vol à main armée. Il s'est servi de mon flingue, en plus. Mes amis me disent tous : « Lorenzo, ce garçon est responsable de ce qu'il fait. Les quinze dernières années, il avait pas de tétine à la bouche. » Et je réponds : « Je sais, je sais. » Mais entre vous et moi, c'est bel et bien de ma faute. J'ai pas été là pour lui montrer l'exemple, ou plutôt, je le lui ai montré : irresponsable, égoïste, bourré la plupart du temps, sans aucune maîtrise de soi, énuméra-t-il en comptant sur ses doigts. Sans parler des bagarres avec sa mère les rares fois où j'étais là...

« Demandez à n'importe qui, j'ai la réputation d'être une sorte de figure paternelle dans cette ville, Dempsy. J'aide tous les jeunes, je participe à la lutte contre la drogue, j'organise des pique-niques en été, je veille à ce que tous les gosses poursuivent l'école. Les gens me demandent toujours, enfin, ceux qui m'ont pas connu dans le temps, ils me disent toujours : « Lorenzo, comment c'est possible que ton fils... »

« Et je leur sors la réponse standard, genre : "Je me suis tellement efforcé d'être le père de tout le monde que j'ai oublié d'être celui de mes propres fils." Ça a l'air de se tenir, comme explication, mais c'est faux. A l'époque, je me foutais de tout, et maintenant, Jason est en prison. Tout ce que je peux faire pour lui, c'est être là pour l'aider, mais c'est un peu tard, j'en ai peur. Y a de fortes chances pour qu'il passe le reste de sa vie à entrer et sortir de taule. Le plus curieux, c'est qu'avec lui, je m'entends bien. Mais avec son frère, étudiant modèle, jamais d'ennuis, prof de maths au lycée de Camden... C'est Reggie qui ne parle plus, qui a coupé complètement les ponts... Vous savez pourquoi ?

Lorenzo avait l'intention de répondre à sa propre question puis se rendit compte qu'il ne savait pas vraiment pourquoi.

— Je me rappelle une nuit, Reggie avait huit ans, Jason six, environ... J'avais quitté la maison un an plus tôt, quelque chose comme ça, je travaillais pour UPS, givré la moitié du temps. On me téléphone : Reggie est à l'hôpital, avec l'appendicite. Je fonce au Centre médical de Dempsy, je mâche du chewing-gum, en pensant rouler tout le monde. Je monte, Reggie est passé sur le billard quelques heures plus tôt, il est allongé sur un lit, sa mère d'un côté qui lui tient la main droite, et Mark, le mec de Frankie, Mark Bosket, qui lui tient la main gauche. Il a l'air inquiet, le type, et je vois que c'est sincère, à la façon dont il presse la main de

Reggie et lui caresse les jointures avec son pouce. Mark ne faisait pas du cinéma, et ça m'a mis dans une telle rogne que j'ai tourné les talons et que je suis ressorti de la chambre aussi sec. Dans le couloir, y avait le petit Jason avec sa mamie, ma belle-mère. Il me voit... Il tend les bras vers moi... timidement.

Lorenzo se tut, la gorge nouée.

— Oh, murmura Brenda.

— Mais j'étais tellement furieux que ce mec tienne la main de Reggie que j'ai ignoré Jason, je suis passé devant lui sans rien dire et je suis sorti du bâtiment. Maintenant que j'y repense... Reggie, on s'occupait de lui. Y avait sa mère. Y avait Mark. Mais Jason... Son grand frère venait de se faire opérer, sa mère était de l'autre côté de la porte, tout le monde balisait. Le petit Jason avait peur. Il avait besoin de moi.

— Oh.

— Il avait besoin de moi, et je suis passé comme ça... (Lorenzo détourna les yeux, battit des cils et serra les dents.) Mais laissez-moi vous dire une chose, avec les enfants, quoi que vous ayez pu faire, des conneries monumentales, Dieu trouvera le moyen de vous redonner une chance. Peut-être pas avec le même gosse mais...

« Je vous l'ai dit, maintenant, aux yeux des gens, je suis une sorte de Père Noël socialement responsable. Big Daddy, on m'appelle. Même les jeunes les plus durs, même certains dealers m'appellent comme ça. Parce que j'essaie de les aider tous. Et, aujourd'hui, j'aime mes deux fils, un en prison, un qui me parle plus...

Il entendit sa voix se remettre à chevroter et tourna vivement la tête en pensant : Brenda, tu sais tout, à toi, maintenant.

Par-dessus la piste de danse déformée, elle regardait la coque brisée qui luisait au clair de lune comme une crèche d'ossements. Les yeux semblables à des étoiles brouillées, les lèvres formant des demi-mots, des embryons de pensée. Lorenzo attendit, attendit jusqu'à ce qu'il ait l'impression qu'elle était partie à la dérive et flottait dans l'air, comme un ballon sans attache, hors de sa portée.

— Brenda, j'ai... j'ai récupéré votre sac au labo, aujourd'hui. (Elle tourna vers lui un regard attentif.) Ils n'ont pu relever aucune empreinte, même pas les vôtres, tellement il était écrasé.

— Ah.

— Mais ils ont quand même trouvé quelque chose, quelque chose de curieux...

Il laissa la phrase en suspens, pour la forcer à poser la question.

— Quoi ?

— Dans votre sac, y a une poche sur le côté, comme qui dirait secrète, avec une fermeture Eclair... Vous voyez de quoi je parle ?

— Quoi ?

— Je sais pas comment on a pu ne pas la remarquer, je ne sais pas sur qui rejeter la faute, moi ou les techniciens de l'équipe sur les lieux... Le truc était dedans.

— Quoi ?

Lorenzo prit une inspiration, regarda le nom écrit sur la couverture de son carnet.

— C'est qui... Magda Bello ?

— Quoi ? répéta Brenda une fois de plus, ignorant la question, réclamant la chute de l'histoire.

— Vous connaissez quelqu'un qui s'appelle Magda Bello ? Parce qu'on a trouvé une carte de Sécurité sociale et un permis de conduire à son nom dans cette poche.

— Qu'est-ce que vous voulez dire... (Elle pencha la tête, les yeux brillants de fièvre. Lorenzo garda le silence.) Qu'est-ce que vous voulez dire ? dit-elle de nouveau, cette fois avec un sanglot dans le fond de la gorge.

— Je me demande simplement comment ça se fait.

— C'est mon sac, répliqua-t-elle, à la fois hébétée et hystérique. Il est à moi !

— Ouais, ça d'accord, mais dites-moi comment ces papiers ont atterri là, insista-t-il, presque tendrement.

— J'en sais rien. Comment voulez-vous que je le sache ?

Elle se mit à jeter des regards autour d'elle, comme si elle venait de perdre une boucle d'oreille.

Il posa une main légère sur son bras.

— Brenda... C'est sûrement la dernière fois qu'on parle ensemble tranquillement. Vous comprenez ?

— C'est pas moi, dit-elle, d'un ton si catégorique que Lorenzo crut d'abord avoir mal entendu.

— Hein ? J'ai jamais dit que c'était vous.

Le cœur tambourinant dans les oreilles, il ajouta, comme à la réflexion :

— C'est pas vous *quoi ?*

18

Un jeune garçon se tenait sur la tête dans un coin de la chambre de Cody Martin. Etendue sous les couvertures de la couchette du bas, Jesse, trop effrayée par le regard fixe de l'enfant — des yeux de poupée, des yeux de diable —, était incapable de bouger. S'arrachant au sommeil avec un grognement, elle tenta de graver cette vision dans son esprit avant qu'elle se dissipe. Il était cinq heures du matin. L'appartement était tellement silencieux qu'on l'entendait respirer.

La veille, vers onze heures, quand Lorenzo avait emmené Brenda, la journaliste avait rapidement parcouru son premier papier sur l'affaire, publié dans le *Register* du soir. Pas un seul mot du compte rendu passé au crible de Jose ne lui était resté en tête.

Elle avait ensuite fouiné dans les pièces, les placards et les armoires de l'appartement comme un voleur, sa principale trouvaille étant un cahier d'écolier dans lequel le nom de Cody était écrit sur sept pages, en colonnes bien nettes. La huitième page avait été arrachée mais la suivante, vierge, avait gardé en creux la trace d'un autre mot, pas tout à fait lisible, et répété lui aussi en colonnes obsessionnelles.

Après avoir ruminé le sens du cahier, Jesse s'était mise à quatre pattes, comme le chien à cadavres, pour renifler le tapis sous la petite table de la salle de séjour. Elle avait détecté une légère âcreté chimique, un produit de nettoyage, shampooing ou désodorisant pour moquette, masquant toute autre odeur plus faible qu'elle aurait pu déceler. Jesse fit le tour de la pièce en rampant pour constater qu'aucun autre endroit du tapis n'avait cette même odeur synthétique.

Vers minuit, Danny Martin avait téléphoné. Jesse avait écouté sa voix larmoyante sur le répondeur des Amis de Kent : « Brenda, je deviens cinglé. Je t'en prie, parle-moi. Je t'en prie, Brenda, je t'aime. Je suis désolé. Je t'en prie, laisse-moi t'aider. Je t'en prie. »

Quand Lorenzo avait enfin ramené Brenda à l'appartement, un peu avant une heure, ni l'un ni l'autre n'avait parlé à la journaliste. L'inspecteur, bougon et muet, était immédiatement reparti ; Brenda, chancelante, s'était laissée tomber sur le canapé et avait sombré dans le sommeil.

A cinq heures, la fenêtre de la chambre laissa passer assez de lumière pour que Jesse échappe à sa vision cauchemardesque d'un Cody inversé et revoie les notes prises après minuit : « Nom de l'enfant écrit comme un mantra. Autre nom ? Demander. Danny sur le répondeur : Je t'en prie, je t'en prie, je t'en prie. »

Au moment où le sommeil tentait de la reprendre, elle entendit une sorte de chuintement dans le séjour, des mots murmurés, à la fois intimes et intenses.

« J'ai plus d'amour en moi que je l'aurais jamais cru possible... jamais cru possible... »

Jesse roula hors du lit, traversa la chambre. Du seuil de la pièce, elle vit Brenda assise en tailleur sur le canapé, se balançant, s'adressant à l'obscurité crayeuse : « ... jamais cru possible. J'ai plus d'amour en moi maintenant... »

Jesse recula vers les lits superposés, tendit le bras vers son bloc-notes puis décida que ça pouvait attendre jusqu'à ce qu'il fasse vraiment jour.

Vers huit heures, malgré les stores baissés, le soleil fit une entrée en fanfare dans la salle de séjour.

— Il se passe quelque chose d'autre ? murmurait Jesse au téléphone, perchée sur le bras du convertible.

Brenda, étendue sous une montagne de couvertures, fixait le mur du fond.

— Dans le monde en général ou dans le cadre de cette affaire ? demanda Jose.

— Pour cette affaire.

Jesse passa une main dans les cheveux de Brenda, caressa de ses doigts le cuir chevelu moite. Elle eut un haut-le-cœur quand elle toucha la bosse surmontée d'une croûte.

— Un flic s'est fait démolir à Strongarm la nuit dernière.

— Qui ?

— Chuck Rosen. Il bosse dans la cité.

— Bump ? Celui qu'on surnomme Bump ?

— Je crois.

— C'est grave ? s'enquit Jesse, sans mentionner le contrat qui la liait à Bump et à son fils.

— Il survivra.

— Qui est-ce qui l'a dérouillé ?

— Je sais pas.

— On a arrêté le gars ?

— *Les* gars, et non, on les a pas arrêtés.

— Merde. Pourquoi lui ?

— Pourquoi demander pourquoi ? Hé, je vais écrire un livre, *Quand de bonnes choses arrivent à de sales types*. Qu'est-ce que t'en penses ?

— Quoi d'autre ?

— Tu as les honneurs de la presse.

L'estomac de Jesse se serra.

— Dans quel canard ?

— Le *Jersey Journal*, le *New York Post*.

— De quoi ils parlent ?

— Toi, le flic, Rolonda Watts, traitement de faveur.

— Lis-moi l'article.

— Je l'ai pas là. Laisse tomber, c'est juste du dépit. Tu participes à la battue avec elle ?

— Ils passent nous prendre à neuf heures.

— La perds pas.

Jesse entendit le claquement puis le ronronnement du lecteur de CD.

— Faut que j'y aille.

Vingt minutes plus tard, après l'avoir aidée à s'habiller, Jesse descendit avec Brenda l'escalier lugubre. Cinq hommes en veston sport portant des valises métalliques les croisèrent dans le hall. Brenda fit halte près des boîtes aux lettres et demanda :

— Ils viennent pour moi ?

— Ne vous en faites pas pour ça, répondit Jesse en pensant : Phase 2 : le mandat de perquisition.

Elle était sûre qu'avant la fin de la journée il y aurait une « fuite » sur les difficultés rencontrées par les autorités pour confirmer la version des faits de Brenda Martin.

Jesse monta le volume du son du lecteur de CD, passa un bras sous celui de Brenda et l'entraîna au-dehors. Les médias braillaient derrière une barrière de police, les commentaires et les questions se fondant en un tumulte vaguement hostile. Le soleil était aveuglant. Jesse plaçait une main en visière au-dessus de ses yeux quand elle reçut dans le ventre un exemplaire du *Jersey Journal* lancé à la manière des jeunes porteurs de journaux. « Tiens, v'là de la lecture ! » cria quelqu'un dans la foule.

Sans relâcher son étreinte sur le coude de Brenda, Jesse se pencha pour ramasser le journal puis inspecta la foule, pour y chercher non le plaisantin mais la voiture qui les sortirait de là. Elle repéra Louis, le mari de Karen, qui se faufilait entre les journalistes. Le soleil rendait fluide et étincelante sa chevelure brillantinée.

Elles montèrent à l'arrière du monospace des Amis de Kent, le berger allemand occupant le siège avant droit. Le chien les regardait, les yeux mi-clos, la langue pendant hors de sa gueule, tremblotante et humide comme un poisson agonisant. Déjà à bout de forces, Brenda s'enfouissait dans sa musique. « Candy », par Big Maybelle, résonnait dans les écouteurs, assez fort pour que Louis jette aux deux femmes dans le rétroviseur un regard mi-méfiant, mi-intrigué.

Jesse feuilleta le journal, parcourut rapidement divers articles sur l'arrestation de Curious George Howard, la marche de libération d'Armstrong, la seconde conférence de presse du procureur, la dérouillée de Bump. Elle lut ce dernier papier plus attentivement, s'attarda sur le mot « hospitalisé », ne trouva pas de description détaillée des blessures. Son œil fut alors attiré par le titre qu'elle cherchait vraiment : « Une journaliste privilégiée ». Elle lut anxieusement le texte, dont le ton général était celui de la jérémiade objective. Parvenue à la fin, elle se sentit presque gênée d'avoir craint un instant que le fait qu'elle n'ait pas d'enfant pût intéresser les journaux. La paranoïa, selon l'expérience qu'elle en avait, était presque toujours grandiose.

— Il sera là, le... Lorenzo sera là ? demanda Brenda.

— Je crois qu'il est occupé ailleurs, répondit Jesse. Dites, j'ai vu un cahier qui traînait chez vous, hier soir. Vous voyez de quoi je parle ? Celui avec le nom de Cody sur plusieurs pages. Y avait aussi un autre nom. Je n'ai pas réussi à...

— Il ne traînait pas, coupa Brenda, d'une voix basse mais sèche.

— Désolée, je ne... je suis tombée dessus par hasard. Mais est-ce qu'il y en avait un autre ?

Brenda laissa la voiture parcourir quelques centaines de mètres avant d'annoncer :

— La vie a trois parties : avant d'avoir un enfant, après avoir eu un enfant... et quand on n'a plus d'enfant.

Lorsque Louis se gara sur le parking de l'église Saint Agnes, Jesse découvrit un mélange de brocante, de foire aux gâteaux et de kermesse électorale. Assise à l'arrière du monospace, elle griffonna l'inventaire de ce qu'elle voyait : deux cents personnes environ, entourées par un périmètre de tables à jouer couvertes de gobelets de café, de pâtisseries, de pyramides de produits antimoustiques, de combinaisons en papier blanc sous un emballage de cellophane. Aux deux tables d'inscription, tenues par des femmes âgées, les formulaires à signer voisinaient avec des piles de badges de Cody-nourrissant-le-chevreau. Une troisième table offrait le nécessaire aux premiers secours : tablettes de sel, désinfectants, pansements et bandes de dimensions variées.

— J'aurais préféré que Lorenzo soit là, dit Brenda d'un ton précautionneux.

— Je vous l'ai dit, je crois qu'il est occupé, aujourd'hui.

— Occupé, répéta Brenda avec une légère amertume.

Louis demeura patiemment assis derrière le volant et ils attendirent tous trois que Karen sorte d'un cercle de prière formé par les autres femmes venues la veille chez Brenda. Elles se tenaient par la main dans un coin éloigné du parking pour cette cérémonie solennelle.

Il y avait des pasteurs, des camions de télévision et des cameramen. Un preneur de son trébucha, renversa un tonneau en carton rempli de manches à balai, et Jesse sursauta en voyant Ben surgir de la foule pour redresser le tonneau, qui portait cette étiquette : « Dieu bénisse Cody Martin, l'unique marchandise qui vaille. »

— Vous croyez au ciel et à l'enfer ? demanda Brenda d'une voix calme.

— Moi ? dit Jesse. Pourquoi ?

— Les juifs croient pas au ciel et à l'enfer, hein ?

— Franchement, j'en ai pas la moindre idée. Pourquoi ?

Brenda haussa les épaules, ferma les yeux.

Derrière les vitres légèrement teintées du monospace, Jesse se reconnut dans les autres reporters de la presse écrite : éreintés, le visage couleur pâte à crêpes, le pantalon froissé, informe, comme s'ils avaient dormi sans l'enlever. Bloc-notes, gobelets de café, beignets ou bananes à la main, ils parcouraient le parking d'un pas chancelant, se bourraient de tout ce qu'ils pouvaient rafler sur les tables, mangeant et buvant comme par réflexe, pour se donner des forces ou par ennui.

Jesse repéra trois hommes en tenue de camouflage de l'armée, lunettes noires, béret sur le coin de l'œil et machette au fourreau. Un autre groupe de types d'âge mûr, en jean et baskets, étudiait des photocopies de carte. Chacun d'eux portait un gros rouleau de ruban adhésif orange fluo. Enfin, il y avait des enfants, deux douzaines environ, dont au moins la moitié manifestement handicapés. Certains avaient la démarche traînante, hésitante, et les pommettes enfoncées, révélatrices de trisomie ; d'autres se recroquevillaient dans leur fauteuil roulant ; d'autres encore avaient quelque chose d'indéfinissable dans le regard, l'allure, les manières. Effrayée, Jesse détourna les yeux.

— Il a mieux à faire, marmonna Brenda pour elle-même.

— Attendez-moi ici, je vais chercher Karen, décida Louis.

Il les laissa dans le véhicule climatisé où le chien avait posé son museau entre ses pattes, devant une ventilation soufflant de l'air froid.

Jesse suivit Louis des yeux dans la foule jusqu'à l'endroit où le cercle de prière venait de se rompre, les femmes s'écartant les unes des autres au même instant, ouvrant les yeux, levant le menton. Il posa une main au creux des reins de sa femme, lui murmura quelque chose à l'oreille. Jesse chercha aussitôt son frère des yeux, le découvrit près des manches à balai, observant ces petits gestes intimes machinaux avec une expression à la fois peinée et fascinée. Quand elle reporta son attention sur Karen, celle-ci avait déjà traversé la moitié du parking et se dirigeait à grandes enjambées vers le monospace, souriant, touchant ou embrassant presque tout le monde au passage.

— Je suis tellement lâche, dit hâtivement Brenda. Ça, je l'ai toujours su.

Karen fit coulisser la portière latérale, posa un pied à l'intérieur du véhicule, un coude sur le genou.

— Comment ça va aujourd'hui, Brenda ? s'enquit-elle avec la cordialité possessive d'une infirmière qui vient de prendre son service. Salut, Jesse, contente de vous voir, ajouta-t-elle, d'un ton enjoué et dédaigneux qui n'attendait pas de réponse.

Brenda répondit par un signe de tête sans lever les yeux de son giron. Karen considéra les efforts de la jeune femme pour faire comme si elle était seule puis tendit le bras pardessus les genoux de Jesse pour arrêter le lecteur de CD.

— Laissez-moi vous regarder un peu...

Brenda leva lentement les yeux, tout le corps contracté par la peur de cette femme.

— OK, dit Karen, baissant un instant la tête pour organiser son boniment. Voilà ce qui se passe : j'ai convoqué une conférence de presse. Je voudrais que vous fassiez une déclaration, que vous lanciez un appel, là-bas. (Elle désigna un coin du mur arrière de l'église, où on avait déjà installé un trépied pour microphone.) OK ? Je veux que vous disiez à tout le monde que votre fils vous manque terriblement.

— Ça va de soi, bredouilla la mère de Cody.

Sans relever la protestation impuissante, Karen ajouta :

— Vous pourrez vous adresser au kidnappeur.

— Il a pas été kidnappé.

— Qu'est-ce que vous voulez dire ? demanda la présidente des Amis de Kent.

Elle attendit que prenne fin le silence obstiné de Brenda.

— Il a pas... Il a pas... Le gars a simplement volé la voiture, il a pas...

— Alors, parlez-lui. Adressez-vous à ce type.

Brenda fixait le dossier du siège de devant.

— Non, lâcha-t-elle, d'un ton plus abattu que provocant.

Karen se pencha vers elle, les yeux agrandis de détermination.

— Si.

Il y eut un autre silence, que Karen finit par rompre en assenant :

— J'essaie de vous aider.

— Est-ce que... Est-ce que Lorenzo est là ? demanda Brenda, s'adressant au plancher de la voiture.

— Non.

— Vous pouvez le faire venir ?

Karen détourna un instant les yeux, se gratta le nez.

— Pourquoi ?

— Il me connaît, dit Brenda, la voix ténue mais volontaire.

— Vous voulez être seule avec lui ?

Jesse comprit que Karen lui demandait en fait si elle était prête à passer aux aveux.

— Non, je ne veux pas être seule avec lui, mais je ne quitterai pas cette voiture avant d'être sûre qu'il viendra.

Faisant étalage de ses efforts pour dominer son impatience, Karen s'éloigna du véhicule, emprunta un téléphone cellulaire à Louis et appela Lorenzo, du moins apparemment. Restées seules, Jesse et Brenda évitèrent de se regarder jusqu'à ce que Karen revienne se percher sur le marchepied du monospace.

— Il arrive.

Brenda expulsa tout l'air que contenait son corps, et ses épaules semblèrent tomber dans ses côtes.

— Qu'est-ce que je peux dire ? dit-elle dans un murmure quasi inaudible.

Jesse n'aurait su dire si c'était une véritable question ou un commentaire. Karen ne sembla pas s'en formaliser.

— Aux gens qui sont ici ? demanda-t-elle. Dites-leur ce que vous avez dans le cœur. Vous avez envie de pleurer ? Pleurez. Faites-les pleurer. Faites-les vous croire. S'ils vous croient, ils iront jusqu'au bout pour vous. Ils feront tout ce que vous leur demanderez, OK ? Bien sûr que votre fils vous manque. Bien sûr que vous voulez le retrouver. Bien sûr que vous l'aimez. Mais dites-le. Même si c'est évident. Les gens ont besoin de vous entendre le dire.

Karen tendit le bras devant le visage de Jesse, et Brenda, prise au piège, tremblante, sortit de la voiture.

Descendant à son tour, la journaliste fut à nouveau assommée par la chaleur, lourde et humide. Momentanément étourdie, elle recula en vacillant pour retrouver la fraîcheur de l'air climatisé.

Toute activité cessa sur le parking quand Brenda apparut. Consciente des regards braqués sur elle, elle resta plantée sur l'asphalte, les yeux exorbités, la tête baissée comme si elle était encore en train de sortir du véhicule.

Les cameramen accoururent malgré les efforts de Louis, de Ben et de quelques femmes pour les repousser. Jesse entendit son frère prendre sa voix de garde du corps — « Les gars, qu'est-ce qu'on avait dit ? » —, un ton chantonnant, légèrement menaçant, qu'elle détestait.

Les écouteurs de Brenda suscitant quelques regards désapprobateurs ou déconcertés, Jesse et Karen tendirent la main en même temps pour les prendre. Les journalistes formaient un groupe compact face aux micros, derrière lesquels attendait à présent Marie — la femme au hâle intense de la veille —, avec une troupe d'enfants dont l'âge allait approximativement de quatre à douze ans.

— Qu'est-ce qu'ils font là, ces gosses ? voulut savoir Jesse.

— Il faut qu'ils voient des enfants. Je veux qu'ils voient des enfants, répondit Karen, les yeux fixés sur Brenda.

Deux des enfants ainsi exhibés étaient les trisomiques que Jesse avait remarqués l'instant d'avant. Ils étaient flanqués de jumelles noires de six ans à la peau café au lait et aux yeux clairs. Jesse se demanda si c'étaient les filles de Karen et de Louis.

— Qu'est-ce que je peux dire ? gémit Brenda dans un murmure haché.

— Dites ce que vous avez dans le cœur, répondit Karen entre ses dents. Et regardez-les. Droit dans les yeux, sinon, ils croiront que vous cachez quelque chose. Allez.

Karen la poussa quasiment vers Marie, qui ouvrit les bras

pour l'accueillir, chorégraphie rappelant à Jesse un numéro de trapézistes.

Tandis que Marie prenait doucement entre ses mains le visage de Brenda, qui gardait le dos tourné à la foule, Jesse se surprit à examiner de plus près les handicapés, les têtes dodelinant, les pupilles enfoncées, les appareils orthopédiques, les bandes Velcro remplaçant les boutons. Elle éprouvait à la fois de la répulsion et de la tendresse : les Amis de Kent connaissaient leur boulot. Amollie par tout ce pathos, elle se tourna pour adresser à Karen quelques mots de conciliation, mais son attention fut détournée par un jeune garçon. Il avait une peau couleur d'ambre, des yeux d'un marron profond et une haute couronne de cheveux bruns frisés. L'air solennel, il était assis dans un fauteuil roulant, entre Karen et Jesse, et considérait la journaliste en fronçant les sourcils de manière presque comique. Bien qu'elle ne sût jamais comment établir naturellement le contact avec un enfant, Jesse sourit, pensa même : Hé, je souris, mais son regard descendit alors sur la main droite du gamin — tire-bouchon de chair sans os replié sur lui-même, pas de doigts, pas d'ongles, aucune articulation, une queue de cochon au bout d'un bras — et elle rendit. Elle s'accroupit et rendit entre ses chaussures.

Les gens s'écartèrent vivement du vomi mais le fauteuil roulant demeura à sa place, les yeux de Jesse juste à la hauteur des jambes de l'enfant, prises dans une sorte d'armature en plastique dur. Quand elle finit par se relever, morte de honte, incapable d'affronter de nouveau le regard pénétrant du petit Noir, elle s'essuya la bouche, se tourna vers Karen.

— Je suis désolée, je n'ai rien mangé depuis... (Elle s'interrompit, tuant net le pipeau qu'elle s'apprêtait à lui servir.) Désolée.

Karen la fixait, impassible. Jesse détourna la tête mais continua à voir derrière ses yeux le garçonnet au visage grave et à la peau d'ambre. C'était l'enfant de Karen, l'enfant de Louis, elle en était sûre. Elle se tourna de nouveau vers Karen pour en avoir confirmation, pour s'excuser de manière plus profonde, plus personnelle. Avant qu'elle puisse ouvrir la bouche, Karen lui fit signe de regarder, le spectacle allait commencer, et Jesse ne fut que trop heureuse de s'exécuter.

Avec Marie derrière elle qui lui massait les épaules, Brenda se tourna vers la foule. Malgré les recommandations de Karen, elle gardait les yeux baissés. Remuant en silence ses lèvres desséchées, battant furieusement des cils, elle agrippa le pied du micro, fit entendre sa respiration saccadée. Les gens attendaient patiemment, dans un climat à peu près dénué de tout jugement, estima Jesse.

— Je... commença Brenda dans un murmure, le corps frissonnant sous l'accumulation de regards. Je...

Puis elle lâcha soudain la bonde :

— Je ne suis rien.

La foule retint sa respiration, attendit la suite.

— Je ne suis rien, répéta-t-elle. (La déclaration était cette fois plus fluide, plus ardente, sans indice d'une suite à venir.) Je ne suis rien.

Comme si la chair obéissait au verbe, Brenda parut se désagréger sur place, ses atomes grisâtres se libérant les uns des autres dans l'air surchauffé. Un silence pesant s'abattit sur le parking, moment d'assimilation ponctué par un bruissement de pneus sur la chaussée, par la voix métallique d'un journaliste sur une station de radio d'information, à l'intérieur de l'église.

Quand les bénévoles se rendirent compte que ce qu'on venait de leur livrer était la totalité du message, un brouhaha s'éleva, mélange de « Non ! » et de cris de soutien, « On est avec toi, Brenda ! », « C'est pas ta faute ! », « Pense pas comme ça ! », ces exclamations compatissantes recouvrant les murmures échangés par plusieurs des volontaires, dont le visage et les propos exprimaient la confusion et le désarroi.

« Brenda, pourquoi on cherche où on cherche ? » lui lança un des reporters. Mais elle s'était échappée de sa coquille physique, et l'absence de réaction incita la meute à déclencher une ruée verbale, les questions s'empilant, sans réponse, aux pieds de la jeune femme.

Karen fit signe à Marie d'emmener Brenda, avec un geste — plat de la main passant devant la gorge — venu tout droit du show-biz. Pendant qu'on raccompagnait Brenda à la voiture, Karen s'avança, réquisitionna le micro.

— OK, c'est super, super, chantonna-t-elle en regardant par-dessus la foule les cameramen accroupis. Merci. Merci d'être venus.

Brenda n'étant plus sous les projecteurs, Jesse prit le temps d'examiner les bénévoles, véritable salade estivale mêlant les ados aux adultes, les Rambo aux ceintures de flanelle. Elle jeta un coup d'œil en direction du monospace, vit Marie aider Brenda à monter par la portière latérale en la hissant à demi, comme une invalide. La journaliste se retourna en entendant la voix de Karen :

— OK, une question avant de commencer : est-ce que quelqu'un regrette de s'être embarqué dans cette affaire ? Il fait une chaleur infernale, et avec ce que je vais vous obliger à porter, vous aurez encore plus chaud. Quelqu'un préfère remettre ça à une autre fois ? C'est le moment. Il n'y a aucune honte à faire marche arrière. Je sais que vous avez un cœur grand comme ça, mais je n'aimerais pas qu'il s'arrête de faire tic-tac...

Vague de rires nerveux : les gens étaient impatients d'y aller, de se mettre à l'ouvrage.

— Je ne veux pas de pertes, je ne veux pas avoir à prolonger les recherches pour retrouver l'un d'entre vous, OK ? Quelqu'un qui aurait dû mieux évaluer ses forces, OK ? (Elle scruta les visages assemblés.) Personne ?

Derrière elle, les femmes du noyau dur faisaient de même, appuyées au mur de l'église, certaines fumant une cigarette, deux ou trois posant une main protectrice sur l'épaule de leur enfant. La fille de Teenie était dans un fauteuil roulant, elle aussi.

— Personne ? répéta Karen.

Il apparut clairement à Jesse qu'elle ne commencerait pas avant d'avoir éliminé au moins un canard boiteux. Finalement, trois bénévoles se dirigèrent simultanément vers le fond du parking, un couple âgé et une adolescente obèse, cramoisie de gêne.

— Donnez vos noms à la table d'inscription ! leur cria Karen, se hissant sur la pointe des pieds comme s'ils étaient déjà à des kilomètres. Et merci d'être honnêtes avec vous-mêmes. Quelqu'un d'autre... ?

Pour la première fois de la matinée, Jesse remarqua Elaine, l'Amie de Kent à la tache de vin, qui se tenait près du mur de l'église, légèrement à l'écart des autres. Cette fois encore, elle fixait Jesse de son regard sans expression.

— Personne ?

Pivotant lentement afin d'échapper aux yeux d'Elaine, Jesse se retrouva face à Louis, qui était assis sur le mur bas courant derrière la rangée de tables, les jambes écartées pour loger le fauteuil roulant de son fils, garé juste sous lui. Le mari de Karen inspectait la foule, lui aussi, mais pas dans le but d'y déceler des indécis. Retraite ou pas, il avait encore des yeux de flic et il cherchait l'agresseur de Brenda. Jesse avait suffisamment de notions de pathologie criminelle pour savoir que si Cody Martin avait été enlevé volontairement, il y avait une bonne chance pour que son ravisseur soit en ce moment parmi la foule.

Karen finit par se laisser fléchir :

— OK, on continue. Tout le monde est affecté à une équipe ?

Elle montra un assortiment de Post-it de diverses couleurs, l'équivalent d'une main au rami. La foule répondit en levant un arc-en-ciel de carrés de papier. Ben, resté près des tonneaux de manches à balai, en tenait un vert.

— Personne sans affectation ? Non. OK. Les messieurs que vous voyez là...

Les « messieurs », pensa Jesse. Un rien ringarde, la présidente.

De la main, Karen présenta la dizaine de types entre deux âges qui étudiaient leurs cartes à l'arrivée de Jesse. La plupart avaient le crâne dégarni, des lunettes et du ventre : rien qui les distingue des autres vieux présents sur le parking.

— Ces messieurs seront vos chefs d'équipe. Certains d'entre eux opèrent avec nous depuis plus de cinq ans, OK ? Ce sont des anciens du Vietnam, des flics, des pompiers, des chasseurs. Ils savent ce qu'ils font. Ils savent suivre une piste, « lire » le sol. Ecoutez-les, ils vous apprendront à utiliser vos yeux, OK ? Maintenant, qu'est-ce qu'on cherche ? Le garçon ? Bien sûr. Mais aussi beaucoup d'autres choses. Vêtements. Boîtes de conserve. Mégots. N'importe quel signe de présence humaine. Je laisse à vos chefs de groupe le soin de vous expliquer ça en détail une fois que vous serez dans vos équipes respectives, mais il y a encore une ou deux choses que je voudrais vous dire tant que nous sommes tous ensemble. *Un.* (Elle leva un doigt, attendit le silence.) Une fois en route, restez avec votre groupe. A tout moment. Se balader dans ces bois, c'est joli, c'est paisible, c'est dangereux. Restez ensemble...

Regardant de nouveau le monospace, Jesse vit un reporter à queue de cheval, bermuda et chaussettes hautes, tambourinant à la portière latérale pour faire sortir Brenda, tel le grand méchant loup. Elle se tourna pour prévenir Ben, mais il n'était plus près des tonneaux. Quand elle ramena les yeux sur la voiture, il était déjà en train d'éjecter le journaliste, repoussant à coups de poitrine l'homme à la queue de cheval qui plaidait sa cause avec véhémence.

— *Deux*, poursuivit Karen, faisant des doigts un signe de paix. C'est la pleine saison pour les tiques, en ce moment, et la maladie de Lyme n'est pas une plaisanterie. Alors, vous utilisez des produits antimoustiques, vous fourrez vos bas de pantalon dans vos chaussettes, et vous portez ça...

Elle tira une combinaison en papier de son emballage de cellophane, déplia sur toute sa longueur le mince vêtement en papier pourvu d'élastiques aux poignets et d'une fermeture Eclair en plastique blanc de l'entrejambe à la gorge.

— Taille unique. Il y en a ici qui cherchent à perdre du poids ? Mes chéris, baladez-vous avec un de ces trucs pendant quelques jours et vous serez plus légers de cinq kilos en un rien de temps, croyez-moi. (Elle se tapota les hanches.) Je sais de quoi je parle...

La plaisanterie provoqua une nouvelle vague de rires, à laquelle se joignit cette fois la garde rapprochée, exception faite d'Elaine et de Louis. Malgré ses tentatives laborieuses pour faire de l'humour, le sourire de Karen n'atteignait jamais ses yeux.

— OK, nous avons, j'ai presque terminé. Si vous trouvez un vêtement, ou quelque chose qui ne vous paraît pas à sa place, n'importe quoi, vous n'y touchez pas ! C'est une preuve potentielle. Pas touche ! La moitié du groupe reste sur place, l'autre va chercher de l'aide...

« *Ruban*. (Karen montra un des rouleaux orange fluo.) Vous avez fini de fouiller un secteur ? Indiquez-le avec le ruban. Je ne veux pas que trois équipes ratissent l'une après l'autre le même coin. Faites-nous savoir que vous êtes déjà passés. Votre chef de groupe vous montrera comment. Une autre chose, très importante. Levez la tête. Je veux qu'un membre au moins de chaque équipe regarde en haut, les branches, les cimes des arbres. On a tendance à regarder en bas, c'est naturel, mais comme on l'a tous vu au cinéma, il arrive que le type que vous cherchez en regardant en bas vous regarde, lui, d'en haut. Et il peut y avoir toutes sortes de choses accrochées dans les arbres : des vêtements, des outils... Vous voyez une branche par terre. Comment elle s'est brisée ? Qui l'a brisée ? Regardez en haut...

« *Bâtons*, poursuivit-elle, montrant maintenant les trois tonneaux de manches à balai. Tout le monde recevra un bâton. Servez-vous-en. Pour farfouiller, pousser des choses sur le côté, éprouver la solidité du terrain. N'utilisez jamais vos mains quand vous pouvez vous servir du bâton...

« *Héros*. Un mot à tous les héros que vous êtes. Rappelez-vous, un héros, ce n'est qu'un sandwich[1]. Restez groupés. Vous avez un mauvais pressentiment avant de faire quelque chose ? Ne le faites pas. Cet endroit vous rend méfiant ? N'y allez pas. Je ne veux pas de héros, et je ne veux pas de martyrs...

Le cercle des intimes approuva de la tête.

— Nous avons déjà eu des jambes cassées, des chevilles foulées, des morsures de chiens et de rats, des points de suture. Nous sommes tombés sur des fumeurs d'herbe ou de crack, sur des types en train de se pinter, de se défoncer dans des bâtiments qu'on croyait déserts. Pas de héros ! Enfin, et ce n'est pas sans importance, où faire pipi ? (Karen profita des rires pour allumer une cigarette.) Nous avons quatre sanisettes ici même, des toilettes dans l'église, et deux autres sanisettes là où nous devons effectuer les recherches. J'aimerais autant que tout le monde y aille avant qu'on se mette en route parce que je ne veux pas de gens qui traînent derrière pour être un moment seuls et qui finissent par perdre leur groupe, OK ?

« Pour terminer, je vous présente Chris Konicki, dit-elle en désignant une femme derrière la table des premiers secours. C'est une infirmière remarquable, elle nous aide depuis trois ans et elle établira un poste de soins là-bas, au bord de la route. Si vous vous sentez épuisés, faibles, pris de nausée, déshydratés, criez-le bien fort. Prévenez votre

1. Le *hero* est un sandwich géant à la viande froide, au fromage et aux crudités. *(N.d.T.)*

chef de groupe, nous vous conduirons immédiatement à Chris, OK ? Maintenant, à tous ceux des médias : les gars, nous savons que vous avez un boulot à faire et nous ne demandons pas mieux que de vous aider. Nous tenons à ce que la presse parle de notre action. Mais si vous nous accompagnez, vous mettez la combinaison contre les tiques, vous prenez un bâton et vous restez avec votre groupe. Pas question de s'écarter pour filmer le soleil couchant à travers les arbres, OK ? On ne travaille pas pour le *National Geographic*. Restez avec votre groupe ! Et, pendant que vous y êtes, vous avez deux yeux, comme tout le monde. Si vous voyez quelque chose d'insolite, quelque chose que nous aurions intérêt à voir, nous aussi, ne soyez pas timides, appelez, OK ? (Elle se tourna vers son mari.) Lou ?

Il se laissa glisser du muret, poussa le fauteuil roulant de son fils vers le micro, qu'il détacha et approcha du visage de l'enfant.

— Cher Jésus, commença le petit handicapé d'une voix aiguë qui surprit Jesse. (Curieusement, elle s'attendait à un registre plus grave.) Bénis tous ceux qui sont ici, accorde-leur une bonne journée, et aide-nous à ramener... (Il s'interrompit, son père lui murmura quelque chose à l'oreille.) Aide-nous à ramener Cody Martin chez lui.

Par les deux hautes fenêtres de l'église, une main invisible lâcha des ballons rouges, blancs et bleus qui s'élevèrent au-dessus du parking, arrachant aux bénévoles des « Oh » de ravissement. Un des ballons rouges s'empala sur une branche et tomba, avec une rapidité que Jesse trouva anormale. Elle s'approcha, vit, attachée à la ficelle, une image de saint Jude, patron des causes impossibles.

Sur le parking, les bénévoles, Post-it brandis au-dessus de la tête, tâchaient de se faufiler vers leurs groupes respectifs. On emmenait à présent les enfants infirmes vers des minicars, sans doute pour les reconduire chez eux. Jesse vit son frère distribuer des manches à balai. Les yeux brillants, il ouvrit grand la bouche de plaisir anticipé quand Karen se pencha pour lui chuchoter quelque chose à l'oreille. Elle se tourna vers le monospace des Amis de Kent, encerclé par des cameramen et des reporters frustrés, à demi fous, comme si c'était une sorte de sanctuaire mystérieux, dispensateur de puissance. Quelque part à l'intérieur, Brenda, inaccessible, se farcissait la tête de rhythm and blues.

Il y eut un moment d'agitation quand les femmes du noyau dur — à l'exception d'Elaine, toujours appuyée au mur de l'église — écartèrent les journalistes de la proximité immédiate du véhicule avant d'ouvrir la portière latérale pour s'adresser à Brenda. Jesse les vit se pencher devant la gueule ombreuse et faire des gestes pour tenter probablement d'attirer la jeune femme au-dehors. Tour à tour, elles passèrent la tête à l'intérieur, puis la retirèrent, comme à regret. Finalement, Marie recula et fit signe à Karen, restée à l'autre bout du parking, de venir les aider.

Interrompant sa conversation avec Ben, Karen fendit la foule à grands pas en direction du monospace rouge. Jesse tourna sur elle-même à son passage et lui emboîta le pas. Par-dessus l'épaule de Marie, elle aperçut Brenda recroquevillée sur le siège le plus éloigné de la portière. Le visage boursouflé et ruisselant, elle s'efforçait de rester sourde aux femmes qui la suppliaient de sortir et de rejoindre le groupe.

— Brenda, dit Karen, faisant claquer le nom comme un fouet.

— Non ! répondit-elle en un braiment désincarné. Pas sans Lorenzo.

— Il viendra, je vous l'ai dit.

— Il n'est pas là.

— Il arrive.

Marie s'écarta de nouveau du véhicule, faillit renverser Jesse, toucha le bras de Karen et l'emmena quelques mètres plus loin.

— Je ne crois pas qu'elle en ait la force, murmura-t-elle.

— Elle va venir, trancha Karen d'un ton péremptoire.

Puis elle regarda Jesse dans les yeux, comme si elle s'attendait à de la résistance, et répéta :

— Elle va venir.

19

Lorenzo se réveilla à huit heures trente, le plus tard qu'il ait dormi depuis qu'il avait cessé de boire, huit ans plus tôt. Il se rappela confusément un rêve obscur à propos de Bump, puis se rendit compte que ce n'était pas un rêve. Le téléphone avait sonné à deux heures et demie : Bobby McDonald l'appelant pour l'informer que son coéquipier s'était fait coincer par une bande alors qu'il regagnait sa voiture dans Hurley Street. Score final : trois côtes cassées, une orbite fracturée, et pas de suspects.

Avec une grimace, Lorenzo se souvint qu'il avait eu l'intention de sauter du lit pour se rendre au chevet de son collègue, au Centre médical, mais qu'il avait refermé les yeux à la fin de la communication, s'accordant un sursis qui n'aurait dû être que de quelques minutes. Son manque de solidarité envers Bump le rendait vaguement honteux, et un autre flash-back désagréable, celui de son tête-à-tête avec Brenda à Freedomtown, fit naître en lui du dégoût pur et simple. Enfin, cela n'avait plus d'importance, maintenant. Il en avait fini avec cette affaire, il était prêt à refiler l'enquête — et Brenda — au FBI, comme prévu.

Il roula hors du lit, appela McDonald et jeta l'éponge. Ils convinrent d'un rendez-vous à onze heures avec le FBI et tandis qu'il sortait en courant de chez lui, une brosse à dents dans une main, deux beignets saupoudrés de sucre dans l'autre, il calcula qu'il avait juste le temps de passer voir Bump avant son rapport de fin de mission.

Sur le chemin du Centre médical, Lorenzo s'aperçut qu'il avait oublié sa Ventoline. L'air matinal était déjà chargé de saloperies toxiques surchauffées et il dut s'arrêter dans un drugstore pour acheter un inhalateur vendu sans ordonnance, dont la solution et le propulseur — il ne tarda pas à s'en rendre compte — avaient sur sa gorge l'effet de profondes bouffées de fumée de cigare. Vingt minutes plus tard, après avoir machinalement serré des mains à la ronde dans le hall d'entrée, dans l'ascenseur, et au poste des infirmières du troisième étage, Council pénétra dans la chambre que Bump partageait avec un autre patient. Le lit de son coéquipier lui était caché par trois malades en visite et une infirmière.

Il y avait au centre en permanence un bon nombre d'habitants d'Armstrong, et, apparemment, ces trois-là au moins avaient décidé de passer voir Bump. Elles se tenaient autour du lit en mince peignoir de seersucker et pantoufles de carton fournis par l'hôpital, deux femmes relativement jeunes, qui, Lorenzo le savait, se battaient contre des maladies liées au sida, et une femme plus âgée, plus lourde, souffrant de diabète. L'infirmière était née elle aussi dans la cité, y avait grandi et y vivait encore. Ses parents avaient emménagé le jour où Armstrong avait ouvert ses portes, en 1955.

Après avoir pris son expression joviale dans le couloir, Lorenzo s'annonça en s'exclamant :

— Hé ! c'est quoi, ça ? La fête du quartier ?

Les trois femmes l'accueillirent bruyamment mais Council, rendu sourd par le visage de Bump, ne les entendit pas. Des vaisseaux sanguins éclatés donnaient au blanc de ses yeux une couleur rouge vif. Entre le coin de l'œil et la tempe gauche, il y avait un renflement, comme si on y avait glissé une grosse bille, juste sous la peau. Le roux naturel de sa barbe, s'ajoutant au rouge de ses yeux, lui donnait l'air d'un démon écossais.

Sourire vissé aux lèvres, Lorenzo lui lança :

— Mon pauvre vieux, tu ressembles à Damien, comme ça.

— Demandez à Big Daddy, Kath, dit Bump, s'adressant à l'infirmière d'un ton un peu trop animé. Lorenzo, j'essaie de la prévenir, pour Shuckie. C'est vrai ou pas qu'il prend des manières de petit gangster ? (Il se tourna de nouveau vers l'infirmière avant que Council puisse répondre.) Je vous parle sérieusement, Kath, il serait temps que sa mère lui serre la vis.

— Je vous l'ai dit, murmura-t-elle. Si vous le pincez à faire des bêtises, faites votre travail.

— Ça, ça va de soi, repartit Bump en levant une main. Ce que je veux dire, c'est qu'il faut étouffer ça dans l'œuf. Il faut régler le problème à la maison, sinon, moi et Lorenzo, on aura beau intervenir, ça recommencera tout le temps, vous comprenez ?

— Je comprends, répondit-elle d'un ton calme, comme si elle savait que Bump jacassait uniquement pour noyer sa terreur, se démenant comme s'il était encore en train de faire sa ronde entre Hurley et Gompers.

— Et il a parfaitement pigé votre façon de réagir, Kath. Il est tout sauf bête.

— Je comprends, répéta-t-elle.

Lorenzo entendait la panique qui alimentait le bla-bla de son coéquipier, devinait que c'était moins le traumatisme de la rouste elle-même — les dégâts paraissaient probablement beaucoup plus graves qu'ils ne l'étaient — que la peur de l'inconnu : peut-être une capacité moindre, physique ou mentale, à faire son métier, voire la perte pure et simple de son emploi. Pour un flic comme Bump, ce serait sur le plan psychologique l'équivalent de la mort, l'anéantissement total de son identité.

L'une des deux jeunes femmes, Lorraine Powell, qui se tenait près du lit, une cigarette non allumée à la main, dit d'une voix rauque et traînante :

— Big Daddy, tu ferais bien de les choper, ces nègres.

— Je m'en occupe, répondit-il distraitement, l'esprit envahi par une vision cauchemardesque de Bump pris dans une interminable série de procès à la municipalité.

— On s'en occupe tous, renchérit l'autre jeune femme, Doris Tate, trois gosses, un diplôme universitaire, elle aussi en train de mourir.

— Tu vois, chef, t'as des amis dans le coin, déclara Council à Bump.

Il lui fit un grand sourire, s'envoya dans la gorge une autre bouffée âcre de l'inhalateur.

— Vaudrait mieux, dit la femme âgée, Betty Castle, en hochant la tête. Parce que j'ai rien contre la police en général, mais j'arriverai jamais à tirer mon postérieur de mon lit d'hôpital pour venir tous vous voir, si vous voulez savoir.

Bump prit la main de Betty, se mit à pleurer, couvrit ses yeux démoniaques de son avant-bras dans un mouvement brusque qui fit osciller le sac à perfusion sur son support.

Doris Tate lui posa une main sur la poitrine.

— Hé, Bump, je vous propose un échange. Votre dérouillée contre mon virus, qu'est-ce que vous en dites ?

Il s'esclaffa, ou du moins cessa de pleurer.

— Mesdames, j'ai besoin de parler à mon collègue en tête à tête, annonça Council.

Elles sortirent d'un pas lent et il les suivit des yeux pour laisser à Bump le temps de se ressaisir. Finalement, il se tourna de nouveau vers son coéquipier et demanda :

— Ta famille est déjà passée ?

Bump acquiesça d'un signe de tête, détourna les yeux.

Lorenzo souleva le rideau.

— Tu sais qui t'a fait ça ?

— Ouais, répondit Bump, avec un hochement de tête plus vigoureux. Brenda Martin.

— Hein ? dit Council, qui s'octroya une autre bouffée de son inhalateur.

— Elle est en train de nous tuer, cette bonne femme, dit Bump, essuyant ses yeux injectés de sang. Ou tu règles cette affaire de merde, ou tu la refiles à quelqu'un d'autre.

— C'est fait, marmonna Lorenzo, écœuré par le goût que ces mots laissaient dans sa bouche.

Il était déjà à deux rues du Centre médical quand l'idée lui vint qu'il aurait pu se faire prescrire de la Ventoline par Chatterjee ou n'importe quel autre médecin avec qui il avait noué des relations tout au long de ces années de viols et d'agressions. Un coup d'œil à sa montre lui révéla qu'il avait juste le temps de retourner là-bas mais, avant qu'il ait terminé son demi-tour, son téléphone portable sonna.

— Lorenzo ? Karen Collucci.

— Salut. Vous avez commencé les recherches ?

— Qu'est-ce que vous faites, en ce moment ? demanda-t-elle, ignorant sa question.

— J'ai rencard avec le FBI.

— Rendez-moi, rendez-vous un service. Arrêtez-vous le long du trottoir et écoutez-moi.

Quelques minutes plus tard, la Crown Victoria se dirigeait vers le parking de Saint Agnes, où les bénévoles finissaient de s'organiser avant de se disperser dans le parc à l'abandon de l'Institut William Howard Chase. En chemin, Council rappela Bobby McDonald pour l'aviser que Brenda venait de demander à lui parler — ce qui n'était pas tout à fait vrai — et obtenir un dernier sursis avant de remettre l'affaire en d'autres mains.

Karen Collucci lui avait expliqué que Brenda refusait de prendre part aux recherches s'il n'y participait pas, mais la présidente des Amis de Kent n'en tenait pas moins à ce qu'il reste à l'écart après avoir montré sa tête. Il comprenait la stratégie de Karen — séparer, dans l'esprit de Brenda, les centurions des ménagères —, mais puisqu'elle réclamait sa présence...

Quel que soit le bien-fondé de la demande, il savait qu'il avait accepté de se joindre à cet exercice éreintant, qui lui déchirerait les poumons, uniquement parce que son pouls s'était accéléré quand Karen avait prononcé le nom de Brenda. Il mourait d'envie de tenter une dernière fois sa chance avec elle. Pourtant, le prix à payer serait élevé, pensait-il en se représentant l'institut par une journée pareille, en songeant aux interminables heures à marcher par une chaleur étouffante dans les gravats, l'herbe haute et les ronces.

Le Chase n'était plus qu'une ville fantôme, mais Lorenzo avait entendu dire plus d'une fois par un mordu de l'histoire locale, un lieutenant des Stups, qu'à sa fondation l'Institut Chase pour handicapés physiques et mentaux avait été un modèle du genre. Ce lieutenant lui avait montré des photos d'archives de la cérémonie d'inauguration, en 1904, au cours de laquelle un mec friqué à haut-de-forme, assis dans un fauteuil roulant au dossier de rotin, William Howard Chase en personne, avait offert au monde un centre de trente-cinq hectares parfaitement entretenus comprenant dix cottages pour adultes, deux grands dortoirs pour enfants, deux ateliers, une salle de rééducation, une chapelle universaliste, un réfectoire, un potager de deux hectares et un petit théâtre. Les bâtiments étaient en pierres calcaires, avait précisé le lieutenant, le parc était entouré d'une forêt profonde, l'air parfumé par l'océan, le personnel médical irréprochable, et les fonds semblaient inépuisables.

Au cours de ses premières décennies, l'institut devint l'aune à laquelle on jugeait tous les autres centres de rééducation, mais le krach de 1929 ruina le trust en une nuit, et l'Etat du New Jersey, confronté au replacement de sept cents handicapés, dut assumer la succession. C'est là, avait dit le lieutenant, que l'établissement était devenu fascinant pour un criminologue. Au milieu des années 1930, on parlait de l'institut comme de la Honte de William Howard, petit coin d'enfer lugubre où se commettaient toutes sortes d'abus, avec beaucoup trop de handicapés et pas assez de personnel. L'établissement était davantage dirigé par des garçons de salle mal payés que par l'administration, de la même façon que les prisons sont en fait dirigées par leurs gardiens.

L'institut devint une décharge où des familles dans la gêne abandonnaient leurs membres handicapés. Avec cette nouvelle classe de pensionnaires, ce nouveau genre de personnel, ce fut, année après année, une succession de brutalités, de viols et de vols en tout genre. Les pelouses autrefois impeccables furent envahies par les mauvaises herbes et les broussailles, les larges allées bordées de fleurs se creusèrent d'ornières, et la croissance obstinée des plantes grimpantes fit éclater la pierre de nombreux bâtiments. Le matériel de maintenance disparut, fut remplacé, disparut de nouveau. A l'infirmerie, on chapardait les médicaments au lieu de les administrer, le personnel prenant finalement l'habitude de les commander pour son usage personnel. Aux cuisines, la viande, les conserves et les produits laitiers étaient régulièrement revendus aux épiceries et supermarchés locaux. Dans les ateliers, on volait les outils et les machines.

Tout ce qui pouvait être obtenu de l'Etat — vitres, draps de lit, équipement sportif, bibles, fauteuils roulants, chaussures, tuiles — se volatilisait dès réception. On « maquait » les pensionnaires les plus jeunes, de l'un ou l'autre sexe. Il y avait des grossesses inexplicables, des disparitions, des morts. Des enfants légèrement attardés devenaient des adultes profondément arriérés sans jamais quitter l'établissement.

Quatre décennies de mutilations et de pillages systématiques cessèrent finalement en 1967, quand un reporter du *Dempsy Register* qui s'était fait embaucher comme garçon de salle disparut, trois jours après avoir pris ses fonctions. Une semaine plus tard, l'institut grouillait d'enquêteurs de l'Etat, de policiers locaux et de journalistes.

Chase devint une sombre étoile — de cela, Lorenzo avait ses propres souvenirs — qui fit pendant des semaines la une de la presse nationale. Après six mois d'enquête, les portes de la Honte de William Howard furent enfin fermées. Il fallut deux ans de plus pour replacer les trois mille handicapés qui y avaient été emprisonnés, notamment deux vieillards qui y étaient entrés enfants pendant la Première Guerre mondiale. En quelques semaines, la forêt reprit ses droits sur le domaine. Au début des années 1970, l'Institut William Howard Chase pour handicapés physiques et mentaux ressemblait à un avant-poste envahi de broussailles. Les cottages, les dépendances étaient à peine visibles de l'un à l'autre, des veines de végétation avaient fait éclater le ciment d'une piscine intérieure gigantesque, vieille de cinquante ans, qui n'avait jamais servi. Une fois que les audiences, investigations et audits lancés en 1967 eurent pris fin, une fois les rapports publiés et les protagonistes dispersés, pas une seule poursuite judiciaire n'aboutit et on ne retrouva jamais le reporter disparu, même après avoir retourné la moitié du terrain. Cela aussi avait de quoi fasciner les criminologues, comme aurait dit le lieutenant.

En se garant devant l'église, Lorenzo découvrit sur le parking une troupe de bénévoles impatients de se mettre au boulot. Lorsqu'il descendit de voiture, la chaleur l'assomma comme une gueule de bois. Il inspecta les lieux, repéra un petit groupe d'Amis de Kent cernant la portière latérale ouverte de leur monospace rouge, et supposa que Brenda était blottie à l'intérieur comme un animal pris au piège dans son propre terrier. Il chercha Karen des yeux, trouva Jesse, qui le regardait d'un air inquiet par-dessus le capot de sa voiture.

— Vous avez l'air crevé, fit-elle remarquer.

Il haussa les épaules, toussa. Il avait l'impression qu'on avait passé ses poumons à la paille de fer, sans doute moins à cause de son asthme que d'un usage excessif de cet inhalateur de merde. Les jambes écartées, étourdi par le soleil, il regardait sans la voir la journaliste et respirait par la bouche comme un poisson hors de l'eau.

— Hé, dit Karen, soudain apparue devant lui. Contente que vous ayez pu venir. Vous avez déjà fait ce genre de truc ?

Il essuya la sueur coulant dans ses yeux.

— Un jour, j'ai trouvé un macchabée dans un entrepôt de ferrailleur.

— Ah oui ? Vous avez fait le Vietnam ?

Il se massa la poitrine.

— Je crois bien. Mais si je l'ai fait, j'étais trop défoncé pour m'en souvenir.

— Vous aussi, hein ?

Elle partit d'un rire grave, grondement venu des tripes qui, malgré la détresse de Lorenzo, piqua sa curiosité.

— Où elle est ? demanda-t-il en faisant un pas vers la voiture rouge. Là-dedans ?

Karen le retint par le coude.

— Attendez. On va y aller tous les deux, vous lui direz bonjour, mais ensuite, comme je vous en ai averti au téléphone, je veux que vous restiez à l'écart, OK ?

Bien qu'il comprît ses motifs, il lui lança un regard à la fois perplexe et revendicatif.

— Là-dessus, faites-moi confiance, reprit-elle. Il suffit qu'elle sache que vous êtes là.

Un instant plus tard, plongeant le regard dans la pénombre fraîche du véhicule, il découvrit Brenda à peu près comme il l'avait imaginée, le corps tendu, les yeux exorbités, affrontant le monde et son amabilité traîtresse.

— Salut, dit-il, la respiration sifflante, penché en avant, les paumes sur les rotules.

— Vous y allez ? lui demanda-t-elle.

— J'y vais si vous y allez.

Il lui adressa un sourire encourageant, se redressa, fit un

pas de côté en vacillant, eut l'impression que le sol du parking montait à sa rencontre, comme dans un rêve. Et ici, c'est goudronné, pensa-t-il.

L'allée centrale du parc de l'institut, qui commençait de l'autre côté d'une clôture en grillage, à trois rues de l'église, était bordée de broussailles. Au-delà, parmi les arbres d'un bois épais, on distinguait les ruines des cottages abandonnés. Le cortège de bénévoles et de journalistes s'étirait en une formation qui ondulait, se gonflait et rétrécissait comme de la cire liquide. Malgré la longueur de la procession, les volontaires étaient réunis par pelotons occupant une place assignée dans le défilé et affectés à un secteur de recherche particulier. Tous les cinquante mètres, les deux groupes de tête se détachaient, un de chaque côté de la route, enfilaient leurs combinaisons de papier et quittaient la colonne après avoir écouté les recommandations de dernière minute de leur chef.

Le groupe de Karen, moins nombreux que les autres et composé de Marie, Teenie, Brenda, Jesse, Lorenzo et Elaine, fermait la marche. Les cameramen et les reporters affectés à des groupes placés devant traînèrent les pieds jusqu'à ce que Brenda soit à leur hauteur, la filmèrent rapidement et lui lancèrent quelques brèves questions avant que Karen les chasse.

Son lecteur de CD branché, Brenda avançait d'un pas chancelant, le visage opalescent, ruisselant de sueur, incapable pour le moment, estimait Council, de trouver un morceau de charbon dans une boule de neige. De temps à autre, elle lui jetait un regard nerveux, mais, accédant à la requête de Karen, il demeurait à distance et ne s'approcha qu'une seule fois assez près pour entendre la musique sortant des écouteurs, religieuse et grandiose, différente de son rhythm and blues habituel.

— Ça va prendre combien de temps, d'après vous ? demanda-t-il à Karen quand ils atteignirent la crête d'une longue montée sinueuse.

— Tout dépend de Brenda.

— C'est juste pour savoir...

Il se tut pour économiser son souffle, résista à l'envie d'utiliser de nouveau l'inhalateur.

— OK, les gars, dit Karen.

Elle les dirigea vers le bas-côté. Tous les pelotons qui les précédaient avaient maintenant disparu dans le bois sous la conduite de leurs chefs.

Lorenzo regarda Jesse prendre la combinaison en papier coincée sous le coude de Brenda, la secouer pour défaire le pliage précis fait par une machine, et s'accroupir devant elle. Elle tapota le mollet de Brenda, « Levez le pied », attendit de pouvoir enfiler une jambe de la combinaison par-dessus une basket. Lourde comme un éléphant de cirque, Brenda leva le pied gauche, perdit l'équilibre et tomba à la renverse dans les ronces. Jesse se retourna, regarda Karen.

— Elle est pas en état de faire ça.

— Laissez plutôt Elaine l'aider, suggéra Karen.

Elle désigna de la tête la femme la plus sinistre de l'association, selon Council. Soignée de sa personne, les cheveux gris mais le visage étonnamment jeune, tout en yeux et muscles maxillaires crispés. Quand elle lui avait été présentée, la veille, elle ne lui avait pas serré la main et ne l'avait pas regardé en face.

— Jesse, vous irez avec Teenie et Marie, décida Karen.

La journaliste parut abasourdie, mais fut doucement emmenée par l'équipe que formaient la mère et la fille avant de pouvoir émettre un mot de protestation.

— Alors, vous n'avez jamais fait ça ? demanda Karen à Lorenzo.

Elle s'agenouilla devant lui, enfila une jambe de combinaison sur une botte pointure 47.

— Non. Je suis un gars de la ville, répondit-il d'une voix traînante, gêné de devoir être aidé par cette femme. Vous avez fait votre quadrillage, hier soir ?

— Ouais.

Elle passa à l'autre botte et Lorenzo faillit tomber. Comme souvent, sa crise d'asthme lui donnait l'impression que son corps était une sorte de cage dilatée.

— Et alors ?

— Rien.

Il commenta par un grognement.

— Ça vous surprend ? murmura-t-elle.

Il se baissa, remonta la combinaison le long de ses jambes.

— Je vais vous dire une chose : cet après-midi, le FBI prendra le relais.

— Le Septième de Cavalerie, hein ? ironisa Karen, qui entreprit d'enfiler sa propre combinaison.

— J'en sais rien, grommela-t-il, prenant de nouveau conscience qu'il lui répugnait de remettre Brenda à d'autres, de renoncer.

— Vous voyez ces trois crétins avec des machettes ?

Elle montrait un trio en uniforme de rangers se taillant un passage dans les sous-bois à une cinquantaine de mètres d'eux.

— On en a toujours quelques-uns comme ça. (Elle remonta la fermeture à glissière, mit la capuche.) Poignard Rambo, béret, tenue de camouflage. Je peux vous dire qu'ils seront les premiers à jeter l'éponge. On a des retraités qui tiendront deux fois plus longtemps que ces clowns.

Sous la combinaison qu'il venait de fermer, Lorenzo sentit la chaleur prise au piège augmenter. Même ses tibias ruisselaient, et l'odeur de copeaux de cèdre du vêtement en papier aggravait encore sa sensation d'étouffement. Karen releva sa capuche pour lui, noua les lacets sous son menton.

— Voilà... On en a un millier en réserve chez moi, au sous-sol. Ça ne nous a pas coûté un sou. Les manches à balai, les badges, le café, les fruits, les gâteaux ? On les a payés avec des certificats de reconnaissance. Tout le monde a envie d'aller au ciel.

A vingt mètres d'eux, Elaine passait les poignets à élastique de la combinaison sur les mains bandées de Brenda. Emmaillotée de blanc, Brenda avait l'air d'une pénitente. Plus loin, Jesse observait anxieusement les deux femmes en se faisant elle-même aider par Marie.

Lorenzo humecta de la langue ses lèvres desséchées.

— Vous êtes sûre qu'il faut absolument que je porte ce machin ? Parce que je me sens un peu oppressé...

— Si vous ne le faites pas, vous le regretterez, le prévint Karen en approchant de son visage une bombe aérosol. Fermez la bouche, protégez vos yeux. (Elle aspergea la figure puis le dos des mains de Council d'un produit antimoustiques.) Voilà, vous êtes prêt, dit-elle en lui tendant un manche à balai. Mettez vos pas dans les miens.

Il se glissa à sa suite dans une brèche trouant les broussailles et vit Elaine guider Brenda par la main, lui faire contourner les ronces et les souches. La première portait un jean et, malgré la chaleur, un pull à col roulé.

— Et sa combinaison, à elle ? s'étonna Lorenzo.

Karen se retourna, écarta de la main une bestiole ailée.

— Elaine ? Elle n'en porte pas, elle dit que ça entrave son instinct.

— Seigneur, soupira Marie dont le groupe venait de les rejoindre, Jesse fermant la marche. Le moustique qui se risquerait à piquer Elaine deviendrait fou.

— On la laisse plus ou moins en faire à sa tête, ajouta Teenie.

— Ouais ? dit Lorenzo, haletant. Pourquoi ?

Il se rendit compte après quelques pas que son bâton lui servait autant à s'appuyer qu'à explorer le terrain.

— Parce que son fils a été... a été enlevé, expliqua Karen.

Lorenzo fut surpris qu'elle, Karen, eût du mal à prononcer le mot. Teenie et Marie s'écartèrent de nouveau, Jesse les suivant à contrecœur.

— Il y a de ça quatre ans environ, à Nutley, commença Karen, scrutant le sol à ses pieds. C'était notre deuxième ou troisième gosse. On était encore un peu novices mais on s'est donnés à fond. Nous avons ratissé les forêts, les champs, les conduits d'écoulement, les cours d'eau, partout, et elle ne nous a pas quittés un instant. Nous continuons à coller des affichettes, avec le portrait, réalisé par ordinateur, de ce que l'enfant a pu devenir avec quatre ans de plus, et Elaine, nous l'avons adoptée. Elle nous dit : « Si je n'arrive pas à retrouver le mien, que j'aide au moins à retrouver celui d'un autre. » Elle participe à toutes les recherches, elle n'est jamais fatiguée. Entre nous, vous savez, je crois que l'association est la seule chose qui la retient de se suicider. Elle est séparée de son mari, je ne suis même pas sûre qu'elle ait la garde des enfants. Peut-être maintenant, je ne sais...

— Pourquoi vous l'avez mise avec Brenda ?

En inspirant, il avala un insecte et eut aussitôt les larmes aux yeux quand il toussa pour le recracher.

— Ça va ?

— Pourquoi ? insista-t-il en s'étranglant.

Karen haussa les épaules.

— Pourquoi ? Par compassion.

Lorenzo se pencha en avant, expulsa de sa gorge dans une quinte de toux quelque chose de petit et de noir, ses efforts faisant encore monter d'un cran son impression d'étouffer.

— Laissez-moi vous expliquer une chose, dit-elle, les yeux toujours rivés sur le sol. Cet endroit, Chase, il paraît immense, impossible à fouiller, hein ? Pourtant, ce n'est pas si terrible. Quand il y a une route comme celle que nous venons de quitter, nous ne nous en écartons généralement pas de plus de cinquante mètres, de chaque côté.

Elle enfonça son bâton dans le matelas de feuilles mortes tombées l'année précédente.

— En gros, poursuivit-elle, on quitte la route et on cherche la première ligne de couvert végétal dense : broussailles, herbes, ce que vous voulez...

Lorenzo entendit un moustique chanter sous sa capuche, se colla une gifle sur le dessus de la tête puis s'accroupit, étreignant ses genoux, fit une pause. Karen l'attendit.

— Voilà notre raisonnement : pour transporter le corps, il faut une voiture, une route. Puis il faut trouver un endroit où on aura quinze ou vingt minutes de tranquillité, pour l'enterrer. Mais si c'est à plus de cent mètres de la route, il faut être Superman, alors on cherche un endroit éloigné mais pas trop. Neuf fois sur dix, on retrouve le corps à cinquante ou soixante mètres de la route. Mais aujourd'hui... (Elle hésita, prit une inspiration.) Je pense qu'on ira un peu plus loin que d'habitude.

De sa position accroupie, Lorenzo leva les yeux vers elle.

— Vous prévenez les gens que c'est un cadavre qu'ils cherchent ?

— Sûrement pas. Je leur dis que nous cherchons des vêtements, des traces de présence humaine, tout ce qui ne paraît pas à sa place dans la nature. On ne leur dit jamais qu'ils cherchent un corps. Jamais.

Il regarda Elaine aider Brenda à descendre une déclivité menant à un ruisseau fangeux, peu profond. Elaine l'enjamba facilement, Brenda trébucha, tomba sur un genou, se releva et reprit sa marche, docile et aveugle, un filet d'eau boueuse coulant sur la jambe de sa combinaison.

Lorenzo toucha le bras de Karen, eut un rire de colère.

— Vous avez vu ça ? Qu'est-ce que vous lui faites ? dit-il en s'efforçant de garder un ton affable.

— Nous l'aidons à retrouver son enfant, répondit Karen d'une voix neutre. Attention où vous marchez...

Jesse, Marie et Teenie émergèrent des fourrés à quelques mètres d'eux. La mère et la fille, les lèvres pincées de concentration, les yeux braqués comme des phares, fouillaient le sol de leur bâton. Jesse n'avait d'yeux que pour Brenda, et Lorenzo discerna dans son regard inquiet, possessif, un écho de son propre sentiment d'être en porte-à-faux dans ce monde de nature hostile et de motifs cachés.

Entre les arbres, il pouvait voir d'autres bénévoles, plusieurs dizaines, explorer leurs secteurs respectifs, avançant prudemment, sondant le sol de leur bâton. Les combinaisons blanches à capuchon lui donnaient l'impression de regarder un film de série B où des scientifiques militaires marchent avec précaution sur une météorite. Karen s'arrêta près d'un tas de boîtes de conserve dont une couche uniforme de rouille orange masquait la marque. Elle utilisa son manche à balai pour les séparer, rejeta sa trouvaille : trop vieilles.

Entendant un marmonnement ininterrompu, Lorenzo se retourna et vit Elaine, à quelques mètres sur la gauche, guider Brenda par le poignet, à présent, en débitant une sorte de monologue. La mère de Cody suivait mollement, tâchant de ne pas tomber de nouveau. Un doigt de sueur glissa de la nuque de Lorenzo à la ceinture de son slip puis courut horizontalement le long de la bande humide. Il prit une bouffée d'inhalateur qui ne fit qu'enflammer ses bronches déjà irritées.

— Vous voulez savoir comment il faut regarder ? lui demanda Karen. (Elle considéra un candélabre de branches, leva les yeux vers l'arbre dont il s'était détaché.) C'est facile, c'est comme la méditation. Avec de la pratique, votre cerveau peut dériver, penser à faire l'amour ou n'importe quoi d'autre, vos yeux se mettront sur pilote automatique. En premier lieu, vous cherchez un contraste : sombre-clair, lisse-rugueux. Vous cherchez une herbe grasse, bien verte, dans un endroit où tout le reste est desséché. Vous cherchez des fleurs là où il ne devrait pas y en avoir. Comme ici...

Elle le prit par le coude, le mena à un massif de lis tigrés poussant sur la pente d'une cuvette.

— Qu'est-ce qu'elles font ici ? demanda-t-elle en fronçant les sourcils. Rien à voir avec Cody, il ne peut pas faire pousser des fleurs au bout de quelques jours seulement, mais c'est le principe, vous voyez ?

Elle s'éloigna puis revint sur ses pas, l'air intriguée.

— Il y a bien quelque chose qui les fait pousser, grogna-t-elle. (Elle coupa un morceau de ruban plastique orange d'une cinquantaine de centimètres, l'attacha à l'arbre le plus proche.) On laisse simplement un repère, nous reviendrons plus tard.

— Aïe... dit Lorenzo à mi-voix, appel à l'aide que son amour-propre rendait inefficace.

— Et vous cherchez des traces de talons, reprit Karen, poursuivant la leçon. Un corps, c'est lourd. Le type qui le porte s'enfonce un peu, même si c'est un enfant, parce qu'il faut se rappeler qu'il le trimbale depuis la voiture, alors il commence à avoir du plomb dans les jambes.

— Bien sûr, répondit Lorenzo.

— Vous cherchez une terre rougeâtre — c'est la couche du sous-sol —, des mottes d'argile. Le gars creuse une tombe, il mélange les couches. Vous tombez sur un endroit d'une couleur différente de la terre environnante ? Peut-être, peut-être. C'est comme ça que nous avons trouvé Kent. J'ai repéré les... les mottes d'argile rouge, j'ai vu...

Karen s'interrompit, se signa si rapidement que Lorenzo faillit ne pas le remarquer.

— Laissez-moi vous expliquer une chose, reprit-elle. La plupart des gens, ils disent que nous essayons... Ils disent que nous sommes des cinglées. Ils cherchent à nous ranger dans une petite case, à oublier notre... notre engagement.

— Ah, dit Lorenzo, qui n'écoutait pas vraiment, essayait simplement de respirer.

— Ils disent que nous ne sommes que des ménagères qui s'ennuient, que nous compensons, que nous cherchons uniquement à rendre notre vie un peu plus intéressante pour nous-mêmes. Ça, je leur accorde volontiers : retrouver un enfant perdu, vivant, à l'occasion, voilà un motif de satisfaction.

Lorenzo vit Brenda, assise sur une souche, la tête entre

les genoux. Debout devant elle, Elaine continuait à faire marcher sa bouche. Il captait faiblement son débit monotone, aussi oppressant que la chaleur.

— Des ménagères qui s'ennuient, répéta Karen d'un ton acerbe. Vous voyez Teenie, là-bas ? Sa fille est trisomique. Et ses frères ? Elle a deux frères, Bobby est avocat, James est arriéré, il vit encore à la maison avec Marie, sa mère. Je vous donne un autre exemple : Grace. Elle est en ce moment à l'hôpital, son gamin souffre d'infirmité motrice cérébrale. Mon fils, Pete... (Elle jeta un coup d'œil en direction de Jesse et son visage se durcit.) Où je veux en venir, c'est que Kent, le premier gosse que nous avons retrouvé, il était trisomique, lui aussi. Vous entendez ça, Lorenzo ? Trisomie, IMC, arriération : vous ne croyez pas que nous avons toutes largement de quoi nous occuper à la maison ? Vous ne croyez pas que n'importe laquelle d'entre nous donnerait n'importe quoi pour avoir un peu de vacances ? Sortir, prendre une cuite, dormir tard, avoir une vie sexuelle, bon Dieu... Mais ce qui nous touche profondément, c'est que des enfants comme Kent, ou les nôtres, sont sans défense, et qu'un salaud en a profité. Alors nous faisons ça par rage... par amour.

Elaine aida Brenda à se lever et à marcher, la portant à demi, utilisant le manche à balai comme une canne, parlant, parlant...

— Là, vous voyez ?

Karen indiquait un creux qui semblait rempli de feuilles mortes. Avec son bâton, elle les poussa sur le côté, constata que le sol, au centre du creux, était de la même couleur qu'au bord : un effondrement naturel.

Un léger vent soufflant à travers le bois rafraîchit puis glaça la transpiration sous la combinaison de Lorenzo. Il se remit à suer. Conjugué à l'humidité, son asthme l'affaiblissait tellement que le moindre obstacle — affaissement du terrain, arbre tombé, à demi pourri — lui semblait insurmontable.

— Et ici...

Karen tapota une branche détachée d'un arbre et suspendue au-dessus du sol, chacune de ses extrémités reposant sur un rocher.

— Ça vous paraît naturel ?

— Pas du tout, répondit Lorenzo sans vraiment lui prêter attention.

— On dirait que quelqu'un l'a placée là en équilibre, hein ? Vous regardez autour de vous, si vous voyez d'autres branches comme ça, ça veut peut-être dire que quelqu'un essaie de délimiter un périmètre. Peut-être un petit piège pour le prévenir que sa cachette a été découverte. Le gars revient, il voit la branche tombée du rocher, il sait qu'il est temps de décamper. Vous voyez ce que je veux dire ?

— Je vous suis, murmura Council, qui se risqua à prendre une dernière bouffée d'inhalateur.

Il y eut un remue-ménage sur la gauche, des combinaisons blanches détalant comme des bonshommes de neige en enfer. Karen tira un talkie-walkie d'une de ses poches.

— Qu'est-ce qui se passe ?

— Nous avons un cas de fusion du réacteur au niveau personnel, expliqua une voix masculine.

— OK.

A travers le bois, ils virent deux bonshommes de neige en évacuer un troisième en le portant à la manière des pompiers, tandis qu'un quatrième les filmait, Betacam sur l'épaule.

Karen tendit le bras vers un cratère de cinq ou six mètres de diamètre tapissé d'herbes et de fougères.

— Vous savez ce que c'est ? Ça vient de quand ils ont creusé un peu partout pour retrouver ce reporter, il y a trente ans. Une cinquantaine de trous comme celui-là. On devrait le canoniser, ce type. On peut dire qu'il n'est pas mort pour rien. Fermer l'institut, c'était un peu comme fermer Auschwitz. Vous avez une idée du nombre d'enfants qui ont souffert ici, génération après génération ?

Elle brandit son manche à balai comme une épée en direction des bâtiments de l'hôpital, qui n'étaient pas encore visibles.

— Des milliers, des milliers qui sont morts, qui ont été violés, maltraités, oubliés, qui ont lentement dépéri. (Elle s'interrompit pour essuyer un peu de salive coulant au coin de sa bouche.) Quelquefois, on retrouve des jouets là-bas, de vieilles poupées en caoutchouc, un livre d'images, des cubes, vieux de quarante, cinquante, soixante ans. Mais ces cratères, nous n'y descendons pas. On vous les laisse, parce que les combinaisons sont formidables contre les insectes mais zéro contre les vipères cuivrées.

Ils avancèrent à travers bois, Lorenzo suivant péniblement, comme un bossu, les bottes complètement ruinées d'avoir traversé des ruisseaux boueux et des endroits de rocaille. Sur leur gauche, Brenda et Elaine continuaient à marcher, Elaine aussi alerte et attentive qu'à leur arrivée, Brenda se traînant d'arbre en arbre comme Lorenzo. Quant à déchiffrer le terrain, il demeurait totalement aveugle, alors que Karen avait repéré trois endroits possibles, deux étendues d'herbe d'un vert profond et un petit tas de mégots.

Les premiers bâtiments en ruine étaient maintenant visibles à une centaine de mètres, les cottages soigneusement camouflés par la végétation, les dortoirs des enfants, plus imposants, s'élevant au-dessus de la cime des arbres, hautes forteresses monolithiques dressées entre la forêt et le soleil d'après-midi.

— Vous voyez ça ?

Karen désigna un éparpillement de caisses couvrant une clairière sablonneuse, une centaine ou davantage.

— Marie ! appela-t-elle.

Celle-ci accourut, Teenie et Jesse sur ses talons. Karen se servit de son bâton pour soulever le couvercle d'une caisse, révélant des tuiles soigneusement empilées, rouges et ondulées.

— C'était ici qu'on venait prendre la marchandise que le personnel vendait à l'extérieur.

— Vous auriez dû voir ce qu'on a trouvé il y a cinq ans, dit Marie, le menton sur l'épaule de Karen. Un vrai marché aux puces. Les gars ont dû se débiner dans tous les sens quand les enquêteurs ont débarqué.

— Ils ont tout laissé sur place.

— Mixers, pantoufles, aspirine, couverts en argent, outils de jardinage...

— Vous savez qui a tout raflé ? demanda Karen en s'épongeant le visage.

— Les flics ? hasarda Council.

Penché en avant, les yeux exorbités, il mordait l'air en faisant tout son possible pour rester calme, très calme. Il leva les yeux, suivit le regard angoissé de Jesse jusqu'à

Brenda, assise sur une autre souche, les mains sur les genoux. Derrière elle, Elaine lui massait le dos en parlant sans arrêt. Brenda se mit à se balancer.

— Pourquoi vous les avez mises ensemble, déjà ? demanda-t-il, soufflant comme un phoque.

— Par compassion.

— Compassion, répéta-t-il.

— Je n'ai pas perdu d'enfant, Lorenzo. Et vous ?

— Non, répondit-il en pensant : Pas exactement.

— Bref, les flics, ils sont sympas avec nous, pour la plupart, mais au fond ils ne nous aiment pas vraiment, parce qu'ils pensent qu'on est tous, pour ainsi dire, de l'adrénaline sur de la procédure, vous voyez. Et nous, on les considère comme une belle bande de feignants. Ils posent une affichette, fini pour la journée. Ou alors, ils se racontent que tel ou tel fait un bon suspect, ils essaient de le coincer et, si ça ne marche pas, ils laissent tout tomber. Et donc, notre travail consiste à entretenir leur intérêt, parce que sinon... Il faut maintenir l'affaire dans l'actualité, apporter des éléments nouveaux : une pantoufle, un beau-frère, un os maxillaire. Je ne vous mens pas, la moitié des trucs qu'on trouve, c'est fabriqué — nouveaux témoins, nouveaux indices —, rien que pour ramener l'affaire à la une. Mais certains inspecteurs sont quand même formidables, on en connaît. Des types comme vous, Lorenzo.

— Ah ouais ?

Il n'avait pas entendu un mot et s'efforçait d'aspirer cette bouffée d'air qui ne cessait de lui échapper, celle qu'il capterait uniquement s'il parvenait à gonfler un tout petit peu plus ses muscles pectoraux.

— Ces inspecteurs, ils ne sont pas nombreux mais ils ne renoncent jamais, jamais.

De ses lèvres, il forma un chalumeau : une goulée, il se contenterait d'une goulée. On lui avait raconté que son père, juste avant de mourir d'une crise d'asthme, avait dit à sa femme : « Ce coup-ci, c'est le bon, ma poule. »

— Tout à fait vous, hein, Lorenzo ?

Vaguement conscient qu'elle essayait d'une certaine façon de l'embobiner, il réussit à jeter un coup d'œil sur Brenda et Elaine, puis revint à Karen.

— Vous savez, dit-il, pantelant, avec cette chaleur, je crois pas que Brenda tiendra le coup...

Hochant la tête pour approuver ce qu'il venait de dire, il tomba à genoux puis s'effondra, face contre terre.

20

Jesse sortit du bois et s'avança devant le Cottage 9, une ruine de deux étages parmi une douzaine d'autres semblables éparpillées sur une cuvette de broussailles et de hautes herbes, enfoncées dans la végétation anarchique comme des citrouilles dans un champ. Karen, Marie et Teenie se tenaient à quelques mètres d'elle, silencieuses, et Jesse vit que d'autres escouades émergeaient aussi du bois à divers points de la lisière, grappes blanches se regroupant d'un pas hésitant devant les autres cottages.

A quelque distance, Brenda, conduite par Elaine, longeait la circonférence de la clairière, marchant les genoux en avant à la manière d'un canard. Jesse n'avait pas échangé un mot avec elle depuis qu'ils avaient quitté le parking : dès que les recherches avaient commencé, Marie et Teenie l'avaient tenue à l'écart de Brenda, et la journaliste avait rapidement compris que la mission de la mère et de la fille aujourd'hui consistait en partie à détourner son attention. Elles s'efforçaient d'y parvenir par un flot de paroles ininterrompu : histoire de l'association, tuyaux pour « lire » le terrain, bribes d'informations sur Elaine, nouvelle meilleure amie de Brenda et mère elle aussi d'un enfant kidnappé, rendue à demi folle par les recherches et, à ce titre, passant pour une sainte aux yeux des autres.

Chaque fois que Jesse tentait de rejoindre Brenda, l'une ou l'autre des femmes intervenait et l'éloignait. Une chose était claire : Brenda était confiée aux soins d'Elaine, et d'Elaine seulement, dans un dessein précis. Il se tramait quelque chose dans cette jungle, bien au-delà de la battue pour retrouver Cody Martin.

Le plus près que Jesse avait été de rétablir le contact, c'était quand Lorenzo s'était écroulé. Les quatre femmes s'étaient précipitées à son secours, laissant seule une Brenda hébétée. Lorsque Jesse s'était avancée vers elle, Brenda était sortie de sa torpeur et lui avait lancé un regard dur qui avait fait hésiter la journaliste. Le temps qu'elle se ressaisisse, Elaine avait repris possession de son bien. Tout le monde avait regardé Teenie faire prendre à Council quelques bouffées de son propre inhalateur en se demandant à voix haute pourquoi ce grand couillon n'avait pas dit dès le début qu'il avait des difficultés à respirer. Teenie et Marie avaient en effet emporté des appareils fournis sur ordonnance, sans parler des inhalateurs, et même de l'oxygène pur, qu'on pouvait se procurer au poste de premiers soins de Chris Konicki, à quelques centaines de mètres seulement sur la route principale.

Le Cottage 9 était bordé par les vestiges d'une véranda de bois gris où un numéro, tracé à la peinture, achevait de s'estomper sur la balustrade usée par les intempéries. Le bâtiment couleur sable, dépourvu de porte, était percé de fenêtres aux vitres brisées, gueules hérissées de crocs qui, malgré l'éclat aveuglant du soleil, ne révélaient rien de ce qu'on pouvait découvrir à l'intérieur.

Contournant un fauteuil de jardin métallique rouillé couché sur le flanc dans l'herbe haute, Marie s'approcha de la maison. Teenie et Karen reculèrent presque simultanément comme pour lui laisser le champ libre. Elle posa une main sur la balustrade de la véranda, mais ne monta pas sur les planches vermoulues et se tint immobile. Les autres attendirent en silence jusqu'à ce que Marie se tourne finalement vers elles.

— On laisse tomber, on y va pas.

— Pourquoi ? voulut savoir Jesse.

— Il y a quelque chose qui va pas, répondit Marie en rejoignant le groupe.

— Quoi ?

— Je sais pas.

— Si ma mère dit qu'on y va pas, on y va pas, déclara Teenie.

— Mais... pourquoi ?

— Elle le sent, expliqua Karen, piquant une tique sur la manche de la journaliste.

— Il y a quelque chose à l'intérieur mais... commença Marie, qui souleva le devant de sa combinaison de papier et l'agita. Demande à Louis d'amener le chien.

Karen ressortit son talkie-walkie.

— Lou, tu es où ?

La voix du mari s'éleva, faible et lointaine, par-dessus la friture :

— Qu'est-ce qui se passe ?

— Nous sommes au Cottage 9. Marie a les chocottes.

— On l'a fait ce matin, y a que des rats. N'entrez pas.

— Et le 8 ?

— Rien non plus. Occupez-vous seulement du parc.

— OK. (Karen mit fin à la communication, fit signe à Jesse.) Venez.

Elle la prit par la main, l'amena au bord de la véranda, attendit en silence. Au bout de quelques secondes, Jesse entendit les rats trottiner.

— Il est entré là-dedans ?

— Pas lui, le chien.

— L'endroit a déjà été fouillé, alors ?

— Oh oui ! Louis a fait tout le parc ce matin vers six, sept heures. Avec quelques gars.

— Et ? (Karen haussa les épaules.) Donc, vous savez que le gosse n'est pas ici.

— Probablement pas. Mais sait-on jamais.

— Sait-on jamais quoi ?

— C'est comme ça. Nous avons trouvé un enfant enterré ici... Christina Howell. Ça remonte à quand ? demanda Karen à Marie.

— Quatre ans en juillet.

— Derrière le Cottage 6. Le type qui a fait ça était garçon de salle ici à la fin des années 1960, avant qu'on ferme l'institut. Il s'est retrouvé au chômage, sans endroit où aller, alors, il s'est installé dans les bois. Il avait un système élaboré de brindilles autour de son campement pour le prévenir si quelqu'un venait fouiner dans le coin.

« Bref, il s'est emparé de cette gosse, Christina — elle vivait à trois kilomètres d'ici —, il l'a tuée, il l'a enterrée. Nous l'avons retrouvée — enfin, le chien l'a retrouvée. Le type purge sa peine à Dannamora, mais nous sommes à peu près sûrs qu'il a tué d'autres enfants dans ce parc, des enfants portés disparus. Ils sont enterrés ici quelque part, quatre, cinq gosses, il refuse de le dire. Il s'appelle Alex Rockwell... Tous les mois je lui écris, à Alex, j'essaie de le convaincre : « Vous ne sortirez jamais de prison, quoi qu'il arrive, alors réglez vos comptes avec le Seigneur. Où avez-vous enterré les autres ? Leurs âmes ne peuvent rejoindre le Père que si nous leur donnons une vraie sépulture. Je vous en prie, Alex, laissez-les rentrer chez elles. » Il ne répond jamais, mais nous savons que ces gosses sont ici. Il avait plusieurs camps, plusieurs cachettes dans les bois, et les flics ont trouvé des poupées enterrées verticalement, une douzaine, la tête en bas, exactement comme il a enterré la fillette, Christina. Alors, ce que je veux dire, c'est que dans une battue comme celle-ci, il y a des choses à trouver, Jesse. Peut-être pas ce qu'on croit chercher, mais... Nous ne renonçons jamais, nous n'abandonnons jamais nos enfants. En plus, on n'a toujours pas retrouvé le reporter, hein ? Alors, sait-on jamais.

Comme Brenda approchait de la partie de la circonférence la plus proche de l'endroit où elles se tenaient toutes maintenant, Jesse décida de faire une nouvelle tentative, mais avant qu'elle puisse passer à l'acte, un cri monta de la forêt :

— Je l'ai trouvé ! Je l'ai trouvé ! glapit une voix aiguë. Ses os ! Oh ! mon Dieu ! Ses os ! Ses os !

Quelques bénévoles déjà arrivés dans la clairière se détachèrent de leurs groupes. Plusieurs cameramen en tenue blanche coururent dans l'herbe haute, la Betacam à l'épaule comme un bazooka.

— Jésus, Marie, Joseph ! Sainte Mère de Dieu ! Ses os !

L'hystérie montait. Imitant les membres de son groupe, Jesse ne bougea pas, regarda Karen et Marie puis l'agitation désordonnée dans le bois.

La présidente des Amis de Kent appuya sur un bouton de sa radio.

— Ici Karen. Qu'est-ce qui se passe ?

— Karen, c'est Phil Caruso. On a des ossements, ici.
— OK.
— Reculez-vous, bon sang ! ordonna Caruso, probablement à quelqu'un de son groupe. Karen, tu me donnes une seconde ?
— Deux, si tu veux.
Karen détourna les yeux, la main en visière pour se protéger du soleil. Marie et Teenie attendaient en silence.
— Karen ? reprit Caruso.
— J'écoute.
— Le gosse avait les pieds fourchus ?
— C'est bien ce que je pensais. Renvoie tout le monde dans son groupe, OK ?
— Compris.
— Je vais voir Brenda, déclara Jesse.
— D'accord, nous y allons toutes.
La journaliste ouvrit la marche en souhaitant presque que Karen essaie de l'arrêter, mais ni elle ni personne ne l'empêcha de se diriger vers Brenda et Elaine.
— Salut.
Quand Jesse lui posa une main sur le bras, Brenda lui lança de nouveau un regard glacial puis continua à marcher, soutenue par Elaine qui lui enserrait la taille. Jesse demeura obstinément un pas derrière et observa la jeune femme, si épuisée que sa tête ballait comme si elle avait le cou brisé. Quittant leur parcours circulaire, Elaine fit obliquer Brenda vers les dortoirs en ruine, Jesse sur leurs talons, Teenie, Marie et Karen formant l'arrière-garde.
— ... parce que, voyez-vous, Brenda, marmonnait Elaine d'une voix basse et pressante, je sais qui c'est. Je sais qui l'a enlevé. Karen et les flics aussi. Lui ne sait pas que je sais. On l'a soupçonné, mais il pense qu'il est maintenant hors de cause. Je vous le jure, même si je dois vivre cent ans, je n'arrêterai pas de le surveiller. Je garderai les yeux ouverts et les oreilles aux aguets. Parce que cet homme, quand il sort de chez lui, c'est peut-être pour aller voir le corps de mon fils. Ils le font tous. Ils enterrent l'enfant dans un endroit qui leur est familier et où il leur est facile de se rendre, parce qu'ils aiment aller voir la tombe, vérifier que tout va bien. Il peut se rendre sur la tombe, ce malade, ce salaud, et moi pas...

« Il habite dans la même rue que moi, six maisons plus bas. Alors, chaque fois que je le vois sortir et que ce n'est pas l'heure pour lui d'aller au travail, le soir, par exemple, ou à sept heures du matin, quand il est seul dans sa voiture, je le suis...

« Comme nous sommes voisins, on se parle, on se dit bonjour, on échange des banalités, et il est toujours mal à l'aise avec moi, agité, nerveux, mais ça, c'est sa conscience, parce que je ne dis et je ne fais jamais rien qui pourrait lui faire comprendre que je sais. Mon mari me répétait : « Elaine, il faut déménager, nous ne pouvons pas continuer à vivre dans cette maison », et je répondais : « Déménage, toi. Moi, je ne laisse pas mon fils. Et je ne laisse pas ce type. »

Jesse sentit une main sur son épaule, sursauta. C'était Marie qui lui souriait, qui la ralentissait pour mettre Elaine et Brenda hors de portée d'oreille.

— Vous savez, Jesse, cette saleté de vague de chaleur me rappelle quelque chose à quoi j'avais pas pensé depuis des années. Un jour, il y a de ça vingt-cinq, trente ans, j'étais avec ma mère dans un centre commercial. Il devait faire quarante degrés, dehors. Je vois une jeune femme, un gars qui arrête sa voiture, qui descend. Ils s'embrassent, ils partent main dans la main, et je dis à ma mère : « M'man, ça fait plaisir de voir des gens mariés heureux, pour changer. » A l'époque, j'étais enceinte de Teenie ou d'un des garçons, je ne sais plus. Et ma mère me répond : « Ils sont pas mariés. — Comment tu le sais ? » je lui fais. « Parce que les gens mariés ne se touchent jamais pendant une vague de chaleur. » Je ne l'oublierai jamais. « Les gens mariés ne se touchent jamais pendant une vague de chaleur. » Enfin, bref, écoutez-moi, Jesse. Karen a vraiment besoin que vous restiez loin de Brenda, en ce moment.

— Pourquoi ? Elle a peur que je fasse capoter l'Opération Bec-de-Gaz ?

— S'il vous plaît.

Jesse recula d'un pas. Elaine, qui soutenait toujours Brenda de son bras, s'arrêta devant le dernier cottage, au bout de la clairière. Les autres firent cercle autour d'elle, silencieuses, les yeux baissés, et Karen porta une jointure à ses lèvres. Puis tout le monde repartit en direction de ce qui restait d'une route.

— C'était quoi ? demanda la journaliste à Marie.
— Quoi ?
— Là-bas, devant le cottage.
— Nous y faisons toujours une halte. C'est le 6.
— Le 6 ?
— Le Cottage 6. Où on a trouvé Christina. On vient toujours la saluer quand on est dans le coin.

Jesse eut l'impression qu'elles avançaient maintenant au hasard après avoir quitté le secteur qui leur avait été affecté, et qu'elles suivaient cette route semée d'ornières dans un état d'esprit différent, à la fois plus et moins intense, observant moins minutieusement le paysage qu'auparavant mais avec une sorte d'attention vigilante à l'intangible. On n'entendait que la voix monocorde d'Elaine, qui gavait inlassablement l'oreille de Brenda. Faisant fi de la requête de Marie, Jesse se rapprocha suffisamment pour discerner les mots :

—... Karen m'a sauvé la vie. Elle a frappé à ma porte moins de six heures après le rapport de la police. Elle m'a fait asseoir, sortir tout ce que j'avais dans la tête, elle l'a mis noir sur blanc, elle a donné plusieurs coups de téléphone et elle a dit : « Allons-y. » On a cherché jusqu'à deux heures du matin, on avait des casques de mineurs, pour voir dans le noir. On est rentrés, on est repartis à six heures. Jusqu'à deux heures. Sept jours d'affilée, comme ça. Les gens me disaient : « Elaine, il faut te reposer. » Mais comment j'aurais pu ? Impossible. On ne peut pas arrêter de chercher son enfant. Une mère ne renonce jamais. Dites-moi qu'il est mort, je dormirai une semaine entière. Mais comment arrêter avant de savoir ? Brenda, cela fait quatre ans qu'il a disparu, et chaque fois que je sors de la maison, je regarde la rue, à droite, à gauche. Peut-être que je vais le voir rentrer. A trois heures, quand les enfants reviennent de l'école, je suis sur le pas de ma porte. On ne peut pas arrêter...

Les jambes de Brenda se dérobèrent sous elle et Elaine resserra son bras autour de sa taille, les jambes largement écartées, pour l'empêcher de s'écrouler. Jesse se précipita de l'autre côté pour l'aider ; le regard de Brenda se posa sur elle.

— Ne me touchez pas, murmura-t-elle avec violence.

Abasourdie, Jesse recula, laissant Elaine se débrouiller

seule. Le corps et l'esprit de Brenda semblaient complètement séparés, à présent : des bras et des jambes de pantin aux ficelles coupées, mais des yeux perçants.

— N'approchez pas.

Jesse continua à reculer vers Marie, se tourna vers elle.

— Qu'est-ce que j'ai fait ?

La mère de Teenie la regarda avec une expression de regret, presque d'excuse.

— Je crois vraiment que vous devriez la laisser tranquille, en ce moment.

Le groupe quitta la route pour replonger dans la forêt et, quand Jesse eut recouvré sa maîtrise de soi, elle n'eut plus que le bourdonnement du monologue d'Elaine pour la guider à travers les épais sous-bois. Elle finit par les rejoindre dans une clairière, sur une plate-forme de ciment de deux mètres sur deux. Deux fauteuils de jardin, de vieilles boîtes de conserve et de bière jonchaient les environs immédiats.

Sans montrer d'intérêt pour ces signes de présence humaine, les femmes des Amis de Kent allumèrent une cigarette, ouvrirent le haut de leur combinaison de papier, soufflèrent un peu. Elaine fit asseoir Brenda sur un des sièges rouillés, s'accroupit à côté d'elle pour garder ses yeux à la hauteur des siens tandis qu'elle continuait à déverser mots et visions en elle. Jesse, malade d'anxiété, essaya d'attirer le regard de la jeune femme mais pas question : Brenda leva avec grâce une main bandée, dans un geste de refus qui était presque royal.

— Hé, Jesse, venez par ici ! l'appela Karen, lui faisant signe avec sa cigarette.

Un bras autour des épaules de la journaliste, elle l'entraîna de nouveau loin de Brenda, se fraya un chemin dans la végétation jusqu'à une clôture en grillage derrière laquelle s'étendait une immense piscine, si vaste, si proche, que Jesse eut l'impression qu'on l'avait conduite au bord d'une falaise.

— Ça alors...

— Ouais, dit Karen, une main accrochée au grillage.

Le bassin devait faire cinquante mètres de long et quinze de large, avec un fond qui s'inclinait doucement, d'une vingtaine de centimètres au bord à un mètre quatre-vingts environ en son milieu, après quoi il descendait à pic jusqu'à six mètres. La partie la moins profonde était coupée en deux dans le sens de la longueur par une barrière de deux tubes rouillés, sans doute installée pour les infirmes en fauteuil roulant et les pensionnaires les plus faibles, pensa Jesse. La végétation foisonnait sur les bords du bassin, cascades de plantes grimpantes, de fougères et de mousses qui transformaient cette piscine fantôme en une autre ruine de jungle dont les dimensions et l'aspect, encaissé, suggéraient un terrain de jeu de paume maya ou quelque autre arène d'un peuple disparu et à jamais oublié.

— Vous vous rendez compte ? dit Karen avec son sourire crispé.

— Pourquoi elle m'en veut, Brenda ? demanda Jesse.

— Qu'est-ce que vous voulez dire ?

— Elle me fusille du regard.

Karen alluma une cigarette, tira une longue bouffée.

— Ah ! oui ? Elle est peut-être fatiguée.

— Qu'est-ce qui se passe ? C'est quoi, cette embrouille que vous lui faites ?

Karen aspira une autre bouffée, jeta son mégot dans la piscine à travers le grillage.

— Vous savez ce qui me scie ? Tout ce truc tombe en ruine : les pierres, le ciment, les briques, mais regardez... (Elle indiqua une chaise de maître nageur de l'autre côté du bassin, mince et frêle sur ses pattes de girafe, mais intacte.) Vous savez pourquoi elle tient encore debout ? Personne ne s'y est jamais assis. C'est une fausse piscine. Pas de tuyaux, pas de pompe : elle n'a jamais contenu une goutte d'eau, sinon de pluie. Quelqu'un a dû se faire des couilles en or...

Se retournant vers la plate-forme de ciment, Jesse vit Brenda à travers les broussailles, bien calée sur son trône rouillé, Elaine continuant à lui farcir la tête de sa folie.

— Je me rappelle cette piscine quand j'étais gosse, dit Karen. Tout le monde savait que c'était une arnaque, qu'il n'y avait jamais eu d'eau dedans, mais des gens racontaient qu'ils connaissaient quelqu'un qui connaissait quelqu'un qui se promenait un soir près du grillage, et qui avait entendu un bruit d'éclaboussement. Il avait tourné la tête, découvert une petite fille ou un petit garçon qui nageait et jouait dans la piscine, brusquement remplie d'eau. Et puis la petite fille ou le petit garçon remarquait la personne et lui faisait signe de sauter. Et on racontait quelquefois que la personne sautait vraiment. On la retrouvait morte le lendemain, la nuque brisée, dans la partie profonde de la piscine vide. Mais la chute de l'histoire, c'est que, lorsqu'on procédait à l'autopsie, on trouvait de l'eau dans les poumons du cadavre ! Incroyable, non ?

— Hum, grogna Jesse.

Agrippée au grillage, elle se tourna de nouveau vers Brenda et Elaine.

— Quand on a fermé l'institut, j'étais une ado, poursuivit Karen. On escaladait la clôture, on descendait au fond du bassin, on fumait. C'était super, pour se défoncer, vous savez, avec toutes ces plantes grimpantes, et l'immensité de ce trou, son côté secret. On peut dire que je me suis éclatée, là en bas. Je ne pouvais pas me douter, hein ?

— Quoi ? dit Jesse, dont la tête semblait montée sur pivot. Ouais, ajouta-t-elle, ramenant son regard sur Brenda et Elaine.

Puis, pensant : Et merde ! elle se dirigea vers la plateforme de ciment, se joignit au cercle de fumeuses, à distance respectueuse de Brenda, trois mètres, mais assez près pour entendre. La voix d'Elaine était râpeuse, son visage parfaitement immobile, excepté l'éclat fluide de ses yeux.

—... même votre famille se retourne contre vous, au bout d'un moment. Vous devenez une sorte de boulet pour eux. Quand vous descendez, le matin, les autres gosses vous demandent : « Maman, tu vas encore être triste aujourd'hui ? » La seule chose qui puisse vous ramener à un semblant de vie normale, c'est quand vous vous rendez compte de ce que vous faites à vos enfants, à votre couple. Mais moi, je n'ai même pas su me raccrocher à ça. Je n'ai pas pu faire comme si de rien n'était. Ce salaud a pris ma vie, il m'a pris ma famille... (La marque lie-de-vin qui tachait un côté de son visage parut s'élargir, s'assombrir.) Et mon mari, il me répétait : « Elaine, pense aux autres enfants, pense à moi, Elaine. Nous devons continuer à faire notre métier de vivre. » Il appelait ça comme ça, « le métier de vivre »...

Brenda, en chien de fusil, le front contre les genoux, se balançait de nouveau, et le métal rouillé de son fauteuil grinçait sur un rythme évoquant l'activité sexuelle. La journaliste la regardait, fascinée.

— Les hommes, ils s'effondrent toujours. Ils vous parlent

du « métier de vivre », ils vous disent de penser aux autres, à eux. Et puis ils s'en vont, parce qu'ils n'ont pas le courage nécessaire, parce qu'ils n'ont pas les tripes... Et... et qu'est-ce que je peux dire à mes autres enfants ? Ils sont avec mon mari, maintenant. Je ne peux leur dire que la vérité : si c'était arrivé à l'un d'entre eux, j'aurais fait la même chose que pour leur frère. Je voudrais les retrouver, les ravoir auprès de moi, mais jusqu'à ce que quelqu'un me dise que mon fils est mort, je reste ici. Ce qui me fait peur, Brenda, c'est que je suis comme ça depuis quatre ans. Je sais que j'ai encore de l'amour dans le cœur, mais si ça dure encore longtemps, il ne m'en restera plus, il sera trop tard. (Karen les rejoignit en sautillant. Elaine poursuivait :) Quelquefois, j'ai envie d'attraper ce salaud, ce pervers, cet assassin, et de lui dire : « Jimmy, c'est toi, je le sais. Ne dis rien, contente-toi de hocher la tête : il est mort, oui ou non ? Fais ça pour moi et je ne t'embêterai plus jamais. Personne ne t'arrêtera pour un hochement de tête, et je jure que je partirai, tu ne me verras plus. Est-ce que mon fils est mort ? Hoche simplement la tête. J'ai besoin de savoir. Est-ce qu'il est mort ? »

Les genoux de Brenda tremblaient comme des marteaux piqueurs. Marie et Teenie descendirent de la plate-forme, attendirent. Tout le monde attendait.

— « Seigneur miséricordieux, réponds-moi, Jimmy. Un simple hochement de tête. Une si petite chose et la nuit deviendra le jour. »

Brenda se mit à sangloter, Elaine lui massa la nuque. Partagée entre l'envie d'interrompre la scène et celle de la voir parvenir à sa conclusion naturelle, Jesse se tourna vers Karen, qui soutint son regard en pressant un doigt sur ses lèvres.

— Est-ce qu'il est mort, Brenda ? Oui ou non, c'est tout ce que je demande.

La main d'Elaine glissa le long du dos, massa la colonne vertébrale. Brenda se redressa, s'affala de nouveau, les genoux contre la cage thoracique.

— Donne-moi la paix, Brenda, murmura Elaine, donne-moi la paix...

Puis elle se tut, comme les autres.

Au bout d'un long moment, Brenda se redressa de nouveau dans son fauteuil de métal, porta une main bandée à son œil gauche.

— Il fait si chaud, gémit-elle. J'ai l'impression d'être en enfer.

Les femmes continuaient à la fixer en silence mais, Jesse le sentit, le moment était passé ; on aurait dit que l'air s'était dégonflé et pendait mollement autour d'elles.

Elaine se tenait au-dessus d'elle, les lèvres pincées, l'œil sec.

— Ça va aller, Brenda. Ça va aller.

— Prête pour les dortoirs ? lui demanda Karen. Tu penses qu'on peut y aller maintenant ?

Marie laissa tomber sa cigarette sur le ciment, l'écrasa lentement de la pointe de sa basket. Elaine examina un moment ses mains avant de répondre :

— Je crois qu'on devrait continuer à explorer le parc encore un peu. (Elle se releva, prit Brenda par le coude.) Venez, c'est presque fini.

Elles longèrent les vastes dortoirs abandonnés en demeurant sur les allées de bitume qui reliaient les bâtiments en ruine — la chapelle, la salle de gymnastique, le théâtre —, tous condamnés par des planches qu'on avait arrachées puis reclouées. Elles passèrent près de cratères laissés par la grande chasse à l'homme de 1967. Au fond de chaque cuvette poussaient des fourrés indépendants.

Dans cette partie du parc, il n'y avait pas d'arbres, rien que le crissement des cigales et la chaleur blanche. Les femmes des Amis de Kent se contentaient maintenant de battre machinalement les broussailles avec leur bâton, comme si elles attendaient le bon moment.

Elaine reprit possession de Brenda et le groupe continua à avancer. Jesse vit d'autres escouades émerger du bois séparant les cottages des adultes du reste du parc. Elle vit aussi que Louis, posté à la lisière avec le chien, interceptait chaque groupe et qu'il les renvoyait dans le bois. Comme pour réserver l'institut au groupe de sa femme.

Elaine cessa soudain de marcher, approcha son visage à quelques centimètres de celui de Brenda et lui parla dans les yeux :

— Quand je dis que je veux simplement savoir si mon fils est mort ou vivant, ce n'est pas tout à fait vrai. (Brenda voulut remettre son casque sur ses oreilles, mais Elaine le fit glisser sur son cou.) Je voudrais aussi lui donner une sépulture décente en terre consacrée. L'idée qu'il gît dans un fossé, dans un trou peu profond où les animaux...

Brenda se plia en deux pour vomir, une main sur l'estomac, comme pour une révérence. Jesse fit de nouveau un pas vers elle mais Elaine, une main de propriétaire sur le dos de la jeune femme, l'arrêta d'un regard féroce.

Marie s'effondra. Après avoir titubé comme un ivrogne, elle tomba à genoux, bascula sur le côté, parvint à se soulever sur un coude. Sa fille et Karen se précipitèrent, une de chaque côté ; Teenie abaissa la fermeture Eclair de la combinaison, Karen lui glissa dans la bouche une tablette de sel, arrosa sa tête avec l'eau d'une bouteille, lui fit boire le reste à petites gorgées.

— Seigneur, s'esclaffa Marie, regardant autour d'elle comme si elle s'efforçait de se rappeler où elle était, ce qu'elle faisait là.

— M'man, tu veux rentrer ?

— Non, ça va. Aidez-moi seulement à me lever.

Profitant de ce que Marie captait toute l'attention, Jesse se faufila près de Brenda, tendit le bras vers les écouteurs reposant sur sa nuque.

— Laissez-moi...

Brenda se recula vivement. Elaine se plaça entre elles comme pour protéger l'une des avances de l'autre, inspecta Jesse de la tête aux pieds puis ouvrit le feu :

— Elle m'a dit que vous lui aviez raconté que vous aviez un fils. Comment osez-vous ? Vous n'avez pas d'enfants !

Karen, impassible, observa la scène puis haussa les épaules et détourna les yeux. Jesse fixa le sol, souriant presque, pensant : Bien sûr.

— Il faut que je m'étende, geignit Brenda.

Après un coup d'œil à Karen, Elaine suggéra :

— Allons aux dortoirs.

Quand elles se remirent en route, Jesse resta en arrière, ruminant ce qui venait de se passer, consciente que tout le monde, même Brenda, surtout Brenda, se foutait totalement qu'elle continue à les accompagner ou qu'elle fasse demi-tour et rentre chez elle. Elle avait rempli son contrat, elle avait fait sortir Brenda de son appartement pour la lâcher dans ce bois, elle l'avait livrée aux assauts murmurés d'Elaine, on pouvait maintenant se passer de ses services. Dès la minute où elle était entrée chez Brenda, le premier soir, agitant la bannière de la Maternité, Jesse avait été torturée par l'immoralité de son mensonge, mais il apparaissait en fait que personne ne s'en souciait. Les femmes des Amis de Kent n'avaient vu dans cet enfant fictif qu'un moyen de pression pour l'obliger à marcher selon la ligne qu'elles traçaient, puis une lame pour la couper de Brenda quand elles n'auraient plus besoin d'elle. Ces femmes étaient aussi impitoyables, aussi manipulatrices que n'importe quel reporter de sa connaissance.

Sensible à l'ironie de la situation, Jesse regarda Brenda, Karen et les autres approcher de la masse noire du bâtiment puis se surprit à trotter derrière elles, la tête légère, libérée. Roulée, manipulée, elle continuait à faire son boulot, et son boulot était ici.

Le dortoir des enfants était coupé du reste du parc. On avait enlevé le perron de la porte d'entrée et, pour pénétrer à l'intérieur par une fenêtre brisée, les femmes durent se faire la courte échelle. Malgré l'aspect comique de la scène, il n'y eut ni rires ni plaisanteries, rien que concentration et efforts. Brenda passa des bras d'Elaine, qui la soulevait, à ceux de Karen, penchée par la fenêtre.

L'intérieur du bâtiment était vaste comme un hangar d'avions et obscur. Le jour qui s'infiltrait par les fenêtres sales du rez-de-chaussée l'éclairait d'une lumière chiche qui se fondait rapidement dans une pénombre informe. La hauteur impressionnante du bâtiment n'était perceptible que grâce à un trou percé dans le toit pour une cheminée depuis longtemps disparue, et par lequel le soleil glissait là aussi des rayons obliques, projetant sur la partie supérieure d'un mur un disque légèrement oblong.

Les femmes étaient écrasées par le vide du lieu, entourées de chiffons, de boîtes de bière, de paquets de cigarettes écrasés, de morceaux de contre-plaqué, le tout faiblement éclairé par une lumière blanchâtre passant à travers les vitres crasseuses. Il y avait des graffitis sur les murs — « Baise », « Suce », parties génitales, surnoms —, les habituels détritus pour l'œil. Quelque chose de petit fila près du groupe, trop vite pour que quiconque puisse réagir, et Jesse pensa au trottinement qu'elle avait entendu dans le Cottage 9.

— Restez groupées, dit Karen en allumant une torche électrique.

Le bruit de leurs pas traînants, prudents, renvoyé par les murs de cette coquille vide, leur revenait en un écho grinçant.

— Je suis si fatiguée, dit Brenda, les mots à peine plus perceptibles qu'un souffle. (Elle pencha la tête en arrière jusqu'à faire saillir sa gorge.) Qu'est-ce que vous voulez de moi ?

La lampe de Karen prit dans son faisceau une chaussure d'enfant en cuir, sans lacet, un pigeon mort, la poitrine ouverte, les ailes déployées et couvertes de sang, une autre chaussure, un modèle ancien mais dont la semelle était immaculée. Les femmes semblaient consciemment former un cercle autour de Brenda, comme si elles contribuaient toutes physiquement à la faire avancer. Jesse demeurait à l'écart, incapable de dire si les pieds de la jeune femme touchaient le sol. Une autre boule de fourrure détala, et, cette fois, la journaliste eut le temps de voir ce que c'était : non un rat, comme elle l'avait craint, mais un chat.

Elles tournèrent à un coin — le bâtiment se composait apparemment de quatre longues salles —, parvinrent à un tas de chaussures d'enfants à la semelle vierge, à un entassement de lavabos en porcelaine. Le long d'un des murs, on avait fixé des pommes de douche, à un mètre d'intervalle ; en face s'étirait une rangée de toilettes dont les portes battantes, dans le style saloon, pendaient sur leurs gonds. Il ne restait qu'une seule cuvette, autour de laquelle bourdonnaient des mouches.

— C'est tellement triste, cet endroit, dit Karen.

Elle balaya le sol de sa lampe, éclaira d'autres chaussures d'enfants, une bouteille de vin vide, un autre oiseau éventré. Brenda semblait flotter derrière ses paupières closes, marcher dans les ruines comme une somnambule. Autour d'elle, les femmes avaient un visage sans expression. Le faisceau s'arrêta sur un haut de pyjama, un pain de savon portant une empreinte de dents, les pages recourbées par le feu d'un annuaire téléphonique.

— Chaque fois que je viens ici, murmura Elaine d'une voix rauque, je les entends, je le jure.

— Vous entendez qui ? demanda Jesse en pensant : « Chaque fois que je viens ici ? »

Quelque chose décampa à proximité. Jesse entrevit un éclair de fourrure, l'éclat reflété d'un œil : un autre chat, l'endroit grouillait de chats.

— Tellement triste, répéta Karen d'un ton exagéré, théâtral.

Ses mots carambolèrent contre les murs, se mêlèrent au bruit de tambour à timbre de leurs pas. C'est ici, pensa Jesse. Ce qu'elles préparaient, ce vers quoi elles marchaient depuis des heures, c'était ici.

Elles tournèrent de nouveau à un coin et entrèrent dans ce qui avait dû être la chambre commune, quelques lits en fer émaillé blanc encore sur leurs pieds éparpillés çà et là, des dizaines d'autres entassés dans un méli-mélo de montants et de barres, aux deux extrémités de la salle, comme si une main géante les avait poussés dans les angles. La trace des têtes de lit imprimée dans les murs à intervalles réguliers indiquait qu'ils avaient été autrefois alignés.

Par les fenêtres couvertes de poussière, le soleil marbrait le sol, révélant une cavalcade d'yeux et de poils, puis la lumière cédait progressivement la place à l'obscurité emmurée. Un autre disque gibbeux brillait par un trou de cheminée, dans le toit, suspendu au-dessus des ténèbres flottantes et du dortoir nu, telle une vraie lune dans une nuit sans étoiles.

La torche de Karen éclaira d'autres souvenirs et débris : un gant de toilette raidi dans ses plis, des bombes de peinture, une poupée en caoutchouc sans tête, une autre aux yeux arrachés, une bible, une cravate, un autre pigeon à demi dévoré, probablement l'œuvre des chats.

— Dieu que je déteste cet endroit, soupira Karen. Je jurerais qu'ils sont encore ici. (Elle prit la main de Brenda.) Nous allons explorer le coin. C'est un peu dangereux, la moitié des lattes du plancher peuvent céder à n'importe quel moment, alors je préfère que vous restiez ici à nous attendre, OK ?

— Rester où ?

— Installez-vous confortablement.

Karen la conduisit à l'un des lits, la souleva, la fit asseoir sur le sommier, les jambes pendantes.

— Qu'est-ce que vous faites ? demanda rêveusement Brenda.

— Attendez-nous là, dit Karen en reculant.

— Je ne peux pas rester seule, murmura Brenda, en partie pour elle-même.

Quand Jesse, restée dans l'ombre, voulut s'avancer dans la lumière, Marie et Teenie lui firent signe de ne pas bouger. Les autres femmes reculèrent elles aussi dans l'obscurité et attendirent, le visage tendu, sans se regarder. Brenda était assise seule au bord du lit, telle une offrande sur un autel. La salle parut à Jesse deux fois plus vaste et désolée, comme si la présence solitaire de Brenda lui donnait sa véritable échelle.

Et puis elle les entendit. Les pleurs. D'abord elle crut que c'était Brenda, qui leur tournait le dos, mais son corps frêle n'était pas secoué par les convulsions qui accompagnent les sanglots. Cela recommença : un vagissement plaintif, enfantin, qui glaça le cœur de Jesse. Lorsque les pleurs crûrent en précision et en volume, l'idée traversa la journaliste que ces lamentations ne venaient pas juste de commencer mais qu'elles étaient une présence constante dans ce bâtiment qui, pendant des décennies, avait abrité des milliers d'enfants oubliés, et qu'elle les entendait maintenant seulement parce que les membres des Amis de Kent, pour la première fois depuis leur entrée dans cette salle caverneuse, faisaient silence.

Les femmes gardaient les yeux baissés. Elaine se mit à murmurer quelque chose pour elle-même, une déclamation infinitésimale, sur le rythme d'une prière apprise par cœur et débitée rapidement. Karen alluma une cigarette, éteignit l'allumette entre ses doigts.

Finalement, Brenda entendit, elle aussi. Elle se redressa, tourna brusquement la tête de chaque côté puis, la bouche grande ouverte, leva le menton vers la fausse lune. Les pleurs — aigus, pénétrants — parurent redoubler. Brenda croisa ses mains bandées sur son cœur.

Effrayée, Jesse se tourna vers Karen, qui lui signifia d'une main levée de ne pas se manifester. Brenda se laissa lentement aller en arrière jusqu'à ce qu'elle soit étendue sur le sommier rouillé. Parmi les plaintes, Jesse commença à entendre des mots à demi formés, de pitoyables suppliques. Brenda remonta les écouteurs sur ses oreilles, chercha à tâtons le bouton *Play* de son baladeur.

— Merde, dit Marie entre ses dents.

Un moment plus tard, cependant, Brenda ôta le casque et, fixant toujours la lune ovale, sembla s'abandonner aux pleurs fantomatiques.

Jesse entendit alors un mot distinctement, « Maman », ce qui la rendit aveugle. Karen, tête baissée, ferma les yeux et pressa une jointure contre ses lèvres, comme elle l'avait fait devant le Cottage 6. Elle saisit la main d'Elaine. Un chat effleura les pieds de Jesse, la fit sursauter. Teenie recula de quelques pas encore dans l'obscurité, tiraillant sur son col et ravalant des sanglots. Brenda porta ses mains bandées à ses yeux, roula sur le côté et se coucha en chien de fusil sur les ressorts qui ne s'enfonçaient pas sous son poids.

« Maman. » A nouveau. Non. Et cette fois, Jesse comprit : les chats. Les foutus chats, une litanie incessante de miaulements et de plaintes que couvrait auparavant le bruit creux de leurs pas et de leurs voix.

Brenda demeurait immobile, les mains entre les cuisses, et Jesse pensa qu'elle s'était peut-être endormie. Toutes les femmes l'épiaient de l'ombre tandis que le dortoir résonnait d'imitations insouciantes de lamentations désincarnées, de plaintes inconsolables. Teenie resurgit de l'obscurité, le teint brouillé d'avoir pleuré.

Lentement, Brenda se redressa. Se mit debout. Elle fouilla du regard l'obscurité moite, les murs puis, déchirant le haut de sa combinaison antimoustiques, retourna vers le groupe en traînant les pieds. Elle passa devant les femmes. Après avoir attendu un moment, celles-ci la suivirent, à distance, Jesse fermant la marche.

Dehors, dans l'humidité imprégnant l'air, Brenda s'adossa à un arbre, la combinaison en papier rabattue jusqu'à la taille. Jesse, Karen et Elaine s'agenouillèrent à sa gauche ; Teenie et Marie restèrent près de la fenêtre brisée qui leur avait servi d'entrée et de sortie. Les femmes attendaient que Brenda dise quelque chose, aucune d'elles n'osait la déranger dans ses pensées. Jesse était de nouveau effrayée, cette fois par le silence, par la façon dont il serait rompu.

— Mon fils n'était pas comme ces enfants-là, finit par dire Brenda, à personne, à tout le monde.

— OK, risqua Karen à voix basse.

— Il était aimé.

— OK, répéta la présidente des Amis de Kent, avec un tremblement dans la gorge.

— Il était entouré d'affection.

Cette fois, Karen resta silencieuse et Brenda parut se refermer sur elle-même. Pendant un long moment, on n'entendit que la bringue métallique et paresseuse des cigales.

— Il n'est pas ici, lâcha-t-elle enfin, de la capitulation dans la voix.

Elle baissa la tête, regarda ses paumes emmaillotées et ajouta :

— Vous n'êtes pas dans le bon parc.

TROISIÈME PARTIE

De plus en plus haut

21

Le Dutch Oven était situé à mi-chemin sur la route 13, portion de macadam à quatre voies reliant Gannon à Bayonne en passant par Dempsy, artère hideuse flanquée de part et d'autre de centres commerciaux peu achalandés, de magasins de lits d'eau, et d'entrepôts de tapis. Comme l'établissement passait pour un restaurant correct, le parking qui l'entourait était toujours bondé, et Lorenzo, les doigts tremblants encore de l'oxygène administré à l'hôpital, dut en faire deux fois, lentement, le tour avant de repérer le monospace des Amis de Kent.

Lorsqu'on l'avait amené au Centre médical, il avait les poumons tellement enflammés par l'abus de l'inhalateur du drugstore qu'aux rayons X ils ressemblaient davantage à de vieux gants de base-ball qu'à des organes humains. Rendu furieux par cette insouciance suicidaire, le docteur Chatterjee avait commencé par l'incendier, s'attirant les regards étonnés des autres patients et du personnel médical des Urgences. Lorsque Karen Collucci l'avait appelé sur son portable, Council était assis torse nu sur un chariot, inhalant une solution d'Albutérol au moyen d'un masque en plastique relié à une arrivée d'oxygène fixée dans le mur. La montée d'adrénaline que provoqua la nouvelle en provenance de l'Institut Chase rendit superflue la poursuite du traitement.

Elle avait enlevé le morceau : Karen avait réussi, comme

il l'avait espéré, et il se sentait embarrassé par la profondeur de son soulagement.

Sept personnes attendaient dans le monospace : Louis au volant, Jesse à côté de lui, Teenie et Marie prenant Brenda en sandwich sur la banquette du milieu, Elaine et Karen à l'arrière. Personne ne parlait. Teenie et Marie tenaient chacune une des mains bandées de Brenda, Teenie caressant doucement les jointures écorchées qui dépassaient du pansement à présent sale. Sans regarder Brenda, Council fit signe à Karen de descendre et elle le suivit dans l'entrée du restaurant tapissée de distributeurs automatiques.

— Elle dit que c'est un accident, attaqua aussitôt Karen, dont les mains tremblèrent aussi quand elle alluma une cigarette.

— OK.

— Elle dit que le gamin est enterré à Freedomtown.

— OK... Freedomtown ?

— Elle dit qu'il a fait une overdose de Benadryl, de Benadryl liquide. Elle n'était même pas dans l'appartement.

— OK, je vérifierai.

Lorenzo prit dans sa poche son nouvel inhalateur, le laissa tomber, sentit le sang affluer à ses tempes quand il se baissa pour le ramasser.

— Ça va ?

— Qu'est-ce que vous avez d'autre ? demanda-t-il sans répondre.

Sa jubilation penaude s'estompa quand il commença à dresser fiévreusement dans sa tête la liste des choses à faire : prendre rapidement la déposition de Brenda, ici, tout de suite ; appeler le médecin légiste, localiser l'endroit où l'enfant était enterré, prévenir Bobby McDonald, emmener Brenda pour une déposition plus détaillée, éviter le mot « arrestation », éviter le mot « avocat », éviter de lui donner lecture de ses droits, éviter le procureur, éviter la presse, identifier le cadavre, inculper Brenda d'homicide, informer le procureur, préparer une conférence de presse...

— Ça va ? répéta Karen.

Le président du Bureau de l'Education de Dempsy et l'un des adjoints du maire sortirent de la salle du restaurant, suçotant tous les deux des cure-dents. Lorenzo se retourna vivement pour ne pas être reconnu. Tandis que les deux hommes descendaient les marches en direction du parking, il prit conscience qu'il avait choisi le plus mauvais endroit possible pour une conversation de cette nature.

— En vitesse, Jesse a entendu tout ça ?

— Ouais.

Trois vieilles s'avancèrent dans l'entrée en râlant contre les lois antitabac, allumèrent des Camel.

— Elle a téléphoné à son journal ?

— Non.

— Bon. Vous pouvez rester avec elle quelques minutes encore ?

— Jesse ?

— Non, Brenda. Mais envoyez Jesse à ma voiture, OK ?

Il eut l'impression que sa requête la faisait hésiter et, perplexe, allait lui demander pourquoi quand elle lui passa les bras autour du cou et murmura « Merci, mon Dieu » à son oreille.

— Hé, c'est moi qui devrais vous remercier, répondit-il à mauvais escient, la gratitude de Karen ne s'adressant pas à lui mais au Seigneur.

— La prochaine fois, dit-elle avec un sourire.

Elle passa une main sur ses joues et retourna au Blazer.

En attendant Jesse dans sa voiture, Council appela les services de médecine légale, leur fixa rendez-vous à Freedomtown et, avant de passer de nouveau en revue les tâches à accomplir, se surprit à évoquer l'étreinte de Karen. Puis il revit Marie et Teenie, la mère et la fille, entourant Brenda de leur tendresse sur la banquette à l'arrière du monospace. Peut-être éprouvaient-elles plus de sympathie pour elle, maintenant qu'elle avait avoué savoir que son enfant était mort, que la veille, quand elles n'étaient pas encore sûres de son innocence ou de sa culpabilité. Dans l'imagination de Lorenzo, on traitait Brenda non comme si elle venait de confirmer une mort mais comme si elle venait de donner naissance après un long et douloureux travail, les Amis de Kent qui l'entouraient faisant office à la fois de famille et d'équipe d'obstétrique.

Jesse traversa le parking, se glissa sur le siège avant droit de la Crown Victoria, et le claquement subséquent de la portière ramena Lorenzo à la réalité : il était temps d'embrayer.

— Salut, dit-elle sans le regarder.

Il devina qu'elle ne se sentait pas membre du cercle de sages-femmes du monospace.

— Combien de temps vous pouvez me donner avant de prévenir votre journal ?

Lorenzo fit décrire des quarts de cercle à ses mains sur le volant puis jeta un coup d'œil à sa montre : midi et demi.

— Combien il vous faut ? repartit la journaliste d'une voix curieusement morne en regardant le monospace rouge par la vitre.

— Le temps d'identifier le corps, de prendre la déposition de Brenda, de l'inculper, de convoquer une conférence de presse, de mettre en place un dispositif antiémeute...

Jesse baissa un peu sa vitre, prit une cigarette.

— Dites-moi simplement de combien de temps vous avez besoin.

— Vous devriez vous rappeler que, sans moi, on n'aurait même pas besoin d'avoir cette conversation...

Il toucha la main qui tenait la cigarette, se tapota la poitrine.

Elle jeta sa cigarette non allumée par la fenêtre.

— Dites-le-moi, c'est tout.

Son ton abattu continuait à l'intriguer.

— A quelle heure vous bouclez ?

— Cinq heures.

— Cinq heures, répéta-t-il en se disant qu'elle mentait d'une heure. Donnez-moi jusqu'à huit heures, dit-il, trichant lui aussi de soixante minutes puisqu'il espérait en avoir fini à sept heures.

— Qu'est-ce que vous me donnez en échange ?

— Qu'est-ce que je vous donne ? Merde, tout.

— L'exclusivité ?

— Exclusivité absolue.

— Je veux être le seul journal à en parler ce soir.

— Pas de problème pour moi. Je ne dirai pas un mot avant la conférence de presse, de toute façon. Vous voulez assister à l'exhumation ? proposa-t-il comme un cadeau.

— Non. Mais à l'interrogatoire.

— Arrêtez...

— Planquez-moi dans les toilettes. Les murs sont minces comme du papier à cigarettes.

— Hé ! dit-il, feignant l'indignation. Vous poussez un peu, là, Jess.

— Oh, jouez pas les pucelles effarouchées. Je ne publierai rien qui puisse vous nuire, je vous couvrirai totalement, argua la journaliste, qui s'animait à présent. Je l'ai fait des millions de fois pour vos gars.

— Mes gars ? Quels gars ?

— Vous le saurez jamais, vous, répondit-elle avec un haussement d'épaules. Vous voyez ce que je veux dire ?

Brenda était toujours assise sur la banquette du milieu, flanquée de Teenie et de Marie, à la fois tranquille et dans l'expectative, telle une mariée à la porte de l'église. Quand Council se pencha à l'intérieur du véhicule et lui offrit sa main, elle l'accepta avec grâce, comme si elle attendait ce moment depuis toujours.

— Vous voulez nous accompagner ? proposa-t-il à Karen.

Elle rassembla rapidement ses affaires, descendit elle aussi. Lorenzo présuma qu'elle avait compris qu'elle lui servirait de témoin pour ce qui allait suivre.

Ils montèrent tous les trois dans la voiture de Council mais, après un long silence nerveux, Brenda déclara qu'elle avait besoin d'être debout, de respirer. Ils sortirent, allèrent dans un coin ombragé du parking, sous le feuillage d'arbres étendant leurs branches au-dessus du grillage séparant le Dutch Oven d'un magasin de chaussures à prix cassés. Mais l'endroit empestait l'urine et, au bout d'un moment, ils repartirent, Brenda ouvrant la marche, dix pas dans un sens, vingt pas dans un autre. Lorenzo la laissa faire une minute puis vit une expression de panique apparaître dans les yeux de la jeune femme. Doucement, fermement, il la ramena à la voiture.

— Brenda, si j'ai bien compris, vous avez donné à Karen et aux autres femmes, là-bas, une version différente de ce qui est arrivé à votre fils, différente de celle que vous m'aviez racontée...

Elle ne semblait pas l'écouter et regardait les clients montant et descendant les marches du restaurant, comme si la faculté qu'ils avaient d'aller et venir à leur guise la fascinait.

— Je sais pas si vous avez senti une pression particulière

exercée sur vous ce matin, poursuivit Lorenzo, si vous vous êtes crue obligée de dire quelque chose pour ne plus les avoir sur le dos. Si c'est le cas, je peux comprendre, mais si ce que vous dites maintenant est la vérité...

— Il a bu une bouteille de Benadryl.

— Il a quoi ?

Elle ne répéta pas, continua à fixer l'entrée du restaurant, à l'autre bout du parking.

— Quand ça ?

— Il y a deux jours.

— Le soir où vous êtes venue à l'hôpital ?

— La veille.

— OK, dit Lorenzo. (Il coula un regard vers Karen, assise à l'arrière. Les yeux baissés, elle faisait tourner une cigarette non allumée entre ses doigts.) Vous dites qu'il a bu une bouteille de... Vous l'avez vu f..

— Non, le coupa Brenda. J'étais pas là, déclara-t-elle, plus comme une auto-accusation que comme un alibi.

— Comment vous le savez ?

— Je l'ai trouvé.

— Il y avait quelqu'un d'autre av...

Elle le coupa de nouveau :

— Non. Il était tout seul. Il n'y avait personne avec lui.

— Alors, c'était un accident, suggéra Council, pour continuer à la faire parler, pour lui donner au moins une issue temporaire.

— Un accident, reprit-elle en écho, d'une voix plate.

— Où il est, maintenant, Brenda ?

— Devant l'Incendie de Chicago.

— Le quoi ? dit-il, un instant dérouté. A Freedomtown ?

Brenda acquiesça de la tête ; Karen cassa sa cigarette en deux. Lorenzo hésita avant de poser sa question suivante. Elle ne lui avait pas dit que le garçon était mort.

— Il est...

— Enterré là-bas, ouais. Oui. (Les mots, à demi étranglés, s'échappaient en salves bredouillantes.) Enterré là-bas.

— OK, murmura Lorenzo. (Il inhala un peu de Ventoline, sentit l'odeur de sa propre sueur.) C'est vous qui l'avez enterré ?

Une minute d'hésitation puis :

— Oui.

— Oui ?

Malgré la chaleur, il hésitait à mettre le contact et la climatisation, craignant que le moindre bruit ou mouvement ne la perturbe, n'interrompe le flot.

— Je suis en état d'arrestation ? demanda-t-elle, d'un ton presque indifférent.

— Holà, attendez, attendez, répondit-il. Je suis encore en train d'essayer de comprendre certaines choses.

Il voulait la faire parler le plus longtemps possible avant d'être obligé de lui donner lecture de ses droits. Il préférait ne pas l'inculper avant qu'elle l'ait elle-même conduit à la tombe de son fils.

— Si je vais en prison, ajouta Brenda, levant puis laissant retomber ses mains bandées, je serai obligée de voir les gens qui me rendront visite ?

— Brenda, vous allez vraiment trop vite. La première chose à faire, c'est donner à votre fils une sépulture décente.

— Une sépulture décente, répéta-t-elle.

— Exactement.

Il vit la Chrysler de Ben s'arrêter devant le monospace des Amis de Kent. Jesse descendit du Blazer, monta dans la voiture de son frère et resta là, attendant probablement que Lorenzo aille quelque part.

— Je peux vous poser une question ? lança sèchement Brenda. C'est comment, une sépulture...

Elle se tut, perdant courage.

— Vous pouvez me conduire à lui ?

— Je vous ai dit où il est.

— Brenda, ce que vous me dites maintenant est tellement différent de ce que vous m'avez raconté avant. Comment je peux savoir...

— Vous le savez, répliqua-t-elle, reprenant un ton sec.

Elle avait raison.

Craignant une confrontation à ce stade délicat, Lorenzo démarra, sortit du parking et se coula dans la circulation avec autant de prudence et de souplesse que s'il y avait eu une tasse de café posée au-dessus du tableau du bord. Sur le chemin du parc d'attractions en ruine, il n'osa ouvrir la bouche, de peur de dire un mot de travers. Il risqua un coup d'œil sur le côté et la surprit en train de caresser nerveusement les fils de ses écouteurs qui tombaient sur ses épaules comme des mèches de cheveux. A l'arrière, Karen regardait par la fenêtre, essayant de se faire oublier.

Council, parfaitement conscient du contrecoup racial qui frapperait la ville quand la vérité — le fait que Brenda ait inventé un agresseur noir — serait connue, se demandait pourquoi il n'éprouvait aucune colère contre elle pour ce qu'elle avait fait subir aux siens, pour ce qui était encore à venir. Il présuma qu'il était peut-être trop occupé, physiquement et mentalement, pour laisser une humeur, une impression particulières s'emparer de lui. Mais en même temps, il avait le pressentiment que cette ambiguïté, ce manque de clarté émotionnelle, pouvait durer indéfiniment. Il laissa ses pensées revenir à des sujets plus concrets : exhumation, identification, course contre la montre des médias.

— Brenda, dit-il en se tournant vers elle. Vous l'avez enterré ? (Le regard fixe, les mains inertes sur son giron, elle ne répondit pas.) Avec quoi ?

— Hein ?

— Qu'est-ce que vous avez utilisé ? Quelle sorte d'outil ?

Avec un regard de défi, elle leva les mains en recourbant les doigts. Dubitatif, il insista :

— Vous avez creusé profond ?

— Non, murmura-t-elle, laissant son esprit s'échapper, revenir, répétant : Non.

Au bout d'un moment, elle se pencha soudain en avant et demanda, la voix tremblante de panique :

— Vous pouvez rouler plus vite ?

Lorenzo descendit à la grille prise au piège des plantes grimpantes, l'ouvrit toute grande puis roula sur l'allée fendillée de Freedomtown jusqu'à l'Incendie de Chicago. Un vent miséricordieux soufflant de la mer agitait le feuillage enserrant la façade en bois. A sa fenêtre, l'effigie criblée de balles semblait plus ravagée à la lumière du jour. Sa peinture s'écaillait et elle était ravinée par les intempéries, comme une figure de proue détachée d'un clipper depuis longtemps disparu.

Ils descendirent tous les trois et s'approchèrent. Dans l'esprit de Lorenzo, des préoccupations diverses s'affrontaient :

déterrer le corps, empêcher une nuit d'émeute, et enfin trouver la réponse à cette question : qu'est-ce que pensait cette femme la veille quand elle marchait près de la tombe de son fils pendant qu'il lui racontait l'histoire du rhythm and blues ? Qu'est-ce qu'elle pouvait bien penser, bordel ? Il la regarda se balancer à côté de lui, l'air hébétée, et s'apprêtait à dire quelque chose pour la faire réagir quand elle se précipita tout à coup vers la façade, charge fébrile qui se termina par une halte abrupte, ses yeux égarés perdant finalement leur fixité pour inspecter le sol à la base du faux mur.

— Brenda, appela-t-il doucement.

Soit elle ne l'entendit pas, soit elle ne voulait pas être dérangée. Elle recula de deux pas, les yeux examinant toujours le sol, porta ses mains à ses tempes et murmura : « S'il vous plaît », puis elle s'élança le long de la façade, le dos voûté, tourna vivement quand elle arriva au bout, tel un chien sur une piste, marchant et tournant, marchant et tournant.

— Brenda, appela-t-il de nouveau.

Elle l'entendit cette fois, s'arrêta et leva les yeux, kaléidoscopes de panique.

— Je le trouve pas.

— Une minute, une minute, dit Lorenzo, autant à lui-même qu'à Brenda.

Il lui prit le bras, la fit reculer assez loin pour qu'ils puissent tous deux voir la façade dans sa totalité.

— Où est-ce que vous... (Il chercha le mot juste.) Où est-ce que vous pensez l'avoir mis ?

Le front plissé, Karen s'approcha en silence.

— Sous l'ange, répondit Brenda à Lorenzo, les yeux dans les yeux.

Il sentit dans son haleine une odeur de folie. L'ange...

— L'ange, répéta-t-elle en montrant la figure de proue. Cody disait que c'était un ange, quand je venais ici avec lui. Alors, j'ai voulu l'enterrer sous son ange, dit-elle d'une petite voix larmoyante, je le jure.

— Attendez, attendez, reprit Lorenzo. (Il se représentait cet endroit dans vingt-quatre heures si Brenda n'arrivait pas à retrouver la tombe : une fosse grande comme une arène.) Attendez.

— Venez ici, dit doucement Karen.

Elle se tenait juste sous le mannequin, les mains dans les poches, la pointe de sa chaussure creusant légèrement la terre sous un tas effondré de grosses pierres ovales, chacune du diamètre d'un plat, la plus grande partie de ce cairn bâclé dissimulée par de hautes herbes. Sans lâcher le coude de Brenda, Lorenzo approcha. Karen s'agenouilla, glissa une main sous le tas et ramena une poignée de matière rougeâtre.

— C'est de la terre de sous-sol. Elle devrait être à cinquante centimètres de profondeur, pas à la surface.

Brenda s'agenouilla elle aussi, posa la joue sur une des pierres, le regard perdu dans l'herbe.

— C'est ici, Brenda ? (Elle ne répondit pas.) C'est ici que vous l'avez mis ?

Elle ferma les yeux ; Lorenzo la fit se redresser doucement.

— J'ai besoin d'une réponse.

— Oui.

— C'est ici qu'il est ?

— Oui.

— C'est ici que vous l'avez mis ?

— Oui.

— Et vous avez creusé avec vos mains ?

— Oui.

— Et après ?

— Quoi ?

— Qu'est-ce que vous avez fait, après ?

— Je l'ai recouvert.

— De... ?

— De terre.

— Et ensuite ?

— Quoi ?

— Qu'est-ce que vous avez fait ensuite ?

Elle semblait déroutée.

— Ce que j'ai fait...

— Ce que vous avez fait après l'avoir recouvert de terre.

— J'ai mis les pierres dessus.

— Vous avez mis les pierres dessus. Celles-là ?

Il posa une main sur l'une des pierres, sentit sa densité.

— Toutes ces pierres ?

— Oui, répondit Brenda, avec plus de conviction, cette fois.

Il regarda Karen, qui leur tournait le dos mais demeurait assez près pour les entendre.

— Ça représente un sacré boulot, porter toutes ces pierres. D'où elles viennent ?

Brenda eut un geste vague vers le terrain envahi d'herbes s'étendant derrière la façade.

— Tout à l'heure, quand vous cherchiez l'endroit, vous cherchiez à repérer quoi ?

— Hein ? Ça, dit Brenda, touchant le cairn.

— Vous cherchiez ce tas de pierres ?

— Oui.

— Ce gros tas de pierres ?

Elle ne répondit pas et Lorenzo laissa quelques secondes s'écouler avant d'ajouter :

— Parce que quand on sait qu'elles sont là, on peut difficilement les manquer.

— Mon fils est ici, affirma-t-elle.

— OK, convint-il d'un ton hésitant.

— Il est ici.

Sans rien dire, il la regarda longuement, réclamant plus, réclamant le reste. Brenda s'approcha à quatre pattes de la base du faux mur, aplatit une touffe d'herbe pour révéler un graffiti, JTA, écrit au marqueur noir sur la planche la plus basse.

— Gitéa ? prononça-t-il, comme si c'était un mot.

Brenda marmonna une autre lecture.

— Hein ?

— Je t'aime, souffla-t-elle d'une voix vaincue. Je peux pas rester ici.

— Marchons un peu, proposa Lorenzo d'un ton circonspect.

Il jeta un coup d'œil à sa montre : une heure.

— On peut retourner à la piste ?

— La quoi ? demanda Lorenzo.

— La piste de danse. Où vous m'avez emmenée hier.

— Pas de problème.

Hébétée, tremblante, elle prit la main de Lorenzo et le conduisit à l'ancienne scène de Motown, s'assit au bord de l'estrade, comme la veille. Karen se posta derrière eux, appuyée à un arbre.

— Ça va, là ? s'enquit-il.

Elle acquiesça, mais, dès qu'il fit mine de s'asseoir à côté d'elle, elle se leva d'un bond en disant « Non, je veux pas le laisser » et repartit vers l'Incendie de Chicago. Lorenzo et Karen échangèrent un regard, décidèrent de lui accorder ce dernier voyage.

Brenda s'assit en tailleur devant le tas de pierres et il se laissa tomber à côté d'elle.

— Vous me dites que c'était un accident, et je n'ai aucune raison de ne pas vous croire.

— J'ai jamais parlé d'accident.

— Vous avez dit qu'il n'y avait personne avec lui.

— C'est vrai, confirma-t-elle, s'adressant à ses mains. (Elle se leva brusquement.) J'ai pas envie d'en parler maintenant.

Lorenzo se frotta vigoureusement la figure et le crâne, se décida à lui donner lecture de ses droits en pensant : Merde, merde, merde. Brenda se mit à tourner sur elle-même.

— Je peux pas rester ici. Je vous en prie.

— Hé, je tiens pas plus que vous à être ici.

— Je vous en prie, je ne veux pas d'avocat, je vous dirai tout, je vous en prie.

Il hésita, remit la lecture des droits à plus tard.

— Brenda, il faut qu'on attende le médecin légiste, argua-t-il d'un ton désolé.

— Hein ? Pourquoi ? s'exclama-t-elle, le teint grisâtre. Vous ne me forcerez pas à les regarder le déterrer.

— Non, non, non, il faut simplement que je leur montre l'endroit.

— Vous ne pouvez pas m'obliger.

Il se lança dans une phrase rassurante mais fut distrait par la tache qu'il vit s'épanouir sur le jean de la jeune femme ; sans réfléchir, il lâcha :

— Vous venez de mouiller votre fute.

Brenda ne remarqua ni l'incident ni le commentaire.

— Je ne veux pas le voir, gémit-elle, la voix vibrante de terreur. Vous ne pouvez pas me forcer.

— Non, Brenda, je ne ferai jamais une chose pareille, promit Lorenzo. (Il tendit le bras vers elle, nota, ce faisant, une faible odeur alcaline.) Si vous voulez, on peut les attendre devant la grille...

— S'il vous plaît, dit-elle, les genoux tremblants. Parce que je veux vous dire ce qui s'est passé.

Il se leva.

— OK.

— Je veux le faire.

— D'accord.

Il lui tendit la main mais elle recula.

— Rien qu'à vous, précisa-t-elle sans regarder Karen. (Celle-ci s'écarta de la fenêtre peinte à laquelle elle était adossée et attendit, les yeux baissés.) Je ne dirai rien tant qu'elle sera là.

Sans un mot, Karen se dirigea vers la grille. Au moins, se consola Council, elle pourra témoigner que Brenda a volontairement renoncé à son droit d'avoir un avocat auprès d'elle. Il sourit avec raideur, résista à une envie de regarder de nouveau la tache d'urine.

— OK, maintenant ?

— OK.

Il hésita, leva les yeux vers la silhouette en bois aux bras tendus vers les nuages, ramena son regard sur le tas de pierres, igloo de granite écroulé, puis finit par revenir à lui-même, au boulot.

— Vous voulez sortir d'ici ?

— Oui.

— Eclaircissez un point pour moi et on y va.

— Non, geignit-elle en étreignant sa poitrine. On ne parle plus ici. Emmenez-moi dehors, je vous d...

— Brenda, l'interrompit-il, vous voulez sortir d'ici, et moi, j'aimerais bien vous emmener avant que la... que l'équipe du légiste arrive. On a vingt minutes devant nous, maximum.

— Non.

— Vous m'expliquez un truc, et on est partis.

— Non.

— Alors, on reste. Désolé.

Il demeura immobile, fixant le tas de pierres d'un air buté. Derrière lui, Brenda tournoyait dans l'herbe haute, enchaînée à son intransigeance, remuant les doigts comme si elle égrenait un chapelet. Il regarda sa montre — une heure vingt —, fit le calcul : six heures pour boucler l'affaire, se préparer à l'Apocalypse.

— Qu'est-ce que... commença-t-elle, exaspérée.

— Brenda, vous allez me dire la vérité, d'accord ? exigea-t-il en se tournant vers elle. (Elle hocha vigoureusement la tête.) Vous allez décharger votre conscience, d'accord ? (Elle acquiesça de nouveau, tremblante de détresse.) Où vous les avez prises, ces pierres, vous m'avez dit ?

Elle tendit le bras vers les broussailles poussant derrière la façade et Lorenzo ne prit même pas la peine de regarder.

— Venez un peu ici. (Il lui tendit la main, elle recula.) On a pas le temps...

Elle finit par faire un pas vers lui, ne lui prit toutefois pas la main. Council hésita — devait-il courir le risque de déranger le lieu du crime ? — puis il pensa : Sa parole contre la mienne.

— Montrez-moi comment vous les avez mises. (Il s'accroupit, tapota une des pierres, constellée de mica.) Soulevez-moi celle-là.

Brenda ne bougea pas. Il la regarda longuement puis se pencha et souleva la pierre lui-même, sentit aussitôt l'effort dans son dos et pensa : Trente-cinq kilos, une télé grand écran. Il se dirigea vers Brenda en se dandinant, tint la pierre entre eux.

— Prenez-la...

Elle détourna les yeux, laissant pendre ses mains, inertes, le long de son corps. Au bout d'un moment, Lorenzo lâcha la pierre, qui heurta le sol avec un bruit sourd.

Il arqua le dos, tendit le bras pour la forcer à se tourner vers lui.

— Brenda, faut que je vous dise, ces derniers jours, vous nous avez fait passer un sale moment, à moi et à des tas d'autres gens. Des gens que j'aime beaucoup. Mais malgré tout ce qui s'est passé, je vous aime bien aussi, je vous le jure. Alors, voilà le marché. Quand vous me raconterez toute l'histoire, je veux que vous commenciez par me dire qui a creusé cette tombe, qui a entassé ces pierres, et me dites pas que c'est vous, s'il vous plaît, parce que si vous commencez par un mensonge, vous perdez l'allié le plus important que vous ayez eu de toute votre vie, et je prends même pas votre déposition. Je vous inculpe, je vous laisse raconter vos salades à votre avocat...

Craignant de s'être tiré dans le pied en lui remontant les bretelles, Lorenzo aspira péniblement une bouffée d'air. Mais le fait que Brenda s'abstienne de protester aussitôt lui fit comprendre qu'il avait raison, pour le complice. Elle détourna la tête.

— Brenda, s'il vous plaît, aidez-moi à vous aider.

— Oh...

— On peut rester ici ou on peut partir. A vous de décider.

— Il n'a pas eu le choix... (Elle avait parlé si doucement qu'il avait eu l'impression non de l'entendre mais de lire dans ses pensées.) Il ne voulait pas être mêlé à ça mais je l'ai forcé, je lui ai fait peur.

— Vous avez fait peur à qui ?

— Mon fils a avalé une bouteille de Benadryl. Il n'y avait personne avec lui et il est mort, commença-t-elle d'une voix précise et maîtrisée, comme si elle récitait les premières lignes d'une prière souvent prononcée.

— Qui n'a pas eu le choix ?

— J'ai creusé cette tombe de mes mains. Je l'ai fait. Je me disais que je faisais son lit une dernière fois, c'est comme ça que j'ai réussi à aller jusqu'au bout, mais je n'ai pas eu la force de l'allonger dedans, alors j'ai dit à Billy qu'il devait le faire pour moi. Je lui ai dit qu'il devait venir chez moi, prendre le corps de mon fils, l'amener ici et l'enterrer. Je lui ai dit qu'il était responsable lui aussi de ce qui était arrivé, mais c'était pas vrai. C'était de ma faute. Entièrement de ma faute. Mais il devait le faire pour moi, j'avais personne d'autre vers qui me tourner.

Ses propres mots parurent avoir sur elle un effet apaisant, et Lorenzo fut étonné de la voir plus calme qu'elle ne l'avait été à n'importe quel moment ces derniers jours. Il en oublia de lui demander : « Billy comment ? »

— Ce que j'aurais dû faire, poursuivit-elle sur le ton de la conversation, c'est aller dans la cuisine, me servir un verre d'eau de Javel, m'étendre à côté de mon fils et partir avec lui, mais je n'ai pas eu le courage. J'ai été lâche, vous comprenez ? (Elle eut un sourire narquois, le regarda dans les yeux.) J'ai forcé Billy à le faire pour moi.

— Billy... dit enfin Lorenzo.

— Williams, lui livra-t-elle d'une voix abattue.

— Billy Williams ?

Il se sentait stupide, le nom ne lui disait rien.

— Le mec de Felicia, murmura Brenda, fixant quelque chose par-dessus l'épaule de Lorenzo.

Il répéta le nom, cette fois pour l'emprisonner dans sa tête, « Billy Williams ». Blotti derrière sa barricade, en sous-vêtements, noyé de bière et de larmes. Lorenzo finit par se retourner pour voir ce qui avait attiré l'attention de Brenda : l'équipe d'exhumation, composée de quatre inspecteurs de la Criminelle, trois portant une pelle, le quatrième une trousse. Ils étaient accompagnés d'un coroner chauffé à blanc, d'un frère aux allures rasta équipé d'une Betacam et d'une tête pleine de tresses.

Lorenzo prit un des inspecteurs par le bras, le conduisit au monticule funèbre, lui donna un bref signalement de l'enfant — âge, vêtements, couleur des cheveux —, le numéro de son bipeur, lui demanda de taper trois 2 quand ils auraient déterré le corps. Et quoiqu'il sût qu'il s'écoulerait près d'une heure avant qu'ils commencent vraiment à creuser, il entraîna Brenda hors du parc comme pour lui épargner la vue des pelles infligeant à la terre les premières entailles.

22

Juste en face de Freedomtown, Jesse attendait dans la voiture de son frère que Lorenzo et Brenda reviennent à la Crown Victoria garée au bord de l'eau, une centaine de mètres après la grille. La Chrysler avait eu un coup de chaud et Ben s'affairait sous le capot, versait de l'eau dans le radiateur. Le portable collé à l'oreille par la transpiration, Jesse appela son rédacteur.

— Jose ?

— Où t'étais passée ?

— J'ai besoin que tu retardes le bouclage.

— Pourquoi ? (Jesse ne répondit pas.) Elle a parlé ?

Elle sursauta quand Ben referma le capot en le claquant.

— J'ai pas dit ça.

— Elle a parlé ! s'extasia Jose. C'est mortel !

— J'ai pas dit ça, répéta Jesse, le faisant mijoter.

Karen Collucci apparut dans l'allée, passa devant la voiture de Council et se dirigea vers la Chrysler.

— Donne-moi ce que tu as, alors, négocia Jose.

— Tu peux retarder le bouclage jusqu'à sept heures ?

— T'as quoi, au juste ?

— Sept heures.

— Parle-moi du petit copain.

Jesse coupa la communication au moment où Karen franchissait la grille. L'Amie de Kent passa la tête par la fenêtre ouverte, désigna le téléphone d'un mouvement de tête.

— Vous venez de prévenir votre journal ?
— Bien sûr que non, répondit Jesse avec un haussement d'épaules.
— C'est vrai, la soutint Ben.
— Ferme-la, lança-t-elle à son frère.
— Vous pouvez me déposer quelque part ? demanda Karen à Ben.
— Holà ! je suis censée attendre Lorenzo, expliqua précipitamment Jesse, prise de panique à l'idée de manquer leur sortie, de manquer le retour d'ascenseur dans les toilettes du Southern District.
— Laissez-moi simplement à Jessup Street, ça ne vous prendra que deux minutes, dit Karen. Ils en ont pour un bout de temps.

Au moment où Ben s'engageait dans la circulation, Jesse se tourna vers Karen, assise à l'arrière.
— Le corps est dans le parc ? (Karen haussa les épaules, alluma une cigarette.) Elle tient le coup ?
Elle prit le temps de ranger son briquet dans son sac avant de répondre :
— A peu près.
— Qu'est-ce que vous allez faire ?
— Moi ? Rentrer à la maison, en espérant que le téléphone rouge ne se mettra pas à sonner.
— Pas de nouvelles, bonnes nouvelles ?
— Exactement, répondit Ben à la place de la patronne des Amis de Kent.
— Demain, c'est l'anniversaire de Pete, dit Karen, toussant dans son poing. Je dois commander le gâteau, acheter des trucs pour la fête. Il voudrait un de ces animaux virtuels japonais — tous les gosses en ont. On n'en trouve plus. Quelle horreur, ils meurent si on ne s'occupe pas bien d'eux, ce qui me paraît...
— Qui c'est, Pete ? demanda Jesse, pensant à Louis.
— Mon fils, répondit Karen d'un ton calme. Vous l'avez vu.
L'enfant avec une nageoire au bout du bras. Jesse laissa sa tête tomber sur sa poitrine.
— Oh ! mon Dieu, je suis désolée.

— De quoi ?

Comme la journaliste gardait le silence, Karen répondit pour elle :

— De ce que vous avez fait ? N'y pensez plus. Pete est un gosse coriace. Quand les gens réagissent comme vous, ça l'endurcit, parce que c'est la réalité. Moi et Louis, nous ne serons pas toujours là, il faut qu'il soit prêt. Alors, quand il suscite ce genre de réaction, je considère que c'est une bonne préparation pour lui. Pete est formidable, il sera président.

— Je veux simplement que vous compreniez...

— N'y pensez plus, répéta Karen.

Jesse ne fut que trop heureuse de lui obéir.

Après qu'ils eurent déposé Karen à une station de taxis, Jesse décida de faire un saut dans un drugstore pour acheter des cigarettes et du café. Il y avait deux joueurs de Loto devant elle à la caisse, et, tandis qu'elle dansait d'un pied sur l'autre, impatiente de retourner à Freedomtown, elle vit un jeune Noir de dix-neuf, vingt ans venu du fond du magasin se diriger vers la queue, une canette de Coca dans une main, une boîte de Ring Dings dans l'autre. Sur la poitrine de son T-shirt blanc était imprimé en sérigraphie le portrait-robot de l'agresseur de Brenda.

Jesse fut tellement interloquée par cette image inattendue qu'elle accosta le jeune.

— Où vous avez trouvé ça ? lui demanda-t-elle, avec une brusquerie qui l'effraya. Ça, ça se vend ?

— Un mec dans le JFK, répondit-il prudemment.

— Quel mec ?

— C'est l'idée que tu te fais d'une plaisanterie ? lança le patron du magasin, un homme corpulent au teint fleuri qui fixait le T-shirt en introduisant un ticket de Loto dans sa machine.

— C'est pas une plaisanterie, répliqua le jeune Noir, retrouvant son assurance. Y a rien de drôle, là-dedans.

— Il est quoi, pour toi, ce type ? Un héros ? Un modèle ? Explique-moi, je suis trop con pour comprendre.

Le jeune détourna les yeux, essaya de faire passer sa gêne, sa colère, dans un sourire crispé.

— Vous savez ce que ce T-shirt représente ? reprit le patron, s'adressant au deuxième joueur de Loto. La mort de l'intelligence, la mort de la décence.

Le jeune Noir siffla entre ses dents.

— La décence est morte, vive Sa Majesté la Connerie ! s'exclama le patron.

— On se croirait en territoire KKK, marmonna le jeune.

— Quoi ? demanda vivement le commerçant, se penchant au-dessus de sa caisse. Qu'est-ce que t'as dit ?

— Vous avez parfaitement entendu, répondit le jeune, qui recula instinctivement.

Jesse repéra devant la vitrine des sandwiches un jeune flic dont la chemise hawaïenne et le jean délavé proclamaient l'appartenance à la brigade des Stups de Gannon.

— Tu t'imagines qu'on vous doit quelque chose, peut-être ? éructa le commerçant, dont la colère continuait à monter.

— Vous m'avez entendu demander quelque chose ? riposta le jeune.

— Tout le monde a une dette envers vous, hein ? Tout le monde. Quatre cents ans, quatre cents ans que ça dure, gémit le patron, agitant les doigts vers le ciel. Mais remontons seulement cinquante ans en arrière. D'après toi, tous ceux qui sont morts pendant la Seconde Guerre mondiale, ils étaient quoi, hein ? Réponds.

Celle-là, Jesse ne l'avait jamais entendue et elle fut intéressée, presque impressionnée, par sa lourdeur même.

— Ouais ? Et le Vietnam ? riposta le jeune.

— Hé, George, appela avec agacement le flic, qui devait avoir faim.

— Le Vietnam ! rugit le patron. (Il se renversa en arrière, se pencha de nouveau au-dessus de son comptoir.) Je vais t'en parler, du Vietnam !

Bien que pressée de revenir à Freedomtown, Jesse était fascinée par l'affrontement : c'était comme coller l'oreille sur un rail pour écouter le train arriver.

— Va voir le Mur[1], mon gars, dit le commerçant, touchant du doigt le sternum du Noir, contact électriquement

1. Sur lequel sont gravés, à Washington, les noms des soldats américains morts au Vietnam. *(N.d.T.)*

chargé. Va voir ceux qui vont pleurer là-bas. Fais le décompte. Reste une heure et fais le décompte.

— Le décompte, répéta le jeune. Un pour eux, un pour nous, c'est ça ?

— Espèce de petit merdeux ! explosa le patron. Je viens de passer trois semaines à l'hôpital, tu crois que je suis revenu pour te supporter ?

— Hé, fit le jeune, reculant d'un pas, levant les mains, la jouant cool.

— Sors de ma boutique ! beugla le commerçant.

Il tendit vers la porte un bras musclé où le bleu estompé d'une ancre tatouée était encore visible à l'intérieur du coude.

— Vous voulez que je remette ces trucs sur les rayons, ou je les laisse simplement sur le comptoir ? demanda le jeune, réprimant un sourire narquois.

Le patron fit le tour de sa caisse, le jeune Noir détala.

Sortant un moment plus tard avec un paquet de Winston, Jesse vit le jeune dans une cabine téléphonique et, décidée à investir quelques minutes dans l'incident, fit signe à Ben d'attendre. Elle avait tiré trois bouffées de sa cigarette quand le flic sortit du magasin en mordant dans son sandwich.

— Hé ! cria-t-il, la bouche pleine, en direction de la cabine.

Le jeune se retourna, comprit qu'il avait affaire à un flic et poursuivit sa conversation téléphonique. Le policier avala le reste de son sandwich, attendit.

— Bon, faut que j'y aille, dit le jeune, qui se retourna de nouveau.

— Dis à ta meuf que tu rappelles dans une minute, suggéra le flic, essuyant ses lèvres avec son pouce.

Le Noir passa dix, quinze secondes de plus à dire au revoir, raccrocha. Le flic lui fit signe d'approcher.

— Le gars du magasin, George... C'est une tache. (Le jeune ne dit rien, attendit la chute de l'histoire.) Mais je suis pas sûr non plus de ton niveau intellectuel, mon gars. On est en république, et j'ai l'impression de savoir où tu veux en venir avec ça, poursuivit le flic, désignant le T-shirt du menton. Mais il faut que je te dise une chose : porter un machin pareil dans le coin, c'est... (Les yeux plissés, il chercha le terme juste :) Indélicat.

Le jeune sourit, encadra le portrait des doigts écartés de ses deux mains.

— Hé, vous savez qui c'est, là ?

— Non. Dis-le-moi.

Le sourire du jeune Noir s'élargit.

— C'est Bamboula. C'est moi !

En s'arrêtant de nouveau devant Freedomtown, Jesse vit une des camionnettes banalisées de l'unité légiste garée près de la Crown Victoria de Lorenzo. Quelques étés plus tôt, pour un reportage, elle avait passé trois semaines dans un de ces fourgons, et bien que le véhicule ne transportât jamais de cadavres, elle avait eu l'impression, le troisième soir, qu'il flottait à l'intérieur une odeur douceâtre et écœurante de mort récente.

Quelques minutes après le retour de Jesse et de Ben à la grille, Lorenzo apparut dans la première courbe de l'allée, portant à moitié Brenda. Sans réfléchir, Jesse jaillit de la Chrysler, se dirigea vers eux. D'un geste furieux de la main, Lorenzo lui fit signe de déguerpir et Brenda, dès qu'elle l'eut reconnue, enfouit son visage au creux de l'épaule de l'inspecteur. Jesse remonta dans la voiture de son frère, attendit que Council démarre.

Vingt minutes plus tard, Ben la déposa au poste de police du Southern District. La tête baissée, elle suivit Lorenzo et Brenda dans le hall d'entrée. Au silence qui les accueillit, elle devina que la nouvelle s'était répandue.

Elle n'entendit aucune des plaisanteries lancées d'ordinaire autour du bureau du sergent de l'accueil, ni les conversations anodines ni les cris, juste les vibrations d'une curiosité froide se cachant derrière un écran de menues activités. Sans répondre aux regards dirigés vers lui, Council guida Brenda à travers la salle, lui fit monter l'escalier. Déterminée à toucher son dû, Jesse fermait la marche.

Lorenzo conduisit Brenda à la salle d'interrogatoire du deuxième étage puis revint rapidement sur ses pas dans le couloir et frappa à la porte de Bobby McDonald. Jesse se posta dans l'escalier menant au troisième, de sorte qu'elle avait vue sur le bureau quand l'inspecteur ouvrit la porte de son chef. Une bouteille de produit à vitres d'une main, un tampon de serviettes en papier de l'autre, McDonald essuyait le dessus en verre de son bureau. Sans lever les yeux, il demanda :

— Tu l'as inculpée ?

— Pas encore. Elle a pas fini de me raconter.

— Bon, grogna Bobby. Merde, ajouta-t-il, jetant les serviettes dans une corbeille à papier. (Il s'assit sur le bord du bureau, se massa les tempes.) Putain, quel bordel...

— Je vous le fais pas dire, marmonna Lorenzo à mi-voix.

— On n'avait pas le choix, argua son patron, s'adressant à la pièce, expliquant la situation au procureur, aux caméras, à lui-même. La vie d'un enfant était en jeu.

— C'est vrai, approuva Lorenzo, qui se dandinait d'un pied sur l'autre.

— Merde, soupira McDonald, ça va être la Nuit des Longs Couteaux...

— Peut-être, dit Lorenzo, qui sautillait quasiment sur place, à présent. Faut que je retourne là-bas avec elle. Vous écouterez l'interrogatoire ?

— Ouais, répondit McDonald, indiquant l'amplificateur posé sur son bureau. Mais moi seulement.

Loin des yeux, loin du cœur, pensa Jesse, qui se glissa dans les toilettes du deuxième étage avant que Lorenzo sorte du bureau de son chef. Un flic en uniforme fumait une cigarette en regardant par une fenêtre ouverte entre un lavabo et un urinoir. La journaliste s'engouffra dans les toilettes les plus proches et s'y enferma avant qu'il puisse réagir à sa présence.

Assise sur la cuvette, elle déballa son matériel : bloc-notes, stylos, cigarettes, briquet. Le mur, derrière elle, se réduisait à une mince cloison de Placo nu, suite à un projet de rénovation gelé par des coupes dans le budget et un changement de direction. Jesse entendit Brenda tousser de l'autre côté, puis il y eut un bruit de porte qu'on ouvre et qu'on ferme, suivi d'un raclement de pieds : Lorenzo. Elle pressa un côté de son visage sur le mur.

— Brenda, dit la voix de Council, étouffée mais distincte,

avant qu'on commence, vous voulez que je vous apporte quelque chose ? du thé ? un soda ? un sandwich ?

— Vous savez... commença-t-elle.

Le reste fut noyé par la cavalcade d'un troupeau de flics se ruant dans les toilettes, les braillements d'hommes, de femmes se disputant un morceau du mur du fond. Tout le monde voulait s'en mettre plein les oreilles, constata Jesse.

23

Comme le voulait la tradition, la salle d'interrogatoire était nue : une table au plateau de Formica, un magnétophone d'une marque obscure et un pack de six cassettes vierges, un vieux fauteuil pivotant à roulettes pour l'interrogateur et, pour l'interrogé, une chaise pliante en métal qui n'allait nulle part. Le long miroir rectangulaire accroché sous la pendule murale ne trompait personne.

Brenda était assise, les coudes sur les genoux, le lecteur de CD sur les cuisses ; autour de son cou, les écouteurs faisaient penser à un collier de chien ouvert. Lorenzo était installé en face d'elle, un bloc-notes sur ses genoux croisés, incliné de manière qu'elle ne puisse voir ce qu'il écrivait. Il avait appris à ses dépens qu'il n'y a rien de tel que montrer clairement qu'on prend des notes pour endiguer le flot des aveux : le ralentissement inconscient de l'interrogé pour prendre le rythme de la dictée amenait souvent une humeur taciturne, voire un repli sur soi durable. Bien qu'il sentît encore des relents d'urine, il s'abstint de lui demander si elle voulait faire un brin de toilette.

— Brenda, avant qu'on commence, vous voulez que je vous apporte quelque chose ? du thé ? un soda ? un sandwich ?

— Vous savez, j'ai passé ma vie, ma vie, à essayer de tenir à distance tous ceux qui m'entouraient : mes parents, les gens, les hommes. Aussi loin que je me souvienne. Par exemple, quand j'avais trois, quatre ans, vous me donniez deux pinces à linge, je jouais pendant une heure. La maison pouvait prendre feu, je ne bougeais pas, j'étais dans le monde de ces pinces à linge. Je leur donnais un nom, un sexe, des voix différentes. Une fois, ma mère m'avait emmenée chez un ORL parce que je ne me retournais même pas quand elle m'appelait, mais je peux vous le dire, ça n'avait rien à voir avec mes oreilles.

Council jeta un coup d'œil sur le miroir, qui les montrait de profil, et se demanda qui, combien de personnes se tenaient derrière.

— Brenda, j'aimerais qu'on commence avec ce qui s'est passé il y a trois jours.

— Non, laissez-moi, dit-elle, levant une main. Depuis qu'on s'est rencontrés, je réfléchis à la façon de vraiment, vraiment tout vous dire. Alors, maintenant, vous devez me laisser faire.

Il hocha la tête, lui fit signe de continuer. Deux heures dix : la pendule était une bombe à retardement.

— Avec ma famille — ma mère, mon frère —, les profs, les flics, je me conduisais toujours comme si je disais à tout le monde : « S'il vous plaît, allez-vous-en. Laissez-moi tranquille. » Mais avec un enfant... Quand on a un enfant, on est en sécurité. Il est à vous. Même dans ce foutu groupe de thérapie auquel j'ai appartenu, tout le monde accordait une énorme importance aux relations, aux relations d'égal à égal. C'était si protocolaire, si sérieux, tout le monde se baladait avec des agendas géants pour noter les rendez-vous deux mois à l'avance : les dîners, les séminaires, les soirs de baise, les concerts, les matches, les promenades du chien. C'était comme se cacher tout en restant bien en vue, vous comprenez ?

Il ne comprenait pas vraiment mais il l'éprouvait lui aussi à sa manière, l'envie de se planquer, un reste de sa période alcoolo. Tout en écoutant, il se projetait quelques heures plus tard et se demandait s'il n'y avait pas moyen de prévenir certaines personnes — le révérend Longway, d'autres ecclésiastiques, plusieurs conseillers municipaux, quelques vedettes de la rue — de possibles retombées après la conférence de presse, sans toutefois ébruiter la nouvelle.

— Même maintenant, avec le Club d'Etudes, à Jefferson,

à Armstrong ou ailleurs, les enfants dont je m'occupe, dont je m'occupais, même Felicia et les collègues... Pour moi, ils sont l'*autre*, ils sont... Je ne risque rien à les aimer, à me donner du mal pour eux, parce que... parce qu'ils ne sont pas tout à fait réels pour moi. Et je dirais que je suis pas tout à fait réelle pour eux non plus.

— Je ne vous suis pas, dit Council, qui comprenait en fait parfaitement.

— Je suis blanche, ils sont noirs. Ils sont noirs, je suis blanche. On est mutuellement l'*autre*. Vous voyez ce que je veux dire ? demanda-t-elle, le suppliant presque d'être d'accord.

Il acquiesça, mais l'observation le blessa, lui donnant l'impression d'être vaguement trahi, et Brenda le sentit.

— Je sais que vous comprenez.

— D'accord, convint-il pour qu'elle recommence à parler.

— Quand je suis tombée enceinte, j'ai d'abord pensé : Fais-toi avorter, à qui tu racontes des histoires ? Hé, tu es ton propre bébé. Jamais j'avais songé à avoir un enfant. Mais tout à coup je me suis représenté ce que ça pouvait être, à long terme : une compagnie, une compagnie secrète. Je voyais un... un sentiment, un état émotif qui pouvait être à moi. Et puis je me suis rappelé : ce môme a aussi un père et, je sais, ça paraît dingue, mais pour éviter d'être avec ce type, Ulysses, de former une famille, je me suis dit : Fais-toi avorter et, après, adopte un enfant, sans fil à la patte. Pourtant, je l'aimais bien, Ulysses, mais quand il m'a annoncé qu'il rentrait à Porto Rico, j'ai éclaté en sanglots, et il a dû penser que c'était genre : « Et maintenant, que vais-je faire ? » parce qu'il a eu un sourire qui voulait dire : « Hé, oui, elle peut pas vivre sans moi. » Mais je vous le jure, je pleurais des larmes de joie, c'était trop beau pour être vrai. Ulysses, dit-elle, songeuse. Si on y pense, en retournant là-bas, il a sauvé la vie de cet enfant...

Son regard s'égara sur ses mains et elle demeura dans cette pose contemplative jusqu'à ce que Lorenzo décide de relancer la machine :

— Vous voulez que j'aille vous chercher quelque chose ?

Il nota la froideur de sa propre voix, sut qu'il réagissait ainsi parce qu'elle lui avait assigné le statut d'*autre*.

— Quatre ans, murmura-t-elle. Pendant quatre ans, moi et lui, Cody. Pendant quatre ans, j'ai su qui j'étais. La mère de ce garçon. C'était comment, déjà, cette chanson ? « Ça, vous ne pouvez pas me l'enlever. » Vous vous souvenez ?

Lorenzo entendit un bruit de pieds de l'autre côté du mur les séparant des toilettes, en face du miroir sans tain. Ils étaient cernés.

— Mais ça ne suffisait pas, être avec mon fils. Ça n'était pas... On peut pas se contenter de ça. On peut essayer, mais...

Elle se renferma de nouveau en elle-même.

— Brenda, dit-il, prononçant son nom pour la ramener à lui.

— Alors, Billy, soupira-t-elle comme au pied d'un escalier raide. Billy. J'ai fait sa connaissance... Au Club d'Etudes, j'avais une activité qui consistait à... à inviter des adultes pouvant servir de modèles aux enfants, vous voyez, pour leur montrer des gens qui s'en étaient sortis. Dans la pub, l'administration, les affaires, ce que vous voudrez. N'importe quelle personne que les gosses pouvaient regarder, pour voir, concrètement, qu'il est possible de grandir et de réussir sa vie, parce qu'on ne peut pas devenir quelqu'un si on n'a même pas les moyens de se représenter sa réussite. Vous dites à une gamine : « Chantal, tu pourrais devenir avocate », et elle vous répond : « Devenir quoi ? Comme qui ? Je connais pas d'av... »

— Brenda, l'interrompit Lorenzo, dont la compassion commençait à s'épuiser. Brenda, Billy...

— Je sais où je vais.

— Venez-en à Billy, dit-il, haussant le ton malgré lui. S'il vous plaît.

— Billy. Il est venu parce que Felicia m'avait dit : « J'ai quelqu'un pour ta galerie de modèles. Je vais t'amener mon mec, il a travaillé à Wall Street. » Et elle avait ajouté quelque chose comme : « Si tu peux le faire sortir de mon appart'. » Donc Billy vient parler aux enfants, costume trois pièces, chaussures habillées, chemise blanche, cravate. Je savais qu'il était au chômage et c'était plutôt triste, mais il a parlé de la Bourse aux enfants avec une telle conviction. Il prenait cette visite au Club très au sérieux. Il leur a parlé d'actions, d'obligations, de marché à terme, ça passait largement au-dessus de leurs têtes. Moi-même, je ne comprenais pas la moitié de ce qu'il disait, mais il était tellement gentil. Il avait apporté le *New York Times* et il leur a expliqué comment lire les cours, mais on sentait pourquoi il avait des difficultés dans la vie. Les enfants ne marchaient pas, et il ne s'en rendait pas compte. Et pendant tout le temps qu'il parlait, Felicia levait les yeux au plafond, comme si elle en avait sa claque, de ce nul. On voyait bien qu'elle n'avait plus que du mépris pour Billy, et lui, chaque fois qu'un des enfants lui posait une question, il ouvrait grand les yeux, il arrondissait la bouche, comme s'il ne voulait pas rater une miette de ce qu'on lui disait. Moi, je le regardais dans son costume de chômeur de Wall Street... Il avait cette petite moustache chicos qui le faisait paraître encore plus toc, et j'avais envie de la lui arracher, de lui tendre la main et...

Elle s'enfonça dans ses pensées, et Lorenzo aussi, qui se demanda quand son bipeur allait sonner et lui montrer le signal codé qu'il attendait pour pouvoir l'inculper. L'inculper, prendre sa déposition, se débarrasser d'elle et commencer enfin à donner ces coups de fil.

— C'était comme si je sentais sa faiblesse, comme une grippe, vous voyez ? Et j'avais envie de m'étendre avec lui, d'être malade avec lui, d'aller mieux avec lui. Je le comprenais si bien, si vite. C'était comme si... comme s'il était *moi*.

Lorenzo regarda de nouveau la pendule : deux heures et demie.

— Brenda, est-ce que Billy a quelque chose à voir avec l'accident de Cody, excepté le fait qu'il...

— Il ne l'avait même jamais vu.

Il hocha la tête en pensant : Le serrer, lui foutre la trouille avec une inculpation de complicité, voir ce qui sortira de sa bouche.

— A la fin de son exposé, les gosses tournaient dans tous les sens, c'était le bazar, on ne s'entendait plus. Je me suis approchée de lui, je lui ai pris la main, rien qu'une seconde, et il a sursauté. Il m'a regardée, étonné, et ça y était. Ça n'avait duré en tout qu'une dizaine de secondes, mais ça y était... (Lorenzo hocha de nouveau la tête, baissa les yeux vers son bloc vierge.) Il s'est pointé à mon appartement deux heures plus tard. Cody jouait chez un autre gosse. Billy est entré, il avait l'air distrait, préoccupé, mais affamé, si vous voyez ce que je veux dire. On a passé une heure ensemble, à faire l'amour, et à la fin j'ai tout de suite compris ce qui m'attendait. Je savais que Billy aurait toujours cet air inquiet quand il serait avec moi. Je savais que je le perdrais. Vous allez me dire : « Comment on peut perdre quelque chose, ou quelqu'un, qui ne vous a jamais appartenu ? » J'en sais rien, mais ça m'a tout de suite fait souffrir. Comme pour me rappeler pourquoi j'avais structuré ma vie autour de mon fils, concentré tout mon amour sur mon fils. Mais c'était trop tard. Après toutes ces années, j'avais tenu dans mes bras quelqu'un qui n'était pas un enfant. J'avais fait trop longtemps abstinence et maintenant, les ennuis commençaient...

Council entendit quelqu'un tousser de l'autre côté du miroir, un raclement visqueux qui ne voulait pas finir. Brenda poursuivit :

— Ce jour-là, mon fils est rentré une heure après le départ de Billy, je l'ai regardé et, pour la première fois de ma vie, de sa vie, il m'a paru... désagréable. Et j'ai su que les ennuis avaient commencé.

« Je ne... C'était pas une affaire de sexe. De ce côté-là, c'était OK. Ça se fait, donc, on le fait. Mais pour moi, si le gars est content, je suis contente. S'il se sent bien après, moi aussi. Et Billy, il était pas... Il faisait, on faisait même pas l'amour à chaque fois. Mais je mourais d'envie de m'étendre de nouveau avec lui. Ce qui comptait pour moi, c'était d'être dans ses bras, d'être serrée.

Lorenzo sentit resurgir sa pitié pour elle et fondre sa colère. Il savait cependant qu'il ne referait pas tout le chemin en arrière.

— Vous savez ce que j'aime, au lit ? lui demanda-t-elle les yeux dans les yeux. J'aime que quelqu'un pose sa main ici... (Elle pressa ses doigts écartés sur la partie plane située au-dessus des seins. Lorenzo sourit, baissa les yeux vers la table.) Exactement ici. Et là... (La main monta jusqu'au front, comme pour estimer une fièvre.) Je m'allonge sur le dos, je ferme les yeux et je sens cette main qui ne bouge pas, je sens juste sa pression. Et je me sens en sécurité, je me sens aimée, physiquement aimée... Je plane, je plane.

— OK, dit Lorenzo, tentant de la faire passer à autre chose.

— Vous savez, Billy ne m'aimait pas... Et je crois que je ne l'aimais pas non plus, pas vraiment, mais j'éprouvais cette peur de perdre quelqu'un qu'on prend pour de l'amour. Lui, je crois qu'il aimait simplement être avec quelqu'un qui lui donnait bonne opinion de lui, et ce quelqu'un, c'était moi. Mais il ne donnait pas grand-chose en échange. Le cœur de Billy était à « Môman » — Felicia — et je crois que je l'ai su dès le départ, mais j'étais devenue comme folle, je vivais dans la terreur de le perdre...

« On se voyait à la sauvette. Il montait dans la journée si Cody était chez un camarade, ou il venait tard le soir avec la voiture de Felicia et il attendait dans le parking que Cody soit endormi. Je descendais, on faisait ça dans la voiture ou on parlait simplement. Quelquefois, je le rejoignais chez sa mère : il gardait la maison pendant qu'elle était à l'hôpital, alors j'allais en voiture à Plainfield. Mais le plus souvent, ça se passait dans la voiture de Felicia, en bas de chez moi. Je ne voulais pas qu'il monte, j'avais peur qu'il réveille Cody. C'était comme si je trompais Cody, ou comme si je sortais en cachette de mes parents...

« Pendant les premières semaines, j'ai réussi plus ou moins à maîtriser ma peur, vous voyez, ma peur de le perdre, et j'ai fait semblant d'être une personne normale ayant... une liaison normale, disons, mais le barrage s'est rompu une nuit et j'ai commencé à souffrir, c'était insupportable, quand j'étais avec Billy, quand j'étais loin de lui, une souffrance de tous les instants...

« Je cherchais à pénétrer dans sa tête pour interpréter chacun de ses gestes, de ses changements de ton ou d'expression. Si je descendais au parking et que la voiture était propre, il m'aimait. Si le bordel de Felicia traînait partout, il cherchait à me dire quelque chose, à m'envoyer un message. Et je n'arrivais pas à dormir avec lui — à m'endormir, je veux dire — parce que j'étais trop occupée à analyser sa façon de respirer, sa position près de moi. Est-ce qu'il se recroqueville pour éviter mon contact ? Est-ce qu'il s'endort pour ne plus m'entendre ? Est-ce qu'il fait semblant de dormir... ?

« A la fin, faire l'amour devenait insupportable aussi parce qu'il y avait trop à décoder, trop de signaux, trop de... J'aurais fini par avoir une dépression nerveuse à force de faire semblant tout le temps. Toujours en train d'analyser les mots, les caresses, le temps entre les mots et les caresses. Et je savais que ça le rendait malheureux, que je sois comme ça. Ça n'était pas flatteur. Ça n'était pas... attirant pour lui. Mais je ne pouvais pas m'en empêcher, je ne pouvais pas. Il ne comprenait pas ce que c'était, cette chose que je faisais peser sur lui, mais il la sentait, vous voyez ?

Lorenzo changea de position dans son fauteuil pour tenter de la faire venir plus vite à l'acte lui-même, mais ces signes physiques échappaient à Brenda.

— Avec Billy, je souffrais du manque, et le traitement, c'était le poison. Avant lui, Cody était tout pour moi. La vie était comme une falaise, mais j'avais creusé une corniche pour moi et lui, et j'étais heureuse, plus qu'heureuse, mais d'un seul coup, ce précipice...

— Brenda...

— Avec mon fils, avant Billy, continua-t-elle (et ce retour à l'enfant calma de nouveau Lorenzo), avant Billy, moi et Cody... J'adorais regarder des cassettes avec lui, ou bien je m'allongeais simplement près de lui jusqu'à ce qu'il soit endormi. Mais d'un seul coup, je... C'était affreux, je regardais le visage de mon fils à la lueur de la télé, et, d'un seul coup, il n'était plus mon enfant chéri. Des cassettes ? Je perds mon temps à regarder des cassettes alors que Billy est garé en bas ! Il faut que ce gosse s'endorme avant que Billy perde patience et rentre. Il l'a fait, une fois. Mais Cody, il lui faut... (Elle s'interrompit, déglutit, continua au présent :) Il lui faut vingt, trente minutes, parfois une heure pour s'endormir, et moi, je dois descendre avant que...

« Cody, il sent que je m'énerve, et ça l'empêche de s'endormir, et je m'énerve encore plus, et il n'a plus du tout envie de dormir, mais je ne pense qu'à une chose, passer cette porte. Quelquefois, je crois qu'il est endormi, je m'approche de la porte sur la pointe des pieds, et au dernier moment : "Ma-man, Ma-man !", et moi : "Tu dors, maintenant !"

Council gigota de nouveau sur son siège, jeta un coup d'œil sur la bombe à retardement : trois heures moins le quart.

— Alors j'ai commencé à lui donner du Benadryl, murmura-t-elle, la voix chargée de souffrance. Juste pour qu'il s'endorme, rien de plus que ce qu'on donne à un gosse agité... Un jour, dans le bus, j'avais entendu une femme dire à une copine qu'elle s'en servait de temps en temps pour endormir son enfant, alors j'ai essayé un soir et ça a marché. Ça a marché. Je lui ai raconté que c'étaient des vitamines pour la nuit, et ça s'est intégré au rituel du coucher...

« Le plus terrible, c'est que j'avais conscience du fossé entre ce que je ressentais et ce que j'aurais dû sentir. C'était pas : « Ecoute, Billy t'a remplacé et c'est comme ça. » Ça me tuait de ne plus rien éprouver pour mon fils.

Lorenzo toussa, résista à l'envie de lever à nouveau les yeux vers la pendule.

— Mais même au pire moment, même au pire moment, une partie de moi voyait encore la situation clairement, une partie de moi avait envie de dire à mon fils : « Chéri, laisse-moi le temps de me guérir de Billy et je reviendrai. Laisse-moi aller jusqu'au bout de ce jeu pitoyable et nous recommencerons à regarder des films ensemble, à parler... » Je... je savais que j'étais comme possédée, j'étais capable de le comprendre, de l'analyser mais je ne pouvais pas y mettre fin. J'étais... Je ne suis pas idiote mais c'était comme si mon intelligence — mon expérience des gens — était restée sur la berge...

Elle agita mollement la main pour représenter une rivière, supposa Council. Il se pencha en avant, chercha à faire intrusion :

— Laissez-moi...

— Billy, malgré sa faiblesse, malgré sa dinguerie, il était humain, plus humain que moi, je veux dire, parce qu'il avait un certain nombre de préoccupations. Vie amoureuse, recherche d'un boulot, etc. Mais pour moi, c'était Billy, point. Et pourtant, au moment où je vous parle, je n'arrive même pas à me représenter son visage...

— Brenda, répéta Lorenzo une fois de plus, le regard glissant irrésistiblement vers la pendule, j'entends tout ce que vous me dites, mais là, maintenant, j'ai besoin que vous commenciez à me parler de ce qui s'est passé il y a trois jours...

Elle ne réagit pas immédiatement, resta un moment silencieuse, fixant la poitrine de Lorenzo, puis ses lèvres remuèrent, formèrent des mots qui devinrent peu à peu audibles et cohérents :

— Il ne voulait pas s'endormir, Cody... Je lui avais déjà donné une dose, Billy attendait dans la voiture, mais Cody ne s'endormait pas. Et ce soir-là, je savais que Billy était sur le point de rompre, de retourner complètement avec Felicia. Il fallait que je descende. Il fallait que je lui parle, mais Cody refusait de s'endormir. J'ai pensé : Merde, je dois sortir. A vrai dire, j'étais même soulagée, en un sens, que Billy me laisse tomber. Ça me tirait de ma souffrance, d'une certaine façon. Alors, c'était probablement la dernière fois que je le laissais seul, mon fils, probablement la dernière...

Elle partit à la dérive, revint :

— Mais il ne voulait pas s'endormir, il ne voulait pas. Au bout d'un moment, je lui ai dit : « Il faut que je descende, endors-toi, sois sage. » Il était... furieux. Il m'a répondu : « Je veux pas que tu sortes », mais comme un *homme* l'aurait dit. « Je sais où tu vas, je veux pas que tu sortes. »

— « Je sais où tu vas... » répéta Lorenzo.

— Il faut comprendre ce qui se passait pour Cody. J'avais fait de lui le centre de mon univers, et le monde entier, à ses yeux, c'était moi. Il n'avait pas de père, je ne le laissais pas voir sa grand-mère, il n'allait pas encore à l'école. J'étais tout pour lui. C'était de l'amour mais de l'amour dément, et d'un seul coup, cette mère omniprésente rompait avec lui, en quelque sorte... Il a tout de suite deviné, pour Billy. Il se mettait en colère, il piquait des crises, il se refermait sur lui-même. Il savait. Ce soir-là... (Elle se tut, se balança un peu, les yeux dans le vague.) Ce soir-là, il me dit : « Je sais où tu vas, je veux pas que tu sortes. » Debout devant moi, à moitié sonné par le Benadryl. J'ai envie de lui répondre : « Ce soir, c'est la dernière fois. Accorde-moi une dernière fois », mais je suis trop énervée, alors je lui dis : « Dors, je reviens dans pas longtemps, promis. » Et il me répond : « Si tu sors, tu le regretteras. » Et, j'ai... j'ai failli rester. J'ai failli... Je ne l'avais jamais entendu parler sur ce ton. S'il avait eu un ton plus enfantin, ou plus pathétique, je serais peut-être restée, mais il avait une voix si dure. Ça m'a chassée de la maison, au contraire, personne n'a le droit de me parler comme ça. Je me rappelle avoir pensé dans l'escalier : C'est moi qui l'ai rendu comme ça. Et pour la millionième fois peut-être depuis que je suis avec Billy, je me dis que vraiment je déconne, je déconne complètement...

Le balancement crût légèrement en amplitude. Elle inspira et poursuivit :

— Je descends, Billy est en bas, il m'annonce que c'est fini. Entre Felicia et moi, il n'y arrive plus. Je m'y attendais mais je me mets à pleurer, à crier : « Tu ne l'aimes pas, elle ne t'aime pas ! » bla-bla-bla. Je sais même pas pourquoi je fais tout ce bordel. Je suis plutôt soulagée, je vous l'ai dit, mais je dois penser que c'est ce qu'on attend de moi, je sais pas. Bla-bla-bla, pendant une heure. Billy est un type bien, il me laisse mon heure, il me balance pas, genre « Salut, pétasse ». Il encaisse. Il pense probablement qu'il me doit bien ça...

« On n'est même pas sortis du parking. Finalement, Billy est parti mais je ne suis pas remontée tout de suite, je pouvais pas, alors j'ai marché un moment, en essayant de faire le point sur ce que je ressentais. Au bout d'un moment, je remonte et... je... je ne le vois pas, Cody. Je regarde dans le lit, je me dis qu'il doit se cacher...

Lorenzo vit les jambes de Brenda s'ouvrir et se refermer, se cogner l'une contre l'autre.

— Il se cache mais ça ne fait rien, parce que c'est fini avec Billy, je me sens plus légère. Je sais que Cody est fâché contre moi et qu'il essaie... (Ses mains se portèrent à son visage, essuyèrent des larmes.) Il essaie de me faire peur, ou de me punir, mais ça ne fait rien, ça ne fait rien, je le mérite, et je suis heureuse, en un sens, parce que maintenant, on va se retrouver, tous les deux, et j'appelle : « Cody, Cody », comme si on jouait : « Où tu es ? » Et puis je le vois. Il est sous... (Elle s'interrompit de nouveau, découvrit ses dents.) Il est sous la table et je... Il est endormi. Je me baisse...

Brenda glissa en bas de sa chaise, se mit à quatre pattes.

— Je m'approche... Je décide d'abord de le porter dans son lit mais non, je vais le réveiller. Et là, je sens cette odeur, et je mets la main dans quelque chose d'humide, sur le tapis. Je me suis redressée d'un seul coup, sous la table.

Inconsciemment, elle toucha l'entaille croûteuse de son crâne.

— Cette odeur... Et puis j'ai vu la bouteille vide par terre... Je n'ai pas touché Cody. Dès que j'ai vu la bouteille vide, je me suis rappelé : « Si tu sors, tu le regretteras. » Et j'ai su. J'ai su.

— Il était vivant, à ce moment-là ?

Lorenzo l'aida à se rasseoir en pensant : Reflux de l'estomac, le gosse étouffé dans son propre vomi. Elle détourna les yeux, remuant silencieusement les lèvres.

— Brenda, il était vivant ?

— Non, murmura-t-elle.

Lorenzo se représenta l'enfant cyanosé, froid au toucher.

— Comment le savez-vous ?

— Il ne l'était pas.

— Expliquez-moi comment vous le saviez.

— Parce que je suis sa mère, rétorqua-t-elle entre ses dents serrées, les yeux brillants. Je suis sa mère. Et les mères, ça sait ce genre de chose.

— OK, marmonna-t-il, battant en retraite.

— Il avait dit : « Si tu sors, tu le regretteras », et il avait raison. C'était quoi, un suicide ? Non. Il ne savait pas, il ne savait pas... C'est *moi* qui ai tout déclenché, *moi* qui lui ai montré comment faire, alors, inculpez-moi d'homicide, inculpez-moi, faites ce que vous...

— Brenda, doucement, doucement.

Il prit les mains de la jeune femme entre les siennes, cherchant désespérément à la faire taire, puis à la faire parler, pour ne pas interrompre le flot d'informations.

— Il ne savait pas ! Il ne savait pas !

Sa voix était un grincement rauque, ses yeux semblaient trembler dans leurs orbites.

— Brenda ! aboya Council, lui assenant une gifle verbale. Ecoutez-moi. Il s'agit d'un accident. Ce que vous m'avez décrit, si c'est exact, était un accident.

Il lui cacha que dans un premier temps elle serait effectivement inculpée d'homicide, pour apaiser la rage qui monterait des rues ce soir, pour donner au procureur un petit coup de main dans son marchandage avec la défense.

— Un tragique accident, Brenda. Ce que vous me dites me brise le cœur. (Il la regarda, tenant d'une main les deux siennes, pressant l'autre contre sa poitrine.) Mais vous ne pouvez pas vous culpabiliser comme ça.

— Jouez pas avec moi, répliqua-t-elle.

— Brenda, il faut qu'on continue à parler.

— De quoi ?
— Il faut que vous me racontiez le reste.
Elle se détourna vivement, gratta avec vigueur le dessus de sa tête.
— J'ai fini, inculpez-moi.
Pas question, pas encore, pensa-t-il, en cherchant le bon angle d'attaque.
— Qu'est-ce que vous ressentez pour Billy, maintenant ?
— Quoi ?
— Ça vous ferait quoi, qu'il aille en prison ?
— Pourquoi ?
— Parce que si on arrête de parler maintenant, j'ai pas le choix, je dois le boucler pour complicité. (Il se garda de préciser : de meurtre. Lorenzo évitait ce mot à tout prix, maintenant.) C'est ce que vous voulez ?
Elle se redressa sur sa chaise pliante en un lent étirement pensif.
— Si tout ce qu'il a fait, c'est transporter un corps, il faut que vous me l'expliquiez, point par point, poursuivit-il, parce que, de toute façon, je dois l'arrêter, alors soit il rentre chez lui ce soir inculpé d'un délit mineur, soit il va en taule.
Il lui mentait : Billy irait en prison, quelles que soient les révélations de Brenda.
— Ce qui déterminera mon choix, ce sera la façon dont sa version collera avec la vôtre. Mais si vous m'en donnez pas... (Il leva les mains en signe d'impuissance, les laissa retomber.) Au trou.
— Billy, murmura Brenda.
Il lui accorda quelques secondes avant de demander :
— Il mérite la prison ?
— Non.
— Alors, aidez-moi à la lui éviter. (Elle appuya son front sur la table branlante.) Brenda ?
— Je conduisais. Tout ce que je me rappelle, c'est d'avoir mis la main dans quelque chose d'humide, d'avoir senti cette odeur et de m'être cogné la tête sous la table. Et puis je me retrouve au volant de ma voiture, je sais pas comment. Je ne me souviens pas d'avoir quitté la maison mais, d'un seul coup, je suis en train de rouler quelque part dans Jersey City. Je fais demi-tour pour rentrer. Je me dis que c'est peut-

être un rêve, que je ne suis même pas passée à la maison, que j'ai tout imaginé...

« Alors, je me gare sur le parking, je monte à l'appartement et... je n'entre pas. Il est... Je n'entre pas.

« Je roule de nouveau. Je me dis : Jette-toi contre un mur, finis-en... mais j'ai pas le courage. Alors, qu'est-ce que je fais ? Je pense à ma mère, à mon frère, tous ceux à qui j'ai cherché à échapper pendant toute ma vie, tous ces gens qui me regardent, qui m'épient, qui me connaissent, ils m'enserrent, ils m'emprisonnent. Toute ma vie, ces gens... Et je me dis : Jette-toi contre un mur, crève ! Mais je pense : Si je meurs, il meurt en moi, comme...

Elle se tut puis répéta ses mots, se citant avec dégoût :

— « Il meurt en moi. » C'est pas vrai !

— Hé, dit Lorenzo, tendant la main, s'abstenant de dire quelque chose comme « Soyez pas aussi dure avec vous-même ».

— Je suis... je suis comme dans le brouillard, et je me retrouve près de Freedomtown. Il faut que vous compreniez, tout ce que je fais, partout où je vais, je... Comme un animal. J'entre, je suis dans le parc, à genoux par terre, je creuse avec mes mains...

« Puis je suis de nouveau en bas de chez moi, et je monte. J'entre mais je ne regarde pas. Je ne peux pas. Je suis à nouveau dehors, je roule, je vais à la maison de Billy, la maison de sa mère, mais il n'y est pas, alors je rentre, je téléphone chez Felicia, j'espère que c'est lui qui décrochera, parce que si c'est Felicia... Mais c'est lui, et quand je lui raconte Cody, ce qui est arrivé à Cody, il me raccroche au nez. Il m'a raccroché au nez mais il a rappelé, il m'a rappelée... et il m'a crue. Je lui ai dit — j'ai essayé, je crois que j'ai essayé de le convaincre que c'était aussi de sa faute. Je me souviens pas exactement. Je flotte, mon corps flotte, ma bouche flotte... Mais il est venu, il est venu. Je regardais par la fenêtre, je l'ai vu descendre d'un taxi, il a traversé la rue, il est monté, il est redescendu avec... Il l'a mis dans ma voiture, il a démarré. J'avais dû lui dire où aller parce que...

Elle eut un geste vague indiquant Freedomtown, supposa Lorenzo.

— Les pierres, je pense que c'est lui. Pour bien faire les choses, dit Brenda, qui s'était remise à pleurer. Il avait ma voiture. Je ne sais pas ce qu'il en a fait. Je ne pouvais pas retourner là-bas. Même avec... Alors, j'ai pris un taxi qui m'a conduite à Jersey City, je suis descendue dans un motel près du tunnel et je suis restée dans ma chambre, la tête comme... Je me rappelle, je suis sortie vers minuit, je suis allée dans un 7-Eleven, et je suis ressortie avec une bouteille de Clorox, sûrement pour... vous voyez, mais j'ai pas pu, j'ai pas pu...

« La chambre avait deux lits — c'était une de ces chambres avec deux grands lits — et je me couchais dans l'un, je me couchais dans l'autre. C'est ce que je me rappelle, passer d'un lit à l'autre. J'avais laissé le Clorox dans la salle de bains, et toutes les heures, environ, j'allais regarder la bouteille. J'ai allumé la télé, je m'en souviens, pour voir si... Le lendemain, je suis allée au travail, comme si de rien n'était. Toute la journée, j'ai flotté dans le brouillard. Je... Personne pouvait m'atteindre. Je flottais. Je me souviens pas de grand-chose. Je sais que j'ai appelé Billy, chez sa mère...

Les punaises, le coup de téléphone, se rappela Lorenzo qui l'imagina au Club d'Etudes ce jour-là, les fesses criblées de punaises, le petit Shamiel qui chialait.

— ... Billy, il pleurait, il était dans un état, mais je peux rien vous répéter de ce qu'il a dit parce que j'étais... Le soir, je suis retournée au motel. La femme de chambre avait fait les lits, le ménage, mais elle avait laissé le Clorox dans la salle de bains. Comme si elle savait que la bouteille était à moi, pas au motel, comme si elle savait pourquoi je l'avais achetée, et qu'elle l'avait laissée là pour me dire : « Vas-y, fais-le. » J'ai eu tellement peur de mourir, d'être jugée, que je suis sortie de là et que j'ai fait ce que j'ai fait.

— Quoi ?

— J'ai pris un taxi pour retourner à Armstrong, je me suis assise sur la voie ferrée, et j'ai dû réfléchir à ce que j'allais faire mais je ne m'en souviens pas. J'étais sur pilote automatique. Le sac, par exemple, je sais pas à qui il était — vous m'avez dit le nom. Je croyais qu'il était vide. Je l'avais vu par terre, dans le parking du motel. Je l'avais emporté, mais je ne me souviens pas de l'avoir ramassé en pensant : Hé, je vais me servir de ce sac. Mais je l'avais avec moi. Je me rappelle, quand je l'ai trouvé, quelqu'un avait sûrement déjà roulé dessus dans le parking, et je l'ai pris. Je suis restée un moment là-haut, sur la voie, et à un moment donné, je suis descendue vers les bâtiments, j'ai marché jusqu'au parc, Martyrs, là-bas, et j'ai jeté le sac par terre. Je me suis agenouillée et j'ai frotté mes mains sur toutes ces saletés. Elles étaient déjà abîmées d'avoir creusé à Freedomtown, et je les ai écorchées, lacérées. Je... je voulais faire entrer tous ces trucs rouillés, cassés, dans ma peau, tous. Et puis j'ai traversé la Cuvette, en direction du Centre médical. Je devais savoir ce que je raconterais en arrivant là-bas, mais je ne me souviens pas d'avoir préparé cette histoire — le... le mensonge — avant qu'elle sorte de ma bouche. J'avais tellement peur que les gens me... me voient et s'emparent de moi, qu'ils me jugent. Ma mère, mon frère, tout le monde. Si je devais m'expliquer maintenant, je dirais que dans ma tête je savais que pour Armstrong... (Elle s'interrompit, soupira.) Le jugement était rendu depuis longtemps.

« Armstrong, elle en était criblée, de jugements, elle pouvait bien encaisser un coup de plus. Et personne, personne en particulier n'en souffrirait vraiment, et moi, je pourrais continuer, comme ça, à mener un semblant de vie, mais non. Non. On ne peut pas.

Elle changea de rythme, s'adressant aux yeux de Lorenzo, maintenant :

— J'ai jamais pensé que ça déclencherait tout ça, je vous le jure. Les journaux...

— OK.

— Jamais j'aurais...

— OK, la coupa Lorenzo, qui ne voulait pas entendre la suite.

Pendant un moment, le silence fut tel qu'il s'imagina pouvoir entendre la respiration, la respiration collective qui entourait la pièce.

— Billy, reprit enfin Brenda, ce qu'on peut dire de Billy... Quand vous êtes venu à l'hôpital, ce soir-là et que vous m'avez ramenée chez moi, j'y étais pas retournée depuis que j'avais découvert Cody. En entrant, je m'attendais à ce qu'il y ait toujours cette odeur, je m'attendais à voir des choses, des traces. Mais tout était propre, ce qui voulait dire que Billy était revenu nettoyer. Pour que je n'aie pas à le faire, ç'aurait été trop... Il l'a fait. Pour moi. Ça a dû lui coûter, retourner comme ça chez moi... Mais c'était lui aussi, ça, vous voyez. C'était lui aussi.

Le bipeur de Lorenzo finit par sonner. Il baissa les yeux, vit trois 2 apparaître sur sa hanche.

— Quoi ? demanda Brenda, haletante.

— Hein ?

— C'était quoi ? Ils ont trouvé Cody ?

Il tendit la main pour lui toucher le bras.

— Brenda, écoutez, écoutez...

— Il va bien ?

— Quoi ?

— Comment il est ? dit-elle en s'avançant au bord de sa chaise.

La peau, autour de ses yeux, était grise et parcheminée.

— Brenda.

Lorenzo mit le magnétophone en marche en pensant : Grouille !...

— Qu'est-ce que j'ai fait ? murmura-t-elle d'un ton effrayé.

— Brenda, c'est pas moi qui décide, dit Lorenzo en glissant une cassette dans l'appareil. Ça vient du procureur. Mais au point où on en est, je vais devoir vous inculper d'homicide. Personnellement, j'ai aucune raison de... de... de pas croire ce que vous m'avez dit...

— Si on y réfléchit, c'est toute la planète qui est en train de mourir, débita-t-elle rapidement. Avec tout ce qu'on a maintenant : la pollution, le sida, la drogue. C'est ce qui les attend, là dehors.

Elle parlait au mur du fond et Council pensa de nouveau : Grouille.

— Mais à cause de toutes les... les obstructions que vous avez faites à la justice, j'y suis obligé, reprit-il. Vous comprenez ce que je dis ? (Elle était ailleurs, retranchée en elle-même ou retournée devant l'Incendie de Chicago.) Je pense que d'ici quelques jours, quand les techniciens du labo auront fait leur boulot, l'inculpation sera ramenée à...

— Je crois, coupa Brenda, je crois que j'ai peint mon fils sous un jour idéalisé, vous voyez, à cause de ce que j'ai fait. (Sa voix était haut perchée, flottante.) C'était un enfant très difficile, Cody. Je ne dis pas que c'était de sa faute, mais il était colérique. Très colérique.

— Voilà ce que nous allons faire, dit Lorenzo, posant une main sur le magnétophone. Il faut enregistrer votre déposition. Parce que si moi je raconte votre histoire, sans votre propre voix comme preuve, les gens nous enverront balader, tous les deux. Ils diront que je cherche à vous couvrir, que j'ai pitié de vous. Depuis le début, on me traite de tache parce que j'ai avalé votre première version. Alors, dans notre intérêt à tous les deux, il faut mettre ça sur bande, avec vos propres mots, OK ?

Elle murmura quelque chose en regardant par-dessus l'épaule de Lorenzo.

— Une fois qu'on l'aura enregistré, on pourra le repasser, l'écouter. Changer, corriger, ajouter tout ce que vous voudrez, OK ? Mais c'est la seule façon dont je peux vous aider, maintenant. Une fois que j'aurai appuyé sur ce bouton, vous n'aurez qu'à me raconter ce qui s'est passé, comme vous venez de le faire. Vous me le racontez encore une fois.

— Encore, dit-elle, le mot pesant une tonne.

Il appuya sur *Record*.

— Inspecteur Lorenzo Council, de la police de Dempsy. Je suis dans la salle d'interrogatoire du poste du Southern District, le 2 juillet à deux heures cinquante-cinq, en compagnie de Brenda Martin, blanche, trente-deux ans, domiciliée 16 Van Loon Street, Gannon, New Jersey, téléphone 420-7210, numéro de Sécurité sociale 183-40-3947... (Il ébaucha un clin d'œil, comme si donner ces informations était une arnaque qu'ils montaient, elle et lui.) Cette déposition concerne la mort de Cody Martin, quatre ans...

Il hésita en voyant un frisson secouer le corps de la jeune femme.

— Brenda ? Je dois maintenant vous donner à nouveau lecture de vos droits, déclara-t-il d'un ton officiel, pour le procureur, pour les murs.

— Vous devez comprendre une chose, le coupa-t-elle. Je n'aurais pas toujours été là pour lui, je n'aurais pas pu.

Elle semblait raisonnable, lucide, et Council fut davantage désarçonné par le ton que par les mots.

— Pardon ?

Ce fut soudain le chaos. Brenda, les yeux fous, un cheval dans une écurie en flammes, jaillit de sa chaise — son lecteur de CD heurta bruyamment le sol, les piles, délogées du boîtier, roulèrent par terre — et se jeta contre le mur du fond comme s'il y avait une sortie qu'elle seule pouvait voir. Lorenzo, n'ayant pas le temps de se lever de son fauteuil, tendit le bras dans un geste réflexe et la saisit par le milieu du corps, l'intercepta, la plaqua contre son giron. Brenda battit des bras, se mit à hurler. Lorenzo la serrait contre lui par-derrière, son fauteuil s'inclinant sur ses ressorts comme s'il essayait de sortir un marlin de l'eau.

— Je pourrais avoir un coup de main ? cria-t-il d'un ton curieusement poli et officiel, s'adressant au miroir sans tain, au mur des toilettes, à l'amplificateur posé sur le bureau de Bobby McDonald.

Brenda haletait comme un train de marchandises tandis qu'il cherchait à la maîtriser. Le magnétophone rejoignit le baladeur par terre. Retenue par les mains de Council, l'une autour de sa taille, l'autre sur son épaule, Brenda leur fit faire à tous deux le tour de la pièce dans le fauteuil à roulettes, les projeta de côté contre un mur.

Lorenzo renouvela sa requête, avec un peu plus de sécheresse, cette fois :

— Je pourrais avoir un coup de main ?

24

Les toilettes s'étaient vidées au deuxième appel à l'aide — les trois derniers inspecteurs qui écoutaient à travers le mur se bousculant pour sortir — et Jesse se retrouva seule, toujours enfermée dans ses W.-C.

Elle entendait les plaintes et les supplications étouffées de Brenda mêlées aux directives laconiques des flics qui essayaient de la maîtriser, l'un d'eux appelant Joyce Bannion, la seule inspectrice de service. Il n'y aurait pas de déposition enregistrée aujourd'hui. Jesse supposa qu'on emmenait Brenda non en prison mais à l'hôpital, où on lui administrerait des calmants, des perfusions pour la réhydrater, avant de la confier à la vigilance d'une gardienne. Le lendemain matin, le juge, le procureur et le *public defender*[1] passeraient pour procéder à une mise en accusation « en chambre », et dès qu'on l'estimerait suffisamment remise, Brenda serait transférée à la prison du comté.

Jesse demeura dans les toilettes bien après que Brenda eut quitté le bâtiment. Pendant une heure, l'endroit avait vu défiler une interminable procession de curieux, la plupart restant juste assez longtemps pour pouvoir dire qu'ils y étaient passés, mais, de temps à autre, l'un d'eux secouait

1. Avocat désigné par une agence gouvernementale pour assurer la défense des indigents. *(N.d.T.)*

la porte de Jesse, dont l'attention se partageait entre écouter le récit de Brenda et ne pas se faire découvrir.

La journaliste ne prit la mesure de la haine qui se déverserait bientôt sur Brenda que lorsqu'elle l'entendit demander à Lorenzo : « Vous savez ce que j'aime, au lit ? J'aime que quelqu'un pose sa main ici... Et là. » Comme personne dans les toilettes ne pouvait voir où étaient « ici » et « là », Jesse, qui se préparait à une avalanche de spéculations salaces lancées par la douzaine de flics qui écoutaient à ce moment-là, fut surprise qu'aucun d'eux ne les profère. Elle devina dans ce silence une condamnation absolue : les préférences sexuelles de Brenda Martin étaient considérées comme une information répugnante, moralement choquante.

Quand le brouhaha habituel revint au deuxième étage du poste de police, Jesse commença à composer le numéro de Jose mais fut interrompue par l'arrivée de deux flics venus se soulager.

— Tu sais ce que je ferais, moi ? dit l'un par-dessus un bruit sporadique d'éclaboussement. Je l'attacherais dans une cellule, je couvrirais les murs et le plafond de photos du gosse et, au bout d'une semaine, je lui jetterais un rasoir.

Jesse attendit qu'ils soient partis pour sortir dans le couloir. Se fondant dans l'animation régnant après l'arrestation, elle appela de nouveau Jose. Il décrocha à la première sonnerie.

— Elle est inculpée ?

— Ouais, répondit-elle, tête baissée, flottant sur une mer de policiers.

— Homicide ?

— Ouais.

— Le point de presse est pour quand ?

— Sept heures et demie. Il faut d'abord qu'ils se préparent, qu'ils envoient quelques frères maintenir le calme. Je te résume simplement ses aveux pour le moment. Je rédigerai le papier sur les recherches des Amis de Kent demain. Y a pas le feu, pour ça, hein ?

— Accouche.

— Elle prétend que le gosse, c'était un accident. Elle dit qu'il a bu une bouteille de Benadryl.

— Erreur tout à fait vraisemblable. Continue.

— Non.

— Non quoi ?
— C'était pas une erreur. Le gosse était en colère contre elle.
— Pourquoi ?
— Parce qu'elle était sortie.
— Du pipeau. Continue.
— Elle sort, elle revient, le petit est mort.
— On a retrouvé le corps ?
— A Freedomtown.
— Enterré ?
— Non, sur la grande roue.
— Qui est-ce, le gus ?
— Quoi ?
— Elle est sortie, tu dis. Avec qui ?
Jesse allait répondre quand elle se rendit compte que, bien qu'elle sût que le type était le mec de Felicia Mitchell, elle ne connaissait que son prénom. En outre, elle ignorait si Lorenzo avait l'intention de révéler à la presse l'existence de Billy, et elle ne voulait pas le mettre dans l'embarras.
— Je te rappelle dans une minute.
— Jesse, attends...
Elle raccrocha, se glissa dans la salle des inspecteurs, se dirigea vers Council qui, debout devant son bureau, palabrait dans le téléphone :
— ... vous aviez raison. Vous aviez raison. Mais moi, je devais vérifier l'histoire comme on me l'avait racontée. Je devais faire mon boulot. C'est comme ça que ça se passe, Rev. C'est... Vous aviez raison — ça fait bien cinquante fois que je le reconnais, non ?
Rev : Longway, supposa Jesse, mais ça pouvait être Howell, McMichaels ou Bowers. Ce n'étaient pas les révérends militants qui manquaient. Elle remarqua près du téléphone un papier rose chiffonné, bordereau de teinturerie au dos duquel étaient griffonnés douze noms : Lorenzo faisait le tour des représentants en vue des minorités de Dempsy.
— ... maintenant, voilà le marché, disait-il. Vous êtes prêt à m'aider, ce soir ? Parce que j'ai besoin de vous, là-haut. J'ai besoin... Hé, moi aussi, j'ai les boules, j'ai les boules, grave, mais vous voulez qu'il se passe quoi, ce soir ? Vous voulez voir le feu d'artifice ? A votre avis, qui... A votre avis, qui souffrira le plus ce soir si nous ne... Quoi ?... Hé ! On

aura... Qu'est-ce que vous croyez ?... Vous pensez pas qu'ils n'attendent que ça ?

Jesse, que des années d'interviews avaient habituée à lire à l'envers, mémorisa autant de noms qu'elle put dans l'intention de prendre contact avec quelques-uns de ces types avant la conférence de presse, de recueillir une série de premières réactions, de maintenir son avance.

— Laissez-moi vous dire une chose, poursuivait Lorenzo, baissant la voix, prenant un ton de confidence. Il y aura probablement trois, quatre cents policiers en tenue anti-émeute dans les rues, cent cinquante rien que pour Armstrong. On ne les verra que s'il se passe quelque chose, mais je vous pose la question : étant donné ce que je viens de vous dire, vous pensez pas qu'on a déjà assez de frères en cabane comme ça ? Ou vous voulez qu'on en amène un autre car plein ? Ça vous ferait plaisir ? Et les têtes cassées qu'on conduira au Centre médical cette nuit, elles viendront d'où ? Réfléchissez, Rev... De Gannon ? Non, mon vieux, si vous voulez voir des flics de Gannon cette nuit, vous devrez aller à Gannon. Pendant les six mois qui viennent, si vous voulez voir des flics de Gannon, faudra aller à Gannon. C'est sûr comme de l'argent à la banque.

Ou mieux encore, pensait Jesse, elle se présenterait comme agent de liaison de Lorenzo, tout juste sortie du confessionnal : « L'inspecteur Council a pensé que vous devriez savoir telle et telle chose que Brenda Martin a dite ; Lorenzo voudrait savoir si vous avez des questions pour lesquelles il pourrait vous aider. » Se transformer en pont humain, en porteur de message aux vedettes. Jesse comptait que la situation serait trop mouvementée et confuse dans les prochaines vingt-quatre heures pour que quiconque prenne la peine de vérifier ses lettres de créance.

— ... je suis d'accord, je suis d'accord, dit Lorenzo, qui se frotta si vigoureusement les yeux qu'il fit tomber ses lunettes. Alors qu'est-ce qui va se passer ?... Non, les « peut-être », ça vaut pas un clou, c'est comme un chèque sans signature. Alors, réfléchissez. Moi et vous, on a cette conversation parce qu'on se connaît depuis longtemps, depuis...

Lorenzo rit en entendant la réponse, tapota nerveusement des doigts sur le bordereau de teinturerie. Jesse capta son attention, réclama de la main un temps mort, obtint en réponse un geste la congédiant.

— ... on a rien sans mal, rien sans mal... Hé, soyez aussi en pétard contre moi que vous voulez, mais demandez-vous qui va souffrir cette nuit et qui va toucher des heures sup'... Non. A long terme aussi. A long terme aussi... Alors, nous avons une philosophie différente, mon frère... Sept heures et demie, par là. Devant le tribunal... Bon, si vous devez réfléchir, vous devez réfléchir. Tout ce que je peux dire, c'est que je serai amèrement déçu si vous venez pas... Je sais que vous avez pas de comptes à me rendre, je vous explique simplement ce que je ressens. Hé, la seule personne à qui on doit rendre des comptes, tous autant qu'on est, c'est le type dans le miroir, mon frère... Ouais, à Dieu aussi. Je reconnais mon erreur, s'esclaffa Lorenzo, qui se gratta furieusement la mâchoire, cette fois. Je reconnais mon erreur. D'accord, d'accord.

Il raccrocha et le rire s'éteignit tandis qu'il promenait un doigt sur le bordereau rose. Il tendit la main vers le téléphone en murmurant le numéro suivant de la liste.

— Qui est Billy ? demanda Jesse.

Il sursauta, se trompa de chiffre.

— Une seconde.

Il refit le numéro, trop pressé pour la regarder.

— Je peux parler de lui ?

— Non, vous pouvez pas, répondit-il tout net, toujours sans la regarder. Diane, salut, dit-il avec un bref rire nerveux. Ouais, c'est moi. Le révérend est là ?

Il attendit, profita de l'interruption pour tourner enfin les yeux vers elle.

— Je pense qu'on est quittes, maintenant, Jess. Alors, vous dégagez, OK ?

Ben était garé en double file devant le poste de police, et lorsque Jesse se dirigea vers sa voiture, une Chevrolet Nova s'arrêta, deux inspecteurs en descendirent, encadrant un grand Noir corpulent d'une trentaine d'années. Bien qu'on ne lui eût pas passé les menottes, il avait l'air dans la merde. Hagard, le visage bouffi, il donnait l'impression d'avoir enfilé ses vêtements dans l'obscurité : une chemise blanche propre mais mal boutonnée, un pantalon de toile anthracite dont le soleil faisait miroiter la braguette à demi ouverte. Il ressemblait plutôt à un serveur épuisé, mais Jesse sentit derrière les apparences une certaine éducation, une sorte de parcours bâclé de col blanc : informatique, marketing, management de niveau inférieur. Elle tenta le coup :

— Hé, Billy ?

Il tourna vers elle des yeux larmoyants, suppliants, avant de disparaître à l'intérieur du bâtiment.

Jesse décida de commencer par le révérend Longway. Pendant que Ben la conduisait à Armstrong, elle rappela Jose, lui fit un compte rendu des aveux en s'en tenant à la version de Brenda — un accident, suivi d'un accès de panique — et résuma ses explications pour la fausse agression par cette citation : « J'avais peur. Je n'ai jamais pensé que tout cela arriverait. » C'était plus ou moins ce qu'elle avait dit, et mis à part une brève description du moment où elle avait craqué sous la pression des Amis de Kent, devant le dortoir abandonné, le récit de l'autodafé de Brenda devrait attendre l'édition suivante.

Installé dans le Centre communautaire, l'Office du logement d'Armstrong était précédé d'une cage en verre servant de réception. Jesse reconnut la femme boulotte qui s'occupait des téléphones, Betty quelque chose, une locataire qui payait son loyer en travaillant à l'Office. C'était d'ordinaire une personne enjouée, mais quand Jesse s'approcha de l'hygiaphone, Betty plissa les lèvres et porta son attention sur un poste de télévision portatif.

— Salut, dit la journaliste, posant les coudes sur le rebord situé sous le rectangle de plastique perforé. Le révérend est là ? J'ai un message pour lui, de la part de Lorenzo Council.

— Vous pouvez me le donner, marmonna Betty sans quitter l'écran des yeux.

— Justement, je peux pas.

— Alors, vous attendez. Il est occupé.

— C'est assez urgent.

— Il est occupé, je vous dis.

— Vous êtes reporter ?

La question émanait d'un adolescent qui se tenait dans

un encadrement de porte à la peinture écaillée, derrière la réceptionniste. Il avait l'air effrayé : la bouche grande ouverte, les yeux clignotants.

— Mon père est au téléphone mais vous pouvez entrer si vous êtes reporter.

Il la fit passer devant une photocopieuse, des toilettes hors d'usage, une salle vide réservée aux îlotiers, puis la fit entrer dans la pièce du fond. Les trois bureaux et les trois téléphones étaient tous utilisés par des gens que Jesse connaissait de son boulot : Longway, un autre pasteur, Irvine Rainey, et un militant laïc du nom de Donald De Lauder. Point de vue ambiance et activité, cette pièce humide où flottaient des relents de nourriture avait l'air d'un clonage du bureau de Lorenzo : le message était retransmis de plus en plus loin dans la ville.

— Je m'appelle Jesse Haus, dit-elle au fils, le seul qui ne fût pas occupé. Je travaille au *Register*.

Les mains dans les poches arrière de son jean, le jeune garçon la fixait d'un regard nerveux, avide. Cela ennuyait beaucoup Jesse de perdre son temps à poser des questions à cet ado terrorisé.

— Je viens de... Lorenzo vous a appelés ? Il a appelé, non ?

— Il faut demander à mon père, répondit-il avec un coup d'œil inquiet à Longway, en train de téléphoner.

— Je viens d'entendre ses aveux, et Lorenzo m'a chargée de passer vous demander si vous avez besoin d'en savoir plus, reprit-elle, parlant comme sur une scène à l'intention du trio pendu au téléphone.

— Moi ? dit le jeune, incrédule, en touchant du doigt sa propre poitrine.

— Ma petite demoiselle, claironna Donald De Lauder après avoir raccroché soigneusement, vous êtes venue nous expliquer ce qui se passe ?

— Eh ben, je peux vous dire ce qui s'est passé.

— Vous allez m'expliquer, nous expliquer, corrigea-t-il en montrant les deux autres, les circonstances atténuantes.

Emacié, les yeux enfoncés, grand comme un échalas, De Lauder portait un jean, un *dashiki* et, malgré un passé mouvementé, des godasses de flic : bulbeuses et noires, astiquées à la salive. C'était un ancien inspecteur de Newark qui, à la fin des années 1960, s'était fait tirer dessus par ses collègues pendant une descente de police sur une cellule des Panthères noires qu'il avait infiltrée.

Agacée par sa « petite demoiselle », Jesse lui répondit :

— Si vous pensez que c'est important pour vous de le savoir, je peux vous en parler, oui.

— Est-elle responsable de la mort de son enfant ?

— Pas facile, comme question, maugréa Jesse avec une grimace.

— Alors, une plus simple, intervint abruptement le révérend Longway. L'enfant a-t-il été enlevé dans cette cité ?

— Non, pas du tout, déclara Jesse, sachant que Longway en avait déjà été informé.

— Non ? répéta-t-il. Vous venez de me dire tout ce que j'ai besoin de savoir.

Désirant une réaction moins laconique, Jesse nuança :

— Tout n'avait peut-être pas été calculé à l'avance.

— Ça ne m'intéresse pas vraiment, dit Longway. (Il croisa les bras sur sa poitrine, s'assit sur un coin du bureau comme pour l'inviter à faire mieux.) Laissez-moi vous rappeler ce que vous avez peut-être vu et entendu ces derniers jours mais que vous n'avez apparemment pas compris. Et vous pouvez prendre des notes, parce que je doute que vous soyez la seule à avoir manqué de jugement, dans cette ville.

Longway attendit, signifiant par son silence qu'elle devait prendre la dictée. Ravie des déclarations exclusives qu'il allait lui faire, Jesse n'en était pas moins déroutée. Pourquoi lui accordait-il cette mini-interview alors que le monde entier l'écouterait dans quelques heures ?

— Quand vous parlez aux policiers, commença le révérend, ils vous expliquent que la vie d'un enfant était en jeu. Ils vous disent qu'ils opéraient sur la base des informations qu'ils détenaient. Que le facteur temps était essentiel.

— OK, murmura Jesse en griffonnant.

— Fort bien, fort bien, dit Longway en écartant les mains.

Le troisième gars, le révérend Rainey, masse gélatineuse, termina son coup de fil et prêta l'oreille à la conversation. La campagne téléphonique était provisoirement interrompue.

— Mais laissez-moi vous soumettre une autre situation,

continua Longway avec un grand sourire. Vous me direz si elle vous semble plausible...

Rainey et De Lauder approuvaient en hochant la tête. Ils avaient probablement déjà entendu l'argument, et tout à coup, Jesse comprit la raison de cette interview exclusive en plein chaos : Longway répétait, il faisait un essai sur elle, public étranger à la ville, et elle pensa : Je marche.

— Pouvez-vous imaginer, poursuivit le révérend, pouvez-vous imaginer, si... si un enfant *noir* d'Armstrong avait été enlevé — prétendument enlevé — quelque part dans la ville de Gannon ? Pouvez-vous imaginer que la police de Dempsy aurait fait une descente sur cette ville pour sauver l'enfant ?

— Sûrement pas ! s'exclama Rainey, le fils de Longway décollant du sol.

— Non, vous ne pouvez pas, confirma le révérend.

— Je vous suis, murmura Jesse, qui prenait note mais lui coupa le reste de son laïus en demandant : Alors, qu'est-ce qui va se passer ce soir ?

— Ce qui va se passer ?

— A huit heures, à neuf heures, à minuit. Dans la réalité. Qu'est-ce qui va se passer ?

Longway hésita : la question ne figurait pas sur son carnet de bal pour le moment. De Lauder, perdant intérêt pour la discussion, se remit à téléphoner. Rainey et l'adolescent nerveux regardèrent Longway, attendant, comme Jesse, sa réponse.

— A titre confidentiel ? finit-il par dire sur un ton plus intime. (Jesse referma son bloc-notes.) Franchement, je n'en sais rien.

— Personne ne sait, ajouta le révérend Rainey.

— Et vous, qu'est-ce que vous pensez qu'il va arriver ? demanda à Jesse le fils de Longway, s'attirant les regards désapprobateurs de son père et de Rainey.

Avant qu'elle pût répondre, le jeune garçon rougit, se dirigea vivement vers la porte où il heurta une adolescente qui entrait. Les grognements irrités qu'ils échangèrent informèrent la journaliste qu'ils étaient frère et sœur. La jeune fille remit à Longway une grosse enveloppe, ressortit.

— Je vous pose la question autrement, dit Jesse avec précaution. A votre avis, à quoi vous serez occupé après la conférence de presse ?

— A essayer d'amener cette ville à rendre des comptes, répondit de lui-même le révérend Rainey. Mais sans que d'autres personnes de couleur en pâtissent.

— Nous allons nous efforcer de maîtriser la situation, ajouta Longway en ouvrant l'enveloppe, qui était bourrée d'argent. Mais en maintenant la pression.

Jesse hocha la tête comme s'il venait de l'éclairer.

— Nous essaierons de faire en sorte que tout reste dans la légalité, dit Rainey.

Longway jeta l'argent sur le bureau.

— Essayer, soupira-t-il, c'est le mot-clef.

Jesse indiqua de la tête la pile de billets, pour l'essentiel de petites coupures : dix, cinq et un dollars.

— Pour les libérations sous caution ?

Le révérend commença à compter en remuant silencieusement les lèvres, s'interrompit pour expliquer :

— Je suis un ancien boy-scout : « Toujours prêt. »

Sur le chemin du bureau d'un conseiller municipal situé dans JFK, Jesse eut la vision fugitive de la façon dont se déroulerait probablement l'interview suivante, et plutôt que de s'imposer cette épreuve, elle demanda à Ben de se garer le long du trottoir. Il lui restait cinq personnes à voir avant la conférence de presse mais lorsque, assise dans la voiture, elle considéra la liste, l'exercice lui parut une perte de temps. Elle aurait aussi bien pu fabriquer les citations, les attribuer au hasard aux divers protagonistes et balancer le tout à Jose au téléphone.

Il n'y avait qu'une personne concernée dont elle se sentait incapable de prédire les réponses : Felicia Mitchell.

Sur sa requête, Ben fit demi-tour, prit la direction de la cité Jefferson. La circulation était lente — un carambolage de trois voitures sur la route 13 — et Jesse passa le temps du trajet à formuler et reformuler ses questions, ses révélations, à chercher le ton adéquat, à mettre en mots les bombes qu'elle déposerait dans les mains de Felicia, à trouver, entre sincérité et opportunisme, la ligne qui lui permettrait de ressortir, une fois qu'elle aurait terminé, en ayant encore la tête sur les épaules et son sentiment de honte toujours emprisonné dans sa cage.

Il était quatre heures. En pénétrant dans le double appartement du Club d'Etudes, Jesse constata que les pièces étaient presque désertes. Dans la salle de billard, Felicia regardait par une fenêtre tandis qu'une assistante rangeait le matériel d'artisanat dans la salle des devoirs. Dans la salle d'informatique, quatre enfants s'étaient regroupés autour d'un écran vert citron. Le visage boursouflé, l'expression lointaine, la responsable du club tournait le dos à la porte et fixait la brume de fin d'après-midi comme si c'était l'étoile du Nord.

— Felicia ? (La journaliste traversa la pièce pour la rejoindre à la fenêtre.) Je suis Jesse Haus. Vous vous souvenez de moi ?

— Non, répondit-elle trop vite, ce qui signifiait oui.

Jesse ne parvint pas à déchiffrer son humeur morose, à estimer ce qu'elle savait — si elle savait quelque chose.

— Je viens de quitter Lorenzo, c'est lui qui m'envoie... (Elle scruta l'enfilade de pièces, en chercha une qui fût vide.) Est-ce qu'on pourrait... ? (Elle ébaucha un geste.) C'est vraiment important.

Entourées par quatre murs de « Il faut » et « Il ne faut pas », elles s'assirent sur des chaises d'enfants dans la salle de temps libre, les genoux plus haut que le giron.

— Quoi ? bredouilla Felicia, l'air perdue.

Jesse hésita puis fit le plongeon :

— On a retrouvé le corps de Cody.

— Son corps ? dit Felicia, s'autorisant le luxe éphémère de l'incompréhension.

— Il est mort.

Abasourdie, Felicia grogna, fit le point, lut une affiche fixée au mur puis cracha soudain un sanglot, comme si sa bouche avait explosé, un seul, salve amère de chagrin finissant en une inspiration douloureuse.

— Oh ! ce gentil gosse...

— Je suis désolée, murmura Jesse, terriblement mal à l'aise.

— Si gentil, dit Felicia, secouant la tête, respirant par la bouche. Brenda. Oh ! mon Dieu. Brenda est au courant ?

Jesse fut désarçonnée. Persuadée que Felicia établirait immédiatement le rapport, elle cherchait maintenant comment lui annoncer la suite.

— Felicia... Brenda est en état d'arrestation.
— Quoi ? Elle aimait cet enfant...
— Apparemment, ça pourrait être un accident, ajouta Jesse, qui se sentait dans la peau d'un croque-mort présentant ses condoléances.
— Non, répondit Felicia. Non. Elle l'aimait. J'en vois, des parents, je vois comment ils sont avec leurs enfants. Non. Elle l'aimait.
— Elle a avoué, dit Jesse, se penchant en avant. A Lorenzo. Cody aurait avalé quelque chose pendant qu'elle était sortie...
— Non, continua Felicia, qui se refusait à y croire. Désolée.
— Elle rentre, elle découvre le gamin, elle panique, elle en parle à personne, elle invente cette histoire...
— Non.
— Elle a avoué.
Elles demeurèrent un moment silencieuses et Jesse jeta un coup d'œil à sa montre — six heures moins vingt — avant de répéter :
— Elle a avoué.
Felicia fixait quelque chose au-dessus de l'épaule de la journaliste.
— Alors, toute cette histoire d'agresseur...
Jesse la vit se tasser sur la petite chaise, comme si l'air s'échappait d'elle par un trou minuscule au ventre. Finalement, Felicia la regarda dans les yeux.
— Elle a dû avoir terriblement peur pour faire ça. Inventer cette histoire et s'y accrocher...
Felicia pardonnait à Brenda, et ce fut au tour de Jesse d'être abasourdie.
— Elle l'aimait tellement, ce gosse, dit Felicia, s'autorisant enfin à pleurer.
Deux des enfants s'approchèrent d'elle et lui serrèrent solennellement la main. Perturbés par ses larmes, ils sortirent en lui lançant par-dessus l'épaule des regards inquiets.
— Ils sont au courant ? demanda Jesse, étonnée par les poignées de main.
— Non. Les enfants doivent serrer la main de quelqu'un avant de partir, pour qu'on sache qu'ils sont rentrés chez eux... Ils l'apprendront bien assez vite, hein ?

Jesse cherchait en elle le courage de porter le coup suivant, débattant avec elle-même : avait-elle besoin de continuer ? Avait-elle même le droit de continuer, puisque l'accès à certaines informations lui était interdit ?

— Je dois partir, annonça soudain Felicia.

Elle se leva, et Jesse lâcha :

— Vous savez où est Billy, en ce moment ?

Felicia se rassit. Après une brève séance de saute-mouton mental, elle demanda simplement :

— Il a fait mal à l'enfant ?

— Non, répondit Jesse. Apparemment pas.

— Brenda, dit Felicia, comme si elle venait de faire une découverte. Brenda...

Elle regarda Jesse et répéta le nom une troisième fois, pour enfoncer le clou.

En quittant l'immeuble qui abritait le Club d'Etudes, Jesse retrouva la chaleur de fin d'après-midi, passa près d'une poignée d'adolescents perchés sur la barre supérieure d'un banc et engagés dans une sorte de combat verbal. Ne comprenant qu'un mot sur deux, Jesse garda la tête baissée et se dirigea vers le trottoir.

— Hé, mademoiselle...

La voix la fit se tourner vers un jeune garçon dont la jambe gauche du jean était remontée jusqu'à mi-mollet.

— Vous êtes journaliste, hein ? Je vous connais.

— Ouais ? répondit-elle, portant une main au-dessus de ses yeux pour les protéger du soleil.

— Elle a avoué, hein ?

— De qui tu parles ? dit Jesse, pour le forcer à préciser.

— De qui, répéta-t-il d'une voix traînante et acerbe. Elle a avoué ?

Avec sa main en visière, Jesse avait l'air de le saluer.

— Je peux pas dire.

— Vous le savez pas ? Ou vous pouvez pas le dire ?

Un autre jeune se mit de la partie, mais Jesse haussa les épaules comme si elle ne comprenait pas la question. Il restait deux heures et demie à attendre avant l'annonce officielle des aveux.

— Non, mec, c'est pas possible, déclara un troisième. Si elle avait avoué, on en parlerait partout.

Jesse se remit à marcher en pensant : On en parle partout. Elle entendit un des adolescents grommeler dans son dos « Salope », mais ne sut pas s'il parlait d'elle, de Brenda, ou des deux.

Une bouteille en plastique de Pepsi passa en sifflant au-dessus de son épaule, lui rasant la joue comme un baiser de papillon, et rebondit sur le trottoir, quelques mètres devant elle. Jesse s'arrêta, entama un demi-tour puis se ravisa et, le corps raidi, prête à l'éventualité d'un autre missile, elle s'éloigna d'un pas nonchalant de la cité Jefferson.

25

Lorenzo raccrocha, regarda sa liste. Plus que deux noms : les présidents d'Invictus et d'Aspira, associations de policiers latinos et noirs. Il avait besoin d'obtenir la garantie que certains de leurs membres traîneraient ce soir à Armstrong et dans d'autres points chauds potentiels, en civil et pendant leur temps libre. Il espérait qu'ils contribueraient à maintenir le calme mais présuma que les deux organisations rechigneraient quand il demanderait que tout le monde se rende sur place sans arme.

Plus que deux coups de fil et il serait temps d'interroger Billy Williams, qui mijotait dans sa solitude depuis trois bons quarts d'heure maintenant.

Quand on l'avait amené au poste du Southern District, vers trois heures de l'après-midi, Lorenzo avait dit aux inspecteurs qui l'avaient arrêté de le conduire dans la salle d'interrogatoire. Puis il l'avait délibérément laissé sans surveillance, comme s'il ne méritait même pas qu'on lui donne une baby-sitter.

Pendant que Billy contemplait les murs, Council avait continué à téléphoner, cajolant, rudoyant, suppliant, menaçant et mentant à tous ceux dont il pensait qu'ils pouvaient l'aider à maintenir l'ordre ce soir. Il leur avait promis des tas de choses : commissions de surveillance civiles, programmes d'emplois estivaux, de réhabilitation des vieux quartiers, plus de police, moins de police, et, le plus délirant, l'installation de caméras vidéo au plafond des cinq postes de police pour assurer une surveillance continue du comportement des policiers dans leur tanière. Personne ne gobait vraiment les promesses mirobolantes de Council, mais la plupart de ses interlocuteurs avaient répondu positivement, comme il s'y attendait. Tacitement, il était entendu qu'au bout du compte ils obtiendraient quelque chose de quelqu'un dans un domaine quelconque, la survie au jour le jour de la ville reposant en grande partie sur un vaste marché aux faveurs.

Lorenzo expédia les deux derniers appels, se passa de l'eau froide sur le visage et sur le crâne puis pénétra enfin dans la salle d'interrogatoire. Il se laissa tomber lourdement sur le fauteuil à roulettes et, avachi sur le siège, fixa Billy un moment d'un œil morne avant de lui lancer :

— Je devrais te faire manger des baffes, là, tout de suite. On aurait pu régler cette affaire vingt-quatre heures plus tôt.

L'air misérable, Billy se penchait en avant sur sa chaise, les mains jointes en dessous des genoux. Lorenzo laissa le silence s'installer pour donner plus de poids à ses mots.

— Vingt-quatre heures, répéta-t-il. Tu sais à quoi il ressemblait, le gosse, quand on l'a déterré ? La peau noire, luisante, le corps boursouflé, puant, hasarda-t-il, sur la base de l'expérience. Des asticots grouillant dans tous les orifices.

Billy vida ses poumons, ses mains descendirent au niveau de ses chevilles. Lorenzo remarqua que, dans sa crise de dinguerie, Brenda avait pété le magnétophone. Il devrait se procurer un autre appareil quand ce pré-interrogatoire serait terminé.

— Tu l'as laissé là-bas. Tu l'as laissé vingt-quatre heures de trop, comme t'as laissé Armstrong s'enfoncer dans la merde vingt-quatre heures de trop, parce que, quand je suis venu te voir, tu m'as joué du pipeau, tu m'as parlé de respect, de... comment déjà ? d'émasculation. Emasculation. Tu peux le dire, parce que t'as vraiment pas eu les couilles de me parler comme un homme. De me dire la vérité comme un homme.

— Ecoutez, c'est pas la peine de me travailler psychologiquement comme si j'étais un crétin. J'ai fait des études en fac, j'ai...

— Oh ! désolé, le coupa Council, en faisant paresseusement tourner son fauteuil d'un côté puis de l'autre. Je te traite en dessous de ta condition ?

— Non, je dis simplement...

— Moi, j'aurais cru que même un illettré...

Lorenzo se tut : ce genre de sermon ne lui plaisait pas. Il se redressa, fit rouler le fauteuil plus près de Billy.

— Je te pose la question : comment je t'ai traité, l'autre soir ? Je t'ai foutu dans la merde ? Je t'ai manqué de respect ? Avec une plainte pour voie de fait comme ça, j'étais censé te coller au trou, mais je l'ai pas fait, parce que tu m'as semblé intelligent et raisonnable. Pourtant, t'aurais pu flanquer une rouste à Felicia dès que j'ai eu le dos tourné, et c'est moi qui aurais eu les couilles dans un piège à ours, pour t'avoir laissé en liberté. Je t'ai fait confiance. Au risque de perdre mon boulot. Mais, toi, t'as déconné. T'aurais dû me faire confiance aussi, parce que, maintenant, j'ai de mauvaises nouvelles pour toi, mon gars.

— Quoi ?

— Brenda, elle est inculpée d'homicide, c'est réglé. Mais dans le New Jersey, la notion de moindre responsabilité du complice n'existe pas, alors, t'es inculpé d'homicide, toi aussi.

— Quoi ?

Dans sa panique, Billy commença à déboutonner sa chemise.

— T'aurais mieux fait de parler quand t'en as eu l'occasion, chef.

— Vous pensez que j'ai fait quoi ?

Il reboutonna sa chemise, l'ouvrit de nouveau, les doigts montant et descendant comme s'il jouait de la clarinette. Lorenzo espérait qu'il était mûr maintenant, incapable de dissimuler : personne ne s'intéressait vraiment à lui, excepté pour corroborer les aveux de Brenda.

— Elle est passée dans cette pièce, elle s'est ouverte comme les Pages jaunes. C'est pour ça que t'es là.

— Oh ! arrêtez, dit Billy, dont la voix semblait se liquéfier.

Lorenzo se pencha vers lui, comme un allié potentiel.

— Il te reste une seule arme pour t'en tirer, mon frère. Toujours la même. Sauf qu'elle devient de moins en moins efficace au fil des heures. Tu sais ce que c'est ?

Billy le fixa avec de grands yeux, comme s'il n'avait aucune idée de ce dont Lorenzo lui parlait.

— La vérité. C'est ça, ton arme. Mais si tu me dis quelque chose que j'ai déjà trouvé tout seul, ça compte pas. Il faut me fournir des nouvelles *nouvelles*, chef. Des trucs que je sais pas. Et c'est pour ça que ton arme est de moins en moins puissante, parce que je reçois toutes sortes d'informations sur ce qui s'est passé, et, du coup, ta banque de données à toi, elle se rétrécit, elle se rétrécit. Alors, dis-moi quelque chose de neuf, fais de moi un converti. C'est la seule chose que tu peux faire pour toi, Billy, et vaudrait mieux que tu commences maintenant.

Billy était incapable de parler, le numéro Halloween de Lorenzo avait trop fait d'effet.

— T'es un tueur ? demanda Council pour réamorcer la pompe.

— Non.

— Non ?

— Non.

— Alors, il est mort comment, ce gosse ?

— Elle a dit qu'il avait avalé un médicament.

Lorenzo commença à prendre des notes.

— Elle a dit ça ?

— Oui. Elle m'a appelé à l'appartement. Celui de Felicia.

— Elle a dit...

— Elle a dit que le gamin était... qu'il était mort. Elle était hystérique.

— Tu l'as crue ?

— Oui, plutôt. Elle sanglotait, vous auriez dû l'entendre. C'était...

— Qu'est-ce qu'elle a dit d'autre ?

— Elle a dit : « Oh ! putain », elle a dit que je devais venir chez elle, qu'elle était seule au monde, que j'étais son seul ami, qu'elle était incapable de toucher le corps. Et moi : « Brenda, tu dois prévenir la police, Brenda. » Elle dit qu'elle ne peut pas, elle me supplie de l'aider. Je réponds que c'est pas possible, elle menace de se tuer si je ne viens pas, et je lui fais : « Attends un peu. » Parce qu'on venait de rompre, deux heures plus tôt, et au début, je pensais qu'elle me racontait n'importe quoi pour que je vienne, pour qu'elle puisse essayer de recoller les morceaux. Alors, j'ai raccroché mais tout de suite après, j'ai eu le sentiment... Vous savez, Brenda est quelqu'un de sérieux, ça ne lui ressemblait pas de monter un coup pareil. En plus, c'était trop délirant pour ne pas être vrai, alors j'ai rappelé et...

Il interrompit brusquement son récit, passant de la sobriété aux larmes avec une telle facilité que Council crut d'abord qu'il imitait Brenda au téléphone. Puis il vagit « Homicide » en une plainte désespérée, et Lorenzo sut prendre un ton paternel, passer à Big Daddy.

— Allons, Billy, dit-il en lui tapotant l'épaule.

Les larmes cessèrent d'un seul coup ; Billy reprit son récit comme s'il avait simplement tourné la tête pour tousser.

— Bref, je la rappelle, et là, elle peut même plus parler. Elle sanglote, elle s'étouffe, tout ce que j'arrive à comprendre, c'est « Je t'en supplie, Billy, je t'en supplie ». Il aurait fallu être en marbre pour ne pas...

Il soupira, la respiration tremblante comme s'il refoulait un nouvel accès de panique.

— Alors, je suis allé là-bas. Brenda n'y était pas, mais la porte était grande ouverte. Je suis entré. L'enfant était couché sous la table, sur le côté, en pyjama, la peau gris-bleu, avec du vomi sur le devant et j'ai — je sais pas —, j'ai fait ça comme un robot. J'ai pris un sac-poubelle sous l'évier, vous savez, un de ces sacs à poignées coulissantes, et j'ai sorti le gosse de l'appartement, comme dans un rêve. Je ne l'avais jamais vu, son fils, jamais. En le soulevant, je me suis fait cette réflexion bizarre que je ne me souvenais pas d'avoir porté un enfant dans mes bras de toute ma vie adulte. J'avais dû le faire, mais... Je n'ai pas d'enfants, le fils de Felicia est grand, je n'ai ni neveux ni nièces, alors c'était peut-être la première fois que je...

— Et ensuite ?

Billy inspira profondément.

— Au moment de franchir la porte, je m'arrête. Où je vais, là ? Je n'ai même pas de voiture. Celle de Felicia... j'ai pas voulu la prendre. Et je vois sur la table, la table de la salle à manger, elle m'a laissé ses clefs de voiture et un mot : « Sous son ange. » Je sais ce que ça veut dire parce qu'elle m'a emmené là-bas, à Freedomtown, quelques semaines plus tôt, elle est comme ça, Brenda, si elle tombe amoureuse de vous, elle vous fait faire le tour des endroits spéciaux :

« C'est là que j'ai grandi », « C'est là que j'ai — je sais pas — perdu ma virginité », ou bien : « C'est là que je vais pour être seule avec mes pensées. » C'est une sentimentale, et elle m'a emmené là-bas, à Freedomtown, parce que je ne suis pas du coin, et vous auriez dû l'entendre : « Ici, c'était mon lieu favori quand j'étais petite, et là, c'était l'Incendie de Chicago, et Cody, mon fils, il appelle ce mannequin "mon ange"... » C'est pour ça que j'ai compris ce qu'elle voulait dire...

— Continue, Billy. C'est bien.

— Je descends le petit et je décide d'aller à la police, de raconter que je l'ai trouvé quelque part. Mais comment expliquer que je l'ai trouvé ? Et j'imagine déjà les remarques : « Comme ça, votre copine travaille avec la mère du gosse ? Tiens, tiens. » J'ai pris peur. J'ai compris qu'en mettant les pieds dans cet appartement je m'étais foutu en plein dedans, je n'avais plus le choix. J'étais obligé de faire ce qu'elle me demandait...

« Je suis allé à sa voiture, j'ai étendu le gosse à l'arrière. Je me suis dit : Il faut que je creuse une tombe, il le faut... De quoi je vais me servir ? Au moment où je me redresse, je la vois de l'autre côté de la rue, dans une entrée d'immeuble, recroquevillée sur elle-même, on dirait un animal sauvage, elle me fait peur. Je n'ose pas m'approcher, je ne serais jamais capable d'affronter toute cette folie qui émanait d'elle au téléphone. Je n'ai qu'une idée, déguerpir avant qu'elle traverse. Je suis si nerveux que je laisse tomber ses clefs, je me baisse pour les ramasser et, quand je me relève, elle n'est plus là, et... je ne l'ai jamais revue... (Billy toucha le fauteuil de Lorenzo.) Tout ce que j'ai fait, c'est écouter mon cœur. Jamais je... Quand vous êtes venu, l'autre soir, j'étais mort de trouille. On ne parlait que de cette affaire, et vlan ! vous débarquez. (Il ferma les yeux, posa une main sur son cœur.) Mettez-vous à ma place, inspecteur. Qu'est-ce que vous auriez fait ?

— Tu veux que je te comprenne ?

— Oui.

— Tu veux ma... ma sympathie ?

— Oui.

— Plus tu m'en diras... dit Lorenzo avec un haussement d'épaules.

Billy expira avant de reprendre :

— Donc, je monte en voiture, je vais à Freedomtown. Je porte le petit au... au pied de « l'ange ». Je ne sais toujours pas avec quoi je vais creuser mais, en arrivant, je vois que quelqu'un — Brenda — a essayé de creuser une sorte de tombe, avec ses mains, sûrement, parce que le trou n'est vraiment pas profond, moins de dix centimètres, et qu'il y a des traces d'ongles dans la terre. Je sais que c'est pour le petit parce qu'elle y a jeté des figurines en plastique, ces sortes de poupées pour garçon, vous voyez ? Alors, je cherche quelque chose pour creuser, je trouve un morceau de planche au pied de la fausse façade et je m'en sers comme d'une pelle pour agrandir le trou qu'elle a commencé...

« Au moment d'allonger le gosse dedans, je me demande si je dois le sortir ou non du sac-poubelle... Enterrer un enfant comme si c'était un tas de déchets ? C'est ce que j'ai fait, pourtant. Je l'ai étendu comme ça, parce que je ne voulais pas le voir.

Billy se remit à pleurer, mais ses larmes n'avaient pas encore trouvé le chemin de sa voix.

— Je me suis dit : Si je pense que je suis en train d'enterrer un sac-poubelle, j'y arriverai, et ensuite, je pourrai me dire... (Il se tut, détourna les yeux, le menton tremblant contre sa main.) Peut-être que j'ai pu le faire parce que la mort m'entourait déjà, de toute façon. Mon père est mort, ma mère est à l'hôpital. Partout où je regarde...

— OK, dit Lorenzo pour l'encourager à poursuivre.

— Alors, soupira Billy, j'ai rebouché le trou et je suis parti.

— Rebouché comment ?

— J'ai recouvert le corps.

— Avec ?

— De la terre.

— C'est tout ?

— J'ai mis de grosses pierres par-dessus, je ne sais pas pourquoi. Peut-être pour les animaux ou... Je sais pas.

— Et ensuite ?

— Je suis retourné à son immeuble. Je voulais simplement laisser la voiture au parking, mais, une fois là-bas, j'ai repensé à sa façon de parler au téléphone, à l'air qu'elle avait dans cette entrée, et je suis resté dans la voiture sans bouger... Je peux vous dire la vérité ?

— C'est pas ce que tu fais depuis le début ?

Billy ignora la question.

— J'espérais plus ou moins qu'elle s'était tuée, vous comprenez, parce que personne n'était au courant, pour elle et moi. Si elle se suicidait, j'étais sorti de la merde. Alors, je n'avais pas envie de monter à l'appartement, mais je l'ai fait quand même, parce que je m'attendais à moitié à la trouver là où j'avais trouvé le petit. Elle était très attachée à cet enfant, ça se voyait. Chaque fois qu'elle était mal à l'aise avec moi, elle se mettait à parler de son fils : ce qu'il avait dit la veille, ce qui lui était arrivé, le film qu'ils avaient regardé ensemble. C'était comme son doudou, pour elle, quand elle s'aventurait dans le monde... Bref, je voulais voir si... Monter, ne toucher à rien, juste voir si elle s'était...

« Il n'y avait personne là-haut. L'appartement était comme je l'avais laissé, la porte ouverte... Je me suis dit qu'elle n'était même pas remontée, et j'étais là, à penser à je ne sais quoi. Je me suis mis à genoux, j'ai commencé à nettoyer sous la table. Je sais pas pourquoi, non plus. Des preuves ? Se débarrasser des preuves ? Je sais pas... Il y avait un produit sous l'évier, Comet, ou quelque chose comme ça. Je ne savais pas où elle était, ni même si elle était encore vivante, mais je me suis mis à genoux et j'ai nettoyé. Ensuite, je suis redescendu, et je n'avais pas les idées très claires, je crois, parce que je suis remonté dans la voiture de Brenda et je suis allé à la maison de ma mère. Ce n'est qu'en arrivant que je me suis rendu compte que j'avais pris sa voiture. Je l'ai mise au garage, je suis entré dans la maison, j'ai commencé à boire et j'ai perdu conscience.

— Hum, grogna Lorenzo en prenant des notes.

Dans un garage, pensa-t-il. Tout le monde fouille les marécages pour la retrouver, et...

— Je me suis réveillé le lendemain, enfin, je crois ; j'ai recommencé à picoler, je me suis rendormi, j'ai refait surface le surlendemain, j'ai allumé la télé, et Brenda était là. J'ai ouvert un journal, elle était là. Partout où je tournais les yeux, elle était là, en train de parler d'un Noir qui l'avait agressée, et j'ai cru un moment qu'elle parlait de moi, qu'elle me mettait ça sur le dos, mais ensuite, j'ai compris qu'elle essayait de s'en tirer en racontant une histoire que tout le monde avalerait.

— De se tirer de quoi ?

— De la mort de son fils.

— Elle l'a tué ?

— Je n'étais pas là mais mon intime conviction... Non. Je pense qu'elle m'a raconté ce qui s'est vraiment passé. De toute façon, j'avais peur. Peur de tout ça, dit Billy désignant mollement la pièce et Lorenzo. Et je suis retourné chez Felicia. J'ai pris la voiture de ma mère parce que je ne voulais pas toucher à celle de Brenda, tout le monde la recherchait. Donc, je retourne là-bas, je bois comme un trou. De la bière, surtout, mais... Tout de suite, c'est la bagarre avec Felicia parce qu'elle me saute dessus : « Avec qui t'étais, cette nuit ? Comment elle s'appelle, cette garce ? » Et je la frappe. Juste une baffe, je ne suis pas... Mais dans l'état où je suis, je me dis que tout est de sa faute. Si elle m'avait seulement témoigné un peu de respect — comme homme, comme personne —, il n'y aurait jamais rien eu entre Brenda et moi, pour commencer. Je perds les pédales, je suis comme fou. Je me construis ce camp retranché, vous l'avez vu, dit-il en rougissant. Mais Felicia ne me lâche plus : je l'ai frappée. Elle revient sans cesse là-dessus, elle flanque mes affaires par terre, on gueule tous les deux, et probablement que je la frappe une deuxième fois, encore qu'il faudrait repasser la bande, pour être sûr. Finalement, elle doit partir au boulot et je me bâtis ma forteresse de solitude. J'avais peur. Je ne voulais pas sortir, je ne voulais pas rester. Je ne voulais pas... Ma mère est mourante, à l'hôpital...

« Ecoutez, mettez-vous à ma place. Je me terre dans ce trou, je n'ai même pas le courage d'allumer la télé, je ne sais pas si on me recherche ou quoi. Quand Felicia rentre, on recommence, puis c'est vous qui venez. Là, j'ai failli me chier dessus. J'étais sûr que... Mais vous avez commencé à parler d'autre chose, et maintenant, vous me balancez : “Pourquoi vous m'avez pas dit ce qu'elle a fait, ce que vous avez fait ?” Mais dans ma tête, si on n'en parlait pas, c'était comme si ce n'était pas arrivé, vous voyez ? Vous auriez voulu que je dise quoi ? “Oh, à propos, ce gosse que tout le monde cherche...” Quand vous avez commencé avec vos “Vous ne pouvez pas la frapper”, ça m'a bloqué pour le reste. J'ai parlé de ce dont vous vouliez que je parle. Ce n'est quand même pas si dur à comprendre. Mais *homicide*... Bon Dieu, c'est délirant. J'ai simplement... Elle avait besoin de moi. Vous, Monsieur le Modèle, votre téléphone n'arrête probablement pas de sonner, mais regardez-moi, dit-il en se martelant la poitrine. Vous savez depuis combien de temps personne n'avait eu besoin de moi ? Regardez-moi dans les yeux et dites-moi que vous me croyez coupable d'homicide.

Lorenzo n'avait jamais pensé ça. Il scruta le visage empâté de Billy, les traits tirés vers le bas, comme en train de fondre.

— Billy, dit-il d'un ton doux mais inflexible, tout ce que je peux dire, c'est que tu aurais dû me parler quand t'en avais l'occasion.

— Vous ne répondez pas à ma question.

Lorenzo se pencha en avant, les coudes sur les genoux.

— C'est ce que la loi exige. Est-ce que je crois à ce que tu viens de me raconter ? En gros, oui. Mais tu m'as forcé à venir te chercher, frangin. Tu as laissé la merde fermenter vingt-quatre heures de plus...

Billy se pencha en avant, lui aussi.

— Ecoutez, vous ne croyez pas que j'avais envie d'en parler à quelqu'un ? de me décharger de tout ça ? C'est si grave, ce que j'ai fait ?

Lorenzo se leva, sortit de la pièce, sentit les yeux de Billy le suivre avec une vigilance de chien de garde.

Bobby McDonald se tenait sur le seuil de sa porte. Les soupirs et les marmonnements — solitaires, à présent — de Billy craquetaient dans l'amplificateur posé sur la table de Bobby. Lorenzo prit un magnétophone dans le bureau d'une secrétaire, un téléphone dans le sien. En retournant à la salle d'interrogatoire, il demanda à son patron :

— Vous récupérez la voiture de Brenda ?

— Ils sont déjà partis, répondit McDonald, qui réintégra son bureau.

De retour dans la salle, Council brancha le téléphone et, petit numéro à l'intention de Billy, il appela les services du procureur. Etant donné les circonstances, il lui suffit de donner son nom pour obtenir immédiatement Capra lui-même.

— Salut, quoi de neuf ? demanda le magistrat d'un ton joyeux. Il paraît que vous tenez le petit ami...

— Billy Williams, dit Lorenzo. (Toujours debout, il

adressa à Billy un hochement de tête qui se voulait rassurant.) Il est là, à côté de moi, et je me demandais... Il s'est montré coopératif, est-ce qu'on pourrait faire quelque chose pour lui ?

— Il nous intéresse beaucoup ?

— Pas tellement.

— C'est elle, alors ?

Lorenzo hésita avant de répondre :

— Ouais, il semblerait.

— Et les déclarations de votre Williams ?

— Ça se tient.

— Pas de couac ?

— Pas vraiment.

— Il est coopératif, vous dites ?

— Plus que ça.

Les yeux clos, Billy remuait les lèvres en une prière muette.

— Vous serez à la conférence de presse, je suppose ? dit Capra comme s'il parlait d'un événement agréable en perspective : son soir de sortie.

— Ah ! ouais, répondit l'inspecteur sur le même ton jovial. Alors, Billy... ?

— Ecoutez, je ne peux vraiment rien faire pour lui pour le moment.

— Je comprends.

— Peut-être plus tard, mais pour le moment, il faut qu'il plonge.

— On peut faire quelque chose pour la caution ?

— Il coopère pleinement ?

— Je dirais que oui.

— Rien qui cloche dans son histoire ?

— Non.

— Vingt-cinq mille ? Qu'est-ce que vous en dites ?

— Un instant. (De sa paume, Lorenzo couvrit le micro du téléphone, se tourna vers Billy.) Tu pourrais dégoter deux mille cinq cents dollars ?

Billy regarda dans le vide, comme s'il cherchait à se rappeler quelque chose puis murmura :

— Oui, je crois.

— OK, dit Lorenzo au téléphone.

— Alors, c'est d'accord.

Lorenzo saisit l'occasion pour glisser :

— Et George Howard ? Vous pouvez faire quelque chose, maintenant ?

— Qui ? demanda Capra, qui réussit à glisser un froncement de sourcils dans sa voix.

Council s'accorda quelques secondes pour se calmer puis articula distinctement :

— Curious George Howard.

— Je vous taquine, inspecteur, dit le procureur d'un ton affable. Il est déjà sorti.

Lorenzo mit dans le nouveau magnétophone la cassette restée vierge après les aveux avortés de Brenda.

— Tu as déjà été en prison ?

Billy l'observait comme on regarde un docteur préparer une piqûre.

— Non.

— Voilà ce qui va se passer : tu seras inculpé d'homicide et d'association de malfaiteurs en vue de commettre un homicide, OK ?

Billy sursauta, Lorenzo posa une main sur son bras.

— Doucement, doucement. On fixera la caution à vingt-cinq mille dollars. Après un jour ou deux, tu bénéficieras de la clause des dix pour cent : il te faudra seulement deux mille cinq cents cash. Si tu donnes la maison de ta mère comme garantie pour le reste, tu seras sorti au bout de deux, trois jours, quatre au grand maximum.

— Ma mère est mourante...

— J'en suis désolé.

Le ton de Lorenzo demeurait poli mais il commençait à s'impatienter : Billy n'était pas un client intéressant.

— Si le rapport du labo et l'autopsie confirment ton histoire, je pense — je suis à peu près sûr — que l'inculpation sera ramenée à enfouissement illicite de cadavre. On fait pas de prison pour ça, mais tu vas devoir passer au moins quelques jours au trou. Tu pourras tenir ?

Les yeux de Billy vibraient sous l'effet des images qui défilaient dans sa tête.

— Qu'est-ce que j'en sais ? Je peux obtenir la détention préventive, pour être protégé ?

— Oh ! oui. On te l'accordera automatiquement, à cause du battage fait autour de cette affaire.

— Ma mère est mourante, répéta Billy. Comment je peux hypothéquer la maison sans qu'elle apprenne tout ça ?

— Ça, c'est pas mon rayon, Billy, répondit Lorenzo, qui jeta un regard nerveux sur la pendule. A toi de trouver un moyen. Bon, maintenant, on reprend tout depuis le début, mais ce coup-ci, on enregistre.

— Vous savez, que Brenda ait inventé cette histoire d'agresseur noir... commença Billy d'une voix différente, réfléchie, comme s'il avait, pour le moment du moins, accepté son sort à court terme. Ça m'a vraiment sidéré qu'elle ait fait ça...

Bien que Council eût avant tout besoin d'orienter lui-même leur dialogue, le changement de ton de Billy, de désespéré à curieusement détaché, semblait mériter attention.

— Moi, dans mon enfance, on m'a appris à ne pas juger les gens aux apparences, vous voyez, le cadeau à l'emballage, mais je dois dire que je n'aime pas particulièrement les Blancs, et je ne parle pas de 1619[1] et tout ça. Je veux dire comme... comme compagnie. Pour leur parler. Je me considère comme quelqu'un d'instruit, et plus on a d'instruction, plus on a de points de contact avec le monde dans son ensemble, et je ne connais pas tellement de « p'tits Blancs » ouvertement racistes, à dire vrai. Mais quand même... Avec la plupart des Blancs, j'ai l'impression qu'ils sont moins en train de me parler que de se regarder en train de me parler, de... de... de s'admirer en train de me parler, et je joue aux devinettes : combien de temps durera la conversation, quel que soit le sujet — ça peut être le sport, la Bourse, la météo —, avant qu'on en vienne à parler de race ? Combien de minutes s'écouleront avant que le fait qu'une personne blanche parle à une personne noire prenne le dessus et donne à la discussion un tour racial ? Ça ne rate jamais. Jamais. Je ne sais pas comment vous supportez ça, mais pour moi, c'est énervant, c'est assommant...

1. Date de l'introduction des premiers esclaves noirs en Amérique du Nord. *(N.d.T.)*

— Je comprends, dit machinalement Lorenzo, dont l'expérience était à la fois meilleure et pire.

Son travail lui avait fait connaître un tas de racistes déclarés mais il y avait d'autres Blancs, comme Bump, pour lesquels il aurait risqué sa vie.

— Avec Brenda, ça n'est jamais venu, cet aspect racial, continua Billy. Jamais. Qu'on fasse l'amour ou la conversation. Elle me traitait comme... On était juste deux personnes, point.

— OK, Billy, s'impatienta Lorenzo, sachant maintenant qu'il n'y avait rien pour lui dans cette discussion.

Il regarda de nouveau la pendule : cinq heures et quart. La conférence de presse devait avoir lieu dans moins de trois heures, et il n'était pas question de la retarder. La nouvelle de l'arrestation de Brenda courait déjà probablement les rues.

— Alors, cette histoire d'agresseur qu'elle a concoctée... Je vais vous dire, la connaissant comme je la connais, si je n'avais pas su tout ce que je sais, je l'aurais crue immédiatement.

Lorenzo enfonça le bouton *Record*, mettant officiellement fin au bavardage.

— Je crois qu'on a ça dans le sang, ajouta quand même Billy, le regard dans le vague.

— Billy...

— Je hais cette putain de ville. Elle n'a pas de cœur.

— Billy ? Je dois à nouveau vous donner lecture de vos droits...

— Elle a tué ma mère.

26

Arrivée à la conférence de presse quelques minutes avant l'heure annoncée, Jesse se faufila dans la foule et considéra les pontes locaux assemblés devant et au-dessus d'elle, sur les marches en granite de l'hôtel de ville de Dempsy. Sur fond de piliers néoclassiques, qui donnaient au cadre un air de décor d'opéra, se tenaient le maire, le procureur, le directeur de la police, Bobby McDonald, Lorenzo Council, et cette statue du Hollandais, de guingois après avoir été emboutie par une voiture, baignée d'or rosâtre par le soleil couchant.

Derrière cet aréopage, quelques marches plus haut, un chœur municipal austère rassemblait huit des douze représentants de minorités dont les noms figuraient au dos du bordereau de teinturerie de Lorenzo. Les rumeurs de l'arrestation de Brenda avaient doublé la présence médiatique, et une armée grouillante de cameramen et de reporters encerclait les micros, devant un nombre encore plus grand de curieux.

A la frontière entre journalistes et indigènes, Jesse remarqua que de nombreux habitants proclamaient leur allégeance par un badge ou un T-shirt, comme dans un meeting politique. La plupart des Blancs et quelques Noirs arboraient le badge de Cody-nourrissant-le-chevreau ; un bon nombre de Noirs portaient des T-shirts frappés du portrait-robot de l'agresseur bidon, et quelques personnes portaient les deux, ce qui, dans l'esprit de Jesse, ne faisait que souligner le côté sinistre du bobard de Brenda.

Ses aveux, retouchés pour éviter des ennuis à Lorenzo, seraient publiés dans moins d'une heure, le *Dempsy Register* étant le seul journal du soir, d'un côté de l'Hudson comme de l'autre, à annoncer l'arrestation.

Avec ces « aveux » dans ses colonnes, Jose avait retardé la seconde livraison de Jesse, la relation de la visite des Amis de Kent à l'appartement, qui serait réécrite à la lumière de la culpabilité de Brenda. Réflexion sur le fond, l'article resterait valable quelques jours, jusqu'à ce que la fumée retombe. Il était plus urgent de publier le compte rendu de l'effondrement de Brenda dans les ruines de l'Institut Chase. Jose le voulait pour l'édition du lendemain. Mais avant de s'installer quelque part et de ferrailler avec le vertige de la page blanche, Jesse voulait voir cette chose, sur les marches — en faire partie —, et surfer sur l'onde de choc qui parcourrait immanquablement la foule dès que le procureur ferait sa déclaration.

Se tournant pour voir les officiels sur le perron de l'hôtel de ville, elle arrêta son regard sur Lorenzo, qui allait et venait comme un chat en jetant des coups d'œil inquiets sur les derniers rangs de la foule. Elle se tourna de nouveau pour découvrir ce qui le préoccupait : un groupe sans cesse plus nombreux ne portant ni badge ni T-shirt, une bande de jeunes de D-Town, des cités et du boulevard JFK. Braillards et excités, ils se jetaient dans les derniers rangs, et des têtes émergeaient de la mêlée, comme poussées verticalement par la pression des corps qui les entouraient. Cette agitation provoqua une vague qui se répercuta jusqu'aux premiers rangs de la presse. Jesse fut projetée quelques marches plus haut avant de recouvrer l'équilibre, vit ceux qui se trouvaient devant elle exécuter la même danse maladroite. Son regard revint à Council, qui avait l'air paniqué, maintenant. Jesse savait qu'il décomposait cette arrière-garde en individus, suiveurs et meneurs, qu'il repassait dans son esprit les dossiers personnels de chacun pour évaluer les risques de grabuge. Elle savait que, durant la demi-heure qui suivrait, le visage de Lorenzo pourrait lui servir de rétroviseur.

— Bonsoir.

Peter Capra, le procureur du comté, s'approcha des micros, attendit que cesse une bousculade de dernière seconde parmi les représentants des médias, et commença à lire une feuille dactylographiée :

— Aujourd'hui à deux heures et demie, mes services, en collaboration avec ceux de la police de Dempsy, ont découvert les restes d'un enfant qui pourrait être Cody Martin...

Un murmure s'éleva d'un groupe de gens, juste derrière Jesse.

— En conséquence... poursuivit Capra, qui marqua un temps d'arrêt, en conséquence, ils ont inculpé Brenda Martin, mère de Cody Martin, d'homicide et d'association de malfaiteurs en vue de commettre un homicide.

La réaction à ce deuxième coup verbal fut un grondement plus fort — de surprise, de trahison —, ponctué de cris isolés. « Non ! » s'exclama une femme derrière Jesse, tandis que quelqu'un d'autre lançait un « Oui ! » presque jubilant.

Le procureur attendit que le brouhaha retombe et continua :

— Ils ont également inculpé William F. Williams, relation de Brenda Martin, d'homicide et d'association de malfaiteurs en vue d'homicide.

L'arrestation de Billy suscita peu de réactions, ou des réactions difficiles à estimer parce que la plupart des gens réagissaient encore à celle de Brenda, à la mort de Cody, la foule tournoyant sur place, criant de colère, d'horreur, de satisfaction.

Jesse regarda Lorenzo, dont l'expression la fit se tourner de nouveau vers l'arrière de la foule. Plusieurs jeunes de la bande sans badge ni T-shirt firent une embardée sur la droite, puis sur la gauche, et finirent par se détacher complètement, comme un morceau de glace travaillé par un courant fort finit par se séparer de la banquise. En voyant quelques dizaines d'entre eux s'éloigner, calmes mais déterminés, Jesse se demanda s'ils savaient où ils allaient. Puis elle vit quelques cameramen les suivre à bonne distance. Elle fit un pas pour prendre leur sillage, elle aussi, mais s'arrêta quand le procureur reprit :

— Les enquêteurs se sont rendus aujourd'hui à Foley's Point, sur le territoire de la commune de Gannon, où l'on a exhumé le corps d'un enfant dont l'autopsie confirmera l'identité.

Cette dernière information — technique, spécifique — relança les cris, l'étrange roucoulement de la foule. Jesse vit un badge de Cody fendre l'air comme une soucoupe volante, entendit quelqu'un crier : « Je vous l'avais dit ! » En haut des marches, Lorenzo, dressé sur la pointe des pieds, tentait de suivre les mouvements de la bande dissidente, là-bas au loin. Il se pencha vers l'oreille d'Ernie Hohner, le directeur de la police, sorte de bouledogue trapu qui hocha la tête en écoutant les murmures pressants de Council puis haussa les épaules, geste non d'indifférence mais de confiance. Lorenzo ne parut pas convaincu et se mit à osciller d'un côté à l'autre comme s'il était sur le point d'exploser.

— Et Curious George ? s'enquit quelqu'un du groupe des médias.

Un meuglement monta des derniers rangs de la foule :

— Il s'est fait piéger, le négro !

— Mr Howard a été remis en liberté sous caution personnelle, annonça Capra d'un ton calme, les charges pesant sur lui seront examinées à une date ultérieure.

— Quelles charges ? Il a rien fait, enfoiré !

— Où est-elle détenue ?

Le procureur ignora la dernière question, qui provenait des premiers rangs.

— Je voudrais que les citoyens de cette ville comprennent une chose...

Jesse suivit le regard de Council jusqu'à un autre groupe se détachant de la foule. Personne là-bas au fond n'écoutait un mot de ce qui était dit. La plupart des jeunes roulaient des épaules, parlaient avec les yeux, guettaient qui serait le prochain à partir.

— ... je voudrais que les citoyens de cette ville comprennent que nous avons opéré en partant de l'hypothèse que la vie d'un enfant était en jeu, et que nous devions faire preuve de sérieux et de diligence pour sauver la vie de cet enfant, et qu'au... au caractère odieux du crime commis s'ajoute la nature trompeuse des déclarations de Miss Martin à l'origine. Nous avons travaillé sur la base d'informations erronées concernant un vol de voiture avec agression dans la cité

Armstrong, et nous reconnaissons que cette fable a pu être cause d'une série d'opérations de police bien intentionnées mais peut-être d'un zèle excessif...

— Peut-être ? fulmina quelqu'un.

Le procureur sauta une maille :

— ... opérations de police visant à mener les investigations à une conclusion satisfaisante. En conséquence, poursuivit Capra, agitant sa feuille, une commission indépendante sera établie pour enquêter sur la conduite de divers représentants des forces de l'ordre du comté de Dempsy.

Le magistrat parlait maintenant d'un débit rapide et monotone, tel un notaire marmonnant un contrat. Derrière lui, le révérend Longway et plusieurs autres membres du chœur municipal secouaient la tête de manière théâtrale.

— Et s'il s'avère que l'un de ces représentants a dépassé les bornes dans son zèle à appréhender un suspect, les conclusions de la commission seront soumises au grand jury et feront l'objet d'un examen approfondi.

Jesse vit un certain nombre de reporters se frayer un chemin à coups de coude vers l'arrière de la foule pour prendre en chasse les groupes séparatistes et rendre compte du chambard qui allait suivre.

Ben se faufila auprès d'elle, haletant mais souriant.

— Ils vont éclater, là-bas ? demanda-t-elle.

— Non, ils vont se calmer, la tendance est à la baisse, grogna-t-il d'un ton satisfait.

— La tendance est à la baisse pour qui ?

— Il y a ce soir dans cette ville une grande souffrance, je le sens.

La voix fit se retourner Jesse vers les micros : le révérend Longway, debout à présent, apportait son écot à la paix mondiale.

— Je sens une grande colère. Une colère légitime, honorable, et ancienne.

N'en pouvant plus, probablement, Lorenzo s'écarta sur la gauche, s'esquiva dans l'obscurité. Pour se rendre tout droit à Armstrong, supposa Jesse.

— Toutefois, poursuivit Longway, que la foule n'écoutait qu'à demi, je dois implorer ceux qui éprouvent cette rage — comme je l'implore de moi-même — de l'exprimer de manière constructive, de l'exprimer avec sagesse. J'implore les membres blessés de notre communauté de supporter cette épreuve avec dignité, parce que, je vous le promets... On a une dette envers nous, et nous serons payés !...

Malgré le style grandiloquent de son discours, Longway semblait mal à l'aise, là-haut, et son visage exprimait son manque d'assurance.

— Cela étant dit, continua-t-il, je me tourne vers les pouvoirs publics, dont les représentants sont réunis ici ce soir derrière moi, et je leur demande, en gage de leur bonne foi, de présenter publiquement leurs excuses, ici et maintenant, aux habitants d'Armstrong pour ce qu'on leur a fait subir.

— Oh ! merde, murmura Jesse, souriant inconsciemment.

Longway leur mettait le nez dedans. Le procureur, le directeur de la police et le maire se raidirent aussitôt.

— Super, dit Ben à mi-voix.

La conférence de presse était comme suspendue. Longway accaparait les micros, les prenait presque dans ses bras, laissant entendre par son geste qu'il faudrait l'éloigner de force, devant les caméras, si l'on ne satisfaisait pas sa requête.

Relevant finalement le gant, Capra s'avança, poussa quasiment le pasteur sur le côté et se pencha vers les micros.

— Je l'ai dit, la police a réagi aux informations qui nous ont été fournies à l'origine. Comme je l'ai dit aussi, il y aura une enquête sur toutes les opérations policières, et tout comportement jugé négligent fera l'objet d'un examen approfondi.

— Ce sont des excuses ? demanda quelqu'un au premier rang.

Capra s'accorda cinq secondes de réflexion en fixant le journaliste qui l'avait interpellé.

— Je dirais qu'il s'agit d'une explication honnête et sincère...

— Enculé !

Exclamation en provenance de ce qui restait de l'arrière-garde, où quelques index dressés répondaient aux manières du procureur.

— Salope ! Pédé !

Rouge de fureur, Capra riposta :

— J'aimerais ajouter que la loi est la loi ! tonna-t-il, s'adressant directement aux perturbateurs. Ce soir ne fait pas exception, et tout comportement illégal, quel que soit le lieu, quelles que soient les motivations, sera promptement sanctionné.

— Enculé ! mugit-on de nouveau à l'arrière de la foule.

Les gens présents tournaient en rond, déboussolés et effrayés.

— La conférence de presse est terminée, annonça Capra. Il n'y aura pas d'autres questions.

— Pourquoi ? cria un reporter, les mains en porte-voix.

Jesse eut un rire : il y en avait un comme ça à chaque fois. La presse se divisa en deux troupes et la journaliste suivit celle qui alla entourer Longway, le seul membre du chœur disposé à parler. L'autre moitié se rua vers les Noirs présents dans la foule, les coinça, leur colla ses caméras sous le nez et leur demanda s'ils pensaient que le révérend avait raison, si le procureur devait des excuses à qui que ce soit. La cavalcade tenait du jeu des chaises musicales : les équipes de télévision faisaient la course pour revendiquer le peu de Noirs qui traînaient encore dans le coin, celles qui n'avaient pas réussi à s'en trouver un se rabattaient sur les gagnants, les cameramen perdants se hissant sur la pointe des pieds en tenant leur Betacam aussi haut que possible.

Jesse savait qu'un tout petit nombre de ces interviews serait utilisable : la plupart de ceux qu'on filmait n'avaient que rarement, voire jamais, été interrogés sur quoi que ce soit. Précipités dans le rôle de porte-parole national sur l'injustice raciale, ils cligneraient des yeux sans dire un mot ou se répandraient en obscénités.

— C'est toujours, toujours la même chose, déclara Longway, protégeant ses yeux des torches d'éclairage. « J'ai été agressée par un Noir, par un Noir... » Elle connaissait le produit qu'elle vendait, elle connaissait ses clients. Un Noir, un bougnoule, l'article le plus demandé en magasin, on n'arrive même pas à en avoir en stock. Et les pontes de Gannon, les pontes de Dempsy se bousculaient pour être les premiers à mettre leur argent sur le comptoir et à avaler son histoire. Ça leur semblait tellement formidable qu'ils n'ont même pas cillé, qu'ils n'ont même pas demandé combien.

Jesse pouvait littéralement entendre le bruit des stylos.

Penchés sur leur bloc, les reporters se redressaient de temps à autre, leur tête pivotant en tous sens pour détecter et localiser un cri, un bruit discordant.

— Mais ils auraient dû se soucier du prix, parce que toute une *race* a été calomniée, ces derniers jours, déclara Longway. Et je ne renoncerai pas avant que quelqu'un présente des excuses. Que ce soit le procureur, le maire ou le directeur de la police, et je les harcèlerai jusqu'à ce que je les obtienne.

— Qu'est-ce que vous voulez d'autre ? lui demanda Jesse d'un ton agressif, pour voir s'il répéterait une partie du boniment qu'il avait essayé sur elle dans le bureau de l'Office.

— Ce que je veux d'autre ? (Il recula, le visage soudain grisâtre, la bouche ouverte.) Je veux tout ce que vous avez, vous, dit-il d'une voix faible, tendant vers elle un doigt tremblant.

— Par exemple ?

Elle le poussait à parler mais savait qu'il ne mordrait pas à l'hameçon de la manière qu'elle espérait. Il glissa sous sa langue ce qu'elle supposa être un cachet.

— Vous êtes une femme intelligente. Répondez vous-même à cette question.

La conférence de presse terminée, Jesse voulut faire le tour de la ville, prendre sa température. Au moment où la Chrysler de Ben démarrait, le ciel passa d'un or étincelant à un violet terne, changea comme un visage. En moins de quelques centaines de mètres, Jesse put quasiment le voir, dans les rues, les magasins, les perrons et les entrées ; dans les bouches et les yeux des hommes et des jeunes garçons qui se dirigeaient vers la voiture, du pas nonchalant de celui qui arpente son territoire, chaque fois que Ben s'arrêtait à un feu rouge ou ralentissait à un coin de rue. Elle le voyait dans l'assombrissement violet de l'air : la ville était comme un ballon qui se gonfle d'eau lentement ; personne ne savait quand il exploserait, où il exploserait, personne, pas même ceux qui le feraient exploser.

Reprenant la direction de l'hôtel de ville, Ben fit passer Jesse devant ce qui ressemblait à un enclos d'adolescents. Une bonne partie de l'arrière-garde de la foule à la conférence de presse était parquée dans un terrain vague entre deux immeubles, encerclée par des flics casqués qui fouillaient les jeunes, contrôlaient leur identité, tapaient leur nom sur les ordinateurs fixés aux tableaux de bord des voitures de ronde pour voir s'ils y avaient un mandat contre eux.

— Bon Dieu, dit Jesse, qui supposa cependant que l'opération visait plus à intimider et à disperser qu'à procéder à des arrestations.

— C'est rien, répondit Ben.

Il la conduisit en haut d'une falaise dominant Roosevelt, la plus grande cité de Dempsy, où des cars de police étaient garés, moteur tournant au ralenti. La fumée de dizaines de cigarettes s'échappait par les fenêtres ouvertes. A l'intérieur, Jesse vit des rangées de casques à visière, en silhouette. Ben l'emmena ensuite à Bailey Street, à trois rues d'Armstrong, où d'autres cars retenaient à peu près le même nombre de policiers en attente. Sous les fenêtres des véhicules, le sol était là aussi jonché de mégots, fumer clope sur clope étant l'idée que Dempsy se faisait de la méditation transcendantale. Ben gara la Chrysler à quelques centaines de mètres des pelotons de Bailey et regarda sa sœur. Il était neuf heures moins le quart ; le ciel perdit toutes ses nuances et sombra dans la nuit noire.

Il n'y avait plus qu'un endroit où aller maintenant, et c'était Armstrong. Jesse savait que son frère était trop effacé, trop poli pour déclarer qu'il avait peur, pour s'autoriser à dire : « Pas question. »

Ils sentirent la cité avant d'y arriver : une puanteur pénétrante que Jesse fut incapable d'identifier avant que la Cuvette soit en vue. Un bon nombre de réfrigérateurs brûlaient. Jesse entra dans la cité par le haut, Gompers Street ; Ben n'eut pas d'autre choix que de suivre. Du passage couvert le plus proche, celui du Bâtiment 2, elle distingua quatre feux séparés sur la pente de la Cuvette. Les locataires, formant des groupes irréguliers autour des caisses en flammes, échangeaient des cris, des bulletins d'informations indéchiffrables. Jesse identifia au moins une douzaine de flics noirs et latinos en civil, qui s'efforçaient de calmer tout le monde. Certains des locataires semblaient écœurés, effondrés de désespoir ; d'autres donnaient l'impression d'être prêts à raser tout le coin.

Des équipes de flics et de locataires, le visage tordu par la chaleur et les fumées, s'attaquaient aux flammes avec des extincteurs. Ben s'approcha pour les aider mais se retourna : il ne voulait pas laisser sa sœur sans protection. De la main, elle lui fit signe d'y aller puis, prenant soudain conscience qu'il ne lui était pas interdit d'aider elle aussi, elle le suivit. Mais avant qu'ils parviennent à la caisse la plus proche, ils furent bloqués par Lorenzo, surgi inopinément de l'obscurité. Tenant par le cou un jeune Noir maigrichon d'une douzaine d'années, il traversa la Cuvette, fonça vers un réfrigérateur en feu comme s'il voulait jeter le gosse dans les flammes, s'arrêta à une dizaine de centimètres du brasier et secoua l'adolescent comme un prunier.

— Pourquoi t'as fait ça ? beugla Lorenzo, les yeux exorbités derrière ses lunettes.

Le simple volume de sa rage réduisit la Cuvette au silence, de sorte que seul le craquement du bois léché par les flammes fit concurrence à sa voix.

— Pourquoi t'as fait ça ? répéta-t-il, s'accroupissant pour regarder le gamin dans les yeux. C'est à toi, pauvre taré ! (Sa main se tendit vers un réfrigérateur détruit.) C'était pour toi ! Pour ta famille !

Il attendit une réponse mais le jeune Noir, qui l'observait par les fentes de ses yeux, demeura silencieux et haussa les épaules.

— Ils se foutent de toi ! rugit Council à quelques centimètres du visage pensif.

Jesse entendit quelqu'un demander : « C'est qui, ils ? », et le gosse finit par émettre une faible protestation :

— Non, sûrement pas.

— Quoi ?

— Ils se foutent pas de moi, réussit-il à murmurer en regardant Jesse et Ben, la Dempsy blanche. Ils flippent.

Désarçonnée, vaguement mal à l'aise, la journaliste se détourna de la scène et fit quelques pas le long de la pente. De l'endroit où elle était, elle se trouvait à hauteur adéquate pour découvrir tout Martyrs Park en bas de la cité, et un peu de Gannon au-delà des arbres. Si le parc miniature et cette partie de Hurley semblaient paisibles, voire déserts, il y avait quelque chose d'anormal, là en bas. Il lui fallut un moment pour mettre le doigt sur ce qui la déconcertait. C'était l'absence d'une voiture de ronde de Gannon dans le centre commercial condamné, de l'autre côté de la limite de la ville. Ce soir, pour la première fois depuis des années — ce soir, alors que Gannon devait plus que jamais protéger ses arrières —, le Guet avait été abandonné.

— Ça alors... fit Ben, lisant dans les pensées de sa sœur.

Quelqu'un avait trouvé du sable ou du gravier quelque part et en avait porté une brouettée à la Cuvette. Lorenzo et d'autres puisaient à deux mains dans le tas, lançaient le sable sur les caisses fumantes. Le garçon que l'inspecteur avait malmené quelques instants plus tôt était maintenant assis dans la poussière, le visage figé en un masque inexpressif, les mains prises dans des menottes derrière son dos.

— Je veux aller là-bas, décida Jesse.

Elle montra le centre commercial, entama la descente menant au parc. Ben tendit le bras pour l'attraper.

— Jesse, non, dit-il avec un rire nerveux. Non.

Mais elle voulait le centre commercial et, une fois de plus, il n'eut pas le choix.

En arrivant dans Hurley, ils tombèrent sur un groupe d'ados invisible d'en haut, cinq jeunes d'allure coriace qui traînaient dans le passage couvert du Bâtiment 3, la tour la plus proche du parc. Les gosses les reluquèrent avec ce regard froid et impersonnel que Jesse et Ben avaient senti sur eux dans toute la ville pendant leur balade après la conférence de presse. Ben considéra ses chaussures d'un air renfrogné et marmonna : « Merde », comme s'il était dégoûté de lui-même, comme s'il prévoyait le pire.

Jesse, tout en songeant combien sa peur, en des moments pareils, se manifestait sous forme de gaucherie, se sentit incapable d'effectuer un demi-tour embarrassant. Jetant un bref coup d'œil sur ceux qui la lorgnaient ouvertement, elle poursuivit son chemin, s'engagea dans la bouche noire et feuillue du parc, son frère fermant consciencieusement la marche.

Les réverbères étaient éteints, le parc se réduisait aux silhouettes bossues des broussailles, balançoires et toboggans. Trop excitée pour avoir peur, maintenant, Jesse grommela entre ses dents :

— Putain, ce qu'il fait noir !

La bande du passage couvert était hors de vue, hors de son esprit ; elle ne s'intéressait plus qu'au mystère situé de l'autre côté de la limite de la ville.

— Continue à avancer, lui dit Ben avec une tension anxieuse.

Il enchaîna aussitôt avec un contrordre : « Arrête », saisit l'épaule de Jesse, tendit l'oreille, inspecta l'allée derrière lui. Nouveau contrordre : « Continue », et, la poussant en direction de Gannon, il repartit seul vers Armstrong.

De nouveau effrayée, ne sachant pas ce que Ben voulait faire, Jesse demeura sur place et attendit son retour. On n'entendait que les cris lointains des pompiers bénévoles là-haut dans la Cuvette, un couinement occasionnel de pneus dans Jessup Avenue, et le crissement du gravier quand une voiture sortait de Hurley ou y entrait.

La plaque en bronze à la mémoire de Martin, Malcolm et Medgar vissée à un épais tronc d'arbre luisait faiblement mais, en l'absence de toute source lumineuse, elle semblait briller de l'intérieur, comme si les trois hommes dessinés de profil réagissaient à ce qui se passait autour d'eux. Au-dessus des arbres, Jesse vit la grille irrégulière des fenêtres éclairées dans les cinq tours d'Armstrong.

— Où elle est passée ? dit une voix brusque.

Jesse se figea. Immobile en bordure de l'allée, elle se dit que ce qui allait peut-être lui arriver maintenant serait à la fois mérité et juste. Sa conduite envers Brenda, ses mensonges, ses propos ambigus, son reportage quasi carnassier : ce qui allait lui tomber dessus, elle l'avait cherché.

Il ne se passa rien. Se libérant de sa paralysie, elle parvint à gagner le terrain de jeux situé à quelques dizaines de mètres de l'allée : une cage à poules, une balançoire sans siège, un toboggan dont l'escalier avait perdu une rampe, sept nains de Disney en ciment à la peinture écaillée. Elle se percha sur l'un d'eux, morte de trouille, couverte de sueur, croisa les bras sur la poitrine et dit :

— C'est pas un endroit pour élever un enfant.

Elle le dit à voix haute et les craquements qui lui répondirent dans le sentier emplirent sa poitrine de glace.

— Jesse ?

C'était la voix de son frère, OK. Elle se rua hors du terrain de jeux pour l'intercepter dans le sentier.

— Hé, lança-t-il, souriant, en état de choc, une estafilade courant en ligne droite du bord d'une narine au sommet d'une pommette.

Jesse écarquillait les yeux, comptait dans sa tête les points de suture.

— Bon, allons-y, dit Ben.

Marchant d'un pas vif devant elle, il gagna la sortie Gannon du parc. Ils traversèrent Jessup Avenue, artère à quatre voies qui n'était pas tout à fait une grand-route, firent halte sur le parking défoncé du centre commercial, regardèrent stupidement le vide, l'absence de voiture de police. Jesse fut la première à sortir de sa torpeur.

— Il faut te conduire au Centre médical.

— Non, pas la peine, assura-t-il d'un ton léger. (Il essuya sa joue en haussant une épaule, le sang faisant virer au violet sa chemise bleue.) Bon, c'est quand tu veux.

— Maintenant, par exemple.

Jesse fit un pas vers la route puis, incapable de renoncer, elle revint en arrière et sollicita :

— Donne-moi trente secondes de plus, d'accord ?

Ben haussa les épaules, ôta sa chemise, en fit une compresse qu'il tint contre sa joue ouverte, se prépara à attendre.

Après être passée rapidement devant six boutiques vacantes, Jesse tourna au coin, ne vit qu'une grande poubelle bourdonnante de mouches. Elle continua, tourna au coin suivant et les découvrit : des flics de Gannon. Il devait bien y en avoir soixante-quinze, avec matraques, boucliers de Plexiglas, casques à visière, et fusils qu'elle supposa à balles en plastique. De ce côté-là de la limite de la ville, tout le monde fumait aussi, mais dans un silence total. Même les radios étaient éteintes. Le policier le plus proche de Jesse pressa un doigt sur ses lèvres et, d'un mouvement du pouce, lui signifia de foutre le camp.

Quarante-cinq minutes plus tard, dans la salle de chirurgie bondée des Urgences du Centre médical de Dempsy, Jesse, fascinée, regardait un médecin indien à l'ossature délicate et à la mise élégante — Chatterjee, d'après son badge — recoudre la joue de Ben avec autant de désinvolture que s'il laçait une botte.

Elle n'aurait su dire combien d'autres entailles, coupures et estafilades attendant leur tour le long des murs étaient le fruit de la conférence de presse de ce soir, mais pour une personne au moins elle en était sûre : un flic portoricain qu'elle avait aperçu plus tôt essayant de calmer les gens autour de la Cuvette. Il tenait à présent un sac en plastique rempli de glace contre l'oignon braisé de son œil. La poussière provenant du morceau de ciment qui l'avait blessé formait encore une traînée poudreuse au-dessus de sa tempe et sur le côté gauche bruni de sang de son T-shirt.

Putain, cette Brenda, s'émerveilla Jesse en repensant à la question de Jose au téléphone : « T'es amoureuse ? »

— Hélène de Troie, hein ? dit Chatterjee, qui s'adressait manifestement à elle bien que son œil ne quittât pas ses travaux d'aiguille.

— Pardon ? répondit-elle, déroutée.

L'attention du médecin fut distraite par un technicien entrant dans la pièce avec une brassée de feuilles d'imprimante.

A l'autre bout de la pièce, Jesse avisa un exemplaire du *Dempsy Register* de ce soir. C'ETAIT ELLE. Le titre était de Jose, elle n'en était pas responsable. Tout excitée de faire la une, elle saisit le journal, parcourut rapidement son article : ni bon ni mauvais, simplement les faits, présentés de manière raisonnablement objective dans un costume gris de prose neutre. Bien que le titre fût inexact — à proprement parler —, il lui procura un sentiment de plénitude et elle pensa : C'est de ça que je suis amoureuse...

27

Depuis qu'il avait pincé le premier incendiaire, quelques heures plus tôt, Council en avait cravaté deux autres autour de la Cuvette : un garçon de seize ans, une adolescente à l'air triste. Il n'avait pas l'intention de les arrêter officiellement, il voulait simplement les neutraliser pour le moment. Mais la vue de ces trois jeunes assis par terre, menottes derrière le dos, était elle aussi incendiaire, et il finit par les conduire dans les locaux de l'Office et par les attacher aux bureaux du saint des saints de Longway.

Cette tâche frustrante lui prit moins d'un quart d'heure. Pourtant, lorsqu'il ressortit du bâtiment, les choses avaient changé, l'action s'était déplacée de la Cuvette à Hurley Street. Les feux étaient à peu près éteints, la pente était presque déserte, mais deux voitures de ronde de Dempsy étaient garées à l'extrémité ouverte de Hurley. Les huit flics assis à l'intérieur portaient des gilets pare-balles et des casques à visière. Dans le cul-de-sac, tout le monde devenait dingue, les flics volontaires et les leaders des locataires s'efforçant tout à la fois de diriger la foule agitée vers le côté Martyrs Park de la rue et de la fractionner en petits groupes.

Lorenzo tenta de déchiffrer la situation, sentit quelque chose d'autre, une détresse qui précipitait les habitants dans l'affrontement indépendamment de la provocation visuelle des voitures de police. Il s'efforça de décoder ce grondement interne en écoutant les voix, en observant les mouvements de la foule, mais le tableau était trop confus, cacophonie de cris de défi, de conversations échauffées, gens courant pour quitter ou rejoindre la foule, tels des courriers dans une zone de combat. Autant essayer de décrypter les mouvements et les mobiles des lucioles.

Lorenzo attrapa un gosse qui dévalait la pente en direction de Hurley.

— Qu'est-ce qui se passe ?

— Ils... ils ont bouclé les Convoy, mec, les frères. Raheem Wallace aussi.

— Pourquoi ?

Lorenzo scruta de nouveau la foule, arrêta son regard sur Mary, la mère de Raheem, femme menue au visage rond vêtue d'un tablier, les yeux saillants, la peau luisante de sueur, excitant les gens au cœur de la mêlée d'une voix furieuse.

— Bouclé pourquoi ? demanda-t-il de nouveau.

Mais le gamin avait détalé.

En se dirigeant vers Hurley, il se baissa vivement quand quelque chose passa au-dessus de sa tête. Ce n'était pas lui qu'on visait mais les voitures de flics, derrière lui, et la chose atterrit, humide et grumeleuse, sur un pare-brise. Le chauffeur mit en marche ses essuie-glaces, réaction de peur ou de sang-froid, Lorenzo n'aurait su dire. Parvenu à la ligne ondulante de la foule, il se joignit à la poignée de bénévoles, flics et locataires, qui contenaient les autres. Le policier qui se trouvait à sa droite repoussait quelques jeunes, plaisantant avec eux mais les faisant reculer quand même.

— Ils ont arrêté les Convoy ? lui demanda Lorenzo.

— Il paraît, répondit le flic d'une voix tendue.

— Mon fils aussi ! s'écria Mary Wallace, dont les yeux d'hyperthyroïdienne accentuaient la rage.

— Pourquoi ? demanda de nouveau Lorenzo, d'un ton calme, à la femme.

Pour le moment, il se préoccupait davantage de la colère noire de la mère que de son fils, mis au frais à la brigade des mineurs.

— Ils disent qu'il a allumé un feu, répondit-elle d'une voix plus forte que nécessaire, s'adressant autant à la foule qu'à Lorenzo.

— Ici ?

— Non, pas ici. Justement. Ils disent qu'il l'a allumé sur les Heights, dit-elle, tournée complètement vers la foule, à présent. Combien on a allumé de feux là-haut ? (Elle montra la Cuvette.) Personne s'est fait arrêter. Personne. Pourquoi ? Parce que ça se passe ici, que c'est juste nous ! Ce qu'on fait ici, ils s'en branlent, mais qu'un môme fasse l'idiot dans un quartier *blanc*, ils le bouclent et ils jettent la clef... (Lorenzo devait absolument la sortir de là.) Ils veulent un gosse *noir* pour remplacer leur agresseur bidon, poursuivait-elle. C'est eux qui ont causé toute cette merde. C'est eux qui ont déconné, et ils voudraient maintenant que ça retombe sur nous, accusa-t-elle en rafales. Même si c'est pas nous, c'est nous quand même...

Council tendit le bras vers elle.

— Mary...

— S'ils croient qu'ils peuvent prendre mon fils comme bouc émissaire pour cette garce !

Les larmes aux yeux, elle s'essuya le nez de la paume. Autour d'elle, les gens grognaient pour exprimer leur sympathie, leur colère.

— S'ils croient que je vais leur donner mon fils ! (Lorenzo essaya de l'entraîner, n'y parvint pas.) S'ils croient que...

Un projectile partit de la foule : une pierre, une balle de base-ball, quelque chose de la taille d'un poing. Un bruit métallique sourd s'éleva derrière Council, l'objet ayant probablement atterri sur le capot d'une des voitures de police.

— Hé ! s'écria Lorenzo.

Profitant de l'occasion pour isoler Mary, il tendit le bras comme pour attraper quelqu'un, ramena une main vide.

— Vous voulez les faire venir ici ? lança-t-il aux rangs du milieu.

Quelqu'un répondit par cette suggestion :

— Arrête tes conneries.

Ne parvenant pas à identifier la voix, Lorenzo l'ignora.

— Parce que je peux vous le dire, continua-t-il, vous avez pas intérêt. Les deux caisses, là-bas, c'est rien. La partie émergée de l'iceberg. Y a plus de flics dehors cette nuit que d'habitants dans cette cité, alors, vous avez pas intérêt à les faire venir chez vous.

— Arrête tes conneries.

La même voix, mais Lorenzo avait maintenant l'attention

de tout le monde et ne voulait pas risquer de la perdre dans un tête-à-tête.

— Je vais aller voir ce qui se passe et essayer de les faire partir, parce que j'ai pas plus intérêt que vous à ce qu'ils entrent ici. Mais si quelqu'un commence à foutre la merde...

Lorenzo s'écarta de la foule, haussa les épaules en signe d'impuissance, tendit le bras au dernier moment pour saisir Mary Wallace par le coude, au dépourvu.

— Faut qu'on parle, toi et moi.

Il l'entraîna hors de la cité par la sortie Hurley Street. Mary trottinait sur la pointe des pieds derrière lui pour le suivre.

— Hé, pourquoi vous reculez pas un peu, qu'on vous voie plus ? cria-t-il, sans ralentir l'allure, à l'un des chauffeurs en tenue antiémeute. Vous allez provoquer les troubles que vous êtes censés empêcher, vous comprenez pas ça ?

— Hé, Council, demande-moi plutôt si j'ai envie d'être ici ! lui rétorqua le chauffeur.

— Alors, appelle ton patron avant qu'il soit trop tard.

Lorenzo tira Mary Wallace vers le passage sous la voie ferrée, la poussa contre la pierre fraîche, posa les mains sur ses épaules.

— Je vais envoyer quelqu'un aux Mineurs pour savoir ce qui s'est passé, d'accord ?

Il émanait de lui un calme rassurant entièrement factice.

— Il aurait dû allumer ses feux dans la Cuvette avec les autres, grommela-t-elle. Il serait libre, maintenant.

— Je te comprends, Mary, je te comprends. Mais voilà le marché : je fais quelque chose pour toi, tu fais quelque chose pour moi. Je peux pas te laisser courir partout à monter la tête aux gens.

Il entendit un bruit de verre brisé, vit des éclats voler au-dessus de l'arrière des voitures de ronde.

— Il faut que tu la fermes, ajouta-t-il d'un ton rapide, impatient de faire partir ces voitures. Parce que sinon, tu peux me croire, tu causeras plus d'ennuis que t'en as déjà.

Du verre encore, peut-être lancé de la fenêtre d'un appartement. Il se prépara à entendre des claquements de portière, le bruit des flics en action.

— Lorenzo, j'arrive même pas à croire qu'il a fait ça, dit Mary d'une voix plus intime à présent, plaintive et attristée.

D'après eux, il aurait mis le feu à un pneu et l'aurait fait rouler à l'intérieur du restaurant chinois d'Easter Avenue.

— Un pneu ? répéta Council en pensant : Incendie criminel grave.

— Ça lui ressemble pas, Lorenzo.

— Ça ressemble à personne, rétorqua-t-il.

Puis il ajouta :

— Excuse-moi.

En se dirigeant vers les voitures de flics, il entendit la voix de Mary résonner sous la voûte de pierre :

— Il est leur bouc émissaire, Lorenzo...

Comme il arrivait à proximité des voitures — dans l'intention d'appeler par radio le type qui les avait envoyées là —, les deux véhicules passèrent soudain en marche arrière, reculèrent en décrivant un demi-cercle puis repartirent en avant, sortirent en trombe de Hurley Street et gravirent la colline flanquant la Cuvette. Lorenzo ne fut qu'en partie soulagé : les voitures roulaient trop vite pour indiquer un simple abandon de poste.

Lorsqu'il tourna dans Hurley, son anxiété crût de nouveau. L'impasse était maintenant déserte, la Cuvette aussi. Il vit ce qui restait de la foule courir dans le passage couvert du Bâtiment 1, se ruer dans le hall, presque en file indienne : la queue d'une souris disparaissant dans son trou. Le temps qu'il monte la pente en ahanant, il y avait tellement de gens, vociférant et gesticulant, dans l'entrée de l'immeuble qu'il dut se frayer un passage à coups de coude. Il savait que quelque part dans cette meute se trouvaient au moins quatre agents et une équipe médicale, au vu des véhicules garés çà et là devant la tour.

Le centre de l'attention semblait être l'ascenseur, devant lequel des habitants sautaient sur place en criant une douzaine de variantes d'un même thème : « Sortez-le de là ! » Lorenzo entrevit un éclair d'uniforme bleu, entendit un flic — jeune, blanc — leur répondre en braillant : « Il faut attendre le mécanicien ! » Pénétrant plus avant dans la masse humaine, il découvrit enfin les portes de l'ascenseur, toutes deux fermées. Une demi-douzaine de policiers s'échinaient à dégager un peu d'espace pour eux-mêmes et les deux infirmiers, un coin où respirer. La pression des corps était telle que la plupart des gens ne pouvaient bouger que verticalement, sautiller en beuglant, encore et encore : « Sortez-le de là ! » Les flics avaient l'air effrayés ; les volontaires des associations Invictus et Aspira étaient pris au piège, comme tout le monde.

— Il faut attendre le mécanicien ! cria le même jeune flic, les mains en porte-voix. On a pas la clef !

— Alors, prends la clef des Blancs, enculé ! répliqua une voix profonde dans la foule.

Une adolescente se glissa dans le demi-cercle qui venait d'être dégagé, passa derrière les flics et les infirmiers, pressa son corps contre l'une des portes, se mit à se trémousser de manière hystérique en sanglotant et en frappant le métal gras comme si la personne emprisonnée de l'autre côté pouvait lui ouvrir. Elle hurla plusieurs fois un nom et Lorenzo craignit que la personne prise au piège ne soit son enfant. Les flics les plus proches des portes étaient trop crevés, trop occupés par ce qui se passait dans le hall pour lui prêter attention. Seul un des deux infirmiers lui jeta un rapide coup d'œil.

Plusieurs bénévoles réussirent à se frayer un chemin jusqu'à la clairière et entreprirent de repousser les gens, mais d'autres agents arrivés en retard déboulaient du passage couvert et poussaient dans l'autre sens. Lorenzo se sentit écrasé. La fille en sanglots continuait à marteler la porte, glapissant « Barry ! Barry ! ». Il distinguait clairement le nom, à présent. Feuilletant son répertoire mental, il trouva trois Barry, dont aucun n'était un enfant.

— Le mécano va arriver !

Toujours le même flic, scandant une rengaine que personne n'écoutait.

— Y a qui, là-dedans ? demanda Council à ceux qui gigotaient et sautaient autour de lui. Qui est coincé ?

— Coincé ! répondit un des jeunes, tournant vers lui un regard dédaigneux. Personne est coincé. Le mec est là-haut au huitième étage, il appelle l'ascenseur, la porte s'ouvre, il parle à quelqu'un, il regarde pas, il s'avance... dans la cage ! C'te putain de cabine est pas là, il tombe, le négro ! Il est huit étages plus bas, maintenant. Huit étages, bordel de merde. Non, personne est *coincé*.

— Qui c'est ?

— Mon copain, Watrous. Barry Watrous.

Lorenzo reconnut alors la fille qui continuait à hurler : Stephanie Watrous. Son autre frère s'était fait tuer quelques semaines plus tôt.

— Sortez-le de là ! beugla quelqu'un dans l'oreille de Council, postillonnant sur son visage.

Il avisa un des volontaires d'Aspira et, attirant son attention, lui fit signe d'emmener Stephanie, dans l'escalier, n'importe où mais pas là. Les flics qui se tenaient devant l'ascenseur continuaient à repousser les gens tandis que leurs collègues arrivant de la rue les poussaient dans l'autre sens. Lorenzo respirait en sifflant comme une cornemuse, ne pouvait pas même prendre son inhalateur. Sa propre détresse physique lui faisait craindre le pire pour les autres : crainte qu'ils ne meurent étouffés dans le hall, crainte aussi qu'ils ne se dégagent et ne se dispersent dans la nuit avec toute cette rage en eux.

Il vit une des tantes de Barry jaillir de la foule, les poings crispés le long des flancs, une grosse veine se tortillant à sa tempe.

— Faites quèque chose ! Faites semblant qu'il est *blanc !*

— Si vous reculez pas, je vous embarque, répliqua un agent mort de trouille en lui agitant son doigt sous le nez.

Lorenzo ferma les yeux : ce naze venait de menacer la tante du garçon mort. Elle fut tellement stupéfaite qu'elle s'en alla simplement sans dire un mot.

— Le mécano arrive ! On peut pas ouvrir sans la clef...

Council vit un des infirmiers allumer une cigarette, probablement pas par manque de respect : le gars n'avait rien d'autre à faire que regarder l'aiguille du manomètre monter, monter. Mais ça la foutait mal, qu'il allume une clope devant tout le monde, vraiment mal, et Lorenzo vit deux des jeunes réagir, se frayer un chemin à coups de poitrine, les yeux rivés sur l'infirmier. Lorenzo les gagna de vitesse, les retint d'une main, fit tomber la cigarette des lèvres de l'infirmier de l'autre. Bouche bée de stupeur, le gars le regarda comme s'il était lui aussi un voyou de D-Town.

Dedans ou dehors : apparemment, personne ne dirigeait l'opération et Council cherchait fébrilement la bonne décision, maintenir toute cette fureur en cage ou l'éjecter dans la rue, un soir pareil. Il opta pour l'exode, le risque d'écrasement était trop grand.

— Faites-les sortir ! cria-t-il par-dessus les têtes aux flics de la porte, sans être sûr qu'ils pouvaient l'entendre. Faites-les sortir !

Ses ordres se perdirent dans le chœur de « Faites-*le* sortir ! » de la foule, tourbillon de mots se dispersant dans l'air moite.

Le mécanicien arriva, émergea des premiers rangs de la foule, taille jockey, visage bouffi de sommeil, cheveux hérissés sur le crâne. Insensible au chaos, encore somnolent, il s'avança dans l'espace dégagé, une boîte à outils dans une main, un lourd trousseau de clefs dans l'autre.

Lorenzo se pencha à son oreille pour murmurer « Faites rien pour le moment », puis se redressa et gueula aussi fort qu'il put, à l'intention des flics qui se trouvaient derrière : « Faites-les sortir ! » Des deux mains, il fit signe aux gens de reculer, afin de ne pas ajouter au mélange détonant une cage d'ascenseur ouverte. Il imaginait déjà la ruée pour voir le corps au fond de la cage, Barry Watrous gisant, tordu, estropié, autour des énormes ressorts des amortisseurs.

Ou le mécanicien ne l'entendit pas, ou il était pressé de se recoucher, mais moins de trente secondes après son arrivée, les portes de l'ascenseur s'ouvrirent. Lorenzo se tourna, prêt à tordre le cou de ce petit salaud, mais ce qu'il vit, encadré par le tour de la porte ouverte, le cloua sur place, cloua tout le monde sur place.

La cabine qui n'avait pas accueilli Barry Watrous au huitième étage n'avait jamais quitté le rez-de-chaussée. L'impact du corps chutant de cette hauteur avait poussé la cabine vers le bas sur une moitié de sa longueur, de sorte que son toit, qui soutenait le corps brisé du jeune Noir, se trouvait maintenant à hauteur d'œil de ceux qui, l'instant d'avant, se bousculaient et criaient dans le hall.

Barry était étendu sur le dos, une jambe tordue sous lui selon un angle digne d'un dessin animé ; la gorge tendue, le menton pointant vers le haut, les lèvres entrouvertes, les yeux clos, une main sur le front dans une attitude de repos presque langoureux. Sa stupéfiante proximité avec la foule réduisit au silence Council et tous les autres. Le corps gisait devant eux comme une offrande, un tableau : une mort à contempler, la mort elle-même à contempler, dans toute sa majesté inerte, dans son absolu terrifiant. Un moment, l'air — le peu qu'il y en avait, pour commencer — sembla sortir du hall ; personne ne parlait, personne ne bougeait ; il ne subsistait comme signes de vie que l'infirmier, tendant le bras pour tâter le pouls de l'adolescent, et une onde apparemment sans source parcourant la foule passive pendant que le petit mécanicien se frayait un chemin, tel un chat dans l'herbe haute, vers la porte de l'immeuble, vers sa maison.

La sortie du mécano ramena Lorenzo à la réalité : l'ascenseur avait tué quelqu'un, il n'y avait rien à faire, celui-là ne retournerait pas se coucher. Council se faufila vers la porte, et presque aussitôt, la foule reprit vie, le hall se remit à bourdonner, les gens recommencèrent à bouger, se dirigèrent pour la plupart vers la rue, jetant un dernier long regard sur le corps en sortant avant de retrouver la nuit et toutes ses possibilités.

Lorenzo ne craignait plus qu'Armstrong explose : Barry Watrous avait coupé le souffle de la cité. Pendant les prochaines heures au moins, Armstrong offrirait à elle-même et à la ville un sursis temporaire. L'unité technique, la Brigade criminelle du comté et une équipe des services d'urgence se joignirent aux agents et aux infirmiers restés dans le hall tandis que, dehors, Lorenzo se mêlait aux locataires. Une sentimentalité à retardement s'emparait de la foule, où l'on échangeait des propos affligés d'une voix basse, mâle et traînante.

En cherchant des yeux le mécanicien, Lorenzo entendit quelqu'un placé hors de son champ de vision prononcer « Brenda Martin » puis laisser le nom flotter là. Brenda Martin, pensa Lorenzo. Et il dut répéter le nom à voix haute pour se rappeler qui elle était.

28

Dans l'air trouble d'un motel de passe, à quatre heures du matin, Jesse fixait l'écran bleu chewing-gum d'un ordinateur portable posé sur un lit non défait. Pour la première fois depuis des jours, elle était seule.

Trois heures plus tôt, elle avait laissé son frère au Centre médical, où on le garderait pour la nuit, non à cause de sa joue tailladée mais en raison de son état d'épuisement. Dans la salle de chirurgie, il avait joué à l'abruti avec les flics, montrant ce côté trop poli de lui-même, accommodant jusqu'à la servilité, presque, mais Jesse savait qu'en l'occurrence c'était un rideau de fumée, que ce qui opérait à l'intérieur, c'était le Ben qui gagnait sa vie en remettant des assignations à comparaître, ce côté de lui qui se présentait, sur ses cartes de visite professionnelles, comme « consultant en menace à la personne », chasseur de chasseurs, « contre-intimidateur » d'ex-maris, d'ex-mecs et de toute autre espèce de contrevenants aux injonctions à laisser les autres en paix.

D'ici quelques mois, Ben prendrait sa revanche sur le pourri qui lui avait sculpté le visage au cutter. Le type était promis lui aussi à un séjour à l'hôpital et, bien que la loi du talion ne posât pas de problème à Jesse, elle n'avait pas voulu entendre les détails à l'avance et avait laissé son frère en salle de chirurgie avant que les analgésiques le rendent bavard.

Maintenant que son frère et Brenda étaient casés pour la

nuit, que les rues étaient enfin calmes, il ne restait plus à Jesse qu'à s'attaquer à cette partie du boulot redoutée et longtemps retardée : la mise noir sur blanc des pensées. Jose avait besoin de l'article sur l'épreuve infligée à Brenda par les Amis de Kent, ainsi que du second volet de sa veille en compagnie de la jeune femme. Il lui avait demandé de mettre ça par écrit cette nuit au journal, précisant qu'il l'attendrait le temps qu'il faudrait pour qu'il puisse enfin avoir une discussion en tête à tête sur cette histoire. Mais Jesse préférait Jose au téléphone — désincarné, omniscient, prodiguant ses conseils comme un parrain —, et elle ne voulait pas non plus rentrer dans sa garçonnière puant le café de luxe. Elle avait donc pris une chambre au Tunnel-View Motel de Jersey City et essayait de taper son papier à la lumière de l'ampoule à incandescence très puissante qu'elle portait toujours dans son sac, clignant des yeux dans sa propre fumée, fixant l'écran vide. Rien ne venait.

Elle aurait pu imputer ce blocage à plusieurs facteurs : la vacance de l'heure, le bruit dérangeant de la pute de la chambre voisine, qui heurtait de la tête le mur commun et mugissait sur un ton monotone ; le gérant indien de l'hôtel qui allait et venait devant sa fenêtre dans ses mules en tapisserie, à la fois hautain et curieux. Jesse présumait qu'elle était la seule femme qui ne gagnait pas sa vie avec sa bouche à avoir loué une chambre.

Elle aurait pu reprocher son blocage à Jose qui, pendant des années, lui avait appris à écrire des articles dépourvus de personnalité et d'observations intimes. Mais si l'écran restait vierge, c'était en fait à cause de Brenda, à cause d'elle-même. Ayant entamé sa grande lessive émotionnelle de quarante-huit heures ivre d'intimité et d'identification, Jesse avait ensuite opéré un demi-tour brutal vers la colère et le mépris, estimant qu'on l'avait trompée, manipulée. Ce retournement était difficile à gérer parce qu'elle se sentait coupable des mêmes arnaques. Elles étaient maintenant au bout du chemin, Brenda et elle, mais rien ne venait.

De l'autre côté du mur, la putain dit quelque chose comme « Ce qu'elle est grosse », ou « Ce que t'es rosse ».

Jesse regarda l'heure — quatre heures et quart —, tendit la main vers le téléphone. Jose décrocha, furax, la tête farcie de sommeil.

— Quoi ?

— Ecoute...

Elle tint un moment l'appareil contre le mur, au-dessus de la tête de lit, pour lui faire entendre les gémissements sans conviction de la tapineuse.

— Ciel ! ma femme. T'es où ?

— Au Discretos Motel.

— Pourquoi ? Qu'est-ce qui va pas chez toi ?

— Je suis timide, répondit Jesse, qui se sentait mieux maintenant.

— T'as presque fini, j'espère ?

— Presque.

— Tu es au courant pour le jeune mort à Armstrong ?

— Non.

— Chute dans la cage d'ascenseur. Il est tombé de douze étages.

— Seigneur !

— On va en faire un film. Tu sais comment on l'appellera ?

— *Shaft*[1] ?

— Bravo.

— Où en est le score ?

— Dix-huit. Incendies volontaires, voies de fait, atteintes à l'ordre public, tout ce que tu veux. T'as entendu parler du môme qui a fait rouler un pneu enflammé dans un restaurant chinois ?

— C'est une plaisanterie ?

— Non.

— Comment ils réagissent, à Armstrong, à l'accident d'ascenseur ?

— Ils font les cons mais, jusqu'à présent, ça reste dans la cité.

— Dix-huit, alors ?

Jesse ferma les yeux, s'endormit une fraction de seconde.

— Il suffirait d'une arrestation de plus pour que ça vire à l'émeute. Demain soir, ce sera comme jouer au foot avec une bombe à eau, là-bas.

---

1. *Shaft*, titre anglais des *Nuits rouges de Harlem*, signifie entre autres « cage d'ascenseur ». *(N.d.T.)*

Jesse contempla la mer de néant d'un bleu lumineux posée sur son lit.

— Quelles sont les premières indications, pour Brenda ?

— Homicide par négligence criminelle. Trois à cinq ans de prison : trois si les gens oublient, la totalité dans le cas contraire.

L'envie de bâiller tombait sur Jesse comme de la neige.

— On lui fait une mise en accusation à l'hosto ?

— Ouais, mais écoute ça : ce sera retransmis au tribunal par vidéo.

— Depuis l'hôpital ? demanda Jesse en sursautant.

Elle sut instantanément qu'elle devait voir ça pour sortir de son blocage, prendre un rythme.

— Je pensais que ça se faisait seulement depuis la prison...

— C'est une cliente très spéciale, notre Brenda.

— J'ai l'impression, dit Jesse d'un ton neutre.

— Ton papier, ça avance bien ? s'enquit Jose, d'un ton méfiant.

— Ouais, j'ai presque fini, répondit rapidement Jesse.

— Tu n'envisages pas d'assister à la mise en accusation, hein ?

— Pas le temps, murmura-t-elle, pour ne pas l'entendre dire : « N'y va pas. »

— Tu devrais peut-être, dit Jose, d'un ton paternel et entendu. Un petit verre pour soigner la gueule de bois, genre...

A neuf heures moins le quart du matin, après avoir peu dormi et encore moins écrit, Jesse se présenta à l'entrée de derrière du tribunal de procédure judiciaire et se joignit à la queue de reporters essayant d'obtenir un laissez-passer pour la mise en accusation de Brenda. La greffière chargée de les octroyer était une femme lourde et épuisée en blouse et pantalon corail assortis. Elle se tenait devant une table bancale soutenant un seau rempli de badges couleur du jour. Jesse et la plupart des autres journalistes familiers de ce genre de situation savaient qu'il fallait la cajoler, l'amadouer, subir avec le sourire sa brusquerie et sa mauvaise humeur.

— Hé !

Sentant la pression légère d'une main sur son épaule, Jesse se retourna et découvrit le jeune type au nœud papillon qu'elle avait croisé au McCoy's et qui se tenait deux places derrière elle dans la queue.

— Félicitations, dit-il, levant un exemplaire du *Dempsy Register* de la veille. Beau travail.

— Merci, merci beaucoup.

Elle détourna la tête et son regard tomba sur le titre d'un tabloïd de New York que tenait un autre reporter. Le mot MENTEUSE s'étalait au-dessus d'une photo de Brenda sortant de son immeuble. Le même journal, lu par quelqu'un d'autre, montrait en page 3 une photo de Curious George sortant de la prison du comté. FURIEUX, GEORGE, était intitulé l'article.

La procédure judiciaire s'était simplifiée au cours de l'année précédente puisqu'elle ne requérait plus la présence physique de l'inculpé. Le tribunal avait opté pour les mises en accusation télévisées, avec un studio installé dans la prison du comté. Le prévenu apparaissait sur deux écrans, l'un tourné face au juge, l'autre vers les bancs ; de son côté, le prévenu pouvait voir le juge sur un moniteur de la prison. Tous deux étaient également visibles sur leur propre appareil, en incrustation.

Dans la salle du tribunal, tous les yeux fixaient le moniteur de soixante-dix centimètres incliné légèrement vers le bas sur son support, au plafond. La troupe lugubre, presque stoïque, de prévenus libérés sous caution, de parents et d'avocats de l'Aide judiciaire qui occupaient habituellement les bancs, était presque perdue dans le bourdonnement tendu des chroniqueurs judiciaires. Jesse était assise près de l'allée, au troisième rang.

Une retransmission depuis l'hôpital était un fait sans précédent, et elle pensait savoir où le procureur voulait en venir : montrer publiquement les affres de Brenda Martin et, ce faisant, calmer peut-être certaines têtes chaudes se préparant pour la Deuxième Nuit.

— Levez-vous.

La voix sonore et machinale de l'huissier résonna quand le juge entra et prit place sur son siège, l'honorable Joe Pisto, un mètre cinquante tout rond, avec une tignasse trop noire, des chaînes en or sous sa robe et, au parking — Jesse le savait —, une El Dorado hors série avec monogramme sur la portière du conducteur.

— Asseyez-vous.

— Mesdames et messieurs des médias, commença-t-il, je suppose que vous êtes ici pour le numéro vedette. Malheureusement, comme dans une réunion de boxe, vous allez devoir assister à une série de levers de rideaux avant le match de Tyson, alors soyez patients.

Il y eut parmi les journalistes un murmure à peine perceptible, une protestation en mineur devant cet avertissement. Jesse s'en fichait, elle savait que l'idée que Pisto se faisait d'un « numéro vedette », c'était le juge Pisto, et qu'il ne manquerait pas une occasion de se lancer dans ce genre de digressions sarcastiques.

Les deux premières personnes appelées ne se présentant pas, Pisto délivra des mandats d'amener à leurs noms. Puis l'écran s'anima, un chauve au visage en lame de couteau, vêtu de la combinaison bleu roi des détenus de la prison du comté, regardait la caméra d'un air ahuri.

— Mr Cortez ?

— Han ? dit-il, en une sorte de coup de klaxon.

— Je fixe votre caution à trois cents dollars.

— Han ?

— Vous disposez de trois cents dollars ? demanda Pisto à l'écran.

— Han ?

— Je dis : est-ce que vous... (Le magistrat s'interrompit, s'adressa aux bancs :) C'est moi ou c'est lui ? provoquant des rires comme dans une série télévisée.

— Je peux partir ? grogna Cortez.

— Où voudriez-vous aller ? demanda Pisto, lentement et distinctement.

— Han ? bougonna Cortez, déclenchant l'hilarité de la salle.

Deux autres prévenus défilèrent sur l'écran et le juge fixa leur caution, puis un homme d'âge mûr en costume d'été froissé se présenta en personne pour s'entendre dire que la plainte de sa femme pour coups et blessures avait été réduite à effraction. Retour ensuite à la vidéo, avec un prévenu pénétrant à pas lourds dans le studio. Au lieu de s'asseoir, il s'approcha à quelques centimètres de la caméra, et son visage devint flou en envahissant l'écran, comme celui d'un poisson dans un bocal. Ernest va en prison, pensa Jesse.

Après le passage du dernier prévenu emprisonné, l'écran devint d'un bleu vif. Un huissier clama le nom et le numéro de rôle d'un autre client en liberté sous caution. Le type n'était pas dans la salle, Pisto ordonna d'établir un autre mandat d'amener.

Les reporters échangeaient des regards, commençaient à s'impatienter quand, enfin, le nom de Brenda résonna, proclamation tonitruante qui provoqua une montée abrupte de l'attention et de l'énergie dans la salle, une nervosité contenue. Tout le monde travaillait, maintenant. L'un des assistants au district attorney s'avança : John Savio, ancien flic branché politique, occupant un poste important dans l'organisation « Sauvez les Enfants du comté de Dempsy », un type qui mettrait tout son cœur à l'ouvrage dans une affaire pareille. Jesse le regarda prendre position devant la caméra, rouler des épaules comme s'il attendait la cloche de la première reprise.

L'écran bleu toussota en noir et blanc avant de montrer une image pauvre en pixels, riche en grains. La caméra tenue à la main, braquée sur un mur ou un plafond, pivota. L'image devint floue puis un peu plus nette, l'objectif s'arrêtant finalement sur un tas de couvertures, un tube descendant d'un support à transfusion, l'incrustation du juge Pisto masquant le pied du lit. Jesse et tous les autres se penchèrent en avant sur leurs sièges.

La caméra recula pour montrer un homme debout près du lit, l'image de nouveau trop floue pour permettre une identification, mais la rumeur avait circulé. Et la barbe tombant sur la poitrine en donnait confirmation : l'avocat de Brenda était Paul Rosenbaum, défenseur des pauvres, des opprimés, des non-Blancs, des drogués, des désespérés, des théoriquement coupables, des victimes de coup monté, des débiles mentaux, des psychopathes, des violés devenus violeurs, victimes naguère innocentes d'un système de libre entreprise raciste et devenues assez grandes pour se venger. Rosenbaum, casse-couilles de classe mondiale qui transformait chaque affaire en mise en accusation d'une société dans laquelle victime et bourreau avaient été parachutés malgré eux à leur naissance.

Deux ans plus tôt, au cours d'un procès à sensation dans lequel Rosenbaum défendait l'assassin d'un flic, Jesse avait estimé que le meilleur moyen pour établir le contact consistait à lui faire croire qu'elle s'intéressait plus à la justice qu'aux scoops. Il avait marché, il lui avait même donné son numéro de téléphone personnel en lui demandant de le tenir au courant du climat dans l'opinion. Mais Jesse avait ensuite mal joué ses cartes en le joignant un soir pour lui servir une histoire délirante qui traînait un peu partout — son client aurait été en cheville avec des flics dans une affaire de drogue —, l'appelant non pas tant pour le prévenir de ce scénario ridicule que pour obtenir de lui une réponse qu'elle pourrait citer. Il avait immédiatement compris la manœuvre et lui avait reproché, avec douceur, de faire mauvais usage du privilège d'avoir directement accès à lui, sa voix trahissant autant de déception que de colère. Puis il s'était excusé : il devait retourner mettre sa fille au lit. Après avoir raccroché, Jesse s'était réfugiée dans le sien, stores baissés, et était restée allongée dans le noir de huit heures du soir au lendemain matin.

Déjà groggy et épuisée sur le plan émotionnel par son marathon avec Brenda, Jesse trouvait presque insupportable de les voir tous les deux sur l'écran. La réception se fit plus mauvaise, Brenda se perdit dans un brouillard électronique, et le juge attendit que le cameraman mette au point.

— Nous sommes le 3 juillet, il est dix heures vingt-cinq, je suis le juge Joseph Pisto. Messieurs ?

— Bonjour, monsieur le Juge, dit le procureur, faisant passer son poids d'une jambe sur l'autre. Je suis John Savio, adjoint au district attorney du comté de Dempsy représentant le ministère public.

L'avocat fit un pas en direction de la caméra.

— Bonjour, monsieur le Juge, je suis Paul Rosenbaum, du cabinet Rosenbaum et Winbarg, je représente l'inculpée.

— Messieurs ? Etes-vous prêts ?

La question de Pisto reçut des réponses affirmatives en stéréophonie. Le cameraman avait tendance à osciller légèrement, ce qui donnait le mal de mer à Jesse.

Rosenbaum... Elle se demanda qui avait fait appel à lui,

songea à quelqu'un qui, dans des circonstances normales, aurait préféré voir l'avocat dans une cellule auprès d'un de ses propres suspects : Danny Martin.

— Mr Rosenbaum, votre cliente est prête ?

— Oui, Votre Honneur.

— Pouvons-nous la voir ?

L'avocat releva un pan de couverture pour révéler Brenda, regardant droit devant elle, la joue contre le matelas. Tandis que l'opérateur vidéo zoomait, l'écran fut de nouveau envahi par des parasites, et Jesse eut l'impression que Brenda se dissolvait sous ses yeux en une masse de souffrance sans issue.

— Miss Martin ? demanda le juge d'une voix un peu plus forte que nécessaire. Vous nous entendez ?

— Elle vous entend, Votre Honneur, dit Rosenbaum à la place de sa cliente.

— J'aimerais que Miss Martin réponde elle-même.

— Oui, dit Brenda dans un sifflement rauque.

Dans la salle du tribunal, tous les visages étaient tournés vers l'écran comme des fleurs vers le soleil. Jesse se demanda pourquoi Rosenbaum laissait Brenda être mise publiquement en accusation dans cet état puis trouva aussitôt la réponse à sa propre question : pour qu'on la voie dans cet état.

— Vous nous recevez bien, maître ? Vous nous voyez ?

— Parfaitement, Votre Honneur.

— Miss Martin, reprit le juge d'une voix toujours un peu forte, j'ai là une déposition, signée de l'inspecteur Lorenzo Council, de la police de Dempsy, vous accusant de la mort par homicide de Cody Martin. Comprenez-vous les charges qui pèsent sur vous ?

La mise au point devint meilleure mais, en même temps, quelque chose affecta la vitesse de déroulement du film. L'image transmise ralentit très légèrement, de sorte que lorsque Brenda leva mollement une main puis la laissa retomber en signe d'assentiment, le geste parut décomposé en une multitude de mouvements infimes.

— Miss Martin ? répéta Pisto, qui attendait.

— Oui, répondit-elle après un interminable silence.

— Et comment plaidez-vous ?

Comme Jesse le prévoyait, Rosenbaum déclara avec conviction et assurance :

— Non coupable, Votre Honneur.

Tôt ce matin, elle avait téléphoné à plusieurs inspecteurs et juristes de la ville pour avoir leur opinion à titre confidentiel. De l'avis général, le seul moyen pour le procureur d'obtenir un homicide pur et simple, c'était de prouver qu'il y avait eu ingestion forcée : brûlures caustiques autour de la bouche de l'enfant, présence dans son ventre d'un liquide toxique au goût désagréable que personne n'aurait l'idée de boire volontairement, surtout pas un enfant. Mais si les rapports des toxicologues indiquaient que Cody était mort de l'ingestion d'une substance au goût sucré, le procureur avait du boulot devant lui. Jose avait probablement deviné juste hier soir : homicide par négligence criminelle.

— Messieurs ? Je vous écoute concernant la caution. Mr Savio ?

L'adjoint au DA oscillait inconsciemment pour suivre le mouvement de l'image sur le moniteur.

— Bonjour, monsieur le Juge.

— Vous l'avez déjà dit.

— L'accusation estime que le caractère odieux de ce crime, le meurtre d'un enfant de quatre ans par sa mère, requiert que l'on fixe la caution à un million de dollars, sans possibilité de versement comptant d'un dixième...

Un murmure averti parcourut les bancs : c'était une somme digne d'un terroriste.

— Votre Honneur, poursuivit Savio, l'accusée nous a d'abord livré une version des faits qui a failli provoquer un chaos dans cette ville, et s'apprête maintenant à nous en donner une autre. Elle a tout fait pour cacher la vérité et se débarrasser du cadavre. Vu les risques de... de troubles engendrés par les actes de Miss Martin, nous la considérons comme une menace pour la société, expression que j'ai rarement utilisée auparavant dans cette salle.

— Holà, holà, dit Pisto en se carrant dans son fauteuil. N'y allez pas trop fort quand même...

— De plus, ajouta Savio, l'accusation considère qu'il y a un risque réel de fuite. Si l'accusée s'échappait, la colère provoquée réduirait cette ville en cendres.

Le juge fit craquer ses jointures.

— Mr Savio, malgré la présence aujourd'hui d'un grand nombre de chroniqueurs, je vous rappelle que nous ne sommes pas au Winter Garden, et je vous serais reconnaissant de bien vouloir dorénavant vous abstenir de pérorer pour les rangs du fond.

— Bien, Votre Honneur.

Des sourires s'épanouirent sur les visages penchés sur les blocs-notes.

— Mr Rosenbaum ?

L'avocat n'était pas lui non plus un novice en matière d'effets théâtraux. Pendant le soliloque du procureur, il avait secoué la tête avec une consternation ostentatoire, les sautillements de l'image transformant le geste en mouvement saccadé d'automate.

— Votre Honneur, commença-t-il, Brenda Martin est une citoyenne exemplaire du comté de Dempsy, où elle est née et où elle a grandi. Educatrice, elle se dévoue pour le bien de ses habitants. Elle n'a jamais fait l'objet d'aucune sanction, pas même pour stationnement interdit, et quant à constituer une menace pour la société, je prie la Cour de bien regarder ma cliente et de se demander ce qu'elle voit de particulièrement menaçant pour la société ou qui que ce soit. Nous demandons très respectueusement que la caution soit fixée à cinq mille dollars.

— Mr Rosenbaum, je pense que lorsque l'accusation utilise l'expression « menace pour la société » elle ne suggère pas que Miss Martin pourrait quitter son lit d'hôpital pour aller poser des bombes, mais je suis sûr que vous le savez aussi bien que moi.

Pisto toussa dans son poing puis se frotta vigoureusement les mains, comme s'il se préparait à un jeu de hasard, à un défi.

— Bien, considérant la nature du crime, le bruit suscité par cette affaire et — comme Mr Savio l'a souligné de manière mélodramatique mais à juste titre — le nombre de vies affectées par les actes de Miss Martin, j'approuve la requête de l'accusation. La caution est fixée à un million de dollars, sans possibilité de versement comptant d'un dixième de la somme.

— Votre Honneur... dit l'avocat en levant une main.

— Si cela peut vous consoler, maître, je pense que la prison est actuellement l'endroit le plus sûr pour votre cliente. Merci.

Pisto abattit son marteau et la salle se mit à bourdonner. Nouveau coup de marteau.

— Maintenant que l'émission vedette est terminée, je donne trois minutes à nos hôtes distingués pour vider les lieux. Quiconque sera encore ici passé ce délai aura intérêt à rester assis sans bouger jusqu'à l'heure du déjeuner s'il ne veut pas se voir demain à la télé... (il tendit le bras vers l'écran) en direct de la prison du comté.

Pendant que les autres journalistes décampaient en vitesse, Jesse regardait Brenda toujours noyée dans une brume de parasites, flottant telle une couronne de fleurs sur une mer électronique, apparaissant puis disparaissant.

Ses voisins se dirigeaient déjà vers les portes de la salle mais Jesse, fascinée, demeurait assise. Lorsque Brenda recommença à se dissoudre derrière un autre essaim électronique, la journaliste eut brusquement la prémonition que la jeune femme ne passerait pas l'été, que ce que le moniteur montrait à ceux qui voulaient bien prendre la peine de regarder, c'était l'image d'un esprit, un présage. Jesse en était sûre : Brenda vivait ses derniers jours, et cette mise en accusation, comme tout ce qui suivrait, ne déboucherait sur rien.

29

Lorenzo se tenait à l'arrière du petit groupe qui s'était formé devant la chambre d'hôpital de Brenda pendant la mise en accusation. Il ne connaissait Rosenbaum que de réputation et, comme pour beaucoup de personnalités locales ayant une influence sur la vie dans les tranchées urbaines, Council avait sur lui une opinion pour le moins partagée. Mais lorsque Rosenbaum sortit dans le couloir, Lorenzo fut flatté que l'avocat le reconnaisse aussitôt et fende la foule pour lui serrer la main.

— Comment allez-vous ? lui demanda en souriant le défenseur de Brenda.

Lorenzo lui rendit son sourire, lui tendit un sac de supermarché contenant le baladeur laser de Brenda, ses CD, et des piles neuves pour faire bonne mesure.

— Tenez, elle en aura peut-être besoin.

— Attention délicate, dit l'avocat, qui lui serra de nouveau la main. A plus tard.

La veille au soir, pris par la mort de Barry Watrous, Council avait presque oublié Brenda — l'impact que son procès aurait sur la ville, sur lui-même — mais, une fois le corps retiré de la cage d'ascenseur, il avait opéré un lent retour à une appréciation plus sérieuse de la situation et, avant de se mettre au pieu, il était passé au poste du Southern District pour récupérer le matériel musical de Brenda. Il l'avait fait pour qu'elle garde de lui un souvenir positif, pour que sa conduite à l'égard de Brenda pendant l'enquête ne puisse gêner l'accusation. Toutefois, il avait également conscience qu'il y avait plus dans ce geste qu'une simple prudence professionnelle. Brenda ne pourrait pas emporter l'appareil en prison, mais elle le garderait au moins pendant son séjour à l'hôpital.

L'hôpital... Il aurait pu y passer la journée à rendre des visites : Brenda, Bump, le frère de Jesse. Mais la personne qu'il voulait voir, qu'il avait besoin de voir, c'était le révérend. La rumeur courait que, malgré son hospitalisation, Longway s'efforçait de mettre sur pied une marche de protestation à travers Gannon, pour le soir même. Lorenzo pensait qu'il avait pété les plombs. Le retour au calme de la veille était une paix factice, obtenue au prix d'une mort spectaculaire extérieure à l'affaire, et la colère continuait à monter.

Dans la matinée, sur le chemin du Centre médical, Council avait aperçu quelques abrutis du cru qui commençaient à se rassembler aux points chauds de la veille, comme pour être en première ligne pour l'éventuel bordel à venir. Or il savait par expérience que les flics seraient très nerveux, traitant le moindre incident comme s'ils avaient affaire à des terroristes, D-Town devenant, à mesure que le mercure grimpait dans le thermomètre, une terre de poings serrés et de sensibilités à fleur de peau des deux côtés de la barrière.

Laissant Brenda derrière lui, il descendit deux volées de marches pour se rendre à l'étage de Longway. La chambre du révérend était vide, quoique semée de signes de sa présence : un baladeur mal caché sous un oreiller, un paquet de Kool, une bouteille en plastique de Coca, un couvre-chef Kangol sur le lit et une paire de chaussures orthopédiques, bottes de cosmonaute posées l'une sur l'autre devant un petit placard.

Lorenzo entra, prit machinalement le Kangol et le mit sur la table de nuit : un chapeau sur un lit, mauvais signe. Résolu à traquer le pasteur, il arpenta les couloirs, si absorbé par ses propres angoisses qu'il ne remarqua Chatterjee que lorsque le médecin lui posa une main sur le bras.

— Salut, dit Council, qu'est-ce que vous faites ici, vous vous planquez ?

— Exactement.

— Ils vous rendent dingue, en bas ?

— J'ai eu quatre reporters qui se sont présentés comme patients, aujourd'hui. Est-ce que je pense qu'elle simulait ? Qu'est-ce qu'elle a dit ? Qu'est-ce qu'elle a fait ? A quoi ressemblaient ses blessures ?...

— Ouais, hein ? grogna Lorenzo, l'attention attirée par les allées et venues dans le couloir.

— Ma préférée : Vous pensez qu'elle est enceinte ?

— Doc, faut que je trouve le révérend Longway. Il est pas dans sa chambre.

Chatterjee eut un long sourire taquin puis le prit par le coude et l'emmena dans le couloir adjacent, où flottait une odeur astringente d'alcool. Il le conduisit jusqu'au seuil d'une salle de dix lits, avec l'expression, à peine contenue, de quelqu'un qui introduit un jeune garçon dans une fête d'anniversaire.

— Regardez, dit-il, indiquant près du mur du fond un malade étendu immobile dans une barre de soleil. Ils l'ont ramassé hier soir à l'asile de Randall Street. J'avais l'intention de vous téléphoner mais vous voilà.

L'offrande n'était pas Longway, comme il l'avait demandé, mais Mookie, le neveu assassin de Mère Barrett et d'Oncle Theo. En approchant du lit, il vit la poitrine creuse du jeune drogué révélée par le V de sa veste de pyjama déboutonnée, il vit les lésions violettes marquant çà et là sa peau sans lustre, comme de monstrueux agrandissements de ce que, imagina Lorenzo, les médecins de Mookie avaient vu au microscope.

Le malade détourna lentement la tête de la lumière de la fenêtre, fit face à Lorenzo, du côté qui se trouvait à l'ombre du lit, et mit quelques secondes à réagir. Council devina qu'il avait plus de dope dans le corps en cet instant qu'il n'en avait jamais eu dans la rue. Au bout d'un moment, Mookie parut enfin le reconnaître — un hochement de tête glacial qui mettait fin à une absence de conversation de cinquante-trois semaines — puis, touchant un de ses sarcomes en forme de trilobite, il murmura :

— Il est mort pour nous.

Lorenzo crut qu'il faisait référence à Oncle Theo, mais Mookie ajouta :

— Tu l'as accepté dans ton cœur ?

Lorenzo laissa quelques secondes s'écouler, passa une main sur sa bouche sèche.

— Toi, alors, dit-il d'un ton apaisant en tâchant de chasser le tremblement de sa voix. T'as réussi, t'as niqué le système. Plus de prison. Plus de... T'as réussi, chef.

Mookie tourna de nouveau la tête vers le soleil.

— Dis-moi que c'est toi, murmura Lorenzo. Dis-moi que c'est toi qui l'as fait.

Il songea que, comme le chapeau sur le lit dans la chambre de Longway, tomber sur Mookie aujourd'hui était un signe, l'annonce d'un changement de marée. S'il parvenait à faire avouer Mookie maintenant, la colombe prendrait le dessus dans les rues, ce soir.

Mookie ferma les yeux.

— Dis-moi que c'est toi. Allez, roucoula Lorenzo, plein d'amour. Tu me parles de Jésus et tu vas le rencontrer avec du sang sur les mains, tu comprends pas ça ? Allez, plus personne peut t'emmerder, maintenant, c'est fini pour toi. Dis-moi que c'est toi. (Mookie ouvrit les yeux, les referma.) Allez...

Lorenzo attendit, les jambes tremblantes de fatigue.

Les lèvres du malade s'écartèrent, ne bougèrent plus. Il dormait. Council eut un sourire de beau joueur, se redressa, alla jusqu'à la porte, fit demi-tour et se rua de nouveau vers le lit de Mookie.

— Va te faire foutre, siffla-t-il en se penchant vers lui. Toi et tes miches flinguées au sida...

Envahi d'un désespoir meurtrier, évitant les yeux agonisants qui le regardaient, Lorenzo quitta la salle pour de bon et se dirigea vers l'ascenseur. En passant devant la salle des visiteurs du quatrième étage, il aperçut Longway en peignoir de bain, s'entretenant avec deux autres pasteurs, le militant laïc Donald De Lauder et Curious George Howard.

La visite de De Lauder et des révérends n'avait pas nécessairement de signification, mais la présence de George, poster de la semaine contre l'injustice raciale, était révélatrice. Dans l'esprit de Lorenzo, la marche était une affaire conclue. Se tenant sur le seuil de la pièce comme un cocu furieux, il leur lança un regard noir auquel Longway répondit d'un geste faible de la main.

— Quand on parle du loup...

— C'est comme ça, expliquait le révérend, tassé sur lui-même dans son fauteuil en velours. On va aller chez eux, on va enfoncer leur porte, on va voir si ça leur plaît, à eux...

Lorenzo inclina sa chaise en arrière jusqu'à ce que ses épaules rebondissent doucement contre le mur. Il observa le révérend Longway dans ses pantoufles et son peignoir de bain, sa peau de malade gris cendre de cigarette. Il ne restait plus maintenant avec eux que Donald De Lauder et Curious George, qui portait encore au visage les traces de sa bagarre avec Danny Martin. Affalé sur le canapé comme pour échapper à la conversation, qu'elle vienne d'un côté ou de l'autre, il avait l'air aussi misérable que l'autre jour, attaché au bureau.

— Toute... toute cette rage, poursuivait Longway, si nous ne la canalisons pas, si nous ne la structurons pas, ce sera une nouvelle crise d'autodestruction...

De Lauder prit le relais :

— Brûler les réfrigérateurs, à Armstrong, c'est comme mettre le feu à sa maison parce qu'on en veut au propriétaire. C'est une mentalité de taulard, et il faut réorienter ce genre de raisonnement.

Lorenzo approuva d'un hochement de tête hésitant. Malgré le passé de martyr de De Lauder, il ne se sentait jamais à l'aise avec ce type. Peut-être injustement, Council ne faisait jamais confiance à quelqu'un qui s'était fait tirer dessus. Avoir vu la mort d'aussi près change les gens de façon permanente, croyait-il. Et de manière imprévisible. En outre, la trajectoire personnelle de De Lauder traversait la carte psychique d'un bout à l'autre. Après avoir survécu à ses blessures pendant le raid contre le QG des Panthères noires, dans les années 1960, De Lauder avait fait un procès à la ville de Newark, il avait quitté la police, était devenu une éponge. Deux ans plus tard, on l'avait arrêté pour vol à main armée. Il était sorti de prison au bout de quatre ans, désintoxiqué et fumasse. Bien que ne sachant pas parler en public, il s'était créé une troupe mobile de partisans, la « Ligue pour la Justice Maintenant ». Equipe d'intervention rapide, cadres détachés opérant des deux côtés de l'Hudson, ils souhaitaient soutenir les actions locales suite à n'importe quels incidents ou discours perçus comme étant de nature raciste.

De Lauder poursuivit son boniment :

— Personne ne veut voir les gens d'ici écoper. Ce que nous voulons, c'est leur colère. Nous pouvons en faire quelque chose.

Lorenzo se laissa rebondir contre le mur en pensant : Je vais t'en donner, de la colère.

— N'empêche qu'ils pourraient écoper.

— Ils écopent déjà, répondit De Lauder avec un haussement d'épaules. C'est toute cette improvisation d'amateurs qui cause les dégâts.

— Pourquoi il faut absolument que ce soit ce soir ? demanda Council, qui commençait à retrouver sa voix. Vous vous donnez presque pas de temps pour tout préparer.

— Pourquoi ?

A nouveau De Lauder. Longway, le visage flasque, avait l'air mal en point.

— Parce que ce sera pire ce soir qu'hier. Vous savez bien que cette fois la police ne restera pas l'arme au pied. En plus, il y aura toutes ces caméras, tous ces reporters. Il faut battre le fer pendant qu'il est chaud.

— Pendant qu'il est chaud, marmonna Council, qui commençait à avoir les boules. Et si quelqu'un est blessé ? Un jeune...

— Il sera blessé devant les caméras.

— Et tant mieux, parce que ça sera pour le bien de la communauté, c'est ça ?

Longway parut reprendre vie :

— Ecoute, tout ce que je veux, c'est que Gannon se montre sous son vrai jour. (Il se leva, peina à garder l'équilibre.) Je veux... je veux qu'on les voie à la télé en train de nous traiter de « négros ». Nous, de notre côté, nous ne ferons que marcher dans les rues, comme nous l'aurons annoncé.

De Lauder saisit l'avant-bras du pasteur pour l'aider à se tenir debout.

— Ce n'est pas parce qu'on va au zoo qu'on doit se conduire comme des singes, dit le militant laïc. Nous irons là-bas simplement pour... pour montrer au monde ce que notre présence suscitera comme réaction chez les gens de

Gannon. Et le monde regardera, vous pouvez me croire, parce que la situation dépasse largement le comté de Dempsy. Ça, vous devez le savoir. Ce qui est arrivé ici arrive un peu partout, c'est endémique.

Curious George siffla comme un radiateur, implora Council du regard — « Tire-moi d'ici » —, comme il l'avait fait deux jours plus tôt à Gannon.

— Comme je le disais au révérend avant votre arrivée, continua De Lauder, modelant les mots de ses mains, étant donné que les projecteurs seront braqués sur nous, il est essentiel de tout faire pour s'assurer qu'il n'y aura aucun incident de notre côté... (Lorenzo gardait son calme, attendait.) Je ne cherche absolument pas à prendre les rênes ici mais je peux vous offrir une aide considérable dans les deux domaines qui présentent le plus de risques pour vous : nombre de manifestants, et maîtrise de la situation.

« Parce que ce serait vraiment dommage que vous vous retrouviez une soixantaine ce soir. Il y aura plus de journalistes que ça. Je vais vous dire : Dempsy a un problème d'effectifs, depuis toujours. Le comté a toujours eu du mal à convaincre les Noirs de manifester, de se remuer le derrière.

Curious George se leva en marmonnant qu'il avait un coup de fil à donner et, sans attendre que les autres s'écartent pour le laisser passer, il fit maladroitement le tour des fauteuils et sortit, sous le regard de Longway et de De Lauder.

— Il fait quoi, là-dedans, George ? demanda Council au révérend. La pièce à conviction n° 1 ?

— Exactement, répondit De Lauder sans trace d'ironie.

— Ouais, ben, bonne chance.

— Les effectifs, je disais. Je vous fournis cent vingt-cinq membres de mon organisation, âgés de dix-huit à quatre-vingts ans. Ils ont la foi, ils ont l'expérience, ils savent comment se comporter dans une situation de ce type. Ils sont disciplinés. Ce qui nous amène au second point. Maîtrise de la situation... Je suis certain de la capacité de mes troupes à rester calmes, quelles que soient les provocations. Nous avons même notre propre service d'ordre. Vous, de votre côté, vous ne savez pas qui viendra, ni pourquoi. Certains seront là pour faire nombre. Formidable. Certains viendront parce qu'ils aiment les caméras et tout le bazar.

Et puis il y aura ceux — peut-être un ou deux, peut-être une douzaine — qui participeront pour foutre le bordel. Ils veulent que ça pète, ils veulent que ça brûle, et ces frères, en ce qui me concerne, ils pourraient aussi bien porter un drap blanc[1] pour tout le mal qu'ils nous font. C'est pourquoi je suis heureux de vous voir ici, Lorenzo.

Council se renversa en arrière, croisa les bras.

— Je ne sais même pas ce que vous pensez de la marche de ce soir, poursuivit De Lauder. Si vous l'approuvez ou non. Je pense que vous êtes partagé. Je sais en quoi consiste votre boulot, surtout dans cette situation, et si vous me dites, si vous nous dites : « Renoncez », je n'aurai pas le choix, j'obéirai. Mais si vous décidez de monter à bord, je ne vois pas ce qui pourrait nous aider davantage, question facteur multiplicateur de la chose. Vous voyez, vous, Rev ? demanda-t-il à Longway, qui semblait amusé par la réticence de Lorenzo. Et je ne parle même pas de la signification symbolique de la présence dans la marche à nos côtés de l'inspecteur ayant procédé à l'arrestation. Je parle du problème pratique et concret du contrôle de la foule. Parce que l'expérience me dit que ce sera plus difficile pour les crétins du quartier de se manifester si quelqu'un qu'ils connaissent marche à côté d'eux...

— Où est passé George ? demanda Longway. J'espère qu'il n'a pas pris la tangente.

— Il nous emmerde, George, lâcha Council, aussitôt gêné de s'attirer le regard désapprobateur des deux autres. Je vais le chercher, marmonna-t-il en quittant la pièce, pressé de disparaître.

George s'égosillait dans une cabine au bout du couloir.

— Où elle est, ma cassette, putain ! crachotait-il dans le téléphone. Quoi, tu l'as filée à Keisha ? Qu'est-ce qui te prend de prêter ma cassette ?... Non, non, non. (Il jeta un regard anxieux vers la salle d'où il venait de s'échapper.) Ecoute, je vais la chercher, là, tout de suite... Tout de suite... T'as intérêt à la récupérer... T'as intérêt, sinon je te balance mes deux pieds dans le ventre, tu m'entends ?

George raccrocha, fonça vers l'escalier, et Council ne fit rien pour le retenir. En retournant à la salle, il trouva Long-

1. Comme les membres du Ku Klux Klan. *(N.d.T.)*

way seul, De Lauder était parti pour une destination inconnue. Les deux hommes demeurèrent un moment silencieux dans la fraîcheur de la pièce, chacun attendant que l'autre commence.

— George est parti ? finit par demander le pasteur, comme s'il ne s'intéressait pas à la réponse.

— Comment ça se fait que j'apprends cette histoire de marche par la bande ? dit sèchement Lorenzo.

— J'ai pas voulu t'attirer des problèmes.

— Quoi ?

— Tu es l'inspecteur qui a résolu l'affaire. Je n'ai pas voulu te mettre dans une situation embarrassante.

— Dites pas de conneries.

Longway haussa les épaules, il n'avait rien à ajouter, et le silence revint, Council se perdant de nouveau dans le brouillard de ses propres préoccupations.

— Si la marche a lieu, qu'est-ce que vous en tirerez, d'après vous ? demanda-t-il au révérend d'un ton moins nerveux.

Longway leva et laissa retomber une main molle.

— Hé, on obtient ce qu'on peut. Tu connais le système. Une commission de contrôle, plus de flics noirs, plus d'emplois, un tournoi de basket. On obtient ce qu'on peut, tu sais bien comment ça marche...

Lorenzo vit des promesses, peut-être une commission de contrôle composée de mannequins. Inutile. Pire qu'inutile, parce que les autorités pourraient s'en prévaloir pour déclarer : « Vous voyez ce que nous avons fait pour vous ? »

— Alors, tu es dans le coup ? voulut savoir Longway.

— Je sais pas. Si oui, vous me verrez là-bas.

— D'accord.

— Comment vous allez faire pour conduire une marche ce soir ? Vous avez l'air salement malade.

— Tu plaisantes ? Toute ma vie j'ai attendu ça.

— « J'ai » ? répéta Lorenzo sur un ton de reproche.

Mais Longway ne releva pas.

— Je vais te dire, si ça dégénère, si quelqu'un est blessé, j'espère du fond du cœur que ce sera moi. (Lorenzo ferma les yeux, se passa une main sur le visage.) Quoi ? dit le révérend avec irritation.

— Rien, je vous écoute.

— Comment se fait-il que, chaque fois que les gens du coin sont prêts à bouger, tu les retiens par le pan de leur chemise ?

— Il y a bouger et bouger, argua Council. La plupart du temps, quand je dois retourner un cadavre, c'est parce que quelqu'un a eu envie de bouger.

— Ah ! arrête ces foutaises, grogna Longway. Comment tu pourrais ne pas participer ? (Council se sentit couler, physiquement, mentalement.) Qu'est-ce qui se passe, Lorenzo ? lui demanda Longway, presque tendrement.

C'était le pasteur, le vieil ami qui parlait maintenant. Emu par la chaleur tranquille de sa voix, Lorenzo se décrispa.

— Je veux juste que les gens soient en sécurité, dit-il avec conviction.

Longway se renversa dans son fauteuil, laissa ses mains retomber sur ses cuisses.

— En sécurité, dit-il. En sécurité pour faire quoi ?

En quittant l'hôpital, Council eut la surprise de voir Bobby McDonald dans le hall, et la présence de son chef en ce lieu, en cet instant, le rendit nerveux.

— Ah ! te voilà, lança McDonald avec un sourire.

— Me voilà, répondit Lorenzo, qui attendit.

— Comment va le Rev ?

— Bien. Il sort aujourd'hui, je crois.

— Bien, bien, dit Bobby, clignant des yeux dans le soleil. Tu finis les rapports d'arrestation aujourd'hui ?

— A mon retour au bureau.

— Parce que j'aurais dû les avoir hier. Mais je comprends, les choses s'accumulent...

— Ils seront prêts aujourd'hui, déclara Lorenzo.

— Parfait. (McDonald toussa dans son poing.) Je peux te poser une question ? Qu'est-ce que tu penses de la marche de ce soir ?

C'était parti.

— Ça vaut mieux que mettre le feu à la baraque, répondit Council en haussant les épaules.

— Ouais ? dit son boss, qui semblait avoir sincèrement envie d'y croire. Tu... tu y participes ?

— C'est possible. Pour les aider à garder le contrôle de la situation.

— Ah ! ouais ? Je sais pas. Moi, j'ai plutôt l'impression que... commença McDonald. (Il poussa un soupir.) Je sais pas, tu viens de faire de l'excellent boulot en bouclant cette affaire, en essayant de maintenir le calme, hier soir. Je veux dire, que tu le saches ou pas, tu t'es fait de nouveaux amis...

Lorenzo attendit la suite.

— Chacun est libre de faire ce qu'il veut mais... Je sais pas, frère, il reste quelque chose comme deux secondes au compte à rebours, pourquoi tu foutrais la merde maintenant ?

Lorenzo demeura dans le hall jusqu'à ce que McDonald soit parti puis prit la direction du parking. Dans sa voiture, il décida de couper aux rapports promis et de retourner à l'appartement de sa mère dormir quelques heures. Il n'arrivait pas à faire le point dans sa tête, si ce n'est pour se rendre compte qu'il était au bout du rouleau et qu'il ne devait plus voir personne. Il avait perdu toute souplesse ; il savait que s'il ne se retirait pas un moment de la circulation il finirait par exploser, et probablement pas à bon escient.

En se garant dans le cul-de-sac de Hurley Street, il vit la voiture du maire s'éloigner — avec celle du directeur de la police dans son sillage — et se souvint qu'un autre flic lui avait appris, le matin même, devant la chambre d'hôpital de Brenda, qu'après la conférence de presse et les arrestations de la veille le thème d'aujourd'hui serait « Ville ouverte », Dempsy se transformant en un vaste atelier citoyen, faisant un numéro à la fois pour les habitants et la presse. Etaient prévus une réunion des habitants avec le maire et le directeur de la police, à Armstrong ce matin — elle venait apparemment de se terminer —, un atelier « Restons Cool » pour les jeunes du quartier, un rassemblement « Halte à la Violence », cité Roosevelt, un office interracial, inter-confessionnel, à l'église Saint Michael, une réunion d'Invictus pour les flics noirs, une autre à l'hôtel de ville en vue de mettre sur pied une commission de contrôle civile sur la conduite des policiers ; enfin, plus tard, une visite chez Miss Dotson : le maire et tous ceux qu'il aurait réussi à faire venir, par la persuasion ou l'intimidation, feraient la paix avec la famille de Curious George Howard.

En se dirigeant d'un pas lent vers le Bâtiment 5, vers son lit d'enfant dans sa chambre d'enfant, Council vit cette journée d'attrape-nigauds comme une variante haut de gamme du jeu de la Salade de Fruits de Brenda : les pontes se dépassaient les uns les autres dans les ascenseurs, les couloirs, les parkings, se croisaient aux portes des salles de réunion, le tout, à ses yeux, ne constituant qu'une vaste connerie.

— Je m'appelle Isaac Hathaway et je suis ici aujourd'hui parce que je vous aime.

Cette déclaration liminaire provenait de la garderie installée au rez-de-chaussée, à côté des ascenseurs du Bâtiment 5, et Lorenzo traversa le hall avec réticence pour jeter un coup d'œil. Deux douzaines d'ados et quelques gosses plus jeunes étaient assis en demi-cercle face à l'intervenant, un Noir à la peau claire d'une trentaine d'années qui avait cette allure récurée, ego assagi, de l'ex-drogué, de l'ex-taulard réhabilité depuis quelques années. Sa chemisette bon marché et son pantalon de toile étaient amidonnés, propres, anonymes ; il avait la voix et l'œil clairs mais sa tempe gauche portait la marque d'une entaille, et une cicatrice courait, telle une sangsue décolorée, à l'intérieur de son avant-bras.

— Avec votre permission, je répète... (Il attendit un moment pour laisser passer les vannes, le moment de gêne.) Je m'appelle Isaac Hathaway et je suis ici aujourd'hui parce que je vous aime. (Il sourit aux garçons qui ricanaient.) Je t'aime, je t'aime, je t'aime, dit-il à chacun, faisant méthodiquement le tour du demi-cercle.

Lorenzo, furieux, comprit aussitôt que quelqu'un avait fait une bourde et organisé un atelier « Respect de Soi » au lieu d'un atelier « Restons Cool ». Il y avait toujours quelqu'un pour commettre une boulette, dans cette cité.

— Je t'aime, je t'aime, je t'aime, et j'aime même le frère assis sous la fenêtre qui fait semblant de dormir, poursuivit Hathaway avec entrain en montrant un gosse de quinze ans au visage renfrogné adossé au mur.

Il s'appelait Daniel Bennett, et Lorenzo, en le voyant assis comme ça, les genoux contre le menton, fut soudain pris d'une envie étonnamment forte d'aller lui coller une baffe. Ce n'était pourtant pas un mauvais cheval.

— Mais le plus important, reprit Hathaway, qui marqua un temps d'arrêt, c'est que je m'aime, moi.

Il essuya une autre vague de moqueries et continua :

— Je suis d'ici, vous savez. Comme vous. Mais je n'y vis plus. Hum, hum. Je me suis dégoté une maison. Une petite maison à Jersey City. Elle est petite mais elle est à moi. J'ai une femme, un fils, un toit sur la tête. Je m'en suis sorti, conclut-il en leur adressant son grand sourire. Je m'en suis sorti. Vous allez me demander : « Comment t'as fait, Isaac ? », et je vous répondrai. Je m'en suis sorti grâce à l'instruction. Est-ce que je suis allé à l'Ecole 22, comme vous tous ? Non. Moi, je suis allé à l'école de la baston. Je vous montre mes diplômes.

Hathaway leva le bras à la cicatrice.

— Voilà ma licence...

Sous les yeux, attentifs maintenant, des adolescents, il défit sa cravate, déboutonna sa chemise, en sortit l'épaule gauche, toucha une blessure par balle.

— Ma maîtrise...

— Ho ! s'exclama un des jeunes.

Council était écœuré : ce genre de leçon de choses foirait invariablement, les jeunes en sortaient plus excités qu'« éveillés ».

— Et là... (Hathaway dénuda son ventre pour leur montrer une autre longue cicatrice au-dessus du nombril.) Mon doctorat.

— Oh ! la vache !

Les garçons étaient radieux, les filles échangeaient des commentaires derrière un écran de mains.

— Ou vous changez, ou vous crevez, annonça Hathaway.

— Vous changez le pneu crevé, dit un petit malin, faisant éclater de rire ses voisins.

— On va voir un peu ce que ça signifie, mais d'abord, je veux savoir qui vous êtes, alors vous allez vous présenter, l'un après l'autre, vous dites votre nom, et je veux que vous ajoutiez : « Et je m'aime. » D'accord ? Je commence parce que j'aime dire que je m'aime. Donc, je m'appelle Isaac Hathaway et je m'aime. Allez-y, cette fille d'abord...

— Excusez-moi, intervint Lorenzo, paralysant le public

de Hathaway, il faut que je parte mais avant, je voudrais vous donner quelques tuyaux qui vous serviront dans les jours qui viennent. Des tuyaux pour survivre. Pas de théories, pas de discours. Des faits.

Il se mit à arpenter la salle en les regardant et répéta :

— Des faits. La police est furax. La police est sur les nerfs. Et les flics que vous verrez ici ce soir, ou demain soir, ils vous connaissent pas. Ils savent pas ce que vous avez dans la tête, qui est votre mère, si vous êtes de bons, de mauvais gosses. Tout ce qu'ils savent, c'est qu'ils sont à bout de nerfs, comme vous.

« "Bouge pas", ça veut dire "Bouge pas". Ça veut pas dire "Fais encore un pas", ou "Agite le bras". Ça veut pas dire "Tourne le dos", ni "Montre à ta copine que t'en as". *Bouge pas*, ça veut dire *Bouge pas*. On écoute l'officier de police parce qu'on est peut-être, sans le savoir, la goutte qui va faire déborder le vase, beuglait Lorenzo. Toutes les façons de mourir, je les ai vues, et j'en ai marre. Marre d'assister à l'autopsie et à l'enterrement de jeunes qui sont exactement comme vous. Vous voulez entendre le meilleur avis qu'on puisse donner pour les jours qui viennent ? Restez chez vous. Regardez la télé. Lisez un bouquin. Ne foutez pas le souk. Merci.

— Merci à vous, répondit Isaac Hathaway avec une assurance prudente.

Lorenzo sortit, les yeux embués de colère. L'instant d'après, il arpentait le passage couvert, furieux contre cet atelier inutile, furieux contre Longway, De Lauder, Curious George et lui-même. Furieux aussi contre les flics, contre l'idée que les flics reviendraient cerner ces tours à la tombée de la nuit, effrayés, prêts à n'importe quoi, s'attendant au pire. Les jeunes de la cité n'avaient rien fait d'autre pour mériter d'être exposés à cette nervosité en armes que d'avoir le malheur d'y habiter après la supercherie de Brenda.

Livide, marchant de long en large, Lorenzo sauta finalement la barrière pour se retrouver dans le camp de Longway et pensa : Le Rev a raison, c'est leur tour.

30

Après la mise en accusation télévisée de Brenda, Jesse se rendit au Centre médical pour voir son frère. Elle redoutait cette visite, sachant qu'il ferait tout pour endosser la responsabilité de sa blessure et lui offrir sur ce point un quitus qu'elle accepterait probablement volontiers.

Comme elle roulait sur le JFK, le bruit sourd d'un projectile jeté contre la voiture de Ben lui fit donner un brusque coup de volant puis lancer la Chrysler à fond dans le boulevard. Ce ne fut que lorsqu'elle s'engagea dans le parking du centre qu'elle risqua un coup d'œil à l'étoile brisée de la vitre avant droite. Elle pensa que Ben trouverait un moyen de se rendre responsable de ça aussi.

En montant les larges marches de l'entrée principale, elle croisa Willy Hernandez, le flic qui gardait les lieux le soir où elle avait fait la connaissance de Brenda. Il descendait le perron, la main gauche disparaissant sous un gros pansement.

— Qu'est-ce qui t'est arrivé ? lui demanda Jesse, ravie de ce contretemps.

— J'étais à Roosevelt, hier soir. Tu sais, les volontaires pour maintenir l'ordre, expliqua Willy, les pieds sur deux marches différentes. J'ai passé la nuit là-bas, tendu, putain ! mais on a réussi à empêcher la casse — pas de violence, pas d'arrestations — jusqu'au lever du soleil. Je rentre chez moi, cinq minutes plus tard, je pète un verre, je me charcute la paume. Quinze points de suture, je ne pourrai sûrement plus jamais jouer du violon.

— Merde, dit Jesse, qui n'écoutait pas vraiment. Alors, ça va ? (Il la dévisagea d'un air décontenancé.) Qu'est-ce qu'on raconte, pour ce soir ?

Willy haussa les épaules.

— Ce soir ? On va y couper, il paraît. Ils vont faire ça ailleurs.

— Qui, « ils » ?

— Longway, quelques autres. Ils préparent une marche dans Gannon, crois-le ou non.

— Plutôt non, dit Jesse, mettant l'information en réserve.

— Moi, j'arrive pas à savoir si c'est une connerie ou si je suis con de penser que c'est une connerie.

Quand Willy recommença à descendre les marches, Jesse décida de retarder encore sa visite en s'asseyant sur le perron pour reprendre la rédaction de son article. Son désir de repousser le moment de voir Ben la rendit pour une fois productive. Elle écrivit et réécrivit pendant près d'une heure, tapant sur son portable, et ne cessa qu'en voyant Paul Rosenbaum, l'avocat de Brenda, sortir du bâtiment, flanqué de collaborateurs et suivi de reporters.

Rosenbaum fit halte sur le palier, tint sa serviette contre sa poitrine comme une écolière tandis que les journalistes qui l'avaient suivi — y compris Jesse, et d'autres venant d'arriver — formaient le cercle habituel. L'avocat sourit patiemment en attendant que son auditoire se mette en place puis attaqua sans préambule :

— Ce qui se passe ici est à la fois grotesque et inhumain. Il n'y a pas eu homicide. La police, cherchant un bouc émissaire pour sa propre conduite indélicate et raciste, s'est braquée sur la personne qui souffre le plus de ce tragique accident.

Comme s'il n'avait pas conscience du boucan infernal de la ville à l'heure du déjeuner, il parlait à voix basse, d'un ton mesuré, et après s'être rendu compte qu'ils manquaient la moitié de ce qu'il disait, les reporters devinrent silencieux, silencieux et attentifs. Jesse connaissait suffisamment Rosenbaum pour savoir que c'était calculé, ce choix d'un endroit bruyant pour parler à mi-voix, forcer gentiment son auditoire à écouter ce qu'il avait à déclarer et, par voie de conséquence, à se garder de conclusions hâtives.

— Notre cabinet est noyé sous un déluge de lettres et de coups de téléphone concernant le sort de Brenda Martin. Nous n'avons jamais rien eu de tel pour aucun autre client que nous avons représenté... Ces messages, je dois le dire, sont parmi les plus émouvants qu'il m'ait été donné de lire ou d'entendre...

Il s'arrêta, parcourut lentement son public, visage après visage, adressa à Jesse un sourire fugace en guise de salut.

— A ceux qui ont envoyé des lettres obscènes, des lettres de menace... (Nouvelle pause.) Je dis ceci : si vous cherchez à la rendre plus malheureuse qu'elle ne l'est déjà... Si vous essayez de la faire souffrir plus qu'elle ne souffre déjà... Vous perdez votre temps.

« Au cours de ces quatre jours infernaux, Brenda a tenté désespérément d'échapper à la réalité de la mort de son fils. Mais hier, sa dernière illusion a volé en éclats... Et elle vit à présent un tourment indicible.

« Songez, je vous prie, à l'endurance qu'il lui a fallu pour entretenir cette illusion. Songez au nombre de gens pris dans les rets de cette illusion. Songez à la réaction en chaîne d'affliction, de souffrance provoquée par ce fantasme désespéré...

Rosenbaum marqua un autre temps d'arrêt avant de poursuivre :

— Songez, enfin, à l'énergie du refus qui a mû cette femme torturée luttant pour affronter la perte de l'être qu'elle chérissait plus que tout. A présent, tout le monde la rejette : sa famille, ses amis, et même ceux de la communauté à laquelle elle a dédié toute sa vie professionnelle. Ce soir, ou demain matin, quand on jugera son état satisfaisant, elle sera transférée de l'hôpital à la prison du comté de Dempsy et mise en isolement, enfermée dans une cellule de deux mètres sur cinq, soumise vingt-quatre heures sur vingt-quatre à une surveillance vidéo renforcée tous les quarts d'heure par une visite des gardiens. On lui donnera des vêtements en papier, et peut-être une bible...

« On appelle ce régime la détention préventive, mais gardiens et détenus lui feront subir des violences verbales incessantes. On crachera dans sa nourriture ; elle entendra par les conduits d'aération de sa cellule un flot ininterrompu de menaces et de défis provenant des autres cellules, reliées par le système d'air climatisé de la prison. Un des moyens favoris, pour torturer ceux qui sont accusés du meurtre d'un enfant... c'est d'imiter des pleurs de bébé...

Jesse, qui le savait, n'en tressaillit pas moins. Quelqu'un près d'elle émit un grognement de compassion.

— Mais rien, rien de ce qu'on pourra lui infliger n'approchera ce qu'elle s'inflige elle-même pour n'avoir pas été capable de sauver la vie de son fils. On la mettra en isolement, on prétendra que c'est pour son bien. Mais la violence physique et mentale, voire l'éventualité d'une mort violente, n'est rien comparée à la torture de vivre le reste de sa vie sans son fils...

« Homicide... (Rosenbaum parut goûter le mot, ce qu'il avait d'outrageant.) Homicide. Nous prouverons au tribunal que la mort de Cody Martin était accidentelle mais je vous dirai une chose : le sentiment de culpabilité que cette femme commence à éprouver est en soi une sorte d'homicide au ralenti...

« Je crois savoir que le district attorney a décidé de ne pas réclamer la peine de mort, mais s'il change d'avis et s'il cherche un bourreau, qu'il soit assuré que Brenda Martin appuiera volontiers elle-même sur le bouton.

Rosenbaum s'écarta d'un pas avant de conclure :

— Le ministère public devrait avoir honte. Merci, j'espère vous retrouver tous au procès.

Jesse s'éloigna tandis qu'aux déclarations de l'avocat succédait la phase questions-réponses. Il n'y aurait pas de procès, Jesse pariait sur un accord entre défense et accusation, avec l'homicide par négligence criminelle toujours grand favori. Mais Rosenbaum avait raison : meurtre, mise en danger de la vie d'autrui, homicide, avec ou sans négligence criminelle — quelle importance ? Brenda serait sa propre geôlière, et une geôlière impitoyable, qui plus est. Tandis que lui parvenait le bourdonnement de l'interview de groupe, Jesse ressentit soudain un pincement glacé de panique dans le ventre, s'estima vaguement responsable des souffrances de Brenda. Elles avaient joué l'une contre l'autre, se dit-elle, chacune forgeant le mensonge requis pour remporter la partie.

— Jesse… (La voix de Rosenbaum la fit se retourner.) J'ai bien aimé ce que vous avez écrit sur les moments passés seule avec elle. Je suis sûr que cela n'a pas été facile.

Il souriait comme s'il était heureux de la voir, et il émanait de sa personne une impression de bénédiction morale tout aussi possessive que la brusquerie de Karen Collucci.

— Elle a demandé de vos nouvelles, ajouta-t-il.

— Qu'est-ce que vous voulez dire ?

A la fois ravie et sur ses gardes, Jesse se préparait à un coup fourré.

— Vous étiez sa seule amie, en quelque sorte…

Elle en était certaine, maintenant : il essayait de l'amadouer, il souhaitait qu'elle témoigne pour la défense. Jesse se demanda si Brenda lui avait parlé de son enfant fictif, oui, elle avait dû en parler à ce père-la-vertu content de lui, à ce maître chanteur à l'humanisme mou qui lui avait déjà mis une fois le nez dans son caca.

— Vous allez bien ? s'enquit-il.

— Jamais été mieux, rétorqua Jesse.

Elle lui tourna le dos, monta en trottinant le reste des marches. Une visite à son frère lui semblait tout à coup le moindre des maux.

La télé en location installée au-dessus du lit de Ben était branchée sur CNN, qui repassait un reportage réalisé devant le tribunal de mise en accusation. Les reporters interviewaient tous ceux qui portaient un badge Cody ou un T-shirt orné du portrait-robot de l'agresseur. L'entrée de Jesse prit Ben par surprise et, bien qu'il fût sous perfusion, il se redressa dans son lit, chercha fébrilement la télécommande pour couper le son, sachant que sa sœur ne supportait pas d'entendre les commentaires.

Il rougit, gêné, toucha le large pansement carré sur sa joue recousue.

— C'est entièrement de ma faute.

— Ah ! tu fais chier.

— Pourquoi ? dit-il, l'air plus ahuri que blessé.

— Parce que… Rien.

Le silence s'installa entre eux tandis qu'ils regardaient sans les voir les images de CNN.

— Tu sais, dit enfin Ben, si jamais je me mettais en colère contre toi comme tu le fais avec moi, tu te briserais comme du verre.

Stupéfaite par la remarque de son frère, dont le ton calme constituait en soi une preuve de sa justesse, Jesse bredouilla rapidement :

— Je suis désolée.

Ben battit aussitôt en retraite :

— Non, je voulais juste dire...

— Je suis désolée, répéta-t-elle, dégoûtée d'elle-même, les larmes aux yeux.

— Jesse, allez, je ne voulais pas...

Un tremblement argenté sur l'écran la tira de son apitoiement sur elle-même : CNN diffusait maintenant une vidéo amateur montrant Brenda et Cody ensemble au Club d'Etudes.

— Seigneur, soupira-t-elle en se penchant vers le lit de son frère.

La mère et le fils, assis côte à côte, travaillaient à la construction d'une maison en bâtonnets gluants de colle. Brenda, courbée au-dessus de la table pour enfants, ne cessait de jeter des regards embarrassés à la caméra, tandis que des gosses plus âgés couraient à l'arrière-plan. Cody, ignorant qu'il était filmé, s'absorbait dans sa tâche en fronçant les sourcils, se grattait de temps à autre le nez ou touchait le bras de sa mère. Tous les gestes, tous les regards de Brenda, le moindre mouvement de la bouche ou de l'œil semblaient, à la lumière des récents événements, lourds de menace.

Habituée à ce genre de perspicacité rétrospective, Jesse n'était absolument pas émue par l'image de Brenda mais découvrit qu'elle n'était pas du tout préparée à la claque que constituait celle de Cody Martin vivant.

Il avait été pour elle une abstraction, un être dont l'existence hypothétique se réduisait à des photos, à des anecdotes et à une chambre vide. A présent, les regards machinaux qu'il coulait vers sa mère, l'expression de fascination et de timidité mêlées qui s'inscrivait sur son visage quand un enfant plus âgé d'Armstrong se penchait tout à coup au-dessus de la table, l'écartement de ses doigts lorsqu'il frottait une paume collante sur le devant de son

T-shirt, toutes ces choses et chacune d'elles, c'était trop, trop, et Jesse, prise au dépourvu, sentit l'enfant se ruer en elle, ainsi que, par extension et pour la première fois, l'horreur, l'horreur absolue de sa mort.

Avec Cody revint Brenda, chaque souvenir fragmenté d'elle pendant ces derniers jours : ses yeux gris, son sommeil torturé, sa démarche titubante dans la chaleur accablante, le contact humide et froid de sa peau, aussi — tout cela revenait, dans le contexte de l'enfant vivant qu'elle avait perdu, et ce que Jesse éprouvait maintenant, c'était de l'amour, un amour précieux et craintif pour ces deux êtres. Ils l'avaient envahie, ils s'étaient installés en elle, étaient devenus une partie d'elle.

— Comment ils ont... Où ils ont dégoté cette vidéo ?

— Tu veux que je cherche ? proposa son frère, toujours prêt à aider.

L'image changea de nouveau, montrant cette fois des gens se tenant, seuls ou en groupes, devant la façade de l'Incendie de Chicago, à Freedomtown, les bras croisés sur la poitrine ou prenant des photos, ou essuyant une larme, dansant d'un pied sur l'autre, personne ne bougeant vraiment. La terre piétinée était recouverte de fleurs, de jouets et de ballons de baudruche.

Jesse tendit la main vers la télécommande, augmenta le volume du son :

« Ici, Tim, les habitants du coin ont surnommé ce triste lieu le Mur des Lamentations. »

Jesse sortit.

Avec l'annonce de l'arrestation de Brenda, et sa mise en accusation, le lendemain, le débarquement médiatique avait de nouveau multiplié ses métastases : davantage de camions de retransmission, de camionnettes de reportage et d'équipes de tournage déboulant des tunnels Holland et Lincoln en provenance de l'est, ou arrivant du sud par le péage du New Jersey et l'autoroute du Garden State[1], les nouveaux venus envahissant les rues de Gannon et de Dempsy comme des touristes débarquant d'un autocar. Jesse

1. Surnom donné au New Jersey. *(N.d.T.)*

n'avait aucun mal à distinguer les derniers arrivés : cela se voyait dans le pli du pantalon, l'avidité du regard, l'expression fiévreuse. Les « bleus » tentaient d'absorber l'univers de cette histoire en quelques bouchées pour s'intégrer le plus vite possible à la scène, physiquement et mentalement, et entamer la quête d'un point de vue inexploré.

Le comté lui-même avait changé et pris, temporairement du moins, l'aspect d'un musée des horreurs en plein air : c'est là qu'elle prétendait avoir été agressée, c'est là qu'elle vivait, c'est là que vivait son mec, c'est là qu'elle travaillait, là qu'elle louait des cassettes vidéo, là que les réfrigérateurs avaient brûlé. C'est là qu'elle avait avoué, là qu'il avait avoué, chaque lieu banal devenant une sorte de sanctuaire sinistre. Incontestablement, le clou du spectacle était l'endroit où l'enfant avait été enterré, dans les ruines de Freedomtown. La façade de l'Incendie de Chicago s'était transformée en aimant tragique tant pour les journalistes que pour les « civils », une masse de gens — les curieux, les affligés, les titillés — se sentant obligés de se tenir sous le mannequin ravagé.

Le sol, jonché d'offrandes, et la façade, dont la partie inférieure disparaissait sous un manteau de messages personnels — poèmes, lettres, prières, à l'enfant, à la famille, au public, à Dieu, fixés avec des punaises et du ruban adhésif, ou simplement glissés entre les planches vermoulues —, conspiraient pour camoufler ce lieu désolé, le transformer en un endroit heureux, festif. Sa solitude, sa déréliction étaient masquées par un blizzard de couleurs vives et de papotages humains, par le soleil réfléchi par la baie — un pique-nique noyé de larmes.

En errant dans la foule, Jesse remarqua que la plupart des gens avaient tendance à rester sur place, comme enracinés, tenant leurs très jeunes enfants dans leurs bras. Seule agitation, les tentatives des plus grands, ceux de trois ou quatre ans, pour s'emparer des jouets déposés sur la « tombe », les GI Joe, les Roi Lion et les Hercule étendus parmi les bouquets et les croix en polystyrène. Les gosses essayaient d'attraper les ballons Mickey, les bolides Mattel ; les mères, les grands-mères les tiraient en arrière, s'agenouillaient et faisaient les gros yeux, les grondaient en agitant le doigt comme si les enfants se conduisaient mal à l'église, chacun d'eux répondant, à sa manière balbutiante : « Alors, pourquoi tu m'as fait venir ici ? »

Jesse constata que les pierres avaient disparu : le cairn de Billy avait sans doute été démonté et chapardé pierre après pierre par les chasseurs de souvenirs, de même que les rubans de plastique jaune délimitant le lieu, les boîtes de pellicule vides, les gants en caoutchouc abandonnés, tous les détritus d'une exhumation tombant toujours rapidement dans les mains de la première vague de pèlerins. La terre de la tombe elle-même avait été emportée, poignée après poignée, jusqu'à ce que le trou soit trois fois plus grand qu'à l'origine, fosse béante aussitôt remplie de fleurs.

Jesse parcourait le lieu comme si c'était un hôpital de campagne, notait les détails visuels et les bruits sur son bloc : un homme en costume pleurant dans un téléphone cellulaire, un dessin au crayon de Jésus faisant signe, un bras tendu, avec ces mots écrits dans une bulle au-dessus de sa tête : « Viens, mon enfant », un téléphone de plastique vert collé à un cœur en polystyrène surmontant cette inscription : « Jésus a appelé. »

A distance respectueuse, elle observa discrètement une jeune femme blonde au visage rouge et gonflé qui demandait à la fillette de deux ans qu'elle tenait dans ses bras :

— Tu sais dire : « Jésus m'aime ? » (L'enfant se blottit plus étroitement contre l'épaule de sa mère.) Tu le dis pour Maman ? insista la femme d'une voix brisée. (Le refus de la petite fille faisait grimper la voix de la mère dans les aigus.) S'il te plaît ?

Une autre mère, pliée en deux pour être à la hauteur de son garçonnet, lui murmurait au visage :

— Tu vois ce qui arrive quand on n'est pas sage.

Jesse avança lentement vers la façade, portée par le flot des voix.

— J'ai entendu dire que le gosse a été violé...

— Par qui ? Par elle ?

— Non, par le type. C'est pour ça qu'ils l'ont tué.

— D'un mal Dieu fait un bien, vous verrez.

— On ne sait pas encore toute l'histoire, croyez-moi...

— Elle aurait dû dire au père : « Prends-le, ce gamin, c'est ton tour. »

— Entendre ce petit garçon lui dire « Maman, je t'aime », ça ne lui suffisait pas, faut croire.

— Dieu aussi a perdu un fils, vous savez.

Un autre garçonnet, levant les yeux vers sa mère, commenta d'un ton dérouté mais sobre :

— Je croyais qu'on tuait les enfants avec des épées.

Assez. Jesse referma son bloc, promena le regard sur le tableau d'affichage céleste, lut un poème écrit au Magic Marker :

Ça ne se termine pas sur ce sol boueux
Le petit Cody est dans les bras de Dieu
Va, petit ange, t'ébattre et jouer
Nous nous retrouverons tous au Jugement dernier

A côté, cette déclaration, proprement tapée à la machine :

Le sacrifice de cet enfant n'a pas été vain. Il nous unit tous, Blancs et Noirs, par le lien de notre tristesse commune. Il nous rappelle que nous sommes tous humains et que la souffrance nous touche tous. Va vers Dieu, maintenant, petit ange, et merci.

Derrière elle, Jesse entendit une femme dire :

— Je n'ai pas pu m'en empêcher non plus. C'est plus fort que moi.

Effrayée, elle se retourna mais ne vit personne à portée de voix qui aurait pu prononcer de tels mots. Sentant une main sur son épaule, elle se tourna de nouveau vers la façade en bois, se retrouva face à un homme magnifique à la peau bleu-noir, un archange.

— Pourquoi vous êtes ici ? dit-il avec douceur.

— Quoi ? répondit Jesse, clignant des yeux.

— Qu'est-ce qui vous a décidée à venir ici ?

Jesse le fixa en se demandant s'il était réel.

— Qu'est-ce que vous voulez dire ?

— Je travaille pour le *Dispatch*, expliqua l'apparition, agitant son bloc-notes de reporter.

— Dégage, lui rétorqua Jesse en lui montrant le sien.

Elle s'éloigna en pataugeant dans les flaques de chagrin, une odeur à peine perceptible de pourri l'accompagnant jusqu'à la voiture.

31

La marche avait été fixée à cinq heures du soir. Lieu de rassemblement : le cul-de-sac de Hurley Street, en bas de la Cuvette.

On espérait qu'à cette heure-là la chaleur et l'humidité seraient tombées à un niveau acceptable et que, si le cortège s'ébranlait sans trop de retard, il resterait assez de temps pour que la marche se termine à la lumière du jour. Personne ne souhaitait une dispersion massive dans le noir, la dissolution étant le moment le plus imprévisible de toute manifestation de cette nature.

Les choses ne se passèrent pas comme prévu. A cinq heures moins le quart, l'humidité assenait encore alentour sa gifle moite, et Lorenzo, inspectant la foule de Hurley Street, dénombra autant de journalistes que de marcheurs. Il trichait, d'ailleurs, ajoutant pour faire bonne mesure des dizaines d'enfants — certains courant pieds nus, n'allant nulle part — et tous les abrutis tapis dans les entrées des immeubles, reculant vers le vide obscur des cages d'escalier chaque fois qu'il arrivait à établir le contact visuel. Donald De Lauder et ses cent vingt-cinq bonshommes étaient invisibles.

Durant la demi-heure qui suivit, cependant, les cars continuèrent à arriver, les autobus des transports publics déposèrent des renforts — certains venant de Dempsy, d'autres d'ailleurs — et, vers cinq heures et quart, cinq heures et demie, Council dut reconnaître que la participation était devenue honorable. Pour la plupart des manifestants qu'il voyait, cette participation le réjouissait — familles, anciens, hommes d'un certain âge et d'une certaine prestance —, mais d'autres représentaient un danger potentiel, et Lorenzo accueillit l'une après l'autre les voitures bourrées de jeunes en s'approchant aussitôt d'eux et en leur demandant, les yeux dans les yeux : « Vous êtes là pour la manif, les gars ? Je suis l'inspecteur Lorenzo Council. » Il leur serrait la main un par un, en ajoutant : « Merci de votre soutien. »

La foule continuait à grossir — encore des voitures, encore des renforts, dont deux conseillers municipaux — et Lorenzo commençait à respirer un peu mieux, mais toujours aucun signe de De Lauder. Entre deux voitures garées, à l'ombre du mur de soutènement de la voie ferrée, le révérend Longway, le visage quelque peu marqué par son séjour à l'hôpital, formait un cercle avec trois autres pasteurs qui se tenaient par la main et priaient, le menton sur la poitrine. Ils étaient entourés par trois cameramen accroupis qui avançaient en canard, et filmés d'en haut par un quatrième, perché sur la clôture surmontant le mur, agrippant d'une main le grillage tout en prenant une vue aérienne des crânes pastoraux.

Lorenzo vit Tariq Wilkins — le jeune qui avait essayé de descendre en rappel par la fenêtre de sa chambre, le premier soir — se frayer un chemin sur ses béquilles pour traverser la Cuvette, sa grand-mère dans son sillage. Puis apparut Teacher Timmons — l'adolescent que Danny Martin avait castagné ce même soir —, descendant vers Hurley avec sa mère. Le seul qu'il ne voyait pas, le seul qu'il avait besoin de voir, c'était Curious George Howard.

Une autre équipe de démolisseurs arriva, douze gars, tous en pantalons de treillis trop amples, émergeant de trois Jeep immatriculées à New York. Lorenzo refit son numéro, poignées de main à la ronde assorties du regard d'acier, repéra un renflement sous la toile kaki.

— Qu'est-ce que t'as là, chef ?

Le jeune interrogé — dix-huit ans, trapu, le crâne rasé — pêcha dans une poche une canette de Coca en verre. Quand Lorenzo lui demanda de la boire tout de suite et de la jeter, ses compagnons tournèrent sur eux-mêmes, hilares, avec de grands « Ah merde ! », leur copain s'étant fait choper d'entrée. Le jeune eut un sourire dédaigneux, fit un pas en arrière en grommelant :

— J'ai pas soif maintenant.

Avant que Council pût réitérer sa demande, sur un ton moins amical, son attention fut attirée par des reflets bleu dur dans le feuillage de Martyrs Park. S'avançant pour mieux voir, il aperçut, côté Gannon, une phalange de motards de la police dont les casques luisaient au soleil. Il oublia la bouteille de Coca, se demanda si Gannon avait décidé d'établir un barrage. Il était six heures moins le quart, le cortège était maintenant bien fourni, mais toujours pas de De Lauder.

— Pourquoi vous participez à cette marche ?

En se retournant, Council se retrouva face à une Betacam puis découvrit, par-dessus l'épaule du reporter accompagnant le cameraman, Millrose Carter, l'Homme qui ne Dort Jamais.

— Quoi ? dit Lorenzo.

Millrose descendait la Cuvette en direction de Hurley, les yeux argentés de gnôle.

— Hé ! s'écria-t-il. Je suis là ! On y va ! On y va !

Lorenzo éclata de rire, soudain plein d'entrain.

— Vous manifestez contre vos collègues ? insista le journaliste.

— Je suis ici pour contribuer à ce que tout se passe bien, répondit-il, dansant d'un pied sur l'autre, comme à son habitude.

Il vit enfin Curious George sortir du bâtiment de sa grand-mère et, satisfait, marmonna à mi-voix : « C'est bien, George. »

— Mais vous participez à la marche, alors, qu'est-ce que vous pensez de cette manifestation ?

— Eh ben, pour moi, si vous avez raison, que vous soyez blanc, noir, vert, de la police ou pas, je vous soutiens à cent pour cent. Mais si vous avez tort, là, je suis contre vous à cent pour cent, expliqua Lorenzo.

Il vit les frère Convoy descendre la Cuvette, mit fin à l'interview :

— Excusez-moi... Vous venez aussi, les gars ? demanda-t-il à Eric et Caprice en leur adressant un sourire de mise en garde.

— Ouais, dit Eric avec un haussement d'épaules. Faut qu'on soit représentés.

Lorenzo lui serra la main, la garda un moment dans la sienne.

— Y a qui encore ?

— Je sais pas. Peut-être Corey et les autres.

— Vous savez que c'est une marche, hein ? précisa Council, dont le regard obliqua vers Martyrs Park.

— Ça veut dire quoi ? Laissez les Uzi au vestiaire ?

— Hein ? dit Lorenzo, distrait, incapable d'arracher son regard aux reflets bleus qui les observaient furtivement à travers les arbres.

En sortant du parc, côté Gannon, Lorenzo se retrouva devant une douzaine de motos. Les flics lui adressèrent des signes de tête mais restèrent planqués derrière leur visière argentée. Il plongea les mains dans ses poches, fit tinter sa monnaie.

— Salut, les gars.

— B'soir, répondit l'un d'eux.

— Vous savez qu'ils arrivent, je suppose ? demanda Lorenzo, assortissant la question d'un sourire.

— A ce qu'il paraît, dit le même motard.

Lorenzo n'en connaissait aucun, ou du moins ne parvenait pas à les identifier avec leur casque.

— J'espère que vous allez pas essayer de nous empêcher de passer.

— On est en république, lâcha un autre flic.

— Parce qu'il y a des journalistes, des familles, des personnes âgées...

— Pas de problème.

— Je voudrais pas qu'il y ait des blessés.

— Nous non plus.

— Ici ou là-bas.

Lorenzo tendit le bras devant puis derrière lui, pour signifier Blancs ou Noirs.

— Tout à fait d'accord, approuva le premier flic en hochant la tête.

Lorenzo resta un moment sur place, comme s'il avait quelque chose à ajouter, puis se tourna finalement vers le parc.

— Bon, très bien, alors...

— Hé, Council ? (La voix d'un des motards, il ne savait pas lequel, le fit se retourner.) Merci pour les heures sup', frangin.

Après avoir fait quelques pas dans le parc, Council mit un genou à terre pour rattacher les lacets d'une de ses baskets.

— On se marre bien, hein, Jess ? dit-il sans la regarder.

A demi cachée, elle s'appuyait au muret marquant la limite du territoire de Gannon.

— Salut.

Il changea de genou, vérifia l'autre basket.

— Vous allez où vous voulez, mais quand je me mettrai à canarder, tâchez de rester en dehors de ma ligne de tir, la prévint-il.

— Ouais, d'accord.

Elle retourna avec lui dans la partie Armstrong, creusée d'ornières. Dans Hurley Street, Longway s'agitait, l'air nerveux et impatient.

— Comment vous allez, Rev ?

— Allons-y, allons-y, dit-il, ignorant la question.

— De Lauder est pas là.

— Oui, merde, grogna le pasteur, collant son poignet sous le nez de Lorenzo. (Six heures cinq.) Il avait une montre, la dernière fois que je l'ai vu...

Comme si c'était le signal, trois bus scolaires jaunes s'engagèrent dans le cul-de-sac, tout Hurley Street se répandant en applaudissements spontanés pour réagir à cette injection d'autant de nouvelles têtes.

Les portières s'ouvrirent avec un soupir pneumatique, les troupes de De Lauder commencèrent à descendre : *kufis* et Kangol, plus de vieux que d'hommes mûrs, plus d'hommes mûrs que de jeunes, comme à l'église. Un tiers d'entre eux portaient des pancartes qu'ils avaient fabriquées eux-mêmes.

Certains arboraient un brassard moutarde orné du sigle

LJM, probablement les membres du « service d'ordre » dont De Lauder avait parlé à l'hôpital, rien de particulièrement imposant chez eux hormis une expression de sobre vigilance. De Lauder apparut à la portière du dernier bus, et Longway trottina vers lui, lui montra l'heure avant qu'il puisse poser un pied par terre. L'ancien flic haussa les épaules d'un air impuissant, indiqua la petite armée de marcheurs qu'il avait dû rassembler, puis dit quelque chose qui fit sourire Longway. Le pasteur ainsi amadoué, De Lauder descendit du bus, regarda autour de lui, inspectant les troupes locales comme pour juger de leur ardeur.

Il salua Lorenzo de la tête, balança le bras en un arc paresseux et lui serra mollement la main.

— Content que vous soyez venu.

— Content que *vous* soyez venu, repartit Council, un peu tendu. (De Lauder repéra les motards à travers les arbres.) Vous en faites pas pour eux.

— Si vous le dites, concéda De Lauder. (Son bras, comme un lasso, engloba Hurley Street.) Vous connaissez tout le monde, ici ?

— La moitié, à peu près.

— Bon, je vous explique. Nous allons former le cortège avec six personnes de front, environ. Les pasteurs, les victimes et leurs familles en tête, avec les cameramen devant, marchant à reculons, pour nous filmer en train d'avancer, vous voyez. Je voudrais que mes gars flanquent les autres, pour les contenir, en quelque sorte, maintenir un peu d'ordre. Moi et mes hommes, nous nous posterons tous les six rangs, quelque chose comme ça, avec deux ou trois gars pour fermer la marche. Mais vous, vous serez comme une sécurité mobile, un électron libre, parce que vous savez qui il faudra tenir à l'œil parmi les gens d'ici. Nous, on ne les connaît pas.

— D'accord, acquiesça Lorenzo, refoulant un accès de panique.

— Vous avez déjà encadré quelque chose de ce genre ?

— Pas vraiment, reconnut-il avec un sourire crispé.

De Lauder inspira profondément, comme pour se préparer.

— Pour ce boulot, il faut savoir loucher. Vous avez déjà vu un requin-marteau ? Il a les yeux qui sortent de chaque côté de la tête, là où il devrait y avoir ses oreilles. Vous devez être une sorte de requin-marteau parce que vous devez regarder à gauche et à droite en même temps. Vous devez surveiller vos troupes, à l'intérieur, et vous devez tenir à l'œil leurs troupes, qui nous regardent passer. Et je peux vous le dire, on a tout intérêt à ce que les policiers fassent leur travail ce soir, parce que, sans leur aide, on se retrouve toujours un peu trop loin, vous voyez ce que je veux dire ? Les merdes peuvent venir et viendront de n'importe où.

— D'accord, dit Lorenzo à mi-voix, sa poitrine se soulevant davantage à chaque respiration.

— En ce qui concerne les nôtres, il faut surveiller les jeunes, regarder leurs mains, voir s'ils portent quoi que ce soit. Une brique, une matraque, un couteau de cuisine. Le pire, c'est une ampoule électrique. Vous entendez une ampoule péter, vous croyez à un coup de feu, et c'est parti. Alors vous ne quittez pas leurs mains des yeux. Vous les fouillez au besoin, vous les prévenez avant le début de la marche. Je me fous de heurter les sensibilités, parce que c'est une question de vie ou de mort. Autre danger : les alcoolos, on ne peut pas se permettre d'avoir des pochetrons. Vous sentez de la gnôle dans l'haleine de quelqu'un, vous voyez à sa tête qu'il a picolé ? Il dégage. La dernière chose à faire, c'est verser de l'alcool sur une situation explosive.

— Je vous suis, répondit Lorenzo.

Il se rappela les yeux injectés de Millrose Carter, se dit qu'il n'aurait pas le cœur de le virer de la marche.

— Maintenant, côté Gannon, on ne peut pas faire grand-chose. Comme je disais, la merde peut venir de n'importe où. Il faut surveiller les fenêtres, les toits, pour voir tomber à temps le bloc de ciment mais, fondamentalement, on ne peut qu'espérer que les flics du coin fassent leur boulot.

« Les spectateurs, sur les trottoirs ? Ceux qui crachent, ceux qui nous traitent de nègres, pas la peine de vous en occuper, ils jouent cartes sur table. Ceux qu'il faut avoir à l'œil, c'est ceux qui se tiennent tranquilles. Ceux qui avancent en même temps que nous. Ils ont peut-être quelque chose dans leur poche revolver ou sous leur chemise, et ils attendent le bon moment. C'est dur. C'est pas un défilé de mode, et le fait que vous soyez parano n'empêche pas qu'il y a peut-être vraiment quelqu'un qui cherche à vous trucider, vous voyez ce que je veux dire ?

— Oui, je vois, acquiesça Lorenzo, la respiration sifflante.

Tandis que De Lauder commençait à poster ses hommes, Council étudia la foule. Il devait y avoir au moins trois cents personnes, peut-être plus, dont un grand nombre qu'il ne connaissait pas. En cherchant de nouvelles bandes, des problèmes potentiels, il la vit, Brenda, appuyée au mur de soutènement.

Du fait de sa position, il ne pouvait voir qu'un quart de son profil, mais c'était elle, pâle, mince, dépenaillée, s'appuyant au mur comme si elle était trop faible pour se tenir droite toute seule. Brenda, Brenda — il mit une main sur son cœur —, il l'aurait juré.

— PAS DE JUSTICE... cria une voix.

— PAS DE PAIX, répondit la moitié de la foule.

— PAS DE JUSTICE...

Tout le monde, cette fois :

— PAS DE PAIX.

De nouveau, le long appel de muezzin :

— NOUS RÉCLAMONS...

— JUSTICE !

— QUAND ?

— MAINTENANT !

Le mot avait jailli, exclamation grave d'une nation.

On aida Longway à se hisser sur une corniche de schiste qui surplombait le cul-de-sac, plate-forme naturelle saillant de la pente érodée montant de l'asphalte de Hurley Street jusqu'aux passages couverts des premiers bâtiments.

Le révérend avait son sourire « maintenant-j'en-ai-plus-que-marre », et, malgré son état, il attaqua d'une voix assez forte pour être entendu de toute la foule :

— La police de Gannon assure qu'elle est venue ici parce que la vie d'un enfant était en jeu. Elle déclare qu'elle a agi sur la base des informations qu'elle avait reçues. Que... que la perception des faits passe avant les faits. Que... que le facteur temps était essentiel... Fort bien, fort bien. (Du pouce, il repoussa ses lunettes vers le haut de son nez.) Mais laissez-moi vous soumettre... une autre situation. Et vous me direz si elle vous paraît... plausible...

En scrutant l'auditoire du pasteur, Lorenzo repéra Curious George à l'écart de la foule, se parlant à lui-même, l'air malheureux.

— Imaginez, imaginez qu'un enfant noir, un enfant noir d'Armstrong, ait été enlevé, soi-disant enlevé, quelque part dans la ville de Gannon... Vous croyez que la police de Dempsy ferait une descente dans cette ville pour sauver cet enfant ?

— Non !

Le mot claqua, encore et encore, comme une succession de coups de feu sur un champ de tir.

— Non, dit Longway, secouant énergiquement la tête. Non. Vous n'y croyez pas.

Lorenzo vit Jesse, remarqua qu'elle écoutait le révérend avec un sourire amusé et ne comprit pas pourquoi.

— La police de Gannon, elle s'est conduite de cette façon dans cette cité, vous savez pourquoi ?

— Pourquoi ?

— Vous savez pourquoi ? répéta Longway, chauffant la foule. Parce qu'elle savait qu'elle pouvait le faire. Elle nous imaginait sans défense. Impuissants. Mais je vais vous dire : je ne vois pas une seule personne sans défense ici ce soir.

— Non !

— Je ne vois aucune personne impuissante ici ce soir.

— Non !

— Les policiers de Gannon sont venus ici parce qu'ils savaient qu'ils le pouvaient, et cette ville, notre ville, leur a dit : « Entrez, allez-y. »

La foule cria « Non ! », « Oui ! », exprima d'autres sentiments moins explicites. Lorenzo se tourna vers De Lauder, reflet de lui-même, surveillant lui aussi la foule, indifférent au discours du révérend.

Baissant le ton, Longway poursuivit :

— Vous savez, ma mère, elle était très attachée aux règles de courtoisie.

— Oui ! lança une voix solitaire.

— Et l'une de ces règles qu'elle s'efforçait d'honorer, c'est que lorsque quelqu'un vient vous voir chez vous il faut lui rendre sa visite le moment venu...

Plusieurs personnes applaudirent la chute à l'avance.

— Ma mère n'aurait pas apprécié la conduite des policiers de Gannon, parce que, quand ils sont venus ici, ils n'ont même pas pris la peine de frapper à la porte, ils l'ont tout bonnement enfoncée d'un coup d'épaule, comme des voyous, mais nous, nous avons plus de dignité. Nous, nous saurons nous maîtriser. N'empêche, une visite est une visite, et il est temps maintenant de la rendre.

Lorenzo se surprit à claquer des mains lui aussi, plein d'admiration pour la façon dont Longway avait formulé la chose : « Attention, pas de conneries. »

— PAS DE JUSTICE... appela le muezzin invisible.

— PAS DE PAIX.

Hurley Street répondait par un grondement dont la puissance, l'ardeur coordonnée impressionnaient Council.

Le service d'ordre LJM prit plus ou moins le relais et tâcha de faire mettre les manifestants par rangées de six, poussant, tirant, disposant les protagonistes par ordre d'importance pour l'affaire : les blessés, leurs familles et les personnalités devant ; le reste des troupes de De Lauder, rompu à l'exercice, se mit automatiquement sur une file, de chaque côté des habitants de Dempsy, les membres du service d'ordre en seconde couverture, tout le monde gonflé à bloc, prêt à y aller.

De Lauder rejoignit Council, lui tendit un brassard.

— Vous feriez mieux de mettre ça, lui dit-il avant de repartir en courant.

Serrant la bande de tissu moutarde dans son poing, Lorenzo partit lui aussi au petit trot, fit la navette le long de la file, s'arrêtant ici ou là, sans jamais cesser de garder un œil sur les taches bleues qui lui faisaient signe à travers les arbres.

— A QUI LES RUES... ?

— A NOUS !

Tandis que les marcheurs, avançant au rythme des appels et des réponses, contournaient les bancs et les balançoires de Martyrs Park — certains touchaient la plaque en bronze de Martin, Malcolm et Medgar, comme pour se porter chance —, les motos alignées sur la limite de la ville s'écartèrent, se séparèrent nettement en deux rangées qui pénétrèrent dans Gannon en encadrant le cortège. Le grondement des moteurs noya presque les slogans des marcheurs, et cette escorte policière non sollicitée, conjuguée à la présence de cameramen avançant en crabe ou à reculons, doubla presque la largeur de la procession.

Quelque trois cents manifestants descendirent Jessup Avenue en direction du cœur de Gannon.

Au premier croisement important, un camion des services d'urgence de la police, semblable à un fourgon blindé de la Brinks, se plaça devant l'avant-garde des cameramen marchant à reculons et les pasteurs progressant bras dessus, bras dessous. Puis la forteresse roulante ralentit jusqu'à avancer au pas et maintint une distance de six ou sept mètres avec les premiers rangs.

La partie de Gannon jouxtant le parc, c'était l'extrémité nord de l'avenue, morne plaine urbaine à quatre voies, bordée de motels pour le sexe et la dope, de fast-foods de troisième classe et de stations-service à prix réduits. Les quartiers résidentiels et commerçants ne commençaient que beaucoup plus loin, et, alors qu'il leur restait près d'un kilomètre à parcourir avant de parvenir au secteur-cible, les manifestants se retrouvaient cernés par la police, mille-pattes emprisonné et cependant mobile.

Préoccupé par les problèmes cardiaques de Longway, Council remontait régulièrement en tête du cortège pour juger de l'état du révérend, mais il y avait trop de parasites dans l'air pour une estimation significative. Le pasteur occupait le centre de la première rangée, entre Curious George et la grand-mère de Tariq Wilkins. Il avançait comme un arrière de rugby, le visage figé dans le ciment, la bouche réduite à une ligne pugnace, tendu, comme si, d'une seconde à l'autre, il allait devoir enfoncer une barrière.

Lorenzo, au contraire, continuait à évacuer son angoisse en allant et venant sur toute la longueur du cortège, tel un chien de berger, fonçant çà et là, ignorant les motards, se concentrant sur les manifestants qui ne beuglaient pas en chœur avec les autres. Il inspectait d'abord leurs mains, leurs vêtements, y cherchait un renflement, puis scrutait leur visage, suivait la direction de leurs yeux : qui regardait qui ?

Communiquaient-ils en silence ? Y avait-il un plan secret à l'œuvre ? Lorenzo colla mentalement une étiquette sur quelques types, mais c'était difficile d'avoir une certitude sans les fouiller carrément.

Le défilé emprunta Jessup Avenue jusqu'à la lisière nord du centre-ville. Les marcheurs apercevaient maintenant les habitants de Gannon qui les attendaient là où commençait le quartier commerçant, succession de laveries, bars, agences de voyages et teintureries, jusqu'à la baie. Les gens étaient sortis de chez eux, les trottoirs grouillaient de monde.

Un murmure d'anticipation traversa le cortège et Lorenzo vit littéralement une vague parcourir les silhouettes au loin, une ondulation enracinée, tel l'effet du ressac sur la végétation couvrant le fond de l'océan.

— PAS DE JUSTICE...

— PAS DE PAIX !

La vue des habitants qui les attendaient rendit plus forte et plus grave la réponse des marcheurs.

Il y avait cependant quelque chose d'anormal sur les trottoirs de Jessup, et il fallut un moment à Council pour saisir ce que c'était : les spectateurs n'agitaient pas de pancartes. Alors que les manifestants brandissaient haut les oriflammes de la colère, on ne voyait pas sur les trottoirs la riposte artistique, le contrepoint écrit attendus. A une dizaine de rues de la zone chaude, trop loin encore pour les contre-slogans et les sifflets, Lorenzo découvrit un spectacle qui lui donna envie de s'arrêter net : des fauteuils de plage, des fauteuils de plage pliants en plastique et en aluminium parsemaient les trottoirs, certains occupés, d'autres libres, comme ceux qu'on sort dans la rue un soir d'été pour regarder le cirque arriver en ville.

Quand les marcheurs furent enfin à portée de voix, ils n'entendirent qu'un brouhaha de conversations, les habitants se parlant plutôt entre eux que s'adressant aux intrus. La population de Gannon était appuyée aux vitrines, vautrée dans les chaises longues, penchée aux fenêtres des premiers et deuxièmes étages, les bras sur des coussins ou des serviettes, la mine renfrognée. Pas d'insultes, pas d'obscénités lancées aux manifestants. Council se sentait à la fois soulagé et dérouté : Gannon réagissait apparemment en opposant à

Armstrong son silence, en n'offrant aux caméras que des regards durs.

HE, GANNON,
TU TE GOURES,
ARMSTRONG, C'EST PAS
JOHANNESBURG !

Lorenzo prit place au milieu du flanc droit, un œil sur Gannon, l'autre sur les manifestants, la pétarade des motos rendant la concentration difficile.

De temps à autre, un des motards faisait signe à quelqu'un sur le trottoir, échangeait un mot amical avec un copain ou un voisin : même les forces de l'ordre traitaient la marche comme un non-événement. Council vit Jesse quitter le cortège et se glisser parmi les habitants, probablement pour sonder leur état d'esprit. Il attira son attention et la journaliste, comme si elle lisait dans ses pensées, lui retourna son regard interrogateur avec un haussement d'épaules. Lorenzo pensa qu'il l'aimait bien, cette fille, qu'il l'aimait bien depuis toujours.

— NOUS RECLAMONS...

— JUSTICE !

— QUAND ?

— MAINTENANT !

Marchant à reculons, Lorenzo faillit heurter un cameraman qui faisait lui aussi de la marche arrière, mais en sens inverse. Il recouvra l'équilibre, reporta son attention sur les manifestants, remarqua un jeune Noir musclé en chemise et short rayés assortis qui pressait contre sa poitrine un sac en papier marron : ça pouvait être un sandwich, une brique, n'importe quoi. Council repéra aussi une matraque en cuir dépassant de la chemise d'un autre jeune, la poignée nichée au creux de la main, le reste de l'instrument caché par la manche longue d'un blouson des Carolina Panthers. Lorenzo fit un pas pour fendre la foule, dire un mot à l'adolescent, mais fut distrait par l'un des motards s'adressant au jeune membre du service d'ordre le plus proche de lui.

— Yo, combien tu l'as payé, ton Tommy Hilfiger ? Mes gosses veulent le même.

Le jeune regarda le policier, détourna les yeux.

Donald De Lauder passa près de Council en tournoyant sur lui-même, remonta vers la tête.

Lorsque Lorenzo reporta son attention sur le cortège, il ne trouva plus ni le marcheur à la matraque ni celui au sac en papier marron. Sur le trottoir, quelqu'un lâcha un éternuement sonore, Council tourna vivement la tête vers le bruit, découvrit des gens assis dans leurs fauteuils de plage, puis aperçut un mouvement sur un toit — des pigeons — et vit enfin John Mahler, le directeur de la police de Gannon, les bras croisés sur la poitrine, parlant à Jesse, haussant les épaules comme pour dire : « C'est la vie. »

— Allez, combien il t'a coûté, ce truc ? insistait le motard.

— Fais-toi un négro ce soir, t'en auras un à l'œil, répliqua le jeune.

— Allons, allons, dit le policier, agitant un doigt ganté.

C'est alors que Council la vit de nouveau : Brenda, à une dizaine de rangs devant lui, marchant sur l'autre flanc. Il ne distinguait là encore que la courbe d'une joue, l'avancée de la mâchoire, mais aussi cette tignasse saccagée à coups de ciseaux, cette corde à nœuds en guise de colonne vertébrale montant vers la nuque sous un petit sac à dos kaki.

Crevé comme il l'était, il se dit que c'était normal qu'elle soit là, qu'elle manifeste pour une pareille cause, puis il se reprit, ses ruminations fumeuses remplacées par la peur : le sac. Qu'est-ce qu'il y avait dans le sac ?

HE, GANNON,
TU TE GOURES,
ARMSTRONG, C'EST PAS
JOHANNESBURG !

Cette fois, le slogan provenait d'un groupe de jeunes de Gannon juchés sur un perron, le poing brandi. « Combattez le pouvoir ! » beuglèrent-ils en chœur. Ils faisaient les cons, s'attirant des regards noirs à la fois des autres spectateurs et des manifestants. Les cameramen accoururent, tenant enfin les ingrédients pour un incident.

— Vous allez le combattre dans une minute, le pouvoir, grommela Eric Convoy de sa voix traînante.

Les jeunes Blancs de Gannon, en l'entendant, haussèrent les sourcils, « s'excusèrent », « Yo, mon frère, pardon », puis recommencèrent à déconner jusqu'à ce qu'un flic de Gannon s'approche et leur dise un mot. Ils se turent.

Ce sac à dos... Lorenzo se faufila dans le cortège, s'approcha suffisamment de la jeune femme pour entendre sa voix, faible et apathique, « Pas de paix ». En se frayant un chemin pour parvenir jusqu'à elle, il posa la main sur le dos de quelqu'un et sentit une forme suspecte : le marcheur était armé. Lorenzo laissa sa main sur le flingue, posa l'autre sur le bras droit du type.

— Hé, lui dit-il doucement à l'oreille.

Dans un réflexe, le jeune type — *dashiki*, barbe et lunettes — agrippa le poignet de la main posée sur son arme, pivota brusquement.

— Doucement, doucement, murmura Council. C'est quoi, ce pétard ?

Le gars ne dit rien, regarda Lorenzo dans les yeux jusqu'à ce que celui-ci l'identifie : un nouveau des Stups, apparemment chargé d'infiltrer la manif. Lorsqu'il vit que Council avait compris, il inclina le menton vers la gauche, vers l'arrière, pour indiquer en silence d'autres flics de Dempsy infiltrés. Lorenzo hocha la tête, retourna sur le flanc gauche en pensant : Des flingues, on a des flingues ici aujourd'hui, oubliant la seconde apparition de Brenda, le sac à dos, voulant que ça finisse, s'avouant que, comme au combat, le but ultime pour lui, en ce moment précis, c'était que tout le monde rentre à la maison en bon état.

A six rues du centre, la marche ne suscitait toujours aucune réaction. Quelques marcheurs se détachèrent du cortège pour s'approcher des trottoirs, mais le service d'ordre de la LJM les renvoya former les rangs.

— A QUI LES RUES ?

— A NOUS !

Non, à eux, pensa Council, qui entendait les deux motards les plus proches discuter d'Aruba, de multipropriété.

Le camion des services d'urgence avait maintenant un problème de pot d'échappement et crachait une fumée jaunâtre, autre plaisanterie, autre raison de se prendre la tête. Lorenzo vit Longway et De Lauder échanger un regard furieux. Le pasteur tira De Lauder vers lui pour lui parler à l'oreille par-dessus le boucan des motos. De Lauder hocha la tête, retourna sur l'un des flancs du cortège, transmit la directive du révérend à l'un des membres du service d'ordre, lequel la passa rapidement à l'homme au brassard qui se trouvait derrière lui, la chaîne de murmures s'étirant sur une dizaine de rangées en quelques secondes, sans parvenir à Lorenzo. Au croisement suivant, Longway, qui tenait toujours les bras de Curious George et de la grand-mère de Tariq, tourna soudain dans une rue latérale. De Lauder et ses hommes du flanc gauche montèrent sur le trottoir pour diriger les marcheurs vers cette déviation improvisée. Tout le cortège tourna à gauche comme par magie, le camion se retrouva seul dans Jessup, les motards ne purent continuer à servir d'escorte aux marcheurs car la rue latérale était trop étroite. En quelques minutes, Armstrong avait renvoyé l'ascenseur, feinté les flics, les spectateurs au visage tendu, et marchait maintenant sans contrainte dans Father L. Mullane Street. Un frisson de joie et de triomphe parcourait les rangs, devant les motards réduits à former l'arrière-garde.

Lorenzo l'éprouva, lui aussi, cette poussée de jubilation mais elle fut aussitôt dissipée par un sentiment d'insignifiance, de petitesse. Voilà ce qui passe pour une victoire, ces temps-ci, pensa-t-il, écœuré. Les grands règlements de comptes se résument à un coup rapide, vite terminé. Il était moins angoissé que furieux, attendant finalement plus de cette journée — fût-ce pour un court moment — qu'un retour sain et sauf de tout le monde.

Le nouvel itinéraire les fit passer devant Mary Bethune, seule cité de logement social de Gannon, et, en voyant des visages noirs aux fenêtres encadrées d'aluminium, les marcheurs laissèrent exploser leur exubérance, tels des soldats victorieux pénétrant dans une ville libérée. Des meuglements montèrent : « Descendez ! », « On marche pour vous ! » Aux poings brandis de l'unité répondirent des cris et des saluts provenant des fenêtres, et les quelques jeunes de Bethune traînant devant leurs immeubles se précipitèrent dans le cortège où ils furent accueillis par de grandes tapes dans le dos. Tout le monde exultait, excepté les flics à moto, qui continuaient à fermer consciencieusement la marche.

Les manifestants tournèrent à droite, puis de nouveau à droite au carrefour suivant, et se retrouvèrent bientôt dans l'étroite Father Pitino Street, qui débouchait dans Jessup. Le camion des SU les attendait au coin de la rue. De Lauder tenta d'opérer une volte-face mais l'opération, plaçant les motards à l'avant et les révérends à l'arrière, se révéla chaotique. Faute de pouvoir effectuer un demi-tour, même très serré, dans Father Pitino, on décida de reprendre Jessup : les marcheurs s'étaient fait comprendre, Armstrong avait en fin de compte secoué la barque de Gannon. Mais tandis que les premiers rangs approchaient du carrefour, le camion restait immobile, bloquant le bout de la rue. La halte brusque qui s'ensuivit, alors que les rangs de derrière continuaient à avancer, provoqua une bousculade, les roues avant des motos offrant soudain un siège aux derniers manifestants.

Lorenzo crut au désastre. Emprisonnés dans un défilé de briques, les marcheurs commencèrent à tourner sur place, certains d'entre eux sautant pour s'extirper de la mêlée et voir ce qui se passait. Un murmure s'éleva, suivi de cris : les manifestants demandaient que le camion s'écarte. Lorenzo vit le chauffeur, écarlate, tenter de démarrer : ce putain de bahut était en panne. Les cris redoublèrent, il y eut un mouvement de panique ; une Betacam heurta un mur avec un claquement creux. Les motards, ignorant ce qui arrivait, ne savaient où aller, et le chauffeur braillait dans sa radio.

Tout à coup, des spectateurs attendant dans Jessup jaillirent une vingtaine de policiers de Gannon, en chemise hawaïenne, baskets et jean coupé. Apparemment, la foule sur les trottoirs était truffée de flics. Ils coururent vers le croisement, collèrent l'épaule contre l'arrière du camion et poussèrent. Les marcheurs s'engouffrèrent dans la brèche pendant que Lorenzo, De Lauder et tous les types à brassard s'efforçaient de contrôler le flot, de maintenir les rangs jusqu'à ce que le cortège se retrouve dans l'avenue principale. Council était épuisé et moite. Les membres du service d'ordre, cherchant à remobiliser les troupes, criaient dans leurs mains en coupe :

— A QUI LES RUES ?

— A NOUS ! rugissaient en réponse les manifestants, tandis que les habitants de Gannon saluaient la réapparition des envahisseurs par des applaudissements polis, sarcastiques.

Trois rues plus bas, à l'intersection de Jessup et de Hruska, la foule disparut soudain des trottoirs, bien que la marche eût pour objectif la pelouse de devant du bâtiment municipal, qui abritait les services de police, à moins de cinq cents mètres de là. C'était comme si on avait tiré un trait : une fois passés devant le bar Cavanaugh's, sur le coin est, et la boulangerie DeFillipo, sur le coin ouest, les marcheurs eurent l'impression de pénétrer dans une ville fantôme bien entretenue. Chaque pas les isolait davantage et cet étrange sentiment d'abandon connut son apogée quand ils arrivèrent à destination.

Le cortège s'arrêta à un carrefour différent de tous ceux qu'il avait passés dans cette artère animée. De vastes pelouses s'étendaient devant des temples religieux et laïcs : le bâtiment municipal, l'église Saint Anselm's, la bibliothèque centrale de Gannon, et le collège. Il n'y avait plus de boutiques, plus de maisons, plus de gens, hormis les motards, les éternels cameramen et une poignée de transfuges locaux qui s'étaient détachés de la foule des trottoirs. L'agrégat silencieux de colonnades, de flèches, de rangées uniformes de fenêtres aux yeux morts semblait non seulement isoler mais aussi rabaisser les marcheurs, qui reformaient les rangs en un carré approximatif devant Longway. Le révérend, qui se tenait au-dessus d'eux sur le perron de l'édifice, en était réduit à prêcher des convertis. Faisant la pause, les flics à califourchon sur leurs motos garées sous les arbres, de l'autre côté de la rue, furent rejoints par les cameramen qui prenaient enfin le temps de souffler, d'allumer une clope, cette partie de la marche constituant l'équivalent visuel d'un coup de batte raté.

Furieux et humilié, Lorenzo était sourd à tout ce que disait Longway en haut des marches. Se retournant, il vit au loin les habitants envahir la chaussée, avec de grands gestes et des rires qui faisaient penser à une fête de quartier. Il devait le reconnaître : Gannon le sciait. C'était comme si les habitants avaient laissé entrer Armstrong puis étaient sortis de leurs propres maisons.

Avisant Jesse qui marchait seule dans la partie déserte de Jessup en direction de la manif, il lui fit signe de le rejoindre à l'arrière de la foule. Parvenue près de lui, elle imita à mi-voix Mahler, le directeur de la police de Gannon :

— « Le révérend Longway m'a téléphoné pour me prévenir qu'il venait, il a promis que ce serait une manifestation non violente, et comme nous le connaissons et le respectons depuis des années, nous croyons en sa parole, mais... » (Jesse s'interrompit, grimaça, reprit :) « Personnellement, j'estime qu'ils exploitent la mort tragique d'un enfant afin de poursuivre certains objectifs et, personnellement, je le répète, je me sens choqué, mais... »

— Merde, lâcha Council, dégoûté.

Elle le regarda avec sympathie.

— Ils vous ont vus arriver.

Les motos redémarrèrent tout à coup, le discours de Longway était fini, les marcheurs repartaient, empruntant de nouveau Jessup mais cette fois direction Armstrong, la maison. Les flics en civil repoussèrent les habitants sur les trottoirs, dégagèrent la chaussée pour la marche du retour. Assistant à ce ballet lointain, Lorenzo eut l'impression que certains habitants n'étaient pas trop contents d'abandonner leur artère principale une deuxième fois et, tandis qu'il remontait au petit trot vers le premier rang, une partie de lui-même souhaitait presque que Gannon essaie de résister, d'établir un barrage, d'opposer quelque chose dans quoi il pourrait enfoncer les dents.

Quand les manifestants furent de nouveau à portée de voix de Hruska, un camion de pompiers jaune et blanc sortit d'une rue latérale et se plaça devant eux, prenant la place du camion des SU en rade.

L'un des motards se porta à la hauteur du premier rang et s'adressa à Longway :

— Rev, je sais pas comment vous tenez le coup, vous qui venez de sortir de l'hôpital et tout, mais si vous en avez besoin, ce sera avec plaisir qu'on vous emmènera dans le camion des pompiers...

Le policier fit la proposition d'un air impassible, mais elle fut accueillie par un silence glacial.

La procession retraversa lentement le centre de Gannon, dans un climat presque maussade maintenant que, du point de vue des habitants, elle se dirigeait dans la bonne direction. En comparaison, les spectateurs semblaient plus détendus et s'interpellaient joyeusement. Certains d'entre eux faisaient de grands gestes d'adieu, comme si les marcheurs montaient une passerelle et embarquaient pour des ports inconnus. Impression générale : Gannon 1, Armstrong 0.

Bien que le moment réclamât de lui la plus haute vigilance — une ville transformée en fleuve d'humiliation et de déception, l'autre se tenant sur les berges, ivre de victoire —, Lorenzo se sentait apathique ; les jambes en plomb, les yeux mi-clos et chargés de ressentiment, il ne regardait ni la foule ni les manifestants.

Les marcheurs silencieux retrouvèrent la partie désertique de Jessup Avenue qui précédait Armstrong, toujours encadrés par le camion de pompiers et les motards. Dans le cortège, les rangs se relâchaient, certains étaient fatigués par la tension de la manifestation, d'autres — essentiellement les vieux — par l'effort physique de la marche elle-même, la plupart insatisfaits, présumait Lorenzo. Le camion les conduisit jusqu'à l'entrée de Martyrs Park, où il s'écarta enfin, et les motards reformèrent leur ligne défensive face à la cité. Près de la grille, Lorenzo regarda le camion repartir vers le centre en grondant puis scruta les visages vigilants et impassibles des policiers. Il se dandinait sur place, furieux, frustré : Gannon ramenait le troupeau d'Armstrong à Dempsy, comme il l'avait toujours fait.

— A QUI LES RUES ? cria quelqu'un, pour remonter le moral des troupes.

— A NOUS.

Réponse molle et sans conviction des marcheurs qui pénétrèrent dans le parc, se faufilèrent de nouveau entre les bancs et les balançoires. Toute velléité de scander des slogans disparut quand les manifestants, sortant des arbres, découvrirent les tours d'Armstrong et reçurent en pleine figure la réalité de l'endroit où ils vivaient, abordée du point de vue de Gannon.

Council demeurait à l'entrée du parc comme s'il tenait

une porte ouverte, la main droite tendue vers Armstrong, indiquant le chemin, la gauche dirigée vers les marcheurs qui se trouvaient encore sur le territoire de Gannon, agitant inconsciemment les doigts en une invite à se presser. Il se surprit à penser : Voilà ce que je fais. Je me tiens à la porte, je chevauche la barrière. Une fois de plus, il s'avoua que tout ce dont il se souciait, c'était d'éviter des ennuis aux gens, de les maintenir physiquement sains et saufs, jour après jour, minute après minute. Et tandis que le flot des manifestants s'écoulait devant lui, il se rendit compte que, à sa manière, il ne valait pas mieux que n'importe quel abruti de la cité, qu'il cédait perpétuellement lui aussi à l'envie d'une gratification immédiate, trop obnubilé par l'ici et le maintenant pour réfléchir une seconde à l'avenir, au contexte général. Révolution, discours, affrontements, manifestations, agitation, manifeste, mission : au fond de lui, Council se foutait de tout ça. Son credo, maintenant comme toujours : Entourer et Protéger.

Planté près de la grille, volontaire supervisant l'exode, il prit conscience de la présence de Jesse, qui se tenait derrière lui, un peu sur sa gauche, un pied dans chaque ville. Au moment où, agacé, il se tournait vers elle pour la faire rentrer elle aussi au bercail, la chose se produisit.

— Passez tous une bonne nuit, maintenant, lança un des motards en prenant l'accent d'un péquenaud du Sud.

En entendant cet adieu de Gannon, Millrose Carter, l'Homme qui ne Dort Jamais, s'arrêta net. Un pied dans Dempsy, il arqua lentement le dos, le menton pointé vers le ciel, le visage tiré en une grimace fatiguée, comme s'il venait de se rappeler une corvée fastidieuse. Il se tourna vers Gannon, remonta le flot des marcheurs jusqu'à la ligne de motos.

— Je peux faire quelque chose pour vous ? s'enquit l'un des flics d'une voix plate.

Lorenzo sut ce qui allait se passer. Il disposa peut-être d'une seconde ou deux pour l'empêcher, mais il regarda la chose arriver. Millrose fit tomber le flic de sa moto d'une beigne en pleine bouche, et en un instant le monde bascula, l'Homme qui ne Dort Jamais disparut sous un tas de casques bleus. Après un moment de confusion, les marcheurs commencèrent à courir, qui pour se mettre à l'abri, qui pour se jeter dans la mêlée. Les motos s'écroulaient comme des dominos, les cameramen filèrent, eux aussi — pour se protéger ou pour filmer l'échauffourée.

Lorenzo cravata Eric Convoy, lui emprisonna le cou de son bras au moment où il se ruait vers la castagne, le souleva de terre. Le jeune Noir retomba sur le dos et Council, ne sachant trop que faire de lui, se pencha vers son visage et dit en agitant l'index :

— Je t'ai à l'œil.

A peine redressé, Lorenzo fit le coup de la corde à linge à un autre ado, Corey Miller, le renvoyant en vol plané vers Armstrong. Puis ce fut le tour d'un autre, d'un autre encore, Lorenzo se sentait dans la peau d'un gardien de but dément et surmené, bloquant toutes les intrusions, empêchant les têtes chaudes d'Armstrong de se précipiter sur les flics de Gannon, empêchant ces mêmes flics de mettre en cabane la moitié des tours de la cité.

Il vit Jesse s'approcher du danger puis reculer, comme si elle voulait se frotter à cette rage, comme si elle avait envie de cette rage, de cette communion physique. Il vit deux abrutis d'Armstrong piétiner une moto renversée ; il vit Daniel Bennett, le garçon boudeur de l'atelier « Respect de Soi », se choper une matraque dans le ventre, se plier en deux sous la douleur ; il vit les antennes d'un des camions de télévision s'incliner et tomber ; il vit deux flics noirs infiltrés faire à peu près la même chose que lui, intercepter les jeunes d'Armstrong ; il vit l'un d'eux, le jeune barbu en *dashiki* des Stups, projeté vers les motos, prendre un coup de matraque dans les côtes et s'effondrer à quatre pattes, comme un chien.

Il vit une Betacam glisser sur le macadam, traverser les quatre voies de la route, il entendit des sirènes. Un camion de télévision démarra, s'éloigna d'une dizaine de mètres puis, changeant d'avis, roula sur une moto en revenant près de la zone de combat.

D'autres sirènes : Gannon envoyait ses flics, Dempsy envoyait les siens. Dans le cul-de-sac de Hurley Street, le révérend Longway, l'air rageur et hébété, se laissait entraîner par la mère de Teacher Timmons et un autre pasteur. Donald De Lauder et le service d'ordre de la LJM formaient un cordon, escortaient calmement leurs propres marcheurs jusqu'aux bus jaunes. Impassible, les lèvres pincées, De Lauder reprenait les gestes de berger de Lorenzo, un bras tendu vers les portières ouvertes des autobus, l'autre vers ses troupes, les incitant à se presser d'un mouvement des doigts.

Abandonnant leurs motos, les policiers de Gannon reculèrent et formèrent un carré défensif, piétinant au passage sans s'en rendre compte un corps étendu sur le sol. Personne ne les poursuivit, les jeunes se contentaient maintenant de balancer des trucs — pierres, bouteilles —, s'en prenant aux camions de télévision et aux caméras. Lorenzo vit un groupe d'enragés d'Armstrong et d'autres qu'il ne connaissait pas passer devant les flics et les cameramen, courir en aveugles vers Gannon, comme pour la détruire de leurs mains nues. Mais il n'y avait rien dans cette partie de la ville, ce n'était que prairie macadamisée, route et ciel, si bien qu'ils continuèrent à sprinter en direction du centre, sur près d'un kilomètre, comme s'ils disputaient une course. Où vous allez, les gars ? pensa Lorenzo en voyant filer au loin des lumières bleues, tout un convoi de voitures de ronde et de Crown Victoria qui rappliquait. Il détourna les yeux. Economisez votre souffle, les gars, Gannon vient à vous.

A travers un rideau humain ondulant, Council aperçut de nouveau le corps piétiné. C'était Millrose Carter, étendu sur le dos, la bouche grande ouverte, les yeux vitreux, un éventail de sang derrière la tête. L'Homme qui ne Dort Jamais avait enfin trouvé le repos. Lorenzo fit un pas en avant pour le réclamer, réclamer son cadavre, mais vit deux adolescents avancer lentement, tels des couguars, par-delà la chaîne montagneuse de Crown Victoria garées en épi, vers Jesse ; il vit les yeux de la journaliste s'agrandir quand elle prit conscience du danger, il la vit se préparer à payer l'ardoise. Lorenzo demeurait immobile, indécis, Jesse à droite, Millrose à gauche, Daniel Bennett devant, le front contre l'asphalte, secoué de haut-le-cœur.

Dans un état de peur détachée, Lorenzo contemplait les fruits du réflexe désespéré de Brenda Martin, une litière grouillante d'incidents et d'outrages, de quoi alimenter une dizaine d'autres marches, d'accusations, de contre-accusations, de commissions, d'enquêtes, d'inculpations, de manchettes, de négociations nocturnes, de tractations politiques. Lorenzo, exténué, les jambes flageolantes, pensa : Entourer et Protéger, choisit ses mots avec soin en s'adressant à lui-même : C'est une devise peu réaliste.

En se tournant de nouveau vers Armstrong, il sentit sa bouche s'emplir soudain d'un goût de pièces de monnaie. Il ne vit plus rien, glissa dans un rêve éveillé. Quand la vue lui revint, quelques secondes ou quelques minutes plus tard, il porta une main à son cuir chevelu, la ramena gluante. Lorenzo fit un pas vacillant en arrière, trébucha sur une bouteille de Coca non décapsulée couverte de sang. Avec des mouvements de vieillard, il alla s'asseoir sur un banc du parc, leva les yeux, découvrit le fils de pute en treillis kaki qu'il avait alpagué avant la marche, celui qui avait rétorqué : « J'ai pas soif maintenant. » L'adolescent, croisant le regard groggy de Council, se fit tout petit comme pour s'excuser, la canette qu'il avait lancée étant probablement destinée à quelqu'un d'autre. Puis un autre gars de sa bande le tira par le bras et il disparut.

Assis sur le banc, Council perdait conscience, revenait à lui, perdait de nouveau conscience, à chaque fois pour quelques secondes seulement. Il vit un certain nombre de choses sans savoir si elles se passaient dans son esprit estourbi ou dans le monde réel : le révérend Longway assis par terre, les épaules affaissées, l'air abasourdi ; Jesse, la tête penchée en avant, à la manière de quelqu'un qui s'apprête à cracher du dentifrice dans le lavabo, les joues gonflées, un filet de sang coulant vers ses mains en coupe ; Curious George à la fenêtre de Miss Dotson, échappant au drame, sirotant une bière et faisant tomber la cendre de sa cigarette sur le tas de mégots de sa grand-mère, au pied de l'immeuble ; Brenda Martin, ou la femme-ressemblant-à-Brenda-Martin, sortant à pas lents de Hurley Street, tournant au coin de la rue et disparaissant. Enfin, juste avant que la dernière vague noire le submerge et l'endorme pour une bonne partie des trente-six heures à venir, il vit le train passer en rugissant devant la cité, et il était en feu.

Il ne savait pas si le train était vraiment en feu ou s'il déboulait du couchant, mais il lui apparut comme une monstrueuse flèche en flammes filant vers Newark, tel un signe, un présage.

On fait ce qu'on peut... Lorenzo glissait dans l'inconscience, sa voix intérieure lui parvenait, lointaine et ensommeillée... C'est tout ce qu'on peut faire...

QUATRIÈME PARTIE

Une volée de moineaux

32

La veillée funèbre pour Cody Martin, réservée aux parents et aux amis, eut lieu le samedi 4 juillet, de neuf heures à midi. L'entreprise de pompes funèbres Manganaro semblait accueillir une première cinématographique : le court tapis rouge courant du trottoir aux portes de verre était bordé de curieux et de journalistes entassés sur six rangs.

Pour pouvoir entrer, les invités devaient porter le disque orange en Velcro déposé chez eux la veille, et cette procédure d'admission engendrait une procession clairsemée de couples d'âge mûr au visage grisâtre, des oncles et des tantes, supposa Jesse, peut-être quelques flics en retraite, anciens copains du père de Brenda. Il y avait aussi un certain nombre de policiers plus jeunes — de l'âge de Danny Martin —, accompagnés de leurs femmes ou de leurs petites amies. Personne n'avait amené d'enfants.

Jesse repéra au moins deux reporters arborant des badges chapardés, la tête baissée et l'air grave quand ils entrèrent en resquillant.

La plupart des gens du coin, venus en curieux, murmuraient et hochaient la tête, semblaient reconnaître les invités, alors que les journalistes réagissaient peu à leur apparition. Lorsque Danny Martin arriva enfin, descendit de la voiture et fit le tour pour ouvrir la portière à sa mère, il y eut une ruée de cameramen décidés à graver l'instant sur pellicule.

Danny était vêtu d'un costume croisé couleur bronze, dont les manches trop longues effleuraient ses jointures. Résultat de son empoignade avec Curious George, il avait l'arête du nez couverte de sparadrap et les yeux bordés de cernes sépia. Il était mal rasé et donnait l'impression qu'il lui était poussé des bajoues pendant la nuit.

Elaine, la mère de Brenda, demeura cachée derrière son maquillage et d'énormes lunettes noires tandis que son fils l'escortait jusqu'à la porte. Jesse remarqua qu'elle gardait la bouche ouverte, comme ces vieux qui s'efforcent de respirer et de marcher en même temps.

Cinq minutes plus tard, le directeur de la police, le chef des inspecteurs et le maire de Gannon arrivèrent dans des voitures différentes. C'étaient apparemment les derniers invités, et les journalistes se retrouvèrent face à face de part et d'autre du tapis rouge. Quelques-uns d'entre eux allèrent interviewer l'un des dirigeants de l'entreprise, sorti voir comment les choses se déroulaient. Le type semblait satisfait de tout ce battage mais refusa en s'excusant de fournir le moindre détail sur ce qui se passait dans la chapelle.

Examinant l'autre partie de la foule de l'autre côté du tapis, Jesse découvrit le visage vaguement familier d'un homme au teint olivâtre, trente-cinq, quarante ans, peut-être latino, dont le bouc et les cheveux courts étaient veinés de gris. Comme s'il sentait l'attention de la journaliste, il se tourna vers elle et elle se rappela qui il était : le candidat n° 2 des indicateurs possibles au McCoy's, celui qui avait filé quand elle s'était approchée de sa table. Dans le sillage de cette identification lui vint une intuition, et Jesse fut certaine que ce type était Ulysses Maldonado, le père biologique de Cody, l'homme censé être quelque part à Porto Rico.

Jesse fit un pas pour traverser le tapis et l'aborder, mais il secoua la tête et leva une main pour l'en dissuader.

Tandis qu'elle reculait, et que les autres reporters, assiégeant le directeur des pompes funèbres, tentaient de lui soutirer des informations, des images, une Range Rover se gara le long du trottoir. L'un des trois Noirs qui se trouvaient à l'intérieur cria :

— Hé, bande d'enfoirés, on verra combien vous serez à l'enterrement de Millrose !

Et le chauffeur ajouta :

— Elle a tué Millrose aussi, cette salope !

Les gens du coin réagirent aussitôt en lançant des détritus, des pierres, des boîtes de conserve, tout ce qui se trouvait à portée de main, et la Range Rover dut décamper.

Edwin « Millrose » Carter : le prix à payer serait élevé pour l'unique victime des événements de la veille, non pas tant en raison de sa mort en soi que de la difficulté à définir les responsabilités. Le coup qui avait enfoncé le crâne de Millrose pouvait provenir d'un certain nombre de choses, et si les parieurs avertis penchaient pour une matraque de flic, cela pouvait aussi bien être un morceau de ciment, une bouteille comme celle qui avait assommé Lorenzo. De plus, des témoins oculaires avaient déclaré que la victime avait déclenché la mêlée générale en collant un marron au flic, et le coroner avait encore compliqué l'affaire en ajoutant que le cadavre avait près de six verres de gnôle, ou une bouteille et demie de vin, dans le sang.

Moins de douze heures s'étaient écoulées depuis le rapport du médecin légiste, mais Jesse pouvait déjà annoncer que le débat sur la responsabilité de cette mort durerait des années, le fossé entre les deux villes, entre les flics et les habitants des cités, n'en devenant que plus large et plus profond.

Quelques minutes après l'offensive verbale des hommes de la Range Rover, des détonations lointaines firent sursauter certains spectateurs. Jesse sentit la panique monter en elle jusqu'à ce qu'elle entende quelqu'un lâcher, laconique, « 4 Juillet[1] ». Une fois que la foule, riant un peu, fut rassurée, Jesse regarda à nouveau de l'autre côté du tapis pour supplier Ulysses des yeux de lui accorder un entretien, mais découvrit qu'il n'était plus là, et tandis qu'elle ruminait l'occasion perdue, deux des invités les plus jeunes sortirent pour fumer une cigarette. Une nouvelle ruée des caméras les fit battre en retraite à l'intérieur. « Vautours », marmonna l'un d'eux, ce à quoi le cameraman voisin de Jesse répondit : « Original. »

Le monospace des Amis de Kent se gara le long du trot-

1. Fête nationale des Etats-Unis, célébrée elle aussi par l'explosion de pétards. *(N.d.T.)*

toir, Louis au volant, Karen et les autres — Marie, Teenie et Elaine — à l'arrière. Les femmes descendirent, vêtues de tailleurs ou de robes noirs, des pin's en or des Amis de Kent épinglés sur leurs épaules ou à leur gorge brillant au soleil. Sans même chercher à entrer, elles se placèrent à l'arrière de la foule et gardèrent le silence.

Jesse s'approcha d'elles, toucha le bras de Karen.

— Salut, murmura-t-elle, le souffle un peu court.

— Salut, répondit Karen, la voix contenue mais gardant une partie de son autorité possessive.

Les autres hochèrent la tête et sourirent, Marie se pencha, déposa un bécot sec sur la joue de Jesse.

— Vous n'entrez pas ? s'étonna Jesse, chuchotant à nouveau, bien qu'elle fût dehors, au dernier rang d'une foule nombreuse.

— Non, dit Karen avec un haussement d'épaules.

— Vous êtes pas sur la liste ?

Karen haussa de nouveau les épaules.

— Non. Ça ne fait rien. Nous lui ferons nos adieux d'ici. Alors, comment ça va, Jesse ?

Touchée par la question, la journaliste ouvrit les vannes :

— Bien. Vous avez lu ce que j'ai... un des papiers que j'ai...

— Non, on ne vend pas le *Register*, chez moi.

— Ah ! bon. J'ai eu... Vous savez, j'ai suivi cette affaire depuis le début et... j'ai eu trois offres d'emploi.

Il s'agissait plutôt de contacts préliminaires, mais Jesse ne pouvait s'empêcher de broder.

— Bravo, dit Karen.

— Ouais, une au Colorado, une...

— C'est super, la coupa Karen, les yeux ailleurs.

Incapable de se taire, Jesse poursuivit :

— Et deux dans la Sunbelt. C'est flatteur, mais j'ai pas envie de...

— Bravo.

— J'espère — je crois — que je vous ai rendu justice.

— J'en suis sûre.

— Vous savez, je pourrais peut-être faire un article sur vous, sur l'organisation. Je pense que ce serait...

— Oui, sûrement.

— Une fois que la fumée sera retombée, précisa Jesse qui

n'avait aucunement l'intention d'écrire un tel article. Je crois que ça vous aiderait.

— Tout peut aider, dit Karen, qui tira un Kleenex de sa poche et se moucha.

— Bon, eh bien...

Mortifiée, Jesse s'éloigna.

Au bout d'un certain temps, ce fut l'exode : tout le monde, apparemment, quittait la veillée. Les visages étaient fermés, durs. Personne ne pleurait : pas de larmes mais de la rage. Intriguée, Jesse regarda sa montre, eut la confirmation qu'il restait normalement encore une heure avant la fin de la cérémonie. Forte d'une supposition éclairée, elle fit discrètement le tour du bâtiment jusqu'à la porte de derrière, où les fourgons mortuaires livraient leur chargement, se hissa sur un piédroit de ciment ombragé par un arbre et attendit. Pour s'occuper, elle fit le bilan des émeutes.

Les violences de la veille n'avaient débouché que sur dix arrestations. Au matin, afin d'éteindre les braises qui pouvaient encore rougeoyer ici ou là, le procureur avait ramené toutes les inculpations à atteinte à l'ordre public, délit passible d'une simple amende. Sept des jeunes arrêtés avaient été relâchés, les trois autres restant en détention sous le coup de mandats pour des faits antérieurs. On comptait aussi dix hospitalisations : Lorenzo, commotion cérébrale ; quatre manifestants pour blessures et fractures diverses, notamment une cheville et une clavicule cassées ; trois flics de Gannon, deux blessures au dos, une cornée déchirée ; Jesse elle-même, à qui on avait fait huit points de suture à l'intérieur de la joue ; enfin, le flic infiltré de Dempsy, la rate éclatée par un coup de matraque de Gannon.

Agacée par les mouches, fatiguée de toute cette histoire, Jesse laissa ses pensées dériver. Vingt minutes plus tard environ, comme elle l'avait prévu, un fourgon de l'administration pénitentiaire s'arrêta devant la porte de derrière. De l'ombre où elle se tenait, Jesse vit deux shérifs descendre du véhicule, faire coulisser la portière latérale, soulever Brenda — entravée aux poignets, aux chevilles, à la taille —, et la reposer sur l'asphalte. Deux gardiens sortirent derrière elle, les quatre hommes formant ensemble un losange protecteur.

Réglant leur pas sur celui de Brenda, ralentie par ses chaînes, ils l'escortèrent jusqu'à la porte.

La prisonnière semblait sourire et Jesse se félicita de l'absence de caméras, car son sourire n'était qu'un rictus figé. De même qu'il était venu des bajoues à Danny Martin en quarante-huit heures, Brenda semblait s'être beaucoup épaissie de la taille. Jesse s'étonna de cette transformation avant de se rendre compte qu'elle portait un gilet pare-balles.

Pensant que l'AP amènerait Brenda au funérarium avant le début de la veillée, Jesse y traînait depuis huit heures du matin. Cela aurait été beaucoup plus logique que d'arriver comme ça en pleine cérémonie et de contraindre la famille à vider les lieux. Connaissant un peu la bureaucratie qui régnait dans les établissements pénitentiaires, Jesse pouvait également imaginer que Brenda avait attendu dans le fourgon, à la porte de la prison, pendant deux bonnes heures, avant qu'on appose quelques signatures de plus au bas des divers formulaires de sortie temporaire.

Brenda avait exactement vingt-deux minutes pour dire adieu à son fils, et pendant ce délai, à mesure que la nouvelle de son arrivée s'ébruitait, Jesse fut peu à peu rejointe par des curieux et des cameramen déboulant de l'autre côté du bâtiment. Lorsque Brenda ressortit avec son escorte de quatre hommes, elle fut accueillie par une salve de toutes les injures prévisibles : « Tueuse d'enfant », « Garce », « Salope », « Putain », « Tueuse d'enfant », « Tueuse d'enfant »...

Ce qui s'était passé pour elle dans la chapelle pendant ces vingt-deux minutes accentuait son sourire involontaire.

— Regardez-la, elle rit, cracha la femme qui se tenait à côté de Jesse.

Brenda leva les yeux, fixa la journaliste sans vraiment la voir, et celle-ci murmura : « Salut », le cœur chaviré d'amour.

— Elle rit, répéta la femme.

Délaissant la bouche de joker, Jesse regarda plutôt les yeux de Brenda : affolés, tels des oiseaux pris au piège, tentant désespérément de s'échapper de leurs orbites.

Après la veillée, pour ne pas se retrouver seule chez elle, Jesse fit un saut au journal pour la première fois depuis une semaine. Dans la salle de rédaction, quelques collègues la félicitèrent mais la plupart lui battirent froid, réaction conditionnée par son statut de louve solitaire. Certains jours, ce traitement l'ennuyait, d'autres fois, elle s'en foutait complètement. Ce jour-là, cela lui fit mal.

Jose n'était pas dans le coin. Elle s'installa à son bureau, relut son dernier article sur sa nuit chez Brenda, qui devait paraître dans l'édition du soir. Au bout d'un moment, le téléphone sonna.

— Ouais ?

— Salut.

C'était Ben.

— Quoi ?

— Rien. Je suis à l'hôpital. On a dû me recoudre une deuxième fois, le type avait raté quelques points de suture ou je ne sais quoi... (Jesse attendit.) Tu sais qui j'ai vu, ici ? Ce flic, Bump. Il sort demain. On a parlé. Il est sympa.

Elle alluma une cigarette.

— Et... ?

— Jesse, est-ce que... commença-t-il gauchement. Ça ne me regarde pas mais... Tu as interviewé son fils ? Tu avais plus ou moins promis.

— Dis-lui qu'il me faut un jour ou deux pour me retourner.

— Ce n'est pas à moi de te...

— Je peux pas discuter maintenant, je travaille.

Quelques secondes plus tard, le téléphone retentit de nouveau. Irritée, s'attendant à entendre de nouveau son frère, Jesse décrocha. Elle entendit une voix d'ordinateur lui annoncer qu'elle avait une communication en PCV de... Suivit une série de craquements marquant le passage à une voix réelle, hésitante et menue : « Brenda Martin. »

Jessa arriva au centre des visites de la prison du comté à trois heures de l'après-midi. Tandis qu'une gardienne examinait ses lettres de créance, un fourgon cellulaire franchit en marche arrière une lourde porte et déchargea six jeunes femmes noires en uniforme bleu roi, portant chacune sous le bras un tapis de prière roulé. Elles firent signe de leurs doigts à une autre détenue qui lavait le sol autour du bureau de l'accueil, et Jesse devina qu'elles revenaient de leur procès, qu'elles indiquaient le nombre d'années dont elles venaient d'écoper.

A cause de la célébrité de Brenda, la visite eut lieu dans l'intimité relative du foyer des surveillantes. Jesse fut conduite dans une salle crûment éclairée, pour le moment déserte. Les murs étaient occupés par des distributeurs automatiques, des cabines téléphoniques et trois tableaux d'affichage couverts de documents syndicaux, d'annonces de changements d'horaires, de dessins humoristiques relatifs à la prison découpés dans des journaux et des magazines. La gardienne qui l'avait accompagnée installa deux chaises pliantes l'une en face de l'autre, aussi loin que possible des autres meubles, puis recula et l'invita d'un geste à s'asseoir.

Isolée, enveloppée par le silence, Jesse attendit, la bouche sèche, les doigts tremblants. Quand Brenda, flanquée de deux gardiennes, entra dans la salle d'un pas traînant, Jesse avait déjà fait tomber son stylo quatre fois.

Vêtue du même uniforme bleu roi que les femmes descendues du fourgon, Brenda avait l'air d'un chirurgien épuisé. Sa peau était d'une opalescence malsaine, mais les poches sombres sous ses yeux semblaient s'être réduites.

« Salut », dirent-elles ensemble, et elles sourirent, le sourire de Brenda plus large que celui de Jesse. La journaliste fut déconcertée, sentit qu'il y avait quelque chose de profondément, de dangereusement anormal chez Brenda, et mit aussitôt le doigt dessus : elle semblait heureuse.

La détenue croisa les jambes. Elle portait aux pieds des pantoufles en papier avec des semelles de carton.

— Comment vous allez ? demanda machinalement Jesse.

Brenda répéta la question d'un air pensif :

— Comment je vais ? Je vais bien, répondit-elle lentement. Mieux que bien.

— Ils vous font la vie dure ?

Elle haussa les épaules :

— Je m'en fiche.

— OK, marmonna Jesse, vaguement inquiète. (Puis, comme pour ramener Brenda à une disposition d'esprit plus adéquate, elle demanda :) A la veillée, ça allait aussi ?

Sourde à la question, Brenda tendit à Jesse quatre feuilles de papier pliées arrachées à un cahier d'écolier.

— C'est pour vous. Un rêve que j'ai fait hier soir.

Jesse prit les feuilles, les glissa dans son sac.

— D'accord.

— Parce que, pour écrire sur cette histoire, vous n'avez pas les mots, dit Brenda, montrant le bloc-notes de la journaliste.

— Les mots pour... ?

Jesse laissa la phrase en suspens, réclamant plus, dévisageant la prisonnière, puis se reprit, confuse, et se demanda si elle était là pour travailler ou pour parler.

— Pour expliquer ce que je ressentais, ce que je ressens. « A la veillée, ça allait ? » dit Brenda, citant Jesse d'un ton un peu moqueur. Vous pouvez pas... (De la tête, elle indiqua de nouveau le bloc-notes.) Vous n'avez pas les mots. Publiez mon rêve. Les rêves sont ce que vous êtes. Ce qui vous fait vraiment agir, sous toutes les foutaises. Si les gens veulent vraiment savoir... (Elle s'interrompit, détourna les yeux.) Vous devriez simplement publier mon rêve.

— OK. C'est pas moi qui décide, mais...

Jesse se tut, ne sachant quoi ajouter. Brenda lui tendit une autre feuille.

— Et je veux aussi vous donner ça. C'est pour vous, personnellement. La liste de mes chansons préférées. Je vous avais dit que je vous enregistrerais une cassette mais je l'ai pas fait, et c'est tout ce que je peux vous offrir maintenant, cette liste.

Jesse parcourut la feuille, l'écriture d'écolière aux *S* incurvés comme des cols de cygne, aux *I* surmontés d'une auréole au lieu d'un simple point.

FOR YOUR PRECIOUS LOVE, Linda Jones
HIGHER AND HIGHER, Jackie Wilson
STEAL AWAY, Jimmy Hughes
WHEN SOMETHING IS WRONG WITH MY BABY, Sam and Dave
ANY DAY NOW, Chuck Jackson
COME TO ME, Solomon Burke
CRY BABY, Garnett Mims
YOUR GOOD THING IS ABOUT TO END, Mabel John
WHEN MY LOVE COMES DOWN, Ruby Johnson
I CAN'T STAND THE RAIN, Ann Peebles
LITTLE BLUEBIRD, Johnny Taylor

TRAMP, Otis and Carla
THE GREATEST LOVE, Judy Clay
HAVE MERCY, Don Covay
ARE YOU LONESOME FOR ME, BABY, Freddie Scott
HELLO STRANGER, Barbara Lewis

— Merci, dit Jesse à voix basse, troublée par ce deuxième cadeau venant après le rêve écrit : Brenda bazardait la boutique. Merci beaucoup.

Les deux femmes demeurèrent un moment silencieuses, Jesse relisant les titres des chansons pour éviter le regard de Brenda.

— Vous savez quoi, dit enfin Brenda, je suis là, dans ma cellule, très tranquille, à l'intérieur, à l'extérieur, et je retourne en pensée à des endroits, à des périodes que j'ai presque oubliés mais qui étaient agréables. Certaines personnes, certains moments... Je veux vous parler d'une journée particulière.

— D'accord, répondit Jesse, se préparant à un autre cadeau, aux propos intimes qui allaient atterrir dans son giron. Allez-y.

— Il y a cinq ans, en décembre, j'avais obtenu un boulot de prof d'ASL, « anglais seconde langue », dans une fac de New York. Des étudiants venant du monde entier. A l'époque, je vivais à la maison. J'étais passée par ce groupe de thérapie à New York, j'étais retournée dans le New Jersey, j'en terminais avec la cocaïne... Je me droguais encore mais... je ne supportais plus ce que j'étais. Une toxico vivant chez sa mère...

Brenda se pencha en avant, s'étreignit le torse, poursuivit :

— J'ai obtenu ce boulot, on appelait ça « chargé de cours adjoint ». J'avais fait seulement un an d'études à l'université mais j'avais raconté que je préparais une maîtrise quelque part, et personne n'avait pris la peine de vérifier. On manquait d'enseignants. Ce n'était même pas... On était payé à l'heure, comme une baby-sitter. Bref, on m'a confié ce cours, cinq fois par semaine, huit heures du matin. Je me levais dans le brouillard, j'enfilais n'importe quels vêtements, je prenais le métro pour aller en ville... Et cette classe, l'odeur de cette classe...

Jesse se mit à prendre des notes.

— Non, écoutez-moi seulement, d'accord ?

Elle cessa d'écrire.

— L'odeur, quand j'entrais... Eau de Cologne, maquillage, parfum, laque. C'était comme dans une boîte de nuit, tout le monde sapé à mort. Mais ces gens, mes étudiants, ils étaient là, ils avaient envie d'apprendre. Sérieux, concentrés, avides de connaissances, de s'élever. On avait tous le même âge, eux et moi, entre vingt et trente ans ; ils avaient une famille, des gosses, un boulot, et ils venaient quand même à huit heures précises, cinq jours par semaine, pour moi. Moi ! Et franchement, je n'avais rien à leur donner, je n'avais aucune idée de ce que je faisais, là ou ailleurs...

« Au début du trimestre, j'arrivais au cours avec cinq minutes, dix minutes de retard, à moitié endormie, j'ouvrais le manuel ASL qu'on m'avait donné, et j'aurais été incapable d'analyser une phrase même si on m'avait payée pour ça, d'ailleurs, j'étais payée pour ça, mais je... je... j'improvisais...

« A la fin de la première semaine, un étudiant portoricain, mon âge, un peu plus vieux, me prend à part et me demande : “Vous voulez qu'on vous respecte ?” Quoi répondre ? “Oui, bien sûr.” Il tapote le bas de mon chemisier, comme ça...

Brenda tendit la main vers l'estomac de Jesse, se frotta les doigts comme pour en faire tomber quelque chose de répugnant.

— Il me dit : « Alors, commencez par nous respecter. » Il s'éloigne, je suis morte de peur. Je sais de quoi il parle, mais c'est encore pire. Je baisse les yeux vers mon chemisier, je m'aperçois que je suis venue au cours avec ma veste de pyjama. J'ai tellement honte que...

« Le lundi suivant, j'arrive à l'heure, dans une tenue correcte. Je n'ai pas touché à la dope de tout le week-end. Je sais toujours pas comment faire ce cours mais j'ai... j'ai envie d'essayer. Le gars ? Il est parti. J'apprends qu'il a demandé à être transféré dans une autre section ASL.

« Bon, je me lance : sujet, attribut, proposition principale, subordonnée, tout le monde s'en fout. Mais je tombe sur quelque chose. On parle, pendant le cours, et je ne sais pas comment c'est venu, mais on parle d'avortement, un article dans le journal, peut-être, et les élèves discutent comme des dingues, ils argumentent, la plupart contre mais pas tous. Je remarque que quand ils discutent d'un sujet qui les échauffe ils arrivent à trouver les mots dont ils ont besoin. Alors, voilà ce que je fais. Chaque semaine, j'écris au tableau un sujet qui les mettra en ébullition : la guerre, malédiction ou remède ; la peine de mort, pour ou contre ; la prière à l'école ; la castration pour les violeurs, etc. Le lundi, on parle, on discute, on sort tout ce qu'on a sur le cœur. Le mardi, ils écrivent leur texte — première mouture —, je lis, j'annote. Mercredi, deuxième mouture ; je lis, je corrige. Jeudi, texte définitif. Vendredi, lecture à voix haute pour toute la classe. C'était vraiment attrayant.

« Quand même, après deux mois de cours, une de mes étudiantes me laisse ce mot : "Je suis permettre d'excuse pour demain je dois voir un rendez-vous des docteurs." Voilà...

« Sur le plan personnel, début octobre, j'ai à peu près arrêté la coke, j'ai réussi à quitter la maison une deuxième fois, j'ai un studio dans le Lower East Side, je vais au boulot à pied, faire cours me plaît. Vers le milieu du mois, je rencontre le gars qui avait demandé son transfert. Il est assis dans un café en face de la fac, et je peux dire, rien qu'à la façon dont il me regarde, dont il me sourit, qu'il a compris. Il sait par quoi je suis passée, et ses yeux me disent : "Bravo, bien joué." Je me mets à pleurer...

Brenda s'interrompit, fit glisser un doigt tremblant sur sa pommette. Puis :

— Je suis là en train de pleurer, il s'approche, il s'assied à ma table, et qu'est-ce que je peux faire ? A la mi-novembre, je suis enceinte. C'est d'Ulysses que je vous parle, bien sûr. Je vais tous les jours faire mon cours, je n'ai jamais de nausées matinales. Je ne sais pas pourquoi, je ne lui dis rien.

« Je n'en parle à personne. Je me demande : Est-ce que je dois me faire avorter ? Est-ce que je dois garder le bébé ? Garder le bébé et laisser tomber Ulysses ? Mais il est le père. Alors, avorter puis adopter un enfant, pour couper au mariage ? J'envisage même de soumettre la question à mes étudiants — le sujet brûlant de la semaine —, mais ce sont les gens les plus conservateurs que j'aie jamais vus, des émigrés qui partent du bas de l'échelle et qui montent, qui montent. Je ne sais pas. Je ne sais pas quoi faire.

« La dernière semaine, le 15 décembre, je me rends à mon cours, huit à dix, je n'ai pas encore pris de décision, est-ce que je dois avorter ? Oui, non, oui, non. Je perds la boule. Tout à coup je sens une main sur mon bras, c'est Ulysses, il m'entraîne vers une cage d'escalier, il a quelque chose à me dire. Très solennel. Il est vraiment désolé mais il a décidé de retourner à Porto Rico, on lui offre un bon boulot là-bas. Vraiment désolé. Il s'en va, et je ne lui ai rien dit, pas un mot. J'entre dans la classe ce jour-là, un lundi, je me sens trop bien, et je dis aux élèves, vendredi, pour le dernier jour, pas de cours, on fête Noël. Dans la classe. Le trimestre a été dur, bla-bla-bla...

« J'arrive le vendredi à huit heures moins dix, toute la classe est là qui m'attend, et ils sont tous habillés comme pour une vraie fête ! Moi, je voulais simplement qu'on prenne un café et un gâteau, qu'on se dise au revoir, mais non. Ils ont sorti le grand jeu : costumes, robes, séances chez le coiffeur, bouteilles de vin, minichaîne, pop-corn, bretzels, cousins, enfants, parents. Ils veulent faire la fête. Pour eux, suivre ce cours, c'était un accomplissement, un exploit, leur premier trimestre en fac, et...

Brenda se pencha en avant, toucha la main de la journaliste.

— Jesse, je me doutais de rien. On dansait, je posais pour qu'ils me prennent en photo, je leur serrais la main, je serrais la main des cousins, je prenais leurs bébés dans mes bras, on riait, on s'embrassait... A un moment, ils ont arrêté la musique et ils m'ont offert une montre. Pour me remercier d'être leur prof, vous voyez, genre « A notre professeur, avec toute notre affection ». Je me faisais pas d'illusions, je me prenais pas pour un bon prof, mais en acceptant cette montre j'ai pensé : Maintenant, je suis prof.

« Non seulement ça, mais je me rappelais que dans ma famille, du moins, du côté italien, celui de ma mère, il y avait eu des étudiants venus ici comme eux, soixante-dix ou quatre-vingts ans plus tôt. Et moi, j'étais là, j'avais amené ma famille de l'autre côté du bureau. Je me souviens qu'au moment où j'ai pris cette montre je savais *qui* j'étais, je savais *où* j'étais. J'avais mon bébé en moi, mes étudiants autour de moi, et c'était Noël...

Le silence se fit dans le foyer. Jesse baissa les yeux vers ses mains. Quand elle les releva, elle vit Brenda en larmes, une main sur le front, la bouche ouverte sur un trou béant. Ne sachant comment l'aider, elle attendit que Brenda reprenne le contrôle d'elle-même, efface de la main l'expression de souffrance de son visage, comme par un tour de magie.

— Combien de temps vous avez enseigné là-bas ?

— Justement, on ne m'a pas reprise, répondit Brenda. (Elle détourna la tête, haussa les épaules.) On ne peut rouler tout le monde.

Le raclement de gorge d'une des gardiennes fit sursauter Jesse, qui se rendit compte qu'elle avait oublié leur présence. Elles étaient trois, bien en vue contre les murs.

— Vous savez qui vient me voir ? demanda Brenda, d'un ton presque guilleret. (Jesse attendit.) Ma mère. Elle vient... Maintenant, elle vient, s'esclaffa-t-elle.

Jesse eut un bref sourire, troublée par la rapidité avec laquelle Brenda était capable d'égayer son ton.

— Mais je suis contente de la voir. J'aurais jamais cru que je dirais ça, mais je suis contente de la voir.

— Ouais ?

— C'est ma mère. Il faut bien avoir quelqu'un dans son camp.

Jesse résista à l'envie de répondre : « Et moi ? » Elle avait décidé que ce n'était plus une interview.

— Cet inspecteur, Lorenzo, il vous arrive de le voir ?

Brenda croisa les jambes, fit claquer nerveusement sa pantoufle contre son talon.

— Bien sûr, confirma Jesse.

— Quand vous le verrez, dites-lui, dites-lui que j'ai trouvé qu'il était très patient avec moi. Il a tout de suite vu clair en moi, mais il a été patient. Il était pas obligé. Dites-lui... (Ses yeux brillaient d'une tristesse profonde.) Dites-lui que je l'aime beaucoup. Pour la façon dont il m'a traitée, ajouta-t-elle d'une voix brisée.

— Brenda... commença Jesse, sans avoir la moindre idée de ce qu'elle pouvait ajouter.

— Dites-lui que je suis désolée... et que j'ai honte, poursuivit Brenda dans le murmure rauque d'un adieu. A vous aussi, Jesse, j'ai quelque chose à dire. (Le contact de ses doigts froids, légèrement moites, sur le poignet de Jesse, était insupportable.) Vous m'avez menti, n'est-ce pas, à propos de cet enfant ?

— Oui, répéta Jesse, à la fois question et aveu.

— Je veux simplement vous dire que je n'ai aucune... Je sais que vous aviez un travail à faire. Je me souviens même plus comment c'est venu dans la conversation. C'est venu comme ça, c'est tout, et je ne vous trouve pas sans cœur, ni rien. Je sais que ça vous tracasse, mais vous n'avez rien à vous reprocher.

Autres mots, autre cadeau d'adieu. Jesse libéra son bras.

— Brenda, vous allez quelque part ?

Elle inclina la tête, un demi-sourire aux lèvres.

— Quoi ?

— Oui, quoi, fit Jesse, la défiant.

Brenda garda les yeux sur les mains de la visiteuse, élargit son sourire. Jesse se pencha en avant, baissa la voix :

— Lisez dans mon esprit, Brenda. A quoi je pense...

— Ne vous en faites pas, dit Brenda, amenant sa voix au niveau de celle de la journaliste. Ils y ont pensé bien avant vous, ajouta-t-elle, pointant le menton en direction des gardiennes. Ils appellent ça la surveillance antisuicide.

Assise dans la voiture de Ben, Jesse lisait le rêve de Brenda.

A la différence de la liste de chansons, dressée en capitales d'imprimerie, grosses et presque enfantines, le rêve était écrit en petites lettres uniformes, chargeant à travers la page comme une armée de fourmis.

Je suis couchée avec un homme et cet homme, bien qu'endormi, me pousse hors du lit dans un mouvement de rejet impersonnel causé par son rêve. Je suis submergée par un sentiment de tristesse et d'abandon.

Mes larmes, silencieuses, ne sont visibles que de moi.

Toujours dans son sommeil, l'homme change d'attitude, me soulève pour me remettre dans le lit. Il se réveille, me serre contre lui doucement, et je flotte sur un nuage d'amour et de bonheur.

Je lui dis : « Je t'aime », d'une voix douce qui me semble étrange dans sa conviction, puis nous sombrons tous deux dans une tendre reconnaissance l'un envers l'autre.

J'entends ensuite un enfant appeler d'une autre pièce : « Il fait noir. »

Je dis à l'homme, toujours de cette voix étrange : « Je vais le chercher. »

Je m'approche de l'enfant, couché en pyjama sur le canapé de la salle de séjour. Je pensais que c'était le mien, mais non, c'est un enfant qu'Ulysses a eu avec une autre femme. Ils doivent l'avoir perdu ou abandonné parce que je sais qu'il est maintenant sans parents, ce petit garçon étendu devant moi, et je pense : Au moins, il m'a, moi (bien que je ne sois pas sa mère), et je le mets au lit avec nous et je lui demande : « Tu l'aimes bien ? », en parlant de l'homme.

L'enfant répond : « Je l'aime bien. »

Je lui demande : « Ça te plairait qu'il soit ton nouveau papa, si je l'épousais ? »

« Oh oui ! » s'écrie-t-il d'une voix sucrée de personnage de conte de fées.

« C'est notre secret, nous allons former une famille. »

Le garçon est transporté de joie, comme moi-même, comme l'homme. Mais je pense alors : Si j'ai un bébé avec mon nouvel homme, cet enfant sera fou de frayeur, il aura peur que tout s'effondre, ou même que sa nouvelle famille devienne dangereuse pour lui.

Je me dis qu'il a neuf mois pour se rassurer, pour se sentir plus en sécurité avec nous. Au moins neuf mois parce que je n'ai pas encore fait l'amour avec cet homme, ce rêve d'homme.

Je décide de me soucier de la peur éventuelle de cet enfant plus tard. Pour le moment, je fonds de tendresse, je sens comme une chanson dans mon sang.

Le reste de ce que Brenda avait écrit était adressé directement à Jesse.

Chère Jesse,

Je suis au courant pour la marche et la bagarre dans Martyrs Park. Tout ce que je peux faire pour me racheter, c'est m'exposer aux yeux de tous, non pour me justifier ni même pour expliquer mais pour montrer qui je suis. Je crois que la réalité de notre être est dans nos rêves.

Affectueusement,

Brenda Martin

En repliant soigneusement les pages, Jesse s'étonna que Brenda qualifie de « bagarre » la mêlée générale du parc, et se demanda si elle savait qu'il y avait eu un mort. Elle préféra penser qu'elle l'ignorait.

Elle s'interrogea aussi sur ce que Brenda considérait comme le plus beau jour de sa vie. Si l'homme que Jesse avait vu le matin à la veillée était bien Ulysses, comme elle en était presque certaine, les moments de joie qu'elle avait éprouvés cinq ans plus tôt reposaient sur une méprise, l'idée qu'au moment où il avait annoncé son intention de partir le père de Cody ignorait que Brenda était enceinte.

Quant au rêve, dont la transcription tremblait maintenant sur le siège avant droit dans l'air climatisé, Jesse ne savait comment l'interpréter au-delà de ce qui sautait aux yeux : le désir d'être plongée dans le bonheur d'une famille magique instantanée. Jesse savait cependant une chose : ce ne serait jamais qu'un rêve, puisque Brenda était condamnée à vivre dans une maison de verre ou une autre, tant qu'elle choisirait de rester sur cette terre.

33

Dès son entrée au journal, le lendemain à midi, Jesse le comprit à l'expression de fascination et d'attente des regards posés sur elle : Brenda était morte.

A l'autre bout de la salle de rédaction sans fenêtres, elle vit Jose, en silhouette, se mettre péniblement debout derrière la cloison en verre dépoli de son bureau. Avant qu'il ait le temps de passer dans la salle, Jesse redescendait l'escalier en direction de la rue.

Elle sortit par la porte des livraisons pour éviter son frère, garé devant l'immeuble, erra un moment dans ce qui restait du centre de Dempsy : quelques cinémas de style mauresque transformés en temples *revival* pour églises arnaqueuses ; un troupeau de taxis noir et orange cabossés devant la gare principale, les chauffeurs sikhs traînant autour du point de convergence des capots ; une rangée de tables pliantes courant sur presque deux pâtés de maisons, marché en plein air offrant des articles sans marque : barres de chocolat, mi-bas, cagoules de ski et grenouilles mécaniques en fer-blanc.

Une demi-heure de balade dans ce quartier désolé, c'est tout ce qu'elle put supporter. Appuyé au Hollandais de guingois, elle appela Jose.

— Jesse ? dit-il, d'un ton hésitant qui ne lui ressemblait pas.

— Alors, qu'est-ce qui s'est passé ? demanda-t-elle enfin.

Brenda s'était étranglée au nez des gardiens. L'uniforme

en coton bleu qu'elle avait mis pour la visite de Jesse lui avait été prêté pour sortir de sa cellule. Normalement, elle portait une combinaison en papier afin de décourager toute tentative de suicide. Mais elle s'était allongée sous ses couvertures, elle avait ôté la combinaison, noué les jambes au côté gauche de son sommier, et les manches autour de son cou. Puis elle s'était penchée vers la droite, tirant de toutes ses forces, se privant d'air jusqu'à perdre connaissance. Elle était morte en quelques minutes.

Malgré la surveillance antisuicide, son décès n'avait été découvert que douze heures plus tard. Les gardiennes, pensant qu'elle dormait, avaient laissé passer l'heure du petit déjeuner, et ce n'est qu'en lui apportant le plateau de midi qu'on s'était aperçu de son état.

Après lui avoir tout raconté, Jose demanda à Jesse si elle voulait écrire la nécro de Brenda, ou essayer de pondre un édito, une sorte de bilan de l'affaire. Elle refusa et, elle dut lui rendre cette justice, Jose n'insista pas. Il la rebalança dans le grand bain en lui parlant d'une autre affaire : le propriétaire d'un salon de coiffure de Gannon avait apparemment pété les plombs et, se prenant lui-même en otage, menaçait de se faire sauter le caisson si les flics postés dans la rue et sur les toits tentaient de pénétrer dans son salon en faillite qu'il avait lui-même, au matin, complètement saccagé.

Jesse fut d'abord reconnaissante à Jose : embrayer sur un nouveau drame, c'était pour le moment le seul moyen qu'elle pût imaginer pour oublier Brenda. Mais plus elle y réfléchissait, moins elle était partante, car se rendre là-bas impliquait de remonter dans la « Benmobile », de se farcir les flics de Gannon, de faire de la lèche, de jouer la comédie pour soutirer des informations. Elle préféra continuer sa balade, passa le reste de la journée à se représenter puis à chasser de son esprit les derniers moments de Brenda tels que Jose les avait relatés, à laisser la tragédie s'insinuer en elle et à se rassurer en se disant que rien de tout ça n'était sa faute.

Son frère la trouva à la tombée du jour, roula un moment à sa hauteur le long du trottoir puis accéléra un peu avant de s'arrêter cent mètres plus loin et de se pencher pour ouvrir la portière de la Chrysler. Jesse capitula, laissa Ben la conduire où il voulait et fut surprise quand il se gara devant les grilles de Freedomtown, surprise par la justesse de l'instinct de son frère.

— Il paraît que Lorenzo est sorti de l'hôpital, dit-il au moment où elle descendait de voiture. Tu devrais peut-être lui passer un coup de fil...

Ben, à la fois docile et aux commandes, absolument parfait.

— Tu pourrais pas le faire pour moi ? demanda-t-elle poliment, tentant de reprendre les choses en main.

Malgré l'obscurité — on approchait de neuf heures —, Ben n'essaya pas d'accompagner sa sœur dans le parc. Il sut attendre, assis devant le grillage tressé de plantes grimpantes, relisant le journal, sirotant un café, faisant ce qu'il faisait quand Jesse n'avait pas vraiment besoin de lui.

Bien qu'il restât encore quelques personnes devant l'Incendie de Chicago — une jeune femme enceinte avec un œil poché assise en tailleur sur une couverture, un vieux type accroupi se parlant à lui-même, un trio de jeunes reporters bruyants, soûls, défoncés peut-être, s'efforçant d'établir le chemin exact pris par Billy Williams de sa voiture à la tombe —, Jesse fut frappée par la désolation du lieu.

Envolés les foules et leur bavardage affligé ; envolé aussi l'effet apaisant du soleil inondant un tapis d'offrandes florales et de jouets aux couleurs primaires. A présent, c'était la lune qui donnait audience, embrassant de ses rayons albinos les bibles et les crucifix en polystyrène, les faisant luire comme des ossements épars, et transformant les ballons argentés en une flottille de crânes oscillant doucement.

Derrière la façade, au-delà des silhouettes des arbres, un semi-remorque gronda en passant au péage autrement silencieux. Jesse entendit au nord les aboiements sonores d'un gros chien de ferrailleur et, juste derrière elle, le clapotis incessant des eaux noires de la baie. L'endroit était effrayant — loin de tout, n'offrant aucun réconfort — et, quand Lorenzo arriva enfin, coiffé d'un béret pour couvrir ses points de suture, Jesse faillit se jeter dans ses bras tant elle était soulagée.

Ils s'assirent à droite du mur et, pendant un long moment, regardèrent en silence les visiteurs venus prier, déposer de petits cadeaux, ou faire les touristes devant un monument d'histoire récente.

— Vous lui aviez rendu visite hier, à ce qu'il paraît, dit enfin Council.

— Ouais.

— Elle savait que cette histoire avait fait un mort ?

— Je ne suis pas sûre. Peut-être. Comment il s'appelle ? Millrose ?

— Millrose Carter.

— Ils vont coller ça à quelqu'un ?

Lorenzo haussa les épaules.

— Les services du procureur général de l'Etat sont censés examiner une vidéo en ce moment même, mais bon, vous savez comment ça se passe. On verra. En attendant, Longway et quelques autres envisagent d'organiser une deuxième marche dans les rues de Gannon.

— Pour Millrose ?

— Pour Millrose.

Ils se turent. Les trois reporters tapageurs quittèrent le parc.

— Elle m'a chargée de vous dire qu'elle trouvait que vous aviez été sympa et patient avec elle.

— OK, murmura Lorenzo, avec un sourire méfiant.

— Et aussi qu'elle vous aime beaucoup, qu'elle vous aimait beaucoup.

Il eut un bref hochement de tête.

— OK.

Jesse fixa la fausse façade, pensa à Brenda et à son fils, et se mit à pleurer, le visage tordu par un spasme qu'on aurait pu attribuer à un rire.

— Merde, dit-elle, passant délicatement la langue sur sa joue recousue. Ça fait mal.

— Vous savez ce qui est arrivé à Danny Martin, hier, après la veillée ? Il est descendu sur la côte, Wildwood, Asbury Park, quelque part par là, il s'est bourré la gueule, et vers trois heures du matin il s'est fait arrêter par des flics de l'Etat sur la Garden State. Paraît qu'il roulait à plus de cent cinquante et qu'il zigzaguait sur la route. Ils le coincent, mais ils se rendent compte que c'est un flic, alors ils décident de le retirer simplement de la circulation, de le laisser cuver au poste : une faveur à un collègue, quoi.

« Mais le Danny, il les envoie chier : "Me touchez pas, sinon, je vous fais bouffer vos dents", alors, les types ont téléphoné à Gannon : "Venez le chercher." Leo Sullivan y est allé ce matin, et il raconte que Danny avait la tête en compote. Les gars du coin avaient fini par lui mettre une rouste. Ils l'ont pas inculpé, ils lui ont simplement fait une tête, vu que c'est quand même un collègue. Quand ils ont appris qui il était, par rapport à l'affaire de Dempsy, ils étaient emmerdés mais...

— On aurait dit qu'il le cherchait.

— Ouais, approuva Lorenzo, hochant lentement la tête. Je suis de votre avis. (Il toucha son béret.) Vous trouvez que j'ai l'air français ? Tout le monde m'appelle Frenchy, depuis ce matin. En tout cas, il vaut mieux que vous voyiez pas ce qu'il y a en dessous...

Jesse tira de la poche arrière de son jean les quatre feuilles pliées, les tendit à Council.

— Elle raconte un rêve qu'elle a fait, là-dedans. Vous voulez le lire ?

— Non, dit-il en souriant. Pas vraiment.

Ils redevinrent silencieux, regardèrent les fleurs et les ballons, la façade elle-même dont la partie inférieure portait encore une barbe blanche de lettres, de poèmes, mais aussi, ce soir, l'annonce d'un menuisier cherchant du travail, avec son numéro de téléphone inscrit sur une douzaine de franges à détacher.

— Jesse... Vous croyez à... à la psychologie des rêves ?

— On rêve à ce qui nous préoccupe, répondit-elle.

— Ouais ? Parce que là où j'ai grandi, les rêves servaient qu'à vous donner un numéro à jouer le lendemain.

Jesse grogna en guise d'assentiment, même si elle trouvait que Lorenzo en faisait un peu beaucoup.

— J'ai fait un rêve moi aussi, à l'hosto. Putain.

— C'était quoi ?

Il hésita, sourit nerveusement puis plongea :

— J'ai rêvé qu'il y avait une mutinerie à la nouvelle prison du comté. Tout le monde rappliquait : les shérifs, la police de la ville, celle du comté, les services du procureur, les chefs. Tout le monde, répéta-t-il, balayant l'air de la main, paume tournée vers le bas. Moi, j'attendais dans l'entrée avec les autres, je me préparais, et j'avais peur, parce que mon fils, Jason, il est détenu là-bas. Il l'est vraiment. Dans l'aile administrée par l'Etat.

— Je sais.

— Et je suis là, avec un flingue, un pistolet à plombs, une matraque. Si jamais mon fils...

Il s'éclaircit la voix, passa rapidement le pouce sous un œil.

Jesse le regarda s'efforcer de ne pas pleurer.

— Tout à coup, le directeur de la prison ou un ponte quelconque arrive et dit : « Attendez, les gars, on a conclu un accord. Les détenus promettent d'arrêter de saccager la prison et de libérer tous les otages si nous acceptons de les rencontrer. » Enfin, c'était pas exactement les rencontrer. En fait, ils voulaient nous montrer un spectacle. Dans une sorte de réfectoire.

« On y va tous, on s'installe de part et d'autre d'un long podium, comme pour une présentation de mode, et les prisonniers défilent, les prisonniers noirs. Ils sont habillés en guerriers africains, en Zoulous, mais c'est juste pour nous montrer, pour nous dire : "Voilà ce qu'on est, voilà d'où on vient." Une manifestation de fierté raciale, quoi. "Respectez-nous." Et moi : "D'accord, d'accord, j'ai compris. Il s'agit de respect. Les détenus veulent nous faire reconnaître leur héritage ethnique, ou quelque chose de ce genre." Mais en même temps, c'est comme un défilé de mode, c'est tout mélangé. Bon, c'est un rêve, alors...

« Bien sûr, après, on a les Latinos, qui défilent en Zorro ou en matadors, ou en... en — comment on dit —, en conquistadores et en chefs indiens, en guerriers indiens. Pareil : "Voilà ce qu'on est." Et moi, vous me connaissez, tout vaut mieux que la violence. Alors, on est tous assis là, on regarde le spectacle. Arrive la troisième bande, et là, les gars...

Lorenzo s'interrompit pour tousser, et Jesse eut à nouveau le sentiment qu'il cachait une envie de pleurer.

— Là, les gars, ils portaient des robes — enfin, à première vue, on aurait dit des robes —, blanches, sales, et j'ai pensé qu'ils représentaient les femmes des taulards, les gitons, vous voyez ce que je veux dire ? Et j'ai vu mon fils s'avancer dans une de ces robes, bon Dieu, mon fils transformé en femme de taulard, et c'est pire que tout. Je regarde son visage, il n'a aucune expression, aucune lumière, et je vois que c'est pareil pour tous les autres, il n'y a ni lumière ni vie dans leurs yeux. Je regarde leurs vêtements de plus près...

Il marqua une pause, déglutit.

— C'est pas des robes, qu'ils portent, c'est des draps. Des linceuls. Ce sont les morts, et parmi eux y a mon fils, dit Lorenzo, se mettant soudain à brailler. Il marche, il parle, mais il est mort. Et je peux rien faire pour lui, je peux pas l'aider, je peux pas le sauver, je peux rien lui apprendre. A une certaine époque, oui, je pouvais, mais j'ai fait le con, j'ai fait le con...

Lorenzo renifla des larmes, un embouteillage de chagrin. Jesse détourna les yeux.

— Maintenant, il est hors de portée. Il est là, devant moi, mais hors de portée.

— Mais il va bien ?

La voix de Jesse était plus légère que l'air, la question polie, dépourvue de sens, et Council, à juste titre, ne la releva pas.

— Vous savez, toute la semaine dernière, on m'a seriné : « Big Daddy, qu'est-ce que tu fous avec cette tueuse d'enfant, mec ? Arrête les caresses, faut cogner. »

Il passa une main sur son visage boursouflé, se ressaisit.

— D'accord, je savais ce qu'elle avait fait. Je l'ai su avant tout le monde. Mais je savais aussi ce qu'elle ressentait. Et l'histoire qu'elle nous a servie... Je peux pas dire pourquoi elle a raconté ça, sauf que c'était comme le réflexe d'un esprit de Blanc, et elle a commencé à le payer dès le départ. Croyez-moi, je sais. Désolé, mais... (Sa voix se brisa de nouveau. Il se reprit :) Désolé, mais j'ai éprouvé de la pitié pour elle. Je savais qu'elle n'avait aucun moyen de s'en sortir. Maintenant, elle est morte, on peut pas la faire payer plus, alors que tout le monde la ferme et s'occupe de sa propre vie, vous comprenez ? Politiquement, on verra ce qu'on peut en tirer mais...

Il s'arrêta net, comme s'il se voyait soudain avec les yeux de Jesse.

— J'y crois pas, vous m'avez fait pleurer ! dit-il en riant.

— Moi ? s'exclama-t-elle, reconnaissante du changement de ton.

— C'est plus intime que le sexe.

Elle envisagea un moment la chose, elle et Lorenzo. Non.

— Ouais, il paraît que vous, les mecs, vous aimez mieux cogner que bouffer.

— C'est censé vouloir dire quoi ?

— A vous de trouver.

Ils s'interrompirent, observèrent trois jeunes Blancs assis dans l'herbe. L'un d'eux alluma un pétard, en tira une longue bouffée, le passa à son voisin de gauche.

— J'ai entendu dire qu'on vous propose un boulot à Tombstone, Arizona, reprit Council, suivant le joint des yeux.

— A Tucson, corrigea Jesse. Non, je veux dire Phoenix.

— Vous êtes sûre, maintenant ?

— Non.

— Vous partez quand ?

— Jamais.

— Si jamais vous vous décidez, vous me manquerez, déclara-t-il, sans trace de plaisanterie dans le ton.

— Vous aussi, bredouilla-t-elle, touchée par la sincérité de Lorenzo.

— Je peux vous poser une question ? Si vous partiez quand même, pour prendre un nouveau départ, vous emmèneriez votre frère ?

— Non.

Facile à dire puisqu'elle ne partait pas.

— Oh ! Oh ! Oh !

Lorenzo changeait de nouveau de vitesse, jetant toutes ses émotions dans un numéro de clown. Les trois jeunes regardèrent dans sa direction.

— Hé, les oiseaux, c'est fait pour nager et les poissons pour voler.

— Ouais, je vous suis, dit-il, se calmant. (Il appela les trois jeunes.) Je compte jusqu'à dix. Si à dix vous avez pas écrasé ce pétard, vous allez le sentir passer.

Pas la peine de montrer sa carte, le ton de sa voix en tenait lieu. Le trio s'exécuta, disparut.

— Elle aurait pu me baiser, déclara Jesse.

— Qui ? dit Council.

Jesse se rendit compte qu'il ignorait le bobard qu'elle avait raconté à Brenda, son histoire de fils bidon. Aucune raison de le lui apprendre maintenant.

— Qu'est-ce que vous avez au programme ? lui demanda-t-elle pour changer de sujet.

— Moi ? On parle d'instaurer un couvre-feu dans toute la ville pour les... les mineurs : plus un jeune dans la rue après onze heures. Paraît que le maire voudrait que je supervise personnellement l'opération. Je réfléchis à la proposition mais je ne sais même pas si je suis d'accord avec le projet, pour commencer. Y a des arguments pour et contre. Vous savez, ils se préoccupent pas des jeunes Italiens ou Irlandais des Heights, hein ? Alors, reste qui ? D'un autre côté, je veux pas non plus voir traîner des gosses de quinze ans sur le JFK à deux heures du mat'. Mais juillet, août ici... On crève de chaud, y a pas d'école, personne a envie de rester enfermé. Je sais pas, c'est compliqué.

Jesse se vit l'accompagnant le premier soir d'été où le couvre-feu entrerait en vigueur, mission de rêve.

— Je vais vous dire, si j'accepte, je demanderai que Bump soit sur le coup, parce qu'il est aussi bien tuyauté que moi sur cette cité.

— Il va bien ?

— Ouais, il est sorti de l'hosto y a deux jours. Il va bien. Il doit seulement porter des lunettes protectrices, comme Kareem Abdul Jabbar, vous voyez ? Mais ça ira.

Il se tourna vers elle, ajouta d'un ton plus personnel, légèrement grondeur :

— Vous allez l'écrire un jour, ce papier sur son fils que vous lui avez promis ?

— Cette semaine, affirma-t-elle, la main sur le cœur.

Peut-être, pensa-t-elle. Ça dépendra de ce qu'on verra au scanner.

Lorenzo se mit debout avec un grognement en maintenant d'une main son béret en place.

— Y a déjà des gens qui m'appellent Council Couvre-feu, qu'est-ce que vous en dites ?

Jesse se leva elle aussi, essuya son jean.

— C'est mieux que Frenchy, en tout cas.

— Ouais, hein ? (Il arqua le dos, bâilla.) Du moment qu'il s'applique aussi aux jeunes des Heights...

Quand ils sortirent de Freedomtown, Lorenzo vit Ben qui attendait sa sœur et il devint nerveux à la perspective de perdre tout de suite la compagnie de Jesse.

— Venez faire un tour avec moi, murmura-t-il en lui touchant le coude.

Après une brève conversation avec son frère, Jesse monta dans la Crown Victoria. Malgré son besoin de compagnie, son besoin de continuer à parler, Council se sentit envahi d'une étrange timidité et fut incapable de prononcer un mot.

Jesse, apparemment frappée du même mutisme, ne lui fut d'aucune aide. Faute d'un autre moyen de communiquer avec elle sur les événements des derniers jours, il entreprit de passer devant toutes les stations du chemin de croix — le parcours de la marche dans Gannon, l'appartement de Brenda dans Van Loon, le poste de police du Southern District, à Dempsy — en quête d'une sorte de délivrance, d'approbation. Mais chaque lieu n'apportait que déception et semblait s'être ratatiné au cours des deux derniers jours.

Comme il traversait le JFK pour visiter de nouveau Armstrong, un des types de la rue — massif, la quarantaine, traînant devant un bar — attira son attention. J'ai pas besoin de voir ça, pensa Lorenzo, j'ai pas besoin de voir ça. En même temps, il était content de cette occasion de l'ouvrir de nouveau, de recommencer à mordiller le monde.

— Dexter ! aboya-t-il par la fenêtre.

La voiture fit une embardée en s'arrêtant. Le type cligna des yeux, réussit à reculer et à se pencher en avant en même temps, l'air pas trop ravi de voir Council, lui non plus.

— Amène-toi.

Dexter s'arracha aux sollicitations de deux femmes maigres, s'approcha à contrecœur de la voiture, les yeux bouffis.

— T'es censé être où ? lui lança Lorenzo.

— En taule.

Dexter haussa les épaules, détourna les yeux. Ses mains

jointes, pendant à l'intérieur de la voiture, étaient gonflées comme de gros gants de laine.

— Exactement. A quelle heure tu devais y être ?

— Six heures.

— Ouais, hein ? Ma montre indique dix heures et demie.

— J'ai raté le bus.

— T'es censé chercher du boulot. Qu'est-ce que tu fous à ce coin de rue ?

Dexter haussa de nouveau les épaules.

— T'as cherché, au moins ? le harcela Lorenzo, comme une bonne femme à bigoudis.

— Non.

— Pourquoi ?

— Parce que je me suis offert un peu de cul. J'ai passé six mois en cabane, j'avais du retard à rattraper.

— On s'en fout, de ta vie sexuelle. T'es censé chercher du travail.

— Tout est fermé.

— Pas le McDo.

— Ah ouais ? Va y bosser, toi, au McDo !...

Jesse éclata de rire.

— Comment ça va ? lui demanda Dexter.

— J'ai connu mieux, répondit-elle d'un ton léger.

Le son de sa voix eut pour effet inattendu de remonter le moral de Council.

— Lorenzo, tu peux me filer un peu de thune pour le bus ? T'as raison, faut que j'y aille.

Council lui jeta un regard noir, secoua la tête d'un air écœuré.

— Grimpe.

Sur le chemin de la prison, la voiture fut rapidement saturée d'une odeur de sueur parfumée à l'alcool, si forte que, malgré la climatisation, Council dut baisser sa vitre pour respirer. Et il eut beau faire, il ne put tout à fait se rappeler le puissant attrait que l'alcool avait autrefois exercé sur lui. Dans le rétroviseur, il fusilla du regard le taré affalé sur la banquette arrière, mais Dexter, impassible, gardait la tête tournée vers le paysage qui défilait.

Jesse se retourna, jeta un coup d'œil aux doigts gros comme des saucisses.

— Vous bénéficiez de quoi ? d'une permission pour aller travailler ?

— Pour aller travailler ? Non, pour aller à la chasse au boulot. Ils vous relâchent à neuf heures du matin, vous cherchez un travail pour quand vous aurez purgé votre peine, et vous rentrez le soir.

— En début de soirée, grogna Council.

Il arrêta la voiture devant le Centre pénitentiaire du comté de Dempsy, et Dexter descendit sans un mot.

— De rien, marmonna Council tandis que le taulard marchait à pas traînants vers l'entrée principale.

Quand Dexter eut franchi les doubles portes de verre, Lorenzo reprit le chemin des rues de Dempsy et laissa le silence tomber de nouveau sur lui. Il se mit à ralentir aux feux verts, à stopper aux feux orange, hébété, frustré, résistant à l'envie de tout plaquer.

— Reprenez ce que vous faisiez tout à l'heure, dit Jesse, brisant tranquillement la glace. C'était bien.

Il reprit donc le chemin de croix, passa lentement devant le Centre médical de Dempsy, le parking de Saint Agnes, à présent silencieux, base de lancement des recherches des Amis de Kent, puis devant le parc hanté de l'Institut Chase lui-même, dont les grilles mangées de rouille grinçaient et claquaient, cliché de film d'horreur masquant un demi-siècle d'horreurs réelles. Lentement, Lorenzo en vint à comprendre que lui et Jesse étaient en train de dire adieu à Brenda, et de se dire adieu l'un à l'autre, d'une certaine façon.

Il fit halte devant le côté Gannon de Martyrs Park, lieu du crime, lieu de la mêlée. Laissant la voiture, ils traversèrent ensemble à pas lents le parc miniature jusqu'au côté Armstrong, dont les tours paraissaient à la fois délabrées et indestructibles. En communion silencieuse, ils remontèrent le cul-de-sac, et Council évita un groupe de jeunes traînant dans le passage couvert du Bâtiment 4, évita l'affrontement verbal obligatoire. Ce ne fut qu'aux abords de la Cuvette qu'il se sentit tenu de parler : la vue des réfrigérateurs toujours plantés là le dérouta puis le mit en rage.

— Regardez ça ! s'exclama-t-il, furieux, en indiquant le champ de caisses. Après toute cette merde, ils les ont laissés là, comme s'il ne s'était rien passé.

— Je vous comprends, approuva machinalement Jesse. Dites, pour le couvre-feu, quand vous ferez votre première ronde... vous pensez que je pourrai vous accompagner ? sollicita-t-elle avec précaution.

— Quoi ? grommela Council, que son agitation rendait sourd.

Le portable de la journaliste sonna et elle recula, mit Lorenzo en attente. Râlant en silence, il entreprit de traverser la Cuvette, lança aux frigos un regard mauvais, comme s'ils étaient responsables de leur immobilité. Il usa son exaspération en traçant une grille d'allées et venues et était sur le point d'arriver en haut de la pente quand son asthme le rattrapa et le força à s'asseoir au bord d'une des caisses brûlées.

Claqué, le cuir chevelu en feu sous le béret protecteur, il laissa sa tête pendre entre ses genoux puis se redressa et aspira une bouffée de son inhalateur. En bas, dans Hurley, Jesse, le téléphone à l'oreille, arpentait le cul-de-sac jonché de débris avec une énergie inextinguible.

Sentant une présence, Council se tourna, découvrit un gamin — neuf, dix ans — perché tel un chat sur la caisse située immédiatement à sa gauche.

— Qu'est-ce que tu fais ici ? demanda Lorenzo avec une dureté réflexe.

— « Qu'est-ce que tu fais ici ? » répéta l'enfant d'un ton moqueur.

Il avait de grands yeux intelligents, la peau cuivrée.

— Il est onze heures, dit Council d'une voix sifflante. Monte chez toi.

— Monte chez *toi*, répliqua le garçon avec aisance.

— Si tu m'obliges à me lever, tu le regretteras.

— *Tu* le regretteras.

Le gosse singeait l'expression de Lorenzo, savourait la conversation, l'attention dont il était l'objet.

Council tenta de se relever, y parvint à demi avant de se retrouver de nouveau assis, le crâne vibrant comme un gong, son asthme ressuscitant après la médication.

— T'es défoncé ? demanda l'enfant, sans méchanceté, sans jugement.

— Non, ça va, répondit Lorenzo à voix basse. (Assis sur sa caisse, il se massa les tempes.) Mais il est tard, ajouta-t-il, faisant un gros effort pour garder un ton doux. Alors, je veux que tu rentres à la maison...

Richard Price

Le Samaritain

Ray Mitchell, animateur bénévole dans un quartier sordide de New York, est violemment agressé un soir dans son appartement. L'enquête est confiée à Nerese Ammons, une inspectrice noire qu'il a côtoyée durant son enfance. Mais Ray refuse de dénoncer son agresseur, qu'à l'évidence il connaît... Entre tours brumeuses et ruelles obscures, *Le Samaritain* nous plonge avec force dans l'enfer urbain d'une Amérique déchue.
Un roman d'un noir intense dont on ne peut sortir indemne.

n° 3774

DOMAINE ÉTRANGER, DES ROMANS D'AILLEURS ET D'AUJOURD'HUI

Impression réalisée sur Presse Offset par

BRODARD & TAUPIN

GROUPE CPI

La Flèche (Sarthe), 29152
Dépôt légal : juin 2002
N° d'édition : 3379
Nouvelle édition : avril 2005

Imprimé en France